Vorwort

Dieser Reiseführer gehört zur neuen Baedeker-Generation. In Zusammenarbeit mit der Allianz Versicherungs-AG erscheinen bei Baedeker durchgehend farbig illustrierte Reiseführer in handlichem Format. Die Gestaltung entspricht den Gewohnheiten modernen Reisens: Nützliche Hinweise werden in der Randspalte neben den Beschreibungen herausgestellt. Diese Anordnung gestattet eine einfache und rasche Handhabung. Der vorliegende Band hat die deutsche Hauptstadt Berlin zum Thema. Der Reiseführer gliedert sich in drei Hauptteile: Im ersten Teil wird über die Stadt im allgemeinen, Bevölkerung, Wirtschaft und Verkehr, Kunst und Kultur, berühmte Persönlichkeiten sowie über die bewegte Stadtgeschichte berichtet. Eine kleine Sammlung von Literaturzitaten leitet über zum zweiten Teil, in dem zunächst einige Vorschläge zur Stadtbesichtigung gemacht

Schloß Charlottenburg ist ein prächtiger Beleg für die Baulust der preußischen Könige

werden, um dann die Sehenswürdigkeiten Berlins zu beschreiben. Daran schließt ein dritter Teil mit reichhaltigen praktischen Informationen, die das Zurechtfinden vor Ort wesentlich erleichtern. Specials beschäftigen sich mit dem Berliner Kabarett, dem ehemaligen Regierungsviertel an der Wilhelmstraße, der Berliner Mauer, den mannigfaltigen Neubauten in der Hauptstadt und der Berliner Imbißkultur. Sowohl die Sehenswürdigkeiten als auch die Informationen sind in sich alphabetisch geordnet. Baedeker Allianz Reiseführer zeichnen sich durch Konzentration auf das Wesentliche sowie Benutzerfreundlichkeit aus. Sie enthalten eine Vielzahl eigens entwickelter Pläne und zahlreiche farbige Abbildungen.

Zu diesem Reiseführer gehört als integrierender Bestandteil ein ausführlicher Cityplan, auf der die im Text behandelten Sehenswürdigkeiten anhand der jeweils angegebenen Plankoordinaten leicht zu lokalisieren sind. Wir wünschen Ihnen mit dem Baedeker Allianz Reiseführer viel Freude und einen erlebnisreichen Aufenthalt in Berlin!

Baedeker
Verlag Karl Baedeker

Inhalt

Natur, Kultur Geschichte

Seite 8 – 77

Sehenswürdigkeiten von A bis Z

Seite 78 – 255

Praktische Informationen

Seite 256 – 323

Baedeker Specials

Berlin

Nofretete

Die berühmteste Berlinerin kommt aus Ägypten

... behauptete frohgemut ein Werbespruch der Berliner Touristiker. Das mag man kaum glauben, erlebt man die Hektik und den Lärm auf dieser immer noch größten Baustelle Europas, die es auch auf Jahre hinaus noch bleiben wird. Auch wenn der Potsdamer Platz nun vollendet ist – andernorts wird noch genügend gehämmert, gesägt, geschraubt und betoniert, zu Lande und zu Wasser Material herantransportiert und Schutt weggeschafft, allüberall in Berlins schöner Mitte steigt man über Baugruben hinweg und sieht die schönsten Ansichten mit Gerüsten verbaut. Manche Museen haben zu, andere nur zum Teil geöffnet, wieder andere sind nicht mehr da, wo sie einmal standen. Seit dem Fall der Mauer hat sich Berlin gewaltig verändert. Wer es noch in geteiltem Zustand kannte, wird erst einmal umdenken und sich neu zurechtfinden müssen; wer zum ersten Mal herkommt, wird je nach Gemütslage staunen oder entsetzt sein, wie diese Stadt zischt und brodelt. Beide aber werden auch feststellen, wenn sie wachen Auges durch die Straßen gehen und auf die feinen Zwischentöne hören, daß Berlin allen offiziellen Beschwörungen zum Trotz zwar nicht mehr geteilt ist, aber doch noch deutliche Unterschiede in der west-östlichen Befindlichkeit zu spüren sind.

Was also tut hier gut, und vor allem wem soll es gut tun? Eine Spezies kommt ganz bestimmt auf ihre Kosten – die Großstadthaie und Nachtkatzen finden ein ausgedehntes Revier vor, denn Berlin hat immer noch keine Sperrstunde, und was an Kneipen, Diskotheken, Klein- und Großkunst geboten wird, ist so bunt und schrill wie in keiner anderen deutschen Großstadt. Verglichen mit dem, was sich in Prenzlauer Berg, in Teilen von Friedrichshain und entlang der Oranienburger Straße tut, ist die sattbekannte Alternativen-

Nischt wie raus nach Wannsee!

Wir sind nicht an der Riviera, sondern in Zehlendorf

tut gut

hochburg Kreuzberg mittlerweile fast schon bürgerlich, aber immer noch die Anfahrt mit der Linie 1 wert. Und wer es gern etwas ruhiger, gediegener und seriöser hat, ist auf dem Ku'damm und in den großen Theatern gut aufgehoben.

Aber was ist mit den anderen, den Kulturbeflissenen, den Geschichtsbewußten, den Erholungsurlaubern gar – tut auch ihnen Berlin gut? Keine Bange, für alle ist gesorgt. Eine Museumslandschaft, wie sie nur im europäischen Rahmen zu vergleichen ist, bietet alles: Museumsinsel, Kulturforum und Dahlem sind die großen Hausnummern, aber wie wäre es mit dem Hundemuseum, dem Schwulenmuseum oder dem Friseurmuseum? Wer der deutschen Geschichte nachspüren will, kann Unter den Linden noch Preußens Glanz und Gloria vom Alten Fritz bis zu Kaiser Wilhelm erahnen, vor dem Palast der Republik und im Stasi-Museum Prunk und Schrecken des Honecker-Staats erfahren, und an der riesigen Baugrube, die vom Potsdamer Platz bis zum Reichstag reicht, das Entstehen der neuen und alten deutschen Hauptstadt hautnah erleben.

Zur Erholung fährt man sicher nicht nach Berlin, und trotzdem hat die Stadt ihre ruhigen, gar idyllischen Ecken. "Nischt wie raus zum Wannsee!" riet Conny Froboess schon in den Fünfzigern – dort und entlang der Havel, im Grunewald, am Tegeler See und am entgegengesetzten Ende der Stadt im Treptower Park, am Müggelsee und in den Müggelbergen gibt es Gelegenheit genug, durchzuatmen und Ruhe zu tanken.

Berlin tut allemal gut – wenn man sich darauf einläßt. Was einen erwartet – und wo man es am besten nachliest – hat Kurt Tucholsky auf einen Nenner gebracht: "Berlin vereint die Nachteile einer amerikanischen Großstadt mit denen einer deutschen Provinzstadt. Seine Vorzüge stehen im Baedeker". Alsdann.

Durchbruch

Neue Verwendung für die Mauerreste an der East Side Gallery

Gendarmenmarkt

Auch aus ungewöhnlicher Perspektive der schönste Platz von Berlin

Multikulturell

Türkischer Junge am Kulturzentrum Tacheles

copiers

Natur, Kultur Geschichte

Zahlen und Fakten

Berliner Wappen

Allgemeines

Deutsche Hauptstadt und Bundesland

Durch den Beschluß des Deutschen Bundestags vom 20. Juni 1991 ist Berlin deutsche Hauptstadt als Sitz der Bundesregierung und des Bundestags und hat als solche Bonn abgelöst. Der Bundestag hat am 19. April 1999 offiziell seinen Dienstsitz nach Berlin verlegt, der Bundeskanzler ist am 23. August 1999 gefolgt. Auch der Bundesrat tagt nun in Berlin; der Bundespräsident hat im Februar 1994 als erstes Verfassungsorgan seinen Amtssitz offiziell nach Berlin in das Schloß Bellevue verlegt, das von 1949 an schon neben Bonn zweiter Amtssitz gewesen war.
Berlin ist gleichzeitig als Stadtstaat ein Bundesland der Bundesrepublik Deutschland. Die angestrebte Fusion mit dem Land Brandenburg wurde im Mai 1996 per Volksabstimmung (Zustimmung in Gesamt-Berlin, Ablehnung in Brandenburg) abgelehnt.

Parlament und Regierung in Berlin

Neben der Festlegung des Sitzes von Regierung und Parlament bestimmt der Bundestagsbeschluß auch, daß sowohl in Berlin als auch in Bonn Bundesministerien ihren Sitz haben, daß die Funktionsfähigkeit beider Städte vom Bund gewährleistet wird und daß Bonn einen Ausgleich für den Wegzug zahlreicher Bundesorgane erhält. Demnach haben in Berlin folgende Ministerien ihren ersten Amtssitz: Auswärtiges Amt, BM des Innern, BM der Justiz, BM der Finanzen, BM für Wirtschaft, BM für Arbeit und Sozialordnung, BM für Familie, Senioren, Frauen und Jugend, BM für Verkehr, BM für Raumordnung, Bauwesen und Städtebau. In Bonn bleiben: BM für Bildung, Wissenschaft, Forschung und Technologie, BM für Post und Telekommunikation, BM für Umwelt, Naturschutz und Reaktorsicherheit, BM für Gesundheit, BM für Ernährung, Landwirtschaft und Forsten, BM für Wirtschaftliche Zusammenarbeit und BM für Verteidigung. Alle Ministerien haben in Berlin bzw. in Bonn einen zweiten Amtssitz. Der Bundestag tagt im Reichstagsgebäude, in unmittelbarer Nachbarschaft entstanden im Spreebogen Abgeordnetenbüros und bald auch das neue Kanzleramt. Die meisten Ministerien haben sich in Berlin-Mitte zwischen Zeughaus und Mühlendammbrücke in Neubauten und bereits existierenden, renovierten Gebäuden niedergelassen.

Geographische Lage und Landesnatur

Berlin liegt inmitten der Norddeutschen Tiefebene, umgeben vom Land Brandenburg, auf einer durchschnittlichen Höhe von 35 m ü.d.M. und rund 95 km von der Oder sowie ca. 75 km von der Elbe entfernt. Bis zur Ostseeküste beim polnischen Swinoujscie (Swinemünde) sind es knapp 170 km,

◂ *Das Zentrum des Berliner Westens:*
Blick über die Tauentzienstraße auf die Kaiser-Wilhelm-Gedächtniskirche und das Europa-Center am Breitscheidplatz

Geographische Lage und Landesnatur (Fortsetzung)

zum Mittelgebirgskamm beim Elbedurchbruch etwa 190 km. Die Stadt hat denselben Breitengrad (52° 31′) wie London und denselben Längengrad (13° 25′) wie Neapel.
Die Stadt ist umgeben vom zerschnittenen Flachland, das das Warschau-Berliner-Urstromtal gebildet hat und das durch die Seenketten und Wälder der Dahme im Südosten und der Havel im Westen begrenzt wird. Ein charakteristisches Element der Landschaft sind die auf den Sandböden gedeihenden Kiefernwälder, die der Mark Brandenburg einst ihre spöttische Bezeichnung als 'Streusandbüchse' des Heiligen Römischen Reiches eintrugen. Nach Norden und Süden erstreckt sich Berlin in einer Ausdehnung von nahezu 40 km weit auf die erhöhten Grundmoränenplatten des Barnim und des Teltow. Der Teltow zeigt in sich noch einmal die Gliederung durch

Schmelzwasser der Weichseleiszeit in schmale Rinnenseen und kleine Teiche: nahe der Havel im Zuge der Grunewaldseen vom Lietzensee, in Charlottenburg bis zum Wannsee und in der West-Ost-Senke des früheren Wilmersdorfer Sees und Schöneberger Fenns; Teil einer Rinne ist auch der Schwarze Grund in Dahlem. Die höchsten natürlichen Erhebungen befinden sich in eiszeitlichen Stau- und Endmoränenzügen, wenngleich ihre Höhe nur gering ausfällt: am Steilhang der Havel erreicht der Havelberg eine Höhe von 97 m ü. d. M. (67 m über dem Fluß), der Schäferberg in Wannsee ist 103 m hoch. Am Talhang zur Spree erhebt sich der Kreuzberg 66 m ü. d. M. und im Osten steigen die Müggelberge bis auf 115 m ü. d. M. (83 m über dem Müggelsee) an. Der Trümmerschuttberg am Teufelssee ist mit 120 m ü. d. M. der höchste, bis zu 86 m über der Sohle des Urstromtales gelegene Punkt Berlins.

Klima

Berlin liegt im Übergangsbereich zwischen ozeanisch und kontinental geprägtem Klima. Während der Sommermonate erreichen die Tageshöchsttemperaturen im Mittel 22 °–23 °C, wobei sommerliche Hitzeperioden mit Temperaturen von über 30 °C, aber auch kühlere Witterungsabschnitte

Allgemeines (Fortsetzung) Klima

nicht ungewöhnlich sind. Im Winter steigen die Höchsttemperaturen im Schnitt 2 °– 3 °C über den Gefrierpunkt. Längere winterliche Frostperioden mit Schnee und Eis sind jedoch keine Seltenheit und typisch für den kontinentalen Einfluß. Als Extremwerte wurden in Berlin bisher –26 °C (1929) und +37,8 °C (1959) gemessen. Bemerkenswert sind die Temperaturunterschiede zwischen der Innenstadt und den Außenbezirken, die sich durch eine lockere Bebauung, viele Wälder, Seen und Felder auszeichnen. Vor allem die Nächte sind hier zuweilen mehr als 10 °C kälter als im Zentrum. Die Niederschläge verteilen sich gleichmäßig über das Jahr und weisen mit 581 mm im Jahresdurchschnitt keine extremen Werte auf.

Luftbelastung

Von der einst so gepriesenen guten Berliner Luft, die Paul Lincke um die Jahrhundertwende in einem Schlager besang ("Das ist die Berliner Luft, Luft, Luft, so mit ihrem holden Duft, Duft, Duft"), ist heute nicht mehr viel zu spüren. Untersuchungen über die Luftverunreinigung haben dazu geführt, daß Berlin nach den Richtlinien der Europäischen Union als 'Belastungsgebiet' ausgewiesen wurde. Im internationalen Vergleich rangiert Berlin mittlerweile hinter London und Paris; auch gab es bereits mehrfach Smog-Alarm. Die Luftqualität wird durch Emissionen von Industrie und Kraftwerken sowie durch Hausbrand und Autoabgase vermindert. Darüber hinaus stammt ein Großteil der Schadstoffe (Schwefeldioxid, Stickoxide und Staubniederschläge) aus der näheren und ferneren Umgebung.

Berlin bietet allen Raum: den eher gewöhnlichen …

Bevölkerung und Verwaltung

Einwohnerzahl

Im 891 km^2 großen Berlin leben 3,39 Mio. Menschen, das entspricht einer durchschnittlichen Bevölkerungsdichte von 3880 Einwohnern pro Quadratkilometer, wobei die Stadtteile Kreuzberg und Prenzlauer Berg am dichte-

Einwohnerzahl (Fortsetzung)

sten besiedelt sind. Insgesamt ist die Bevölkerungszahl seit 1991 geringfügig zurückgegangen: 7000 Menschen mehr haben Berlin verlassen als neue zugezogen sind.

Bevölkerungsentwicklung

Berlin ist wie die Mark Brandenburg im 13. Jh. von Deutschen aus dem Harzvorland und vom Niederrhein besiedelt worden. Der Zustrom in das menschenarme Gebiet der Mark hielt an, wobei die Zuwanderung aus den norddeutschen Nachbarländern bald überwog. Von starkem Einfluß auf die Bevölkerungsstruktur und das gesamte wirtschaftliche und kulturelle Leben war die Einwanderung von rund 20 000 französischen Glaubensflüchtlingen, den Hugenotten, die nach dem Edikt von Potsdam (1685) in die Mark Brandenburg kamen. Die rund 6000 direkt in Berlin angesiedelten 'Réfugiés' machten damals etwa ein Drittel der Berliner Bevölkerung aus.

... und den etwas außergewöhnlichen Leuten.

Aufgrund der zunehmenden Industrialisierung strömten nach 1800 immer mehr Menschen nach Berlin; eine Entwicklung, die durch Berlins Stellung als Reichshauptstadt seit 1871 weiter vorangetrieben wurde. Neben dem Zuzug aus dem unmittelbaren Umland überwog der Zustrom aus dem Osten (Schlesien, Pommern, Ostpreußen), während der aus dem Süden immer sehr gering war. Im Jahre 1943 hatte die Einwohnerzahl mit ca. 4,3 Mio. Menschen ihren Höchststand erreicht.
Die politische Entwicklung Berlins nach dem Zweiten Weltkrieg, wirtschaftliche Schwierigkeiten und der Bau der Mauer 1961 führten zu einer völligen Veränderung der Bevölkerungsströme und -struktur. Ließen die Rückkehr der Evakuierten und der Flüchtlingsstrom aus der DDR die Bevölkerungszahl Westberlins bis 1957 zunächst ständig ansteigen, so verminderte sich der Zuwachs nach dem 13. August 1961 erheblich, was zu einer Überalterung der Bevölkerung führte. In Ostberlin nahm die Bevölkerungszahl, bedingt durch den Flüchtlingsstrom in den Westen, ständig ab (rund 100 000 Flüchtlinge zwischen 1950 und 1960), stieg seit 1961 jedoch geringfügig, aber kontinuierlich an.

Bevölkerung und Verwaltung

Ausländische Einwohner

In Berlin sind 434 000 Menschen ausländischer Herkunft registriert. Sie sind jedoch sehr unterschiedlich auf die beiden Stadthälften verteilt – im Westteil leben beinahe fünf Mal so viel Ausländer wie im Ostteil. Während sich im Westen überwiegend Menschen aus dem Mittelmeerraum niederließen – sprichwörtlich ist das 'türkische' Kreuzberg –, sind es im Osten Berlins überwiegend Menschen aus der Dritten Welt (Afrika, Vietnam, Kuba) und aus Osteuropa, wobei eine starke Zuwanderung – auch illegal – aus Rußland und Polen zu verzeichnen ist.

Religion

Die beiden christlichen Kirchen in Berlin waren im Gegensatz zur jahrzehntelangen politischen Spaltung – zumindest organisatorisch – nicht getrennt. Die Protestanten sind in der Evangelischen Kirche in Berlin-Brandenburg organisiert, die knapp 867 000 Mitglieder hat. Rund 310 000 Gläubige gehören der römisch-katholischen Kirche im Bistum Berlin an. Die islamische Religionsgemeinschaft zählt 203 000 Mitglieder. Der einstmals großen jüdischen Gemeinde Berlins gehören heute ca. 11 000 Gläubige an; sie ist damit die größte jüdische Gemeinde in Deutschland.

Soziale Probleme

Seit der Wiedervereinigung Berlins und dem damit verbundenen Ende der Finanzspritzen des Bundes hat sich die soziale Situation verschärft. Mittlerweile sind in Berlin über 184 000 Sozialhilfeempfänger registriert. Besonders dramatisch ist die Lage in Tiergarten, Wedding, Neukölln und Kreuzberg, wo hohe Arbeitslosigkeit (Kreuzberg über 30 %) und hoher Ausländeranteil für sozialen Konfliktstoff sorgen, der sich u. a. in Gewalttätigkeit und Jugendkriminalität entlädt.

I Wedding-Tiergarten-Mitte
II Friedrichshain-Kreuzberg
III Pankow-Prenzlauer Berg-Weißensee
IV Charlottenburg-Wilmersdorf
V Spandau
VI Zehlendorf-Steglitz
VII Schöneberg-Tempelhof
VIII Neukölln
IX Köpenick-Treptow
X Marzahn-Hellersdorf
XI Hohenschönhausen-Lichtenberg
XII Reinickendorf

Verwaltung

Regierender Bürgermeister und Senat

Die Stadtregierung von Berlin ist gleichzeitig Landesregierung des Bundeslandes Berlin mit dem vom Abgeordnetenhaus gewählten Senat und dem Regierenden Bürgermeister an der Spitze. Amtssitz des Regierenden Bürgermeisters ist das Rathaus in Berlin-Mitte ('Rotes Rathaus'). Dieses Regierungsmodell entspricht den Westberliner Verhältnissen von 1950 bis 1990, das traditionelle Modell – der Magistrat mit dem Oberbürgermeister als Stadtoberhaupt – wurde bis zu diesem Zeitpunkt in Ostberlin beibehalten. Das Abgeordnetenhaus von Berlin wird alle vier Jahre gewählt und tagt im ehemaligen Preußischen Landtag an der Niederkirchner Straße.

Abgeordnetenhaus

Bezirke

Zur Jahreswende 2000/2001 sind Berlins Bezirke neu gegliedert worden. Durch Verschmelzung wurden die einst 23 Bezirke auf zwölf verringert. Sie werden von den Bezirksämtern mit einem Bezirksbürgermeister an der Spitze verwaltet. Einige der neuen Bezirke überwinden die alte Ost-West-Teilung: Wedding-Tiergarten-Mitte (329 960 Einw.), Friedrichshain-Kreuzberg (254 800), Pankow-Prenzlauer Berg-Weißensee (321 630), Charlottenburg-Wilmersdorf (319 380), Spandau (224 810), Zehlendorf-Steglitz (290 310), Schöneberg-Tempelhof (340 790), Neukölln (309 640), Köpenick-Treptow (223 610), Marzahn-Hellersdorf (281 710), Hohenschönhausen-Lichtenberg (287 610) und Reinickendorf (250 490).

Wirtschaft

Entwicklung

Berlin war vor dem Zweiten Weltkrieg eines der großen Wirtschaftszentren Deutschlands, in dem die wichtigsten Banken, Versicherungen und Verbände ihren Sitz hatten. Firmen wie Borsig, gegr. 1837, Siemens & Halske und AEG (Allgemeine Elektrizitätsgesellschaft) standen für den Ruf Berlins als größte deutsche Industriestadt. Nach dem Ende des Zweiten Weltkriegs hatte die Wirtschaft unter den Kriegszerstörungen, den Demontagen durch die sowjetische Besatzungsmacht und unter der Blockade zu leiden. Gegenüber der Vorkriegszeit hatte Berlin 77% seiner Industriekapazität eingebüßt. Dennoch entwickelten sich beide Teile der Stadt unter entgegengesetzten wirtschaftspolitischen Voraussetzungen zu bedeutenden Handels- und Industriestandorten: Westberlin wurde – trotz seiner zwangsisolierten Lage – zu einer der wichtigsten Industriestädte im Wirtschaftsbereich der Bundesrepublik Deutschland, Ostberlin wuchs zum Wirtschafts- und Planungszentrum und zum größten Industrieplatz der Deutschen Demokratischen Republik heran.
Dabei profitierte Westberlin von verschiedenen Fördermaßnahmen, die der Stadt aufgrund ihrer besonderen Situation zugestanden wurden, so zunächst das 1948 eingeführte und bis 1958 in eingeschränkter Form gültige 'Notopfer Berlin' (auf Einkommen- und Körperschaftsteuer sowie als Abgabe auf Postsendungen), dann ersetzt zum einen durch Bundeshilfe in Form eines direkten Zuschusses zum Westberliner Haushalt (1989: 12,5 Mrd. DM), zum anderen durch die Berlin-Förderung, die im wesentlichen aus Steuervergünstigungen für Unternehmen, aber auch in der Berlin-Zulage für Arbeitnehmer bestand.

Zusammenführung der Wirtschaft

Nach dem Fall der Mauer schuf das Aufeinanderprallen zweier völlig konträrer Wirtschaftssysteme große Probleme. Die Betriebe im Ostteil der Stadt waren größtenteils völlig veraltet; die Absatzchancen für ihre Produkte gingen infolge mangelnder Qualität, stornierter Verträge und geringer Nachfrage gegen Null. Viele von ihnen mußten schließen oder ihre Belegschaft erheblich reduzieren. In der Folge stieg die Zahl der Arbeitslosen im Ostteil der Stadt beträchtlich an. Doch auch im Westteil Berlins machte sich das plötzliche Entstehen eines vereinten Wirtschaftsraums negativ bemerkbar. Der Wegfall der Subventionen durch die Berlin-Förderung führte dazu, daß viele Betriebe nicht mehr rentabel produzieren konnten und sich die Existenzfrage stellen mußten; viele verlagerten ihren Standort in andere Regionen, insbesondere in die neuen Bundesländer, aber auch in den Ost-

Zusammenführung der Wirtschaft (Fortsetzung)

teil Berlins. Dies wiederum hatte ebenfalls Auswirkungen auf den Arbeitsmarkt und ist heute noch spürbar: Seit 1991 gingen über 280 000 Arbeitsplätze verloren. Trotz einer leicht positiven Tendenz lag Berlin 1999 im Bundesvergleich immer noch mit an letzter Stelle bei der Entwicklung des Bruttoinlandsprodukts, und auch in der Arbeitslosenstatistik ist die Stadt unter den letzten Rängen zu finden: Im September 1999 waren in ganz Berlin 268 000 Menschen arbeitslos (15,9 % aller Erwerbstätigen), wobei sich die Quote von knapp 15 % im Westen und etwas mehr als 18 % im Osten ungleich verteilt.

High-Tech aus Berlin: Siemens baut die zweite Generation des ICE.

Industrie

Das Hauptgewicht der industriellen Erzeugung liegt auf den Produktionsgütern. An erster Stelle steht die auch international renommierte Elektrotechnik und Elektronik, deren Bandbreite von Motoren, Transformatoren (AEG), Nachrichtenwesen (Siemens, ITT/Alcatel/SEL, DeTeWe) bis zur Glühlampenproduktion (Osram) reicht. Zweitgrößter Industriezweig ist die Nahrungs- und Genußmittelproduktion, wobei die Tabakindustrie (Philip Morris) und das Brauwesen herausragen. An dritter Stelle steht der metallverarbeitende Bereich mit Maschinenbau (Borsig, Bergmann-Borsig bzw. ABB), Anlagenfertigung (Kraftwerk Union AG, Flohr-Otis) und Fahrzeugbau (BMW-Motorräder, Mercedes Benz, Ford). Die chemische Industrie stellt vorwiegend Konsumgüter her (Schering, Schwarzkopff). Bis zum Zweiten Weltkrieg war Berlin führend im Druckgewerbe und im Verlagswesen; heute ist die Stadt nach München zweitgrößte deutsche Verlagsstadt und verzeichnet annähernd 300 Betriebe der Druckindustrie, darunter auch den renommierten Druckmaschinenhersteller Rotaprint.

Baugewerbe

Einen Boom sondergleichen erlebte das Baugewerbe. Gewaltige Projekte öffentlicher und privater Träger – erwähnt seien nur die drei größten im Spreebogen, am Potsdamer Platz und in Mitte – werden erstellt oder sind bereits fertig. Allerdings – die Berliner Baubranche profitierte wenig davon,

Baugewerbe (Fortsetzung)

denn den Löwenanteil der Renommierprojekte bauen westdeutsche und ausländische Firmen, vielfach auch mit billigen Arbeitskräften aus Osteuropa. Fragwürdig ist auch die Unmenge an Bürofläche, die produziert wird. Die meisten Bauherren haben inzwischen ihre Erwartungen, die Mieteinnahmen oder den Verkaufserlös betreffend, deutlich reduziert.

Handel und Dienstleistungen

Handel und Dienstleistungsgewerbe sind der größte Wirtschaftsbereich Berlins. Sie werden auch die wohl zukunftsträchtigsten Wachstumszweige sein: Ostberlin war das Handelszentrum der DDR mit hervorragenden Kontakten in die osteuropäischen Länder, während Westberlin überwiegend auf den Handel mit der Bundesrepublik Deutschland beschränkt war, gleichzeitig aber eine wichtige Rolle im innerdeutschen Handel spielte. Diese Konstellationen zusammengenommen bergen große Chancen für Berlin, eine Handelsstadt von Weltrang zu werden. Die Dienstleistungsbranche – Software, Telekommunikation, Medien, Film – hat die höchsten Zuwächse und meisten Existenzgründungen zu verzeichnen, und vom Regierungsumzug erhofft man sich bis zu 40 000 zusätzliche Arbeitsplätze in diesen Bereichen.

Berlins Rang als Tagungs- und Messeplatz von Weltgeltung sichert das Internationale Congress-Centrum mit dem Ausstellungs- und Messegelände.

Messen

Durch das Internationale Congress-Centrum (ICC) und das daran anschließende Ausstellungs- und Messegelände ist Berlin ein herausragender Platz für Kongresse und Messen, von denen mit der Internationalen Funkausstellung, der Internationalen Tourismusbörse (ITB), der Übersee-Import-Messe und der Grünen Woche hier nur die wichtigsten erwähnt sind.

Tourismus

Hatte die Zahl der Besucher Westberlins seit Mitte der achtziger Jahre schon Jahr für Jahr neue Höchstmarken erreicht, so schlug der Besucherstrom nach der Öffnung der Grenzen alle Rekorde. Allein im Dezember 1989 wurden 1 Mio. Personenkraftwagen gezählt, die aus der damaligen

Wirtschaft (Fortsetzung) Tourismus

DDR in den Westteil Berlins fuhren; im Jahr 1990 besuchten 3,3 Mio. Touristen die vereinte Stadt. Nach einem zwischenzeitlichen Rückgang hat die Zahl der – offiziell erfaßten – Touristen wieder zugenommen: 1999 wurden 4,2 Mio. Besucher gezählt. Damit ist der Tourismus ein sehr bedeutender Wirtschaftsfaktor für die Stadt.

Forschung

Institutionen wie das Berliner Innovations- und Gründerzentrum (BIG), das Produktionstechnische Zentrum (PTZ) der Technischen Universität und das Wissenschaftszentrum Berlin (WZB) sowie zahlreiche andere universitäre und private Forschungsinstitute machen Berlin zu einem hervorragenden Ort für die Erforschung und Erprobung zukunftsträchtiger Technologien. So wurde in Westberlin u.a. die ISDN-Technologie zur Übermittlung von Daten jeglicher Art erprobt. Die Firmen Siemens, DeTeWe und IBM forschen und produzieren auf dem Gebiet der Datenverarbeitung und Nachrichtentechnik. Mit dem "Wissenschafts- und Wirtschaftsstandort Adlershof" (WISTA) ist auch im Osten der Stadt ein zukunftsträchtiges Forschungszentrum entstanden.

Zukunft

Mit der Vereinigung Deutschlands und Berlins hat die wirtschaftliche Attraktivität der Stadt unzweifelhaft zugenommen. Vor allem hinsichtlich der sich neu ergebenden Chancen im Handel mit den osteuropäischen Ländern ist Berlin, im Schnittpunkt europäischer Verkehrswege gelegen, von höchstem Interesse für Unternehmen aus aller Welt. Deutliches Indiz dafür sind die ca. 300 Investitionsvorhaben deutscher und internationaler Firmen, die ein Volumen von annähernd 35 Mrd. Mark erreichen. Zu den größten Investoren gehören Daimler-Benz, Sony und die Messe Berlin; den Rekord aber hält die Deutsche Bahn AG mit einem Investitionsvolumen von 20 Mrd. Mark für die Modernisierung des Berliner Schienennetzes.

Verkehr

Entwicklung

Das Berlin der Vorkriegszeit war ein Verkehrsknotenpunkt europäischen Ranges. Insbesondere der Eisenbahnfernverkehr mit 500 Zügen täglich hatte in Berlin mit seinen zahlreichen Bahnhöfen seine Drehscheibe im Verkehr zwischen West- und Osteuropa. Durch ihre besondere Lage und die Teilung nach dem Zweiten Weltkrieg hat die Stadt diese Bedeutung eingebüßt. Nach Westberlin führten auf dem Landwege nur wenige Transitstrecken für Eisenbahn und Kraftfahrzeuge, auf dem Luftwege flogen nur Gesellschaften der drei Westalliierten Westberlin an. Nach dem Bau der Mauer war Ostberlin von Westberlin zunächst nicht, danach nur mit Passierschein für Verwandtenbesuche und schließlich mit Tagesvisum zu erreichen, während für das nicht zum Stadtgebiet gehörende Umland Visumzwang herrschte. Nach dem Fall der Mauer und dem Verzicht der Siegermächte des Zweiten Weltkrieges auf die Wahrnehmung ihrer Rechte in Berlin ist die Stadt nun wieder auf allen Verkehrswegen frei erreichbar. Die Planung für die Verkehrszukunft Berlins sieht einen Ausbau aller Transportmittel vor. Das – sehr umstrittene – Hauptprojekt der Verkehrsplaner ist die Untertunnelung des Regierungs- und Parlamentsviertels an Spree und Tiergarten für Auto-, Fernbahn-, S- und U-Bahnverkehr.

Straßenverkehr
'Berliner Ring'

Berlin ist eine der wenigen europäischen Städte, die vollständig von einem Autobahnring, dem 'Berliner Ring', umgeben ist. Alle nach Berlin führenden Fernverkehrsstraßen münden in den Ring:

Fernstrecken

Von Norden: E 26 Hamburg – Berlin; E 55/E 26 Schweden – Warnemünde – Rostock – Berlin; E 251 Dänemark bzw. Schweden – Saßnitz auf Rügen – Stralsund – Greifswald – Neubrandenburg – Berlin; E 28 Szczecin (Stettin) – Eberswalde-Finow – Berlin

Von Osten: E 30 Warschau – Frankfurt an der Oder – Fürstenwalde – Berlin

Straßenverkehr
Fernstrecken
(Fortsetzung)

Von Süden: E 40/E 36/E 55: Wrocław (Breslau) – Cottbus – Berlin; E 40/E 55 (E 441: Plauen – Zwickau) – Chemnitz – Dresden – Berlin; E 49/E 51 München – Nürnberg (E 50 von Stuttgart) – Bayreuth – Leipzig – Berlin

Von Westen: E 40 / E 51 Köln – Gießen (E 41 von Frankfurt am Main) – Bad Hersfeld – Eisenach – Erfurt – Weimar – Leipzig – Berlin; E 34/E 30 Ruhrgebiet – Bielefeld – Hannover – Braunschweig – Magdeburg – Berlin.

Innerstädtischer Autoverkehr

Die Anzahl der in Berlin registrierten Kraftfahrzeuge beläuft sich auf etwa 1,4 Mio., die sich auf einem Straßennetz von 5210 km, davon 64 km innerstädtische Autobahnen, bewegen dürfen. Es ist absehbar, daß die Verkehrsprobleme, die ohnehin nach Öffnung der Grenzen gewachsen sind, durch die Übernahme der Hauptstadtfunktion weiter steigen werden. Schon heute sind in Stoßzeiten Stauungen an der Tagesordnung. Der innerstädtische Autoverkehr in Nord-Süd-Richtung soll zukünftig in einem Tunnel unter Spree und Tiergarten verschwinden.

Eisenbahnverkehr

Von der früheren Bedeutung Berlins als 'Verkehrskreuz Europas' für den Eisenbahnverkehr ist wenig geblieben, insbesondere die Zahl der intakten Bahnhöfe hat sich deutlich verringert. Fernzüge verkehren von den Bahnhöfen Zoologischer Garten, Osttbahnhof (ehem. Hauptbahnhof) und Berlin-Lichtenberg. Weitere Haltestellen im Fernverkehr sind die Bahnhöfe Berlin-Spandau und Berlin-Wannsee sowie Friedrichstraße.

Neuorganisation

Nachdem die Stadt mittlerweile an das ICE-Netz angeschlossen ist, ist für die Zukunft geplant, den Zugverkehr nach und über Berlin weiter auszubauen; dabei wird die Gewichtung der einzelnen Bahnhöfe verschoben werden. Bis zum Jahr 2004 soll am Ort des 1959 gesprengten Lehrter Bahnhofs ein riesiger neuer Bahnhof mit ICE-Terminal entstehen, in dem sich die Nord-Süd- und Ost-West-Strecken kreuzen sollen. Die Fernbahnlinien in Nord-Süd-Richtung werden unter dem Regierungsviertel verlaufen.

Noch gibt es ihn nur als Modell, doch wenn der Lehrter Bahnhof fertig ist, soll er der wichtigste Bahnknotenpunkt Berlins werden.

Verkehr

Transrapid

Im März 1994 beschloß die Bundesregierung den Bau des Transrapid, der ersten Magnetschwebebahn der Welt, zwischen Hamburg und Berlin. Unter der rot-grünen Bundesregierung ist die Realisierung dieses sehr umstrittenen Projekts wieder unsicher geworden.

Luftverkehr

Flughäfen

Berlin besitzt zwei große Flughäfen: Berlin-Tegel (Flughafen Otto Lilienthal) im Nordwesten und Berlin-Schönefeld im Südosten. Über den Flughafen Tegel laufen vor allem Flugverbindungen mit Westeuropa und den USA, während Schönefeld den Verkehr mit dem Osten und Südosten Europas, dem Nahen Osten und Asien abwickelt. Zudem ist Schönefeld ein wichtiger Standort für den Charterflugverkehr. Der alte Zentralflughafen Berlin-Tempelhof im Herzen der Stadt ist für den regionalen Flugverkehr von Bedeutung. Planungen für einen gigantischen Großflughafen im Süden Berlins sind in der Zwischenzeit zugunsten des Ausbaus von Schönefeld auf eine Kapazität von 20 Mio. Passagieren pro Jahr aufgegeben worden. Dies bedeutet mittelfristig das Aus für Tegel und Tempelhof.

Schiffahrt

Berlin ist über den Oder-Spree-Kanal, den Teltowkanal und den Oder-Havel-Kanal mit dem europäischen Wasserstraßennetz verknüpft. Ein großer Teil des Güterverkehrs von Berlin (Fertigprodukte) und nach Berlin (bes. Rohstoffe und Halbfabrikate) läuft über diese Binnenwasserstraßen. Die Stadt besitzt zwei Haupthäfen: den Westhafen am Westhafenkanal an der Bezirksgrenze Wedding/Tiergarten und den Osthafen an der Spree im Südostzipfel des Bezirks Friedrichshain.

Öffentlicher Nahverkehr

Berlin verfügt über ein hervorragendes Netz für den öffentlichen Personenverkehr. U-Bahn, Straßenbahn und Autobusse der Berliner Verkehrs-Betriebe (BVG) tragen die Hauptlast des städtischen Personenverkehrs. Hinzu kommen die S-Bahn, welche die nähere Umgebung Berlins mit dem Zentrum verbindet, und die Regionalbahn (RB-/RE-Bahn). Die während der Teilung unterbrochenen Verkehrsverbindungen sind wieder aneinandergeknüpft, und auch die 'Geisterbahnhöfe', durch die U-Bahnen aus dem Westen bei Unterquerung Ostberlins ohne Halt fahren mußten, sind wieder geöffnet worden.

Regionalbahn

Die Regionalbahnen werden von der Deutschen Bahn AG betrieben und verkehren in einem Ring um Berlin (RB-Bahn) mit Anschluß an die Region (RE-Bahn) und an das S-Bahn-System. Der Ring soll in den kommenden Jahren geschlossen werden.

S-Bahn

Die erste – nichtelektrische – Berliner Stadtbahn fuhr im Jahr 1882. Heute umfaßt das Streckennetz 304 km, wobei die S-Bahn als Verkehrsmittel im Ostteil der Stadt eine größere Rolle spielt als im Westen. Sie soll erheblich modernisiert werden und ebenfalls den Tiergarten unterqueren.

U-Bahn

Die U-Bahn, die erstmals 1902 verkehrte, verläuft zum größten Teil unterirdisch, aber auch als Hoch- und Einschnittbahn. Die Streckenlänge beträgt in ganz Berlin 151 km, deren größter Teil im Westen verläuft. Diese Diskrepanz rührt daher, daß insbesondere nach dem Mauerbau 1961 das U-Bahn-Netz in Westberlin ausgebaut wurde, um die Fahrgäste der bis dahin stark in Anspruch genommenen S-Bahn, die unter östlicher Verwaltung stand, transportieren zu können. Mit jährlich 455 Mio. Fahrgästen ist sie Berlins Verkehrsmittel Nr. 1. Die Anbindung des Flughafens Schönefeld ist vorgesehen.

Straßenbahn

Straßenbahnen haben im Osten Berlins mit einer Streckenlänge von 368 km noch eine große Bedeutung, auch wenn das Netz fast um die Hälfte reduziert worden ist. Im Westen stellte man den Betrieb der Straßenbahn bereits 1967 ein. Sie war die älteste elektrische Straßenbahn Deutschlands und wurde 1865 als Pferdeeisenbahn in Betrieb genommen.

Busse

Die Berliner Busse befahren eine Streckenlänge von 1905 km und sind mit jährlich 436 Mio. Passagieren nach der U-Bahn das meistbenutzte Verkehrsmittel.

Kunst und Kultur

Kunst- und Architekturgeschichte

Vom Mittelalter bis zum 19. Jahrhundert

Mittelalter

Architektur

Aus dem Mittelalter sind in Berlin nur wenige Bauwerke erhalten. Die Nikolaikirche, älteste Pfarrkirche der Stadt (um 1230), wurde mit dem angrenzenden Stadtviertel liebevoll wiederaufgebaut. Die Klosterkirche, ebenfalls aus dem 13. Jh. stammend, ist seit dem Zweiten Weltkrieg eine Ruine. Relativ gut erhalten, jedoch durch frühere Umbauten verändert, sind die Marienkirche (13./14. Jh.) und die ehemalige Heiliggeist-Kapelle. Als spätgotischer Bau sei die Nikolaikirche in Spandau aus der ersten Hälfte des 15. Jh.s erwähnt. Besondere Beachtung verdienen die rund 20 noch erhaltenen mittelalterlichen Dorfkirchen, die großenteils noch auf das 13. Jh. zurückgehen: zu den wichtigsten zählen die Kirchen von Marienfelde, Mariendorf, Tempelhof, Britz, Buckow, Lichterfelde, Dahlem, Karow, Blankenburg und Stralau.

Malerei und Bildhauerei

Malerei und Plastik aus dem mittelalterlichen Berlin sind noch bescheidener vertreten. Früheste Zeugnisse sind die Überreste von Wandmalereien in der St.-Annen-Kirche in Dahlem aus dem späten 14. Jh. und Gewölbefresken der Dorfkirche in Buckow (15. Jh.). Der heute stark verblichene berühmte Totentanz in der Marienkirche (1485) ist vor allem ikonographisch sehr bedeutsam. Einige mittelalterliche Kunstwerke, u.a. der Grabstein des Konrad von Beelitz (1308) und die romanische Bank auf der Gerichtslaube, befinden sich jetzt im Märkischen Museum.

Renaissance

Der Mangel an künstlerischen Eigenleistungen in Berlin zeigt sich während der Renaissance besonders in der starken Inanspruchnahme fremder Kräfte. Schon Joachim I. hatte das Grabmal des Kurfürsten Johann Cicero (im Dom; 1532) bei Peter Vischer in Nürnberg anfertigen lassen. Für den 1538 begonnenen Neubau des Schlosses wurden Caspar Theyß aus Sachsen, der Italiener Graf Rochus Guerini zu Lynar und Peter Kummer d.Ä. aus Dresden herangezogen. Neben dem Stadtschloß entstanden das Jagdschloß Grunewald (ab 1542), die Spandauer Zitadelle (ab 1560) und eine große Anzahl stattlicher Privatbauten, die bis auf das Ribbeckhaus in der Breiten Straße verschwunden sind. Der Übertritt des Herrscherhauses zum Calvinismus (1613) und der Dreißigjährige Krieg hatten einen lang andauernden Stillstand des künstlerischen Lebens zur Folge.
Eine erste Blütezeit leitete der Große Kurfürst ein, dessen in Holland gewonnene Eindrücke bestimmend wurden; in Holland geschulte Architekten (Johann Gregor Memhardt, 1607–1678; Johann Arnold Nering, 1659–1695; Rutger van Langevelt, 1635–1695), holländische Maler (Willem van Honthorst, 1594–1664) und Bildhauer (Artus Quellinus, Bartholomäus Eggers) übernahmen am Hofe führende Stellungen. Ein wichtiges Zeugnis der Bauten aus dieser Zeit ist das Schloß Köpenick mit der Schloßkapelle.

Barock

Architektur

Entscheidend für das Barock in Berlin wurde König Friedrich I. von Preußen. Konnten Johann Arnold Nering und dann Martin Grünberg (1655 bis 1706) die holländische Tradition aus der Zeit des Großen Kurfürsten zu-

Barock
(Fortsetzung)

nächst ungehindert fortsetzen, so brachte der geniale Andreas Schlüter (1659–1714) eine energische Neuorientierung am formenreichen italienischen Barock. Dieser bedeutendste norddeutsche Künstler seiner Zeit, Bildhauer und Architekt zugleich (Umbau des Schlosses, Zeughaus), seit 1694 am Berliner Hof, befruchtete das gesamte Kunstleben der Stadt. Sein bekanntestes Werk, das Reiterstandbild des Großen Kurfürsten, steht heute vor dem Charlottenburger Schloß. Neben und nach ihm vertraten die gleiche Richtung der Schwede Johann Friedrich Eosander von Göthe (1669–1729) und der Franzose Jean de Bodt (1670 bis 1745). Nachdem der Große Kurfürst mit der Dorotheenstädtischen Kirche (1687; im Zweiten Weltkrieg zerstört) der Stadt den ersten protestantischen Kirchenneubau geschenkt hatte, entstanden um 1700 eine Reihe weiterer Kirchen, unter denen sich die Parochialkirche sowie der Französische und der Deutsche Dom am Gendarmenmarkt als Zentralbauten besonders hervorheben. Einen Mittelpunkt erhielt die reiche künstlerische Tätigkeit in der 1696 durch Schlüter und den holländischen Maler Augustin Terwesten eingerichteten Akademie der Künste.

Reiterstandbild des Großen Kurfürsten von Andreas Schlüter

Der mehr praktisch veranlagte Friedrich Wilhelm I. trug wesentlich zum Ausbau der Stadt bei. Unter seiner Regierung entstanden die drei großen Platzanlagen Quarré (Pariser Platz), Oktogon (Leipziger Platz) und Rondell (Belle-Alliance-Platz, heute Mehringplatz) als Abschluß der von ihm erweiterten Dorotheen- und Friedrichstadt. Er förderte mit Nachdruck den bürgerlichen Wohnungsbau, für den er einheitliche Muster vorschrieb, und unterstützte den Bau repräsentativer Adelspaläste, insbesondere in der Wilhelmstraße. Außerdem verwandelte er den Lustgarten in einen Paradeplatz und vollendete das Schloß. Hauptmeister waren Philipp Gerlach (1679–1748) und der Schlüter-Schüler Martin Böhme (1676–1725). Aus Holland berief der Soldatenkönig den Architekten Johann Boumann (1706–1776).

Friderizianisches Rokoko

Architektur

Unter Friedrich dem Großen gewann das von Frankreich beeinflußte 'Friderizianische Rokoko' an Bedeutung, das in seiner klassizistischen Abwandlung in Preußen länger als anderswo lebendig blieb. Schon als Kronprinz hatte Friedrich in dem befreundeten Hans Georg Wenzeslaus von Knobelsdorff (1699–1753) einen der begabtesten Baumeister gefunden, der seine Ideen in Schloß Rheinsberg, dann beim Opernbau, beim Schloß Charlottenburg und in Sanssouci und Potsdam glänzend zum Ausdruck brachte. Auf ihn folgten ab 1763 Karl von Gontard (1731–1791; Kuppeltürme des Französischen und des Deutschen Doms am Gendarmenmarkt, Königskolonnaden) sowie dessen Schüler Georg Unger (1743–1812) und Georg Friedrich Boumann (1737 bis nach 1807; Alte Bibliothek).

Malerei und Bildhauerei

Die Neigung Friedrichs zur französischen Kultur äußerte sich auch in den Versuchen, französische Künstler in größerer Zahl nach Berlin zu holen. Als Maler folgte nur Charles Amédée van Loo diesem Ruf; er trat neben den nun schon für die dritte preußische Königsgeneration tätigen Antoine Pesne (1683 – 1757), dessen bedeutendster Berliner Schüler Christian Bernhard Rode (1725 – 1797) besonders als Deckenmaler in den Königsschlössern tätig war. Fruchtbarer wurde die vom König eingerichtete Bildhauerwerkstatt mit François-Gaspard Adam und Sigisbert-François Michel sowie Jean Pierre Antoine Tassaert (1729 bis 1788), dessen Schule bis in das 19. Jh. hinein für die Berliner Bildhauerkunst wegweisend blieb. Eine Anzahl vorzüglicher Kleinmeister (Glume, Nahl, die Brüder Hoppenhaupt, Kambly u. a.) vervollständigte diesen Künstlerkreis, mit dem Friedrich seinen Residenzen Berlin und Potsdam ein neues Aussehen verlieh. Mit dem Maler und Kupferstecher Daniel Chodowiecki kam eine neue bürgerliche Komponente in die Kunst.

Klassizismus und Romantik

Architektur

Der Ende des 18. Jh.s einsetzende Klassizismus hat in Berlin bedeutende Denkmäler hinterlassen. Neben Carl Gotthard Langhans (1732–1808), dem Schöpfer des Brandenburger Tores, arbeiteten der nur vorübergehend in Berlin tätige Friedrich Wilhelm von Erdmannsdorff (1736–1800) und David Gilly (1748–1808), der Gründer der späteren Bauakademie. Ihm folgten als reinste Vertreter des Klassizismus Heinrich Gentz (1766–1811) und Friedrich Gilly (1772–1800). Vollendung und Auflösung zugleich brachte Karl Friedrich Schinkel (1781–1841), dessen geniale Begabung überragend am Beginn des 19. Jh.s steht und in dem sich Klassizismus und Romantik vereinen (Neue Wache, Schauspielhaus, Altes Museum, Schloßbrücke, Friedrichswerdersche Kirche). Sein Einfluß auf die Berliner Baukunst reicht bis weit über die Mitte des Jahrhunderts hinaus. Die wichtigsten Bildhauer der ersten Jahrhunderthälfte waren der aus der Tassaertschule kommende Gottfried Schadow (1764–1850; Viktoria auf dem Brandenburger Tor, Marmorgruppe der Prinzessin und späteren Königin Luise und ihrer Schwester) sowie sein einflußreicherer Schüler Christian Daniel Rauch (1777–1857), der Schöpfer des Denkmals von Friedrich dem Großen, der Feldherren-Standbilder der Befreiungskriege und des Sarkophags der Königin Luise. Die Romantik fand in dem Landschaftsmaler Carl Blechen (1798 bis 1840) einen eigene Wege beschreitenden Meister. Der Architekturmaler Eduard Gärtner (1801 – 1877) und der Genremaler Theodor Hosemann (1807 – 1875) sind Vertreter des Biedermeier in der Berliner Kunst.

Romantische Malerei

"Prinzessinnengruppe" von Gottfried Schadow

Historismus

Architektur

Um die Mitte des 19. Jh.s begann dann mit dem Historismus eine an die Romantik anknüpfende Bewegung, die im Zurückgreifen auf historische Stilformen eine Wiedergeburt der Kunst erblickte. Die Kunstauffassung Schin-

Historismus (Fortsetzung)

kels setzten zunächst noch seine Schüler fort: Ludwig Persius (1803 bis 1845), Friedrich August Stüler (1800–1865; Neues Museum, mehrere Kirchen) und Johann Heinrich Strack (1805–1880; Nationalgalerie, Siegessäule). Hermann Blankenstein (1829–1910) signalisierte als Stadtbaurat (1872 bis 1896) mit seinen charakteristischen Backsteinbauten (vornehmlich Schulen, Krankenhäuser und Markthallen) das Ende der Schinkelschen Tradition. Mit stärker werdender Neigung zur wissenschaftlich-archäologischen Behandlung der Baukunst wuchs die Vielfalt der Stilformen, die sich in den großen öffentlichen Bauten von Friedrich Hitzig (1811–1881; Technische Hochschule), Hermann Friedrich Waesemann (1813–1879; Rotes Rathaus), Paul Wallot (1841–1912; Reichstag), Ernst von Ihne (1848–1917; Neuer Marstall, Staatsbibliothek, Bodemuseum), Julius Raschdorff (1823 bis 1914; Dom, Techn. Hochschule) und anderen Architekten ausdrückte.

Bildhauerei

Wie in der Baukunst nach dem Tode Schinkels fehlte seit der Mitte des Jahrhunderts auch der Berliner Bildhauerschule ein überragender Meister. Künstler wie Christian Friedrich Tieck (1776–1851), August Kiß (1802 bis 1865), Friedrich Drake (1805–1882) und Gustav Bläser (1813–1874) standen noch ganz in der Tradition der Rauchschule. Erst der etwas jüngere Reinhold Begas (1831–1911) wandte sich vom Klassizismus ab und einem neuen Barockstil zu (Bismarckdenkmal). Er und seine erheblich schwächeren Schüler bestimmten jahrzehntelang die Berliner Bildhauerkunst, die ihren Höhepunkt in den Denkmälern der abgetragenen Siegesallee fand.

Malerei

In der Malerei gewann seit der Jahrhundertmitte das Historienbild an Bedeutung. Nach der 1841 erfolgten, ohne großen Einfluß gebliebenen Berufung von Peter von Cornelius (1783–1867), der den Nazarenern nahegestanden hatte, beherrschte Anton von Werner (1843–1915) jahrzehntelang mit seiner pathetischen Historienmalerei die Berliner Kunstszene. Einsam ragt Adolph von Menzel (1815–1905) hervor, der große Erwecker der friderizianischen Epoche und nicht minder bedeutende Schilderer seiner eigenen Zeit. Mit seiner sachlichen, schon früh dem Impressionismus vorgreifenden Kunst gab er der Malerei viele neue Impulse.

Adolph von Menzel: "Das Flötenkonzert" (1852)

20. Jahrhundert

Architektur vor dem Zweiten Weltkrieg

Obwohl Ludwig Hoffmann (1852 – 1932) als Stadtbaurat (1896 – 1924) lange die Architekturszene mit seinen Rückgriffen auf Renaissance und Barock beherrschte und damit das 'Wilhelminische Berlin' entscheidend mitprägte, setzten sich bald neue Kräfte durch. Alfred Messel (1853 – 1909) schuf mit seinem Wertheim-Bau (1896 – 1906) einen neuen, zweckgerechten Warenhausstil. Peter Behrens (1868 – 1940) wies mit der AEG-Turbinenhalle (1909) dem Industriebau neue Wege, Hermann Muthesius (1861 bis 1927) prägte mit seinen Wohnhäusern in den Vororten einen modernen Landhausstil.
In den zwanziger Jahren nahm Berlin auf dem Gebiet der Architektur eine Weltrangstellung ein. Walter Gropius (1883–1969), Ludwig Mies van der Rohe (1886–1969), Erich Mendelssohn (1887–1953), Hans Poelzig (1869 bis 1936), Hans und Wassili Luckhardt (1890 – 1954 bzw. 1889 – 1972), Bruno und Max Taut (1880 – 1938 bzw. 1884 – 1967) und Hans Scharoun (1893 bis 1972) prägten das architektonische Bild der Stadt durch ihre Bauten, die noch heute Anziehungspunkt für Architekturkenner aus aller Welt sind. Hervorzuheben sind insbesondere die zahlreichen Wohnsiedlungen in den Vororten, vor allem die vier Großsiedlungen: die 'Hufeisensiedlung' in Britz von Bruno Taut und Martin Wagner (1885 – 1957), die Waldsiedlung 'Onkel Toms Hütte' in Zehlendorf von Bruno Taut, Hugo Häring und Otto Rudolf Salvisberg (1882 – 1940), die 'Siemensstadt' von Hans Scharoun, Walter Gropius u. a. und die 'Weiße Stadt' in Reinickendorf von Otto Rudolf Salvisberg und Wilhelm Büning. Unter den Bauten vor dem Zweiten Weltkrieg sind außerdem zu erwähnen das Haus des Rundfunks von Hans Poelzig, die Siemensstadt von Hans Hertlein (1881 – 1963), das Messe- und Ausstellungsgelände am Funkturm von Richard Ermisch (1885 – 1960), der Flughafen Tempelhof von Ernst Sagebiel (1892 – 1970) und das Olympiastadion sowie die Waldbühne von Werner March (1894 – 1976), letztere die ersten Großbauten im Geist des Nationalsozialismus in Berlin. Die gigantischen Pläne Albert Speers (1905 – 1981), den Hitler 1937 zum Generalbauinspektor ernannte und ihm die Neugestaltung einer Reichshauptstadt 'Germania' übertrug, wurden kriegsbedingt nur in Ansätzen verwirklicht. Kern der Neubauten sollte eine 120 m breite Prachtstraße von Tempelhof im Süden bis zum Spreebogen im Norden werden, wo eine gigantische, 290 m hohe 'Volkshalle' aufragen sollte. Interessant in diesem Zusammenhang aber ist, daß der städtebauliche Kahlschlag im Spreebogen und südlich davon nicht allein durch Bombenschäden verursacht, sondern schon zuvor von Speers Abrißbaggern begonnen wurde.

Architektur und Städtebau nach dem Zweiten Weltkrieg

Markante Bauten

Anerkannte Architekten aus aller Welt haben auch nach dem Krieg in Berlin bedeutende Bauten geschaffen. Herausragende Marksteine im Westen Berlins sind die Kongreßhalle (1957) des Amerikaners Hugh A. Stubbins, die Unité d'Habitation (1957) von Le Corbusier, die Akademie der Künste (1960) von Werner Düttmann, die neue Kaiser-Wilhelm-Gedächtniskirche (1960/1961) von Egon Eiermann, die Deutsche Oper (1961) von Fritz Bornemann, die Philharmonie (1963) von Hans Scharoun, die Kirche Maria Regina Martyrum (1963) von Hans Schädel und Friedrich Ebert, das Universitätsklinikum Steglitz (1967) von Arthur Davis und Franz Mocken, die Neue Nationalgalerie (1968) von Ludwig Mies van der Rohe, der Flughafen Tegel (1975) von Meinhard v. Gerkan, Volkwin Marg und Klaus Nickels, die Staatsbibliothek Preußischer Kulturbesitz (1979) von Hans Scharoun, das Bauhaus-Archiv (1979) von Walter Gropius und das Internationale Congress-Centrum (ICC; 1979) von Ralf Schüler und Ursulina Schüler-Witte. Daß man auch im Osten Berlins kräftig baute, zeigen Hermann Henselmanns Stalinallee, der – wenn auch heute sehr umstrittene – Palast der Republik von Heinz Graffunder (1973 – 1976) oder die Neubebauung der Friedrichstraße, die inzwischen teilweise wieder rückgängig gemacht und neu konzipiert wurde – man denke an das 1996 eröffnete Kaufhaus Galeries Lafayette von Jean Nouvel –, vor allem aber der auch international anerkannte Fernsehturm von Dieter und Franke.

Internationale Bauausstellung 1987

Auch im Rahmen der Internationalen Bauausstellung 1987 sind besonders in den Bezirken Kreuzberg und Tiergarten bemerkenswerte Neubauten entstanden, darunter 1978 die neue Hauptwerkstatt der Berliner Stadtreinigung (Architekt Josef Paul Kleihues), die IBA-Wohnanlage in der Ritterstraße in Kreuzberg (1979–1983) des Wieners Rob Krier, die Bauten von Oswald Mathias Ungers am Lützowufer im Bezirk Tiergarten, das Produktionstechnische Zentrum am Rand von Charlottenburg, das mit dem Deutschen Architekturpreis ausgezeichnet wurde, oder die 1987 fertiggestellte Wohnanlage am Tegeler Hafen.

Moderne Wohnsiedlungen

Als Konglomerat moderner Wohnideen ist das Hansaviertel (1957) bereits in die Baugeschichte eingegangen. Die Wohnsiedlungen der Gropiusstadt (1973) in Berlin-Buckow, die nach Plänen von Walter Gropius entstanden, und im umstrittenen Märkischen Viertel (1974) im Norden Berlins sind ein Beispiel vermeintlich wegweisender Wohnarchitektur, deren Resultat eine

Vielzahl von sozialen Problemen war und ist, die heute für großstädtische Betonburgen vielerorts so typisch geworden sind. Charakteristische Wohnsiedlungen der sozialistischen Ära sind die Ende der siebziger Jahre in Plattenbauweise hochgezogenen großen Wohngebiete in Marzahn, Hellersdorf und Hohenschönhausen.

Moderne Wohnsiedlungen (Fortsetzung)

Planung für das neue Berlin

(s.a. *Baedeker Special* S. 204 ff.)

Das wiedervereinigte Berlin hat in den vergangenen Jahren einen Bauboom ohnegleichen erlebt. Teilweise gewaltige Projekte, allen voran die Neugestaltung des Potsdamer Platzes, die Wiederbebauung des Pariser Platzes, der Neubau des Lehrter Bahnhofs, des Kanzleramts und des Parlamentsviertels oder die Umgestaltung von Friedrichstraße und Alexanderplatz wurden angegangen, ganz zu schweigen von der Sanierung alter Bausubstanz im gesamten Stadtbereich. Während die Großprojekte in ihrer Gesamtheit noch nicht völlig fertiggestellt sind – sieht man vom Potsdamer

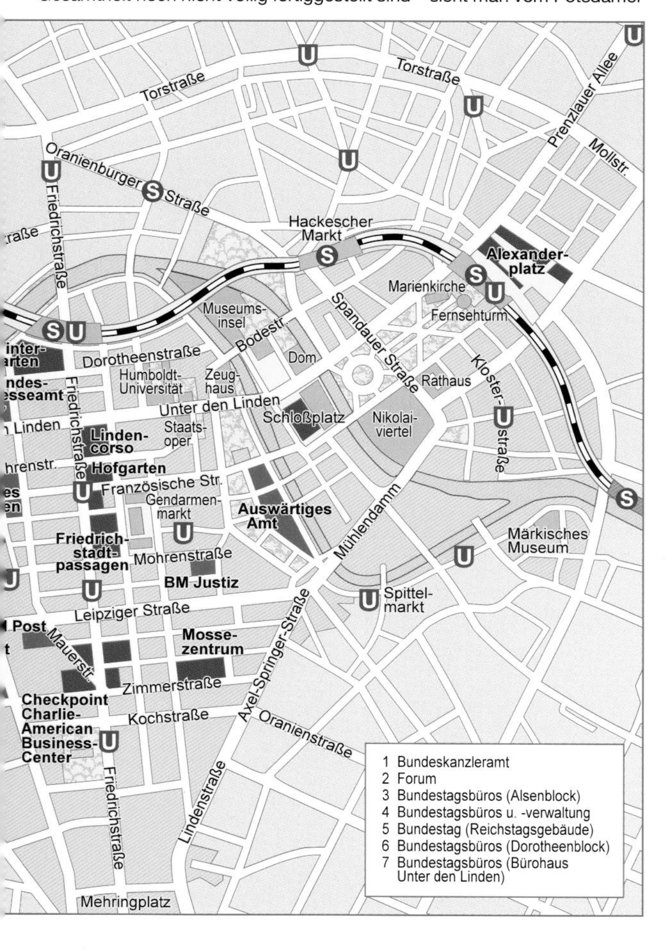

Planung (Fortsetzung)
Jüngste Bauten

Platz ab –, konnte schon manch 'kleineres' Projekt abgeschlossen werden. Zu ihnen gehören das – noch vor 1989 begonnene – Kulturforum am Kemperplatz nach einem Konzept von Hans Scharoun, das Jüdische Museum von Daniel Libeskind, das Bolle-Areal am Moabiter Spreeufer, das Kantdreieck an der Kantstraße, die Trias-Blöcke an der Holzgartenstraße in Friedrichshain oder das Mosse-Zentrum an der Zimmerstraße in Berlin-Mitte. Auch an der Peripherie, in Treptow, entstand Neues: die 125 m hohen Treptowers und die markanteren Twin-Towers.

Hans Scharouns Philharmonie: Markstein der Nachkriegsarchitektur

Malerei

In der Malerei bildeten eine Anzahl Künstler des 1841 gegründeten 'Vereins Berliner Künstler' wie Franz Skarbina (1849–1910) und Arthur Kampf (1864 bis 1950) eine Zwischenstufe. Im Anschluß an den französischen und holländischen Impressionismus erfolgte eine Änderung der künstlerischen Ziele mit der Gründung der 'Secession' 1898 durch Max Liebermann (1847–1935) und Walter Leistikow (1865–1908), den Maler der märkischen Landschaft. Ihr schlossen sich Lovis Corinth (1858–1925), Max Slevogt (1868–1932) und Lesser Ury (1861–1931) an, die zu den wichtigsten Vertretern des deutschen Impressionismus zählen. Eine sozialkritische Richtung vertraten Käthe Kollwitz (1867–1945), Hans Baluschek (1870–1935) und Heinrich Zille (1858–1929), der volkstümliche Schilderer des Berliner 'Milieus'. Der Expressionismus fand in Berlin bedeutende Vorkämpfer und besondere Förderung durch Kunsthändler wie Herwarth Walden (Zeitschrift 'Der Sturm'), Paul Cassirer und Alfred Flechtheim. Max Beckmann (1884–1950), Ludwig Meidner (1884–1966), Ernst Ludwig Kirchner (1880 bis 1938), Emil Nolde (1867–1956), Max Pechstein (1881–1955), Erich Heckel (1883–1970), Karl Schmidt-Rottluff (1884–1976) und Oskar Kokoschka (1886–1980) trafen in Berlin zusammen und entwickelten hier ihren eigenen Stil. Die Berliner Dada-Bewegung wurde im wesentlichen bestimmt durch Hannah Höch (1889–1978) und George Grosz (1893–1959). Den Berliner Realismus prägten Maler wie Otto Dix (1891–1969) und Rudolf Schlichter (1890–1955), Vertreter der Neuen Sachlichkeit waren die Maler

Malerei (Fortsetzung)

Christian Schad (1894–1982) und Karl Hofer (1878–1955), nach 1945 erster Direktor der Hochschule für bildende Künste. Beachtung verdient zudem Werner Heldt (1904–1954) mit seinen berlinbezogenen Arbeiten.
Die Malerei weist viele neue Namen und Richtungen auf, die Berlins internationalen Ruf als Kunststadt nach wie vor bezeugen. Neben Karl Horst Hödicke (geb. 1938), Georg Baselitz (geb. 1938) und Markus Lüpertz (geb. 1941) sind vor allem die 'kritischen Realisten' zu nennen: Peter Ackermann (geb. 1934), Manfred Bluth (geb. 1926), Hans-Jürgen Diehl (geb. 1940), Johannes Grützke (geb. 1937), Matthias Köppel (geb. 1937), Maina-Miriam Munsky (geb. 1943), Wolfgang Petrick (geb. 1939), Peter Sorge (geb. 1937) und Klaus Vogelgesang (geb. 1945). Viel Beachtung erfuhren in der internationalen Kunstszene der achtziger Jahre die Neoexpressionisten, die sogenannten 'Jungen Wilden', Salome (geb. 1945), Rainer Fetting (geb. 1949), Helmut Middendorf (geb. 1953) und Bernd Zimmer (geb. 1949). Eine besondere Gruppe bilden die 'Berliner Malerpoeten', zu denen u.a. der Berliner 'Milieumaler' Kurt Mühlenhaupt (geb. 1921) gehört. Auch der Fluxus-Künstler Wolf Vostell (geb. 1932) lebt in Berlin.

In Berlin entstanden und heute in Stuttgart zu sehen: Otto Dix' Triptychon "Großstadt" (Mitteltafel).

Bildhauerei

In der Plastik pflegten in der ersten Hälfte des Jahrhunderts Louis Tuaillon (1862–1919), Franz Metzmer (1870–1919), Fritz Klimsch (1870 bis 1960), Hugo Lederer (1871–1938) und der Tierbildner August Gaul (1869–1921) einen neuen idealisierenden Realismus. Ihnen folgte Georg Kolbe (1877 bis 1947), dessen ganzes Werk in Berlin entstanden ist, Richard Scheibe (1879–1964) und Renée Sintenis (1888 bis 1965). Der Berliner Rudolf Belling (1886–1972) war ein Vorläufer abstrakter Plastik.
Die große Tradition der Bildhauerkunst ist auch heute in Berlin nicht abgerissen. Sie wird nach dem Tode von Gustav Seitz (†1969), Ludwig Gabriel Schrieber (†1973), Gerhard Marcks (†1981) und Waldemar Grzimek (†1984) fortgesetzt durch Bildhauer wie Joachim Schmettau (geb. 1937) und Michael Schoenholtz (geb. 1937). Auf dem Gebiet der abstrakten Plastik sind

Bildhauerei (Fortsetzung)

Namen aus Berlin in ganz Deutschland und darüber hinaus bekannt geworden: Karl Hartung (†1967), Hans Uhlmann (†1975), Bernhard Heiliger (geb. 1915), Erich F. Reuter (geb. 1911), Brigitte und Martin Matschinsky-Denninghof (geb. 1923 und 1921), Ursula Sax (geb. 1935) sind im Stadtbild mit ihren Werken vertreten. Weiterhin sind zu nennen Karl-Heinz Droste (geb. 1931), Gerson Fehrenbach (geb. 1932), Volkmar Haase (geb. 1930) und Rainer Kriester (geb. 1935).

Freiluftskulpturen

Die Berliner Neubauten sind selbstverständlich auch mit Plastiken prominenter Künstler versehen worden, etwa di Suveros "Galileo" am Potsdamer Platz (Abb. S. 208). Den Vogel abgeschossen aber hat der Amerikaner Jonathan Borofsky – sein "Molecule Man" aus Aluminium ragt 30 m hoch am Treptower Spreeufer auf.

Berlins größte Freiluftskulptur steht in Treptow an der Spree: Jonathan Borofskys "Molecule Man".

Kunstausstellungen

Viele Museen und Galerien sowie zahlreiche andere Institutionen bemühen sich, Berlin mit den neuen Namen und Richtungen in der internationalen Kunst vertraut zu machen. Die Nationalgalerie präsentiert neben ihren umfangreichen Sammlungen auch regelmäßig zeitgenössische Kunst. Die Berlinische Galerie macht in ihren ständig wechselnden Ausstellungen mit Werken Berliner Künstler vertraut. Vielbeachtet sind ferner die Ausstellungen der Staatlichen Kunsthalle Berlin und der Akademie der Künste, aber auch der Kunstämter der einzelnen Bezirke sowie der Kunstvereine, der 'Neuen Gesellschaft für Bildende Kunst' und des 'Neuen Berliner Kunstvereins'. Das Künstlerhaus Bethanien ist ebenfalls eine zentrale Stätte des Berliner Kunstlebens. Die teilweise sehr avantgardistischen privaten Galerien zeigen ständig ein reiches Angebot an moderner Kunst. Eine der jüngsten Adressen ist die Sammlung Hoffmann in der Sophienstraße. Wer wissen möchte, wohin die jüngste Entwicklung auf allen Gebieten der Kunst geht, werfe einen Blick in das Kunst- und Kulturzentrum Tacheles an der Oranienburger Straße.

Berliner Kulturleben

Kunstszene

Das Kunst- und Kulturschaffen in Berlin wird auf vielerlei Arten vermittelt: Es zeigt sich unmittelbar im Stadtbild mit seinen vielen bedeutenden Bauwerken und Skulpturen, und man begegnet ihm ebenso in den zahlreichen Museen und Galerien, die den Bogen von der kleinsten Kneipen-Galerie bis zur renommierten Kunstausstellung spannen. Theater, Musik, Tanz und Film präsentieren alle kreativen Stilrichtungen, angefangen bei der alternativen Kleinkunstdarbietung in den Szenetreffs bis hin zu international gerühmten Festivals.

Akademie der Künste

Auskunft über Veranstaltungen unter Tel. 3 90 76 -0, Fax 3 90 76 175

Berlins Stellung im Bereich der Kunst hat einen besonderen Ausdruck gefunden in der Akademie der Künste. Kurfürst Friedrich III. und seine Gemahlin Sophie Charlotte hatten den Ehrgeiz, in Berlin ein Institut zur Weiterbildung von Künstlern einzurichten, das darüber hinaus zur Kommunikation zwischen Künstlern, Kunstbeflissenen und Wissenschaftlern dienen sollte; eine "recht wohl geordnete Akademie oder Kunstschule, nicht aber eine gemeine Maler- oder Bildhauerakademie, wie deren allerorten bestehen." Im Jahr 1696 wurde dann die 'Preußische Akademie der Künste' gegründet. Zu ihren Direktoren zählten u.a. Andreas Schlüter, Daniel Chodowiecki und Gottfried Schadow.
Ihre große Zeit erlebte die Akademie in den zwanziger Jahren unter der Präsidentschaft Max Liebermanns, als sie um die Sektion für Literatur erweitert wurde (1926); kurz darauf unter den Nationalsozialisten folgte die dunkelste Epoche. Willfährig 'säuberte' sich die Akademie von allen den Nazis nicht genehmen Mitgliedern, darunter Namen wie Heinrich Mann, Alfred Döblin und Käthe Kollwitz, die durch unbekannte und unbedeutende Nazi-Künstler ersetzt wurden.
Nach dem Zweiten Weltkrieg, der die Zerstörung des Akademiegebäudes am Pariser Platz unmittelbar beim Brandenburger Tor mit sich brachte, entstanden als 'Kinder' des Kalten Krieges zwei Nachfolgeeinrichtungen. 1950 wurde in Ostberlin die 'Deutsche Akademie der Künste' gegründet, die sich als legitime Nachfolgerin der Preußischen Akademie sah und erst 1972 in 'Akademie der Künste der DDR' umbenannt wurde; 1954 folgte als Gegenreaktion die Westberliner Akademie der Künste, eine unter mehreren Akademien in der damaligen Bundesrepublik Deutschland. Beide Häuser wurden, die eine mehr, die andere weniger, in der Auseinandersetzung zwischen den politischen Systemen instrumentalisiert. Im Jahre 1992 schlossen sich beide Akademien zu einer Institution zusammen, nicht ohne Auseinandersetzungen über die Vergangenheit manches Mitglieds der 'Ost-Akademie'. Mitglieder sind Architekten, Künstler, Schriftsteller und Musiker aus ganz Deutschland und dem Ausland; veranstaltet werden in den beiden Häusern am Hanseatenweg 10 in Tiergarten und am Robert-Koch-Platz 4 in Mitte regelmäßig Kongresse, Ausstellungen, Dichterlesungen, Vorträge, Theateraufführungen und Konzerte.

Festspiele

Ein wichtiger Bestandteil des Berliner Kulturlebens sind die Berliner Festspiele. Zu ihren interessantesten Veranstaltungen gehören:
Berliner Festwochen: Sie werden seit 1951 jedes Jahr im Herbst veranstaltet und geben einen Querschnitt internationaler Kunst.
Internationale Filmfestspiele Berlin: Sie finden seit 1978 im Februar/März statt und gehen ebenfalls auf das Jahr 1951 zurück. Die neuesten Filme aus aller Welt werden von einer internationalen Jury beurteilt und mit den Goldenen und Silbernen Bären ausgezeichnet.
Theatertreffen Berlin: Alljährlich im Mai wählt eine Kritikerjury die zehn besten deutschsprachigen Inszenierungen der vergangenen zwölf Monate aus.
Festival der Weltkulturen: Es besteht seit Sommer 1979 und stellt die Leistungen außereuropäischer Länder auf kulturellem Gebiet vor.
Internationale Sommerfestspiele ('Sommernachtstraum'): 1978 wurde das Stadtfest mit Straßenaktionen, Musik und Theater unter freiem Himmel zum erstenmal begangen.

Festspiele (Fortsetzung)

Berliner Jazztage: Sie wurden von Joachim Ernst Behrendt gegründet und geben an fünf Tagen (jedes Jahr im Herbst) einen Überblick über Entwicklung, Gegenwart und Avantgarde des Jazz.

Theater

Allgemeines

In Berlin, wo ein wesentlicher Teil der deutschen Theatergeschichte geschrieben wurde, wo Hauptmann, Ibsen, Strindberg, Brecht ihren Durchbruch erlebten und bedeutende Regisseure wie Max Reinhardt, Erwin Piscator und Gustaf Gründgens gearbeitet haben, herrscht auch heute ein reges Theaterleben. Die Stadt besitzt 38 regelmäßig spielende etablierte Bühnen, zu denen 59 ebenfalls regelmäßig spielende Off-Theater kommen. Ergänzt wird das Angebot von über 300 'Freien Theatergruppen', häufig ohne festen Spielort, die überwiegend politisch engagiertes und experimentelles Theater bieten. Damit steht Berlin nicht nur numerisch an erster Stelle im deutschsprachigen Theaterbetrieb. Viele Bühnen genießen einen Ruf, der weit über die Stadt hinausreicht.

Erwin Piscator und Max Reinhardt schrieben an der Volksbühne Theatergeschichte.

Theaterangebot

Als das traditionell bedeutendste Haus gilt das Deutsche Theater mit den Kammerspielen. Namen wie Max Reinhardt, Heinz Hilpert, Wolfgang Langhoff, Ernst Busch, Gisela May und Bertolt Brecht sind eng mit der Geschichte des 1893 eröffneten Theaters verbunden. Die ebenfalls renommierten Staatlichen Schauspielbühnen mit dem Schiller-Theater, der Schiller-Theater Werkstatt und dem Schloßparktheater Steglitz, einst das größte Staatstheater Deutschlands und eine der führenden Bühnen im deutschen Sprachraum, fielen 1993 dem Rotstift des Finanzsenators zum Opfer und sehen heute nur noch Musical-Gastspiele. Weltrang hat die Schaubühne am Lehniner Platz mit zahlreichen Inszenierungen von Peter Stein errungen; das 1949 von Bertolt Brecht gegründete Prosatheater Ber-

Theater (Fortsetzung)

liner Ensemble am Schiffbauerdamm genießt ebenfalls einen hervorragenden Ruf, nicht nur durch Brecht-Inszenierungen, sondern auch durch die Stücke des 1996 verstorbenen Dramatikers Heiner Müller. Die zeitbezogenen, gegenwartsnahen und sehr ungewöhnlichen Aufführungen der 1890 (als 'Freie Volksbühne') von Sozialdemokraten gegründeten Volksbühne am Rosa-Luxemburg-Platz finden ein starkes Echo. Ihre Geschichte haben Regisseure wie Erwin Piscator und Max Reinhardt geschrieben. Das Maxim-Gorki-Theater am Festungsgraben gleich hinter dem Zeughaus spielt moderne Klassiker.

Die sieht man nur im Friedrichstadtpalast: die 'Schönsten Beine von Berlin' in Herrenbegleitung.

Varieté und Boulevard

Den Schwerpunkt Unterhaltung repräsentieren die Varietébühne Wintergarten, in der die große Berliner Varietétradition wiedererwacht ist, und das Revuetheater im Friedrichstadtpalast. Mit dem Renaissancetheater und den Boulevardtheatern Komödie und Theater am Kurfürstendamm wird der Bereich der leichten Unterhaltung abgerundet. Volkstümliches herrscht im Hansatheater vor.

Mit dem Grips-Theater, dem Theater Rote Grütze, dem Theater der Freundschaft und den Berliner Kammerspielen nimmt Berlin eine führende Stellung im Bereich des Kinder- und Jugendtheaters ein. Im Puppentheater an der Greifswalder Straße werden mit Hand-, Stabpuppen und Marionetten sowohl Fabeln als auch aktuelle Problemstücke gespielt.
Das alljährlich im Mai stattfindende Theatertreffen Berlin, auf dem ausgewählte Schauspielinszenierungen deutschsprachiger Bühnen gezeigt werden, hat internationalen Ruf.

Kabarett

Zwar ist der Glanz der einstigen Kabarett-Hauptstadt Berlin etwas verblaßt, doch mit den Stachelschweinen, der Distel, den Wühlmäusen, der BKA, den Radieschen, Kartoon und noch anderen ist der politische Witz nach wie vor gut vertreten.

Baedeker Special

Kein Weinzwang

Lag es an der 'Berliner Schnauze', die vielleicht das ideale Medium für solcherart Kunst ist, lag es am womöglich offeneren hauptstädtischen Publikum – Berlin brachte jedenfalls in den zwanziger Jahren eine **Kabarettszene** hervor, wie sie frecher, witziger, lebendiger und vielfältiger im übrigen Deutschland nicht zu finden war. Vergleiche zu heute sind allerdings nur bedingt zulässig, denn das 'Kabarett' jener Jahre agierte nicht nur auf politischem Feld. Kabarett, das hieß auch literarische Kabinettstücke vortragen, Couplets und Chansons zum besten bringen, es bedeutete Parodie und Conference und auch ein bißchen Varieté, und selbst die großen Revuen, wie sie Erik Charell im Großen Schauspielhaus auf die Bühne brachte, lebten nicht ausschließlich von beineschwingenden Girls, sondern vor allem von den frechen Sketchen und Conferencen. Auf die Bühnen des Berliner Kabaretts der zwanziger Jahre paßten Kurt Tucholsky und Trude Hesterberg so gut wie die Tiller Girls und Josephine Baker. Entsprechend gemischt das Publikum: die Hautevolee in der Revue, die Künstler, Literaten und Bohemiens bei ihresgleichen, und die kleinen Leute dort, wo sie es sich leisten konnten. Nicht umsonst vermerkt manches Plakat: "Kein Weinzwang" – Bier tat es auch, und zum Weinen war das Programm hoffentlich nicht.

Angefangen hat es allerdings bereits zu Kaiser Wilhelms Zeiten. Am 18. Januar 1901 eröffnete Ernst von Wolzogen sein "Buntes Theater", in Anlehnung an Nietzsches 'Übermensch' vom Gründer auch "Überbrettl" genannt – gut zwanzig Jahre, nachdem in Paris das Kabarett quasi erfunden worden war. Bereits 1905 gab es 42 derlei Etablissements, von denen allerdings die wenigsten ein annehmbares Niveau erreichten, wie es etwa Max Reinhardts "Schall und Rauch" vorexerzierte, vor allem wenn es darum ging, mit Parodien die Berliner Theater- und Literatenszene oder die wilhelminischen Hofschranzen und Kommißköpfe durch den Kakao zu ziehen.

"Schall und Rauch" steht auch am Wiederbeginn des Kabaretts nach dem Ersten Weltkrieg. Reinhardt, inzwischen Direktor des Großen Schauspielhauses an der Weidendammer Brücke (heute steht dort der Friedrichstadtpalast), stellte dem Schriftsteller Rudolf Kurtz die Kellerräume seines Theaters zur Verfügung. Das Eröffnungsprogramm vom November 1919 versammelte fast alles, was Rang und Namen hatte: Es traten mit eigenen und von Kurt Tucholsky und Walter Mehring verfaßten Liedern, Gedichten und Beiträgen Gustav von Wangenheim, Klabund und Paul Graetz (als begnadeter Improvisator "Zigaretten-Fritze") auf. Höhepunkt war das Puppenspiel "Einfach klassisch! Eine Orestie mit glücklichem Ausgang" – Marionettenentwurf: George Grosz, Text: Walter Mehring, Musik: Friedrich Hollaender, Ausführende: John Hearfield und Waldemar Hecker. Das zweite "Schall und Rauch" existierte nur bis 1921 und sah in diesen Jahren auf seiner Bühne u. a. auch Joachim Ringelnatz, Gussy Holl und Wilhelm Bendow, es initiierte aber eine ganze Reihe von Kabarettgründungen, die allesamt erfolgreich wurden.

Da gründete zum Beispiel die Schauspielerin und Diseuse Rosa Valetti im Dezember 1920 das "Größenwahn", in dem das französisch inspirierte Chanson gepflegt wurde – allerdings mit Texten von Wedekind und Tucholsky. Trude Hesterberg eröffnete im Herbst 1921 im Theater des Westens die "Wilde Bühne". Als Hausautor schrieb ihr Walter Mehring Lieder wie das "Börsenlied" auf den Leib oder die "Arie von der großen Hure Presse", die sie in einem Kleid aus Zeitungsausschnitten vortrug. Unter Pseudonym trat Erich Käst-

WILHELM BENDOW'S

Früher Wilde Bühne
Kantstrasse, Theater des Westens

WILHELM BENDOW

als Boxer im „Geheimnisse d. Fürstenhöfe" u.d. gr. März-Programm.
Conference: **Wilhelm Bendow**
Am Flügel: **Mischa Spoliansky.**
— Kein Weinzwang. —
Vorverkauf im Eden-Hotel und an der Kabarett-Kasse, Steinplatz 9/4.

ner auf, und auch Bertolt Brecht hatte hier Berlin-Premiere, als er im Januar 1922 die "Legende vom toten Soldaten" gab. Als das Publikum buhte, kam Walter Mehring vor den Vorhang und erklärte: "Meine Damen und Herren, das war eine große Blamage, aber nicht für den Dichter, sondern für Sie. Und Sie werden sich eines Tages noch rühmen, daß Sie dabeigewesen sind." Wilhelm Bendow, der schon im "Schall und Rauch" begegnete, machte 1924 sein eigenes Kabarett "Tü-Tü" auf, wo er seine Zuhörer mit dem Klassiker "Auf der Rennbahn" zum Toben brachte. Im selben Jahr debütierte das "Kabarett der Komiker". Bis 1933 traten hier alle klingenden Namen auf: die Hesterberg, Theo Lingen, Paul Graetz, Claire Waldoff, Hans Moser, Joachim Ringelnatz, Ernst Busch, Hanns Eisler, Roda Roda und selbst der eingefleischte Bajuware Karl Valentin. Die Nazis machten dem Treiben ein Ende, obwohl sie das Kabarett bis 1936 duldeten. Die vier Gründer des "Kadeko" aber – die Schauspieler Kurt Robitschek, Max Hansen, Paul Morgan und Max Adalbert – emigrierten bereits 1933, Morgan und Adalbert wurden Jahre später in Wien bzw. in Holland verhaftet und starben im KZ. Die Reihe der großen Berliner Kabaretts ließe sich fortsetzen: das "Larifari", Valeska Gerts "Kohlkopp" oder die "Unmöglichen". In ihm absolvierte Werner Finck seine ersten Auftritte, bevor er sich mit der "Katakombe" selbständig machte. Dort perfektionierte er die Kunst des Vielsagens durch Andeutungen, Nichtsagen und Weglassen. Folgerichtig war auch er ein Dorn im Auge der Nazis. Goebbels ("Finck ist nicht so gefährlich in dem, was er sagt, sondern in dem, was er nicht sagt"), ließ die "Katakombe" 1935 schließen und Finck vorübergehend ins Konzentrationslager einliefern.

Nach Kriegsende hatte das Berliner Kabarett große Mühe, sich zu berappeln. Das Vorkriegsniveau hat es nicht mehr erreicht, allenfalls Wolfgang Neuss und Wolfgang Müller waren frech genug, für echte Aufregung zu sorgen. Am bekanntesten geworden sind die "Insulaner" und die heute noch existierenden, nicht mehr allzu stacheligen "Stachelschweine" mit dem kabarettistischen Schlachtroß Wolfgang Gruner. Aber vielleicht sind es auch nicht mehr die richtigen Zeiten für spritziges Kabarett ohne Tabus.

Musik

Oper, Operette, Musical

Berlin hat seinen guten Ruf als Musikstadt bis heute gewahrt. Die traditionsreiche Staatsoper Unter den Linden residiert in einem der schönsten Theatergebäude überhaupt. Der 1742 eröffnete Knobelsdorff-Bau hat heute ein Weltrepertoire von Mozart über Beethoven, Wagner und Verdi bis Tschaikowsky auf dem Programm. Auch die Deutsche Oper Berlin an der Bismarckstraße – 1961 neu erbaut – zählt zu den führenden Opernhäusern Europas. In regelmäßigen Abständen werden hier zudem Ballettinszenierungen und Aufführungen des Opernstudios gezeigt. Opernintendant Götz Friedrich, der dem Hause mit Wagner-Inszenierungen und repräsentativem Musiktheater zu weiterem Ansehen verhalf, steht seit 1985 auch dem Theater des Westens zur Verfügung, das der Operette und dem Musical ebenso gewidmet ist wie das Metropol-Theater. Ausdruck des Musical-Booms ist das neue Musical-Theater Berlin. Sehr beliebt schließlich sind auch die Inszenierungen der Komischen Oper.

Orchester und Chöre

Neben dem 1882 gegründeten, weltberühmten Berliner Philharmonischen Orchester, das nach dem Tode Herbert von Karajans seit Ende 1989 unter der Leitung von Claudio Abbado steht, gibt es das hervorragende Radio-Symphonie-Orchester Berlin (RSO) unter Riccardo Chailly, das Symphonische Orchester Berlin und das Berliner Barock-Orchester. Einen ausgezeichneten Ruf genießen ferner das Berliner Symphonieorchester, die Sing-Akademie zu Berlin, der Philharmonische Chor Berlin, der Berliner Konzertchor, die Berliner Liedertafel, der RIAS-Kammerchor Berlin und der Konzertchor der Sankt-Hedwigs-Kathedrale. Zahlreiche Ensembles – häufig gebildet von führenden Musikern der großen Orchester – pflegen die Kammermusik.

Rock-, Pop-, Jazz- und Folk-Musik

Der Anspruch Berlins, Metropole für Rock-, Pop-, Jazz- und Folk-Musik zu sein, findet seine Berechtigung nicht zuletzt in der Existenz von über 1000 hier arbeitenden Rock- und Jazzgruppen sowie Folkgruppen und Liedermachern, die sich auf einer Vielzahl von Kleinbühnen, in Musikkneipen und Kulturfabriken ihrem Publikum präsentieren können. Großveranstaltungen finden in der Eissporthalle, der Deutschlandhalle oder im Internationalen Congress-Centrum (ICC) statt, in den Sommermonaten auch u.a. in der Waldbühne und auf der Freilichtbühne der Spandauer Zitadelle. Großer Jazz wird ab und an in der Philharmonie geboten, 'Jazz in the Garden' gibt es im Sommer zuweilen im Skulpturengarten der Neuen Nationalgalerie.

Film

Kinogeschichte

Die Filmstadt Berlin, in der vor dem Zweiten Weltkrieg jährlich mehr als 100 Filme gedreht wurden, hat unter den Kriegsfolgen stark gelitten, jedoch seit den siebziger Jahren einen neuen Aufschwung genommen. Berlins Filmtradition reicht zurück bis zu den Anfängen der Zelluloidkunst. Max Skladanowsky führte hier 1895 die ersten Filme öffentlich vor. Auch Oskar Meßter, der Altmeister der Kinotechnik, der 1896 den ersten Kinoprojektor für Normalfilm schuf, war gebürtiger Berliner. Im Jahre 1922 zeigten Vogt, Engl und Masolle in Berlin den ersten Tonfilm.

Film- und Fernsehproduktion

Heute werden in Berlin zahlreiche Film- und Fernsehproduktionen gedreht. Zu ihnen zählt u.a. "Die Blechtrommel" nach dem Roman von Günter Grass; es war der erste mit einem Oscar ausgezeichnete deutsche Spielfilm (1980). Berlin war jedoch nicht nur Produktionsort, sondern auch immer wieder Schauplatz zahlreicher Filme, u.a. "Berliner Ballade" mit Gert Fröbe als Kriegsheimkehrer Otto Normalverbraucher, "Wir Kellerkinder" mit Wolfgang Neuss, Billy Wilders turbulente Komödie "Eins, zwei, drei", "Der Spion der aus der Kälte kam" mit Richard Burton, Fassbinders zwölfteiliger Fernsehfilm "Berlin Alexanderplatz", Wim Wenders' "Himmel über Berlin"

Film (Fortsetzung)

oder die Fernsehserie "Liebling Kreuzberg". Filmstudios befinden sich in den ehemaligen UFA-Studios in Tempelhof, auf dem alten CCC-Gelände in Spandau-Haselhorst und vor allem in den einstigen und jetzt wieder so getauften UFA-Studios in Potsdam-Babelsberg.
In der 1965 gegründeten Deutschen Film- und Fernsehakademie wird der Nachwuchs ausgebildet. Die 1963 eröffnete Deutsche Kinemathek ist eine der größten Filmsammlungen der Bundesrepublik.

Filmfestspiele

Seit 1951 ist Berlin Schauplatz der alljährlich im Februar und März stattfindenden Internationalen Filmfestspiele ('Berlinale'), die über die Grenzen Europas hinaus zu den bedeutendsten ihrer Art zählen. Angeschlossen ist ihnen seit 1971 das Internationale Forum des jungen Films. Die Filmfestspiele enden mit der Verleihung des Goldenen und Silbernen Bären. Der 'Deutsche Filmpreis' wird, ebenfalls in Berlin, vom Bundesinnenminister verliehen.

Kinos

Die Zahl der Lichtspielhäuser ist trotz rückläufiger Tendenz im Vergleich zu anderen deutschen Großstädten sehr hoch. Neben den großen Ur- und Erstaufführungskinos im Kurfürstendammbereich gibt es zahlreiche Programmkinos mit teilweise hohen künstlerischen Ansprüchen. Ein guter Tip für Spezialisten sind das "Arsenal", seit 1971 von den 'Freunden der Deutschen Kinemathek' betrieben, das mit Zyklen historischer Filme, Experimentalfilmen und Filmen aus der Dritten Welt aufwartet, sowie das "Babylon", in dem der Verein 'Berliner Filmkunsthaus Babylon' Reihen und Retrospektiven aus dem Bestand des ehemaligen Filmarchivs der DDR zeigt.

Literatur

Literaturstadt Berlin

Die Tradition Berlins als Literaturstadt, verbunden mit Namen wie Friedrich Nicolai, Gotthold Ephraim Lessing, Moses Mendelssohn, E.T.A. Hoffmann, Theodor Fontane, Georg Heym, Gerhart Hauptmann, Kurt Tucholsky, Bertolt Brecht, Alfred Döblin, Heinrich Mann und Anna Seghers, lebt in der vielschichtigen Gegenwartsliteratur fort. In Berlin leben und arbeiten heute immer noch mehr Autoren als in jeder anderen deutschen Großstadt, so daß man sie nach wie vor als ein Zentrum der deutschsprachigen Literatur bezeichnen kann. Der inzwischen verstorbene Jurek Becker, Thomas Brasch, Yaak Karsunke, Christoph Meckel, Elisabeth Plessen, Christa Wolf, Botho Strauß, Jürgen Theobaldy, Stefan Heym, Stephan Hermlin oder Peter Paul Zahl sind nur die bekanntesten Namen unter den Berliner Autoren, von denen sich auch solche türkischer Herkunft wie Aras Ören und Güney Dal einen Namen gemacht haben.

Literarische Einrichtungen

Es gibt in Berlin eine Reihe literarischer Einrichtungen, die regelmäßig mit Veranstaltungen, Autorenabenden und Lesungen in Erscheinung treten. Das Literarische Colloquium Berlin, 1963 von Walter Höllerer gegründet, hat durch seine öffentlichen Veranstaltungen, Seminare und Diskussionsabende im eigenen Haus am Wannsee oder in Verbindung mit der Akademie der Künste und durch seine Publikationen internationale Bedeutung erlangt. Daneben sind die Neue Gesellschaft für Literatur mit ihren jährlich stattfindenden 'Berliner Autorentagen' zu nennen, die Akademie der Künste mit eigenen Veranstaltungen und das Berliner Künstlerprogramm, das in der 'daad-Galerie' in der Kurfürstenstraße über dem Café Einstein ausländische Autoren vorstellt, sowie das Literaturhaus Berlin in der Fasanenstraße. Auch einige Buchhandlungen laden zu Autorenlesungen ein, so die Autorenbuchhandlung in der Carmerstraße 10 und Wolff's Bücherei in der Bundesallee. Der Buchhändlerkeller in der Carmerstraße veranstaltet seit den sechziger Jahren jeden Donnerstagabend Lesungen.

Literaturpreise

Die Stadt Berlin verleiht seit 1948 – und in ihrem Auftrage seit 1970 die Akademie der Künste – den 'Kunstpreis Berlin', der alle fünf Jahre als Fon-

Auf dem Dorotheenstädtischen Friedhof: Grab von Heinrich Mann ...

... sowie von Bertolt Brecht und seiner Ehefrau Helene Weigel

Literatur (Fortsetzung)

tane-Preis für die Sparte Literatur vergeben wird. Der Brüder-Grimm-Preis zur Förderung des Kindertheaters wird seit 1961 alle zwei Jahre verliehen. Ebenfalls im Zwei-Jahres-Turnus soll seit 1980 der Moses-Mendelssohn-Preis die Toleranz gegenüber Andersdenkenden und zwischen den Völkern, Rassen und Religionen auszeichnen. Die Freie Volksbühne vergibt den Gerhart-Hauptmann-Preis. Der 1978 von Günter Grass gestiftete Alfred-Döblin-Preis ist der heute wohl bedeutendste Förderpreis für deutschsprachige Prosa. Der Verband der deutschen Kritiker verleiht seit 1951 alljährlich den Kritikerpreis.

Verlage

Mit über 220 Verlagen ist Berlin nach München die zweitgrößte Verlagsstadt in Deutschland. Auf dem literarischen Sektor hat sich die Berliner Verlagslandschaft in den letzten Jahrzehnten sehr verändert zugunsten von Alternativ-, Klein- und Kleinstverlagen, die Berlin ein kulturelles Verlagsspektrum verschaffen, wie es in dieser Vielfalt wohl in keiner anderen Großstadt zu finden ist. Neben altbekannten Namen wie Ullstein (gegr. 1877) mit Propyläen und Karl H. Henssel sind zu nennen Wagenbach, Rotbuch-Verlag, Verlag des Literarischen Colloquiums Berlin (LCB), Klaus-Guhl-Verlag, Agora-Verlag, Julius Springer (gegr. 1842), bekannt durch medizinische und technische Bücher und Zeitschriften, Walter de Gruyter (gegr. 1919), renommierter Herausgeber von Gesetzessammlungen und der 'Sammlung Göschen', Wilhelm Ernst & Sohn (gegr. 1851) als technischer Fachverlag. Langenscheidt läßt seine Unterrichtsbriefe und Wörterbücher schon seit 1856 von Berlin aus in alle Welt gehen. Als Musikverlag genießt Ed. Bote & Bock seit 1838 einen ausgezeichneten Ruf. Zu erwähnen sind ferner die Verlagshäuser Paul Parey (gegr. 1848), Dietrich Reimer (gegr. 1845), Nicolaische Verlagsbuchhandlung (gegr. 1713), Cornelsen-Velhagen & Klasing (Schulbücher; gegr. 1968). Zu den traditionsreichen Häusern im Ostteil der Stadt gehören Namen wie Rütten & Loening, J.H.W. Dietz und der Aufbau-Verlag.

Museen

Staatliche Museen

Die Museumslandschaft in Berlin ist ungewöhnlich vielfältig. Infolge des Zweiten Weltkrieges und der damit verbundenen Auslagerung von Museumsgut waren die weltberühmten Sammlungen der Staatlichen Museen seit 1945 nicht mehr auf der historischen Museumsinsel konzentriert, sondern auf beide Hälften der Stadt verteilt. Ein großer Teil der ursprünglichen Bestände wurde 1958 von der Sowjetunion an die Staatlichen Museen zu Berlin in Ostberlin zurückgegeben. Die in den Westteil der Stadt ausgelagerten Teile der Sammlungen wurden ab 1957 von der Stiftung Preußischer Kulturbesitz betreut. Die Museen Berlins sind nun wieder als 'Staatliche Museen zu Berlin – Preußischer Kulturbesitz' zusammengefaßt. Dieser größte zusammenhängende Komplex öffentlicher Kultureinrichtungen in Deutschland hat den Auftrag, die Kulturgüter des ehemaligen preußischen Staates zu bewahren und wird vom Bund und allen Ländern getragen, die in einem Stiftungsrat zusammenarbeiten. Zur Stiftung gehören neben den Museen und dazugehörigen Forschungsinstituten als weitere Einrichtungen die Staatsbibliothek, das Geheime Staatsarchiv, das Ibero-Amerikanische Institut und das Staatliche Institut für Musikforschung mit angeschlossenem Musikinstrumenten-Museum. Die überaus reichen Bestände der Staatlichen Museen verteilen sich im wesentlichen auf drei Standorte: die Sammlungen in Dahlem für außereuropäische Kulturen, das Kulturforum am Kemperplatz mit europäischer Kunst und die traditionellen Ausstellungsstätten auf der Museumsinsel mit Archäologie und Antike.

Weitere Museen

Von den anderen Museen haben viele den Krieg nicht überstanden, dafür sind aber manche neu geschaffen worden. Im Zeughaus wurde das einstige Waffenmuseum aufgelöst und 1952 durch das neugegründete Museum für deutsche Geschichte ersetzt, das nun vom Deutschen Historischen Museum übernommen wurde. Das Hohenzollernmuseum, seit 1877 im Schloß Monbijou untergebracht, ist bis auf Reste (jetzt im Schloß Charlottenburg) verloren, das Gebäude abgeräumt; die Bestände des Schinkelmuseums befinden sich nun in der Friedrichswerderschen Kirche und im Kupferstichkabinett auf dem Kulturforum. Das Verkehrs- und Baumuseum (seit 1906) im alten Hamburger Bahnhof war seit Kriegsende nicht zugänglich. Im Westteil der Stadt wurde deshalb 1982 das Museum für Verkehr und Technik neu geschaffen und 1983 eröffnet. Der nun völlig zum Museum umgebaute Hamburger Bahnhof präsentiert seit Ende 1996 zeitgenössische Kunst der Nationalgalerie. Eine Neugründung ist auch das Berlin Museum, welches 1969 seine Tore öffnete und 1999 einen Anbau für das Jüdische Museum eröffnet; es ist als "Stadtmuseum Berlin" organisatorisch mit dem Märkischen Museum u. a. kleineren Museen zusammengelegt. Das 1889 eingerichtete Volkskundemuseum hat viele wertvolle Stücke verloren und wurde als Museum für Deutsche Volkskunde neu aufgebaut und 1975 eingeweiht. Eine Vielzahl kleiner und teilweise sehr origineller Museen rundet die Berliner Museumslandschaft ab (→ Praktische Informationen, Museen).

Künftige Entwicklung

Voraussichtlich noch einige Jahre wird es dauern, bis die Zusammenführung verschiedener Museen aus dem Westteil der Stadt mit den Kunstsammlungen der Museumsinsel abgeschlossen ist. Bis dahin ist immer wieder mit Schließungen wegen Renovierungsarbeiten zu rechnen.

Universitäten, Hochschulen und Forschungsinstitute

Drei Universitäten

Berlin besitzt drei Universitäten: die Humboldt-Universität, die Freie Universität in Dahlem und die Technische Universität in Charlottenburg.

Humboldt-Universität

Die Humboldt-Universität ist eine Gründung Wilhelm von Humboldts, dem König Friedrich Wilhelm III. zu diesem Zweck im Jahr 1810 das Palais des Prinzen Heinrich Unter den Linden schenkte. So wurde die Universität

Aus der preußischen Friedrich-Wilhelm-Universität wurde 1949 zu Ehren ihres Gründers die Humboldt-Universität.

Universitäten (Fortsetzung)

dann zunächst auch nach ihrem Stifter Friedrich-Wilhelm-Universität genannt. Mit dieser Stiftung wollte der König – in der Zeit der französischen Besetzung – beweisen, daß man, "was man an physischen Kräften verloren, an geistigen noch besitze". Zu den Lehrern an der Universität gehörten u.a. Hegel, Schleiermacher, die Gebrüder Grimm, Helmholtz, Mommsen, Planck, Einstein, Virchow, Koch und Sauerbruch. Nach schweren Zerstörungen im Zweiten Weltkrieg wurde im Januar 1946 der Lehrbetrieb wieder aufgenommen, und erst 1949 wurde die Universität zu Ehren ihres Gründers in Humboldt-Universität umbenannt. Sie war eine der bedeutendsten Hochschulen der DDR und konnte ihren Fortbestand auch nach der Wende sichern. Heute sind 24 600 Studierende eingeschrieben.

Technische Universität Berlin (TUB)

Die Technische Universität Berlin (TUB) in Charlottenburg ist seit 1946 Nachfolgerin der 1879 durch den Zusammenschluß der 1799 gegründeten Bauakademie und der 1821 ins Leben gerufenen Gewerbeakademie entstandenen Technischen Hochschule. Sie hat heute 22 Fachbereiche, an denen 36 700 Studenten lernen.

Freie Universität Berlin (FU)

Die Freie Universität Berlin in Dahlem wurde am 4. Dezember 1948 von einem Gründungskreis, dessen Vorsitzender Ernst Reuter war, in Westberlin ins Leben gerufen als Folge des Protests von Professoren und Studenten gegen die zunehmende Einschränkung der akademischen Freiheit an der Humboldt-Universität und anderen Universitäten in der damaligen sowjetischen Besatzungszone. Bereits Ende 1948 arbeiteten drei Fakultäten, die allesamt in Dahlemer Villen untergebracht waren. Der erste große Ausbau fand 1952 mit Mitteln der Ford Foundation statt; es entstand als Hauptgebäude der Henry-Ford-Bau. 1954 konnte die Universitätsbibliothek bezogen werden. Vier Monate nach dem Tod des Regierenden Bürgermeisters Ernst Reuter wurde die Ernst-Reuter-Gesellschaft der Förderer und Freunde der Freien Universität gegründet (15. 1. 1954). Aufgrund einer

Universitäten (Fortsetzung)

Spende des U.S. State Department konnte das erste Studentendorf (in Schlachtensee) gebaut werden, und eine weitere amerikanische Spende ermöglichte die Gründung des Amerika-Instituts (John-F.-Kennedy-Institut) im Jahre 1963; die dazugehörigen Gebäude wurden 1967 eingeweiht. Heute sind 54 500 Studierende an der Freien Universität Berlin immatrikuliert. In den Jahren 1967/1968 war die FU Berlin durch Professoren wie Herbert Marcuse und Studenten wie Rudi Dutschke neben der Frankfurter Universität das Zentrum der Außerparlamentarischen Opposition in der Bundesrepublik Deutschland und Ausgangspunkt der Studentenproteste am Ende der sechziger Jahre.

Weitere Hoch- und Fachschulen

Weiterhin von Bedeutung sind die Staatliche Hochschule für Bildende Künste Berlin, die Pädagogische und die Kirchliche Hochschule, die Europäische Wirtschaftshochschule, die Akademie der Wissenschaften, die Technische Fachhochschule Berlin, die Fachhochschule für Verwaltung und Rechtspflege, die Fachhochschule für Wirtschaft und die Fachhochschule für Sozialarbeit und Sozialpädagogik.

Forschung

Zu den über 180 universitären und außeruniversitären Forschungsinstituten gehört u.a. das 1956 gegründete Hahn-Meitner-Institut für Kernforschung (Kern- und Strahlenphysik, Strahlenchemie, Kernchemie und Reaktorforschung, EDV), das nach Otto Hahn und Lise Meitner benannt wurde, denen 1938 zum ersten Mal die Kernspaltung gelang. Zu nennen sind ferner die Institute der Max-Planck-Gesellschaft zur Förderung der Wissenschaften, eine Nachfolgeeinrichtung der 1911 gegründeten Kaiser-Wilhelm-Gesellschaft (Max-Planck-Institut für Bildungsforschung, Max-Planck-Institut für molekulare Genetik, Fritz-Haber-Institut der Max-Planck-Gesellschaft, Institut für Elektronenmikroskopie am Fritz-Haber-Institut), das Wissenschaftszentrum Berlin, das Wissenschaftskolleg zu Berlin, das Deutsche Institut für Wirtschaftsforschung, das Deutsche Institut für Entwicklungspolitik, die Deutsche Stiftung für Internationale Entwicklung, das Deutsche Archäologische Institut, die Historische Kommission zu Berlin, das Heinrich-Hertz-Institut für Nachrichtentechnik, die Versuchsanstalt für Wasserbau und Schiffbau, der Berliner Elektronenspeicherring für Synchrotronstrahlung (BESSY) sowie das 1986 fertiggestellte Produktionstechnische Zentrum Berlin.

Stadtgeschichte

Vor- und Frühgeschichte

Die frühesten Spuren menschlichen Lebens im Berliner Raum – bearbeitete Knochen und Feuersteine – sind ca. 50 000 Jahre alt. Für die Altsteinzeit dann (um 8000 v. Chr.) belegen zahlreiche Funde feste Siedlungsplätze. Zwischen 1200 und 800 v. Chr. erreicht die bronzezeitliche Besiedlung ihren Höhepunkt.

Germanen

In der römischen Kaiserzeit siedeln die germanischen Semnonen an der Havel. Dörfer und Gehöfte existieren u.a. im heutigen Buch (Pankow), in Lichterfelde (Steglitz) und im heutigen Park von Schloß Bellevue. In Neukölln wurden Brunnen, Kalköfen und Herdstellen gefunden.

Mittelalter

Slawen

Um 600 n. Chr. wandern westslawische Stämme in das Gebiet an Spree und Havel ein, das durch die Völkerwanderung einen großen Teil seiner germanischen Bevölkerung verloren hatte. Die Slawen gründen u.a. Spandau und Köpenick und können sich bis zum Jahr 928 halten, als König Heinrich I. ihre Burg Brandenburg erobert. König Otto der Große gründet 948 die Bistümer Havelberg und Brandenburg. Nach wie vor aber bleibt das Land ein eher abgelegener Teil des Reiches.

Die Askanier
1134: Albrecht der Bär wird Markgraf

Das ändert sich, als unter Kaiser Lothar die Besiedlung des Nordostens in Angriff genommen wird. Er setzt 1134 den Askanier Albrecht den Bären als Markgraf der Nordmark ein. Nun zieht es zahlreiche Siedler aus dem Stammland der Askanier, dem Harz, aber auch vom Rhein und aus Franken an die Spree. Es entsteht eine Handelsniederlassung zu beiden Seiten des Flusses am Ort des heutigen Mühlendamms, die Keimzelle der Städte Berlin und Cölln wird. Wohl um 1230 verleihen die Markgrafen Johann und Otto III. diesen Siedlungen das Stadtrecht; die erste urkundliche Erwähnung von Cölln überhaupt läßt sich jedoch erst 1237 (als Stadt erst 1251) finden, Berlin als Stadt ist erst 1244 urkundlich genannt. Dennoch wird das Jahr 1237 heute als offizielles Gründungsdatum der Stadt Berlin angesehen. Die Doppelstadt Berlin-Cölln profitiert von den durchziehenden Kaufleuten und kann sich bald eine Stadtbefestigung und Gotteshäuser wie die Marienkirche und die Nikolaikirche leisten. Ihre Geltung kommt auch offiziell zum Ausdruck, indem in ihr die erste markgräfliche Münzstätte östlich der Elbe eingerichtet wird, wie eine Urkunde aus dem Jahr 1280 weiß. Die gleichen Interessen beider Städte führen 1307 schließlich zum Bau eines gemeinsamen Rathauses und zur Vereinigung in Landes- und Verteidigungsangelegenheiten.

1237: erste urkundliche Erwähnung von Cölln

Als 1319 mit dem Tode des Markgrafen Woldemar das Geschlecht der Askanier ausstirbt, ist es jedoch mit den friedlichen Zeiten vorbei. Zwar wird Berlin 1359 noch Mitglied der Hanse, doch finden sich beide Städte bald inmitten der Auseinandersetzungen zwischen den Geschlechtern der Luxemburger und der Wittelsbacher um die Mark Brandenburg wieder. Zwei große Brände 1376 und 1380, die weite Teile der Stadt zerstören, tun ein übriges, um die Entwicklung aufzuhalten.

Kurfürstliche Residenz

Die Streitigkeiten um die Herrschaft in der Mark enden, als Kaiser Sigismund Friedrich VI. von Hohenzollern, Burggraf von Nürnberg, im Jahr 1411 als Statthalter der Mark Brandenburg einsetzt. Friedrich erobert u.a. geraubte Güter und Gebiete von den marodierenden adeligen Brüdern Johann und Dietrich Quitzow zurück. Auf dem Konstanzer Konzil von 1415 wird er für sein Durchgreifen belohnt und mit dem Kurfürstentum Brandenburg belehnt. Der brandenburgische Landtag huldigt ihm als Kurfürst Friedrich I. Sein Ehrgeiz richtet sich allerdings nicht nur auf die Mark, sondern auch auf Berlin und Cölln. In dieser Phase vereinigen sich 1432 beide Städte. 1440 tritt Friedrichs Sohn Friedrich II., genannt 'der Eisenzahn', sein Amt als Kurfürst an. Er beginnt bereits 1443 mit dem Bau des Cöllner Schlosses, vor allem aber sucht er die Auseinandersetzung mit den beiden Städten, indem er ihre Privilegien und auch die Vereinigung aufhebt. Doch dagegen und gegen den Bau des Schlosses erheben sich in den Jahren 1447 und 1448 im 'Berliner Unwillen' die Bürger von Cölln und Berlin, doch kann Friedrich den Aufstand unterdrücken. Es ist der erste Sieg des Fürstentums über die städtische Selbstverwaltung. Berlin wird zur fürstlichen Residenz ausgebaut und das Schloß zu 'Cölln an der Spree' 1470 ständige kurfürstliche Residenz. Allerdings hat dies keine Auswirkungen auf die Prosperität der Stadt, im Gegenteil: um 1500 ist der Niedergang der Berliner Schiffergilde zu verzeichnen, und Leipzig läuft Berlin den Rang als Handelsstadt ab.

1415: Friedrich VI. von Hohenzollern wird Kurfürst von Brandenburg

1432: Vereinigung von Berlin und Cölln

1447/1448: 'Berliner Unwille'

Die Hohenzollern in der Mark Brandenburg und in Preußen

Kurfürsten von Brandenburg

Friedrich I.	1415–1440
Friedrich II.	1440–1470
Albrecht Achilles	1470–1486
Johann Cicero	1486–1499
Joachim I. Nestor	1499–1535
Joachim II. Hektor	1535–1571
Johann Georg	1571–1598
Joachim Friedrich	1598–1608
Johann Sigismund	1608–1619
Georg Wilhelm	1619–1640
Friedrich Wilhelm, der Große Kurfürst	1640–1688
Friedrich III. (als Friedrich I. seit 1701 König in Preußen)	1688–1713

Preußische Könige

Friedrich Wilhelm I.	1713–1740
Friedrich II., der Große	1740–1786
Friedrich Wilhelm II.	1786–1797
Friedrich Wilhelm III.	1797–1840
Friedrich Wilhelm IV.	1840–1861
Wilhelm I.	1861–1871

Deutsche Kaiser

Wilhelm I.	1871–1888
Friedrich III.	1888
Wilhelm II.	1888–1918

Kurfürstliche Residenz (Fortsetzung)

Im Jahr 1539 bekennt sich Kurfürst Joachim II. zum Protestantismus. Er holt manch bekannten Künstler in die Stadt, läßt u.a. die Zitadelle Spandau bauen, vergißt aber, für eine solide Finanzierung zu sorgen. Sein Tod im Jahr 1571 stürzt die Mark und Berlin in ernste wirtschaftliche Not. Nicht genug, wütet 1576 und 1598 auch noch die Pest. Um 1600 hat Berlin noch ca. 12 000 Einwohner. Der Dreißigjährige Krieg zieht wiederum vor allem die Mark Brandenburg stark in Mitleidenschaft; die Vorstädte Berlins brennen ab. Die Bevölkerung leidet zudem unter einer erneuten Pestepidemie, die 3000 Opfer fordert.

1640–1688: Der Große Kurfürst

In diesen Zeiten übernimmt 1640 Friedrich Wilhelm die Kurfürstenwürde. Unter seiner Regentschaft blüht Berlin wieder auf. Friedrichswerder und die Dorotheenstadt entstehen, Schloß Köpenick wird gebaut, der Lustgarten angelegt und Berlin zur Festung ausgebaut. Der Bau des Oder-Spree-Kanals (Friedrich-Wilhelm-Kanal) 1662–1668 macht Berlin zu einem bedeutenden Umschlaghafen am Wasserweg zwischen Hamburg und Breslau. Schließlich sorgt Friedrich Wilhelm auch für die Auffrischung des geistigen Lebens der Stadt: 1671 läßt er die Gründung der Jüdischen Gemeinde Berlins zu, und mit dem Edikt von Potsdam ermöglicht er 1685 die Ansiedlung der in Frankreich verfolgten Hugenotten. Sie dürfen ihre eigene Kirche und Schule aufbauen. Nicht umsonst geht Friedrich Wilhelm als 'Der Große Kurfürst' in die Geschichte ein. Sein Sohn Friedrich III. setzt diese Tradition fort, indem unter seiner Herrschaft 1696 die Akademie der Künste gegründet wird und 1700 Gottfried Wilhelm Leibniz die Akademie der Wissenschaften ins Leben ruft. Friedrichs eigentliche Ambitionen aber gehen in eine andere Richtung.

Hauptstadt des Königreichs Preußen

1701–1713: König Friedrich I.

Im Jahr 1701 krönt sich Kurfürst Friedrich III. in Königsberg als Friedrich I. eigenhändig zum ersten preußischen König. Er liebt den barocken Prunk. Unter seiner Regentschaft wird die Friedrichstadt angelegt, es entstehen u.a. das Zeughaus, Schloß Charlottenburg und das Gebäude der Akademie der Künste, auch die Charité läßt er 1710 gründen. Ein Jahr zuvor bereits hatte er Berlin, Cölln, Friedrichswerder, Dorotheenstadt und Friedrichstadt zur Bildung eines gemeinsamen Magistrats veranlaßt, der seinen Sitz im Cöllnischen Rathaus nimmt. Berlin hat zu dieser Zeit 56 000 Einwohner, darunter 6000 Franzosen.

1713-1740: König Friedrich Wilhelm I.

Friedrichs Sohn Friedrich Wilhelm I., der 'Soldatenkönig', regiert von 1713 bis 1740 und ist das Gegenteil seines Vaters. Ihm ist alle Pracht fremd. Zudem muß er sparen, da sein Vater leere Staatskassen hinterlassen hat. Das hindert ihn allerdings nicht daran, das Heer zu vergrößern und die Stadtbefestigung voranzutreiben, aber auch Straßen, Nutzbauten und Wohnhäuser zu bauen und das Schulwesen zu fördern. Die Sitten sind streng, man lebt spartanisch – der Lustgarten wird Exerzierplatz. In diesen Jahrzehnten entwickelt sich die Zeugmacherei zum ersten bedeutenden Ausfuhrgewerbe der Stadt

1740–1786: König Friedrich II. der Große

In der Regierungszeit Friedrichs II., genannt 'der Große', noch bekannter als 'der Alte Fritz', entwickelt sich Berlin zu einer Stadt von europäischem Rang, wird aber auch von seinen Kriegen heimgesucht. Es gelingt ihm, den größten Geist seiner Zeit, Voltaire, in die Stadt zu holen und für mehrere Jahre zum Haupt seiner illustren Tafelrunde von Künstlern und Denkern zu machen. Durch sie und durch die Tätigkeit von Männern wie dem Verleger und Buchhändler Friedrich Nicolai und Moses Mendelssohn entwickelt sich Berlin zur 'deutschen Hauptstadt der Aufklärung'. Als Bauherr veranlaßt Friedrich den Ausbau der Linden zur Prachtstraße Berlins, zudem den Bau von Schloß Bellevue und den Neuen Flügel von Schloß Charlottenburg. Neue Baumwoll- und Seidenmanufakturen entstehen, so daß Berlin zur größten Textilstadt in Deutschland aufsteigt. 1761 wird die Königliche

Die preußische Residenz Berlin auf einem Kupferstich aus dem Jahr 1729. Rechts sieht man 'die Linden'.

Porzellan-Manufaktur gegründet. Kurz zuvor allerdings erlebten die Berliner auch die andere Seite der Politik ihres Königs: Während des Siebenjährigen Krieges beschießen 1760 die Österreicher und die Russen die Stadt und besetzen sie für vier Tage. Im Todesjahr Friedrichs des Großen hat Berlin 150 000 Einwohner.

Hauptstadt des Königreichs Preußen (Fortsetzung)

Das moderne Berlin entsteht

Mit dem Tod Friedrichs des Großen tritt Preußen von der großen europäischen Bühne ab. Berlin, um 1800 mit 200 000 Einwohnern nach London und Paris die drittgrößte Stadt Europas, bleibt aber das geistige Zentrum Preußens, und insbesondere die deutsche Romantik – verbunden mit Namen wie Schlegel, Tieck, Chamisso und E.T.A. Hoffmann – hat hier eine ihrer Hochburgen. Daran ändert auch die zweijährige französische Besatzungszeit nichts, die am 27. Oktober 1806 mit dem Einzug Napoleons I. beginnt. Nach dem Abzug der Franzosen und dem Ende des französischen Kaiserreichs setzt eine Entwicklung ein, die Berlin zu einer modernen Stadt und am Ende des 19. Jh.s schließlich zu einer Weltstadt werden läßt. Wilhelm von Humboldt gründet 1810 die Friedrich-Wilhelm-Universität, 1816 fährt das erste in Deutschland gebaute Dampfschiff, die "Princess Charlotte", auf der Spree, 1826 liefert die erste Gasanstalt den begehrten Brennstoff, 1837 eröffnet die Maschinenfabrik Borsig, 1838 wird die Eisenbahnlinie Berlin–Potsdam in Betrieb genommen und 1839 die erste Pferdeomnibuslinie Alexanderplatz–Potsdamer Platz. Eine rege Bautätigkeit, für deren Qualität der Name Karl Friedrich Schinkel steht, läßt Neue Wache, Schauspielhaus und Altes Museum entstehen. Der Preis für die Industrialisierung der Stadt ist eine Fülle sozialer Probleme, die aus den erbärmlichen Lebensverhältnissen der Arbeiter erwachsen.

Märzrevolution 1848

Die in ganz Europa lautwerdenden Forderungen nach Meinungs- und Pressefreiheit und einem Ende der restriktiven Karlsbader Beschlüsse ertönen auch in Berlin. 1847 tagt der erste Vereinigte Landtag Preußens in der

Hauptstadt des Königreichs Preußen (Fortsetzung)

Stadt. Dem Volk ist das allerdings nicht genug, es demonstriert weiter. Am 18. März schießen Truppen in eine demonstrierende Menge vor dem Schloß. Wilhelm, Prinz von Preußen, der Bruder des Königs und späterer Kaiser Wilhelm I., soll dies gefordert haben, wofür er den Namen 'Kartätschenprinz' erhielt. Es werden Barrikaden errichtet; bei den anschließenden Straßenkämpfen gibt es über 250 Opfer ('Märzgefallene'). Am 19. März verläßt die Garnison die Stadt; der König gewährt Presse-, Versammlungs- und Koalitionsfreiheit sowie das Wahlrecht; die Bürgerwehr übernimmt Ordnungsfunktionen. Friedrich Wilhelm IV., der sich selbst als 'Romantiker auf dem Königsthron Preußens' sieht, steht den blutigen Aufständen hilflos gegenüber. Am 21. März erläßt er eine Proklamation an das deutsche Volk, in der er erklärt, sich zur Rettung des Vaterlandes an die Spitze Deutschlands stellen zu wollen, doch lehnt er am 3. April 1849 die ihm vom Frankfurter Parlament angebotene Kaiserkrone ab. 1861 tritt besagter 'Kartätschenprinz' als König Wilhelm I. die Nachfolge Friedrich Wilhelms IV. an; ein Jahr später wird Otto von Bismarck preußischer Ministerpräsident. Als späte Folge der Märzereignisse wird Berlin 1866 Hauptstadt des Norddeutschen Bundes und Sitz des Reichstages.

Hauptstadt der deutschen Arbeiterbewegung

In diesen Jahren steigt Berlin allerdings auch noch zu einer Hauptstadt anderer Art auf: zur Hauptstadt der deutschen Arbeiterbewegung. War bereits im August und September 1848 der erste deutsche Arbeiterkongreß in der preußischen Hauptstadt abgehalten worden, veröffentlicht Ferdinand Lasalle im April 1862 sein "Arbeiter-Programm" und findet 1868 der allgemeine deutsche Arbeiterkongreß zur Gründung der ersten allgemeinen Gewerkschaften statt.

Hauptstadt des Deutschen Reichs

Das wilhelminische Berlin

18. Januar 1871

Am 18. Januar 1871 wird im Spiegelsaal von Versailles das deutsche Kaiserreich proklamiert und der preußische König Wilhelm I. zum deutschen Kaiser ausgerufen. Reichshauptstadt und Residenz wird Berlin, das zu diesem Zeitpunkt 823 000 Einwohner zählt. Damit erhält Berlin einen neuen Entwicklungsschub hin zur pulsierenden Weltstadt, den der Ausbruch des Ersten Weltkriegs jäh beendet.

Berliner Kongreß, Dreikaiserjahr und Bismarcks Entlassung

Auf außenpolitischer Ebene gerät Berlin durch den 1878 abgehaltenen Berliner Kongreß zur Schlichtung des Gegensatzes zwischen Rußland einerseits und England/Österreich-Ungarn andererseits ins Rampenlicht, innenpolitisch sorgen das Dreikaiserjahr 1888 – der Nachfolger Wilhelms I., Friedrich III., stirbt nach nur 99 Tagen im Amt; ihm folgt Wilhelm II. – und die Entlassung von Reichskanzler Otto von Bismarck für Aufregung.

Gründerzeit

Für die Berliner sind aber sicher die technischen Neuerungen wichtiger, die das Leben nachhaltig verändern werden: 1879 brennen die ersten elektrischen Lampen, und im selben Jahr fährt die erste elektrische Bahn der Welt auf der Gewerbeausstellung in Moabit; 1881 wird der Fernsprechbetrieb aufgenommen und verkehrt die erste elektrische Straßenbahn in Lichterfelde, ein Jahr später wird die Stadtbahn eröffnet. 1902 verkehrt die erste Hoch- und U-Bahn-Strecke (Zoo–Warschauer Tor), 1905 fahren die ersten motorisierten Busse durch die Straßen. Die Stadt wächst ungemein – um 1900 ist die Einwohnerzahl auf 1,9 Mio. Menschen gestiegen. Bei aller Bequemlichkeit aber, die die Technik bringt, verschärft sich die soziale Lage. Die rasche Industrialisierung der Gründerjahre bewirkt den Bau einer Masse der für Berlin so typischen Mietskasernen, in denen die Arbeiterfamilien unter wenig angenehmen Bedingungen zu leben haben. Angesichts dieser Verhältnisse bleibt Berlin eine Hochburg der Arbeiterbewegung.

Erster Weltkrieg und Revolution

Im Ersten Weltkrieg wird Berlin nicht direkt angegriffen, bekommt die Kriegslast jedoch durch Rationierung und Hunger zu spüren. Kriegsmüdigkeit macht sich breit, die zu großen Streiks in den Jahren 1917/1918 und schließlich zur Revolution führt.

9. November 1918

Am 9. November 1918 ruft der Sozialdemokrat Philipp Scheidemann vom Reichstagsgebäude die Republik aus, um damit der Bildung einer sozialistischen Republik durch die Kommunisten zuvorzukommen. Diese ruft Karl Liebknecht am selben Tag von einem Balkon des Stadtschlosses aus. Am 10. November geht Kaiser Wilhelm II. direkt vom deutschen Hauptquartier im belgischen Spa in die Niederlande ins Exil. Der Gegensatz zwischen sozialdemokratisch geführter Regierung und den Kommunisten bricht im Januar 1919 im Spartakusaufstand gewalttätig aus. In Berlin, besonders im Zeitungsviertel, toben schwere Straßenkämpfe zwischen regierungstreuen Kräften und der extremen Linken, die die sozialistische Räterepublik durchsetzen will. Am 15. Januar werden die Führer der Kommunistischen Partei Deutschlands, Rosa Luxemburg und Karl Liebknecht, von Freikorpssoldaten ermordet. Nachdem die äußerste Linke geschlagen ist, tritt die Rechte zum Aufstand an. Während des Kapp-Putsches im März 1920 besetzen Freikorpstruppen die Berliner Regierungsstellen. Die Reichsregierung flieht nach Stuttgart. Den Putschisten wird durch einen Generalstreik der Boden entzogen. Doch gerade in diesem Krisenjahr werden Berlin und seine Vororte in 20 Bezirke gegliedert und bilden die Stadtgemeinde Groß-Berlin, die nun nach London die zweitgrößte Stadt Europas ist.

Die Goldenen Zwanziger

Nach der Überwindung der ersten Krisenjahre der Weimarer Republik wird Berlin zu einem wirtschaftlichen, politischen, kulturellen und gesellschaftlichen Zentrum Europas und die Film-, Theater- und Pressehauptstadt Deutschlands. Die Stadt erlebt eine rauschende Zeit, für die Menschen wie Erwin Piscator, Max Reinhardt, Fritz Lang, Elisabeth Bergner, Josephine Baker, Kurt Tucholsky oder Bertolt Brecht stehen. 1923 findet auch die erste Rundfunksendung Deutschlands aus dem Vox-Haus statt.
Der Glanz der Goldenen Zwanziger kann allerdings die politische Zerrissenheit Deutschlands nicht lange überstrahlen. Mit dem Erstarken der Nationalsozialisten, die mit Joseph Goebbels ihren fähigsten Demagogen zum 'Gauleiter Berlin' machen, nehmen die Auseinandersetzungen zwischen links und rechts zu. Saalschlachten und Schlägereien auf offener Straße sind Ende der zwanziger/Anfang der dreißiger Jahre im von der Weltwirtschaftskrise schwer getroffenen Berlin fast an der Tagesordnung.

Berlin unter der NSDAP
30. Januar 1933

Am 30. Januar 1933 wird Adolf Hitler zum Reichskanzler ernannt, ein Ereignis, das die SA mit einem Fackelzug durch das Brandenburger Tor hinab zur Reichskanzlei feiert. Das von den Nazis als Hort demokratischer und intellektueller Kräfte verachtete Berlin wird nun zur Schaltzentrale des nationalsozialistischen Machtapparats und des Terrors.
Der Brand des Reichstagsgebäudes am 28. Februar gibt den Nationalsozialisten die Gelegenheit, zahlreiche politische Gegner auszuschalten. Sehr rasch werden in Kellern und anderswo 'wilde' Konzentrationslager durch die SA eingerichtet; bereits am 1. April kommt es zum Boykott jüdischer Geschäfte, am 10. Mai werden auf dem Opernplatz Bücher linker, demokratischer und jüdischer Schriftsteller öffentlich verbrannt.
1936 beginnt die erzwungene Auswanderung von Juden. Im selben Jahr finden jedoch auch die XI. Olympischen Sommerspiele in Berlin statt. Die Nationalsozialisten veranstalten die Spiele mit großem Propagandaaufwand. Aus dem Stadtbild Berlins verschwindet alles, was auf Antisemitismus hindeuten könnte; selbst jüdische Sportler werden zu Propagandazwecken in die deutsche Mannschaft aufgenommen. 1937 ernennt Hitler Albert Speer zum Generalinspektor für die Neugestaltung Berlins, das durch gigantische Baumaßnahmen zu einer pangermanischen Hauptstadt namens 'Germania' umgewandelt werden soll. Die Bauarbeiten werden in Angriff genommen, durch den Krieg jedoch bald beendet. Ihr wahres Gesicht zeigen die Nazis wieder in der Pogromnacht vom 9. auf den 10. November 1938, in der die rund 80 Synagogen Berlins zerstört oder schwer beschädigt werden.

Berlin im Zweiten Weltkrieg

Bei Ausbruch des Zweiten Weltkriegs hat Berlin 4,3 Mio. Einwohner, davon 82 000 jüdischen Glaubens, 1933 waren es noch 160 000. Die Berliner erleben den Krieg am 25. August 1940 zum ersten Mal direkt, als die Stadt

Baedeker Special

Ein Ort deutscher Geschichte

Berlin war von der Gründung des Kaiserreiches im Jahre 1871 bis zum Untergang des nationalsozialistischen Dritten Reiches 1945 die Hauptstadt des Deutschen Reiches. Die wichtigsten Ministerien, Kanzleien und Botschaften waren entlang der vom Pariser Platz nach Süden abgehenden **Wilhelmstraße** und deren Seitenstraßen konzentriert.

Dieser Stadtteil ist die Friedrichstadt, die ab 1688 als eigenständige Gemeinde südlich von Berlin und Cölln entstand und 1710 der preußischen Hauptstadt eingegliedert wurde.
Unter der Regierung Friedrich Wilhelms I. entstanden in der ersten Hälfte des 18. Jh.s mehrere Adelspalais, die nach der Reichsgründung zu Regierungsgebäuden umgewandelt wurden. Der Aufstieg Berlins zur Hauptstadt brachte in der zweiten Hälfte des 19. Jh.s einen weiteren Zuwachs von Neubauten in der Friedrichstadt, die dadurch zum Regierungsviertel und zur "vornehmsten Gegend der Residenz" wurde, wie der Baedeker von 1878

Eine SS-Formation riegelt die Wilhelmstraße vor der Reichskanzlei für die Trauergäste zum Tod des Reichspräsidenten Paul von Hindenburg im Jahr 1934 ab. Die Trauerfeier fand in der Krolloper statt.

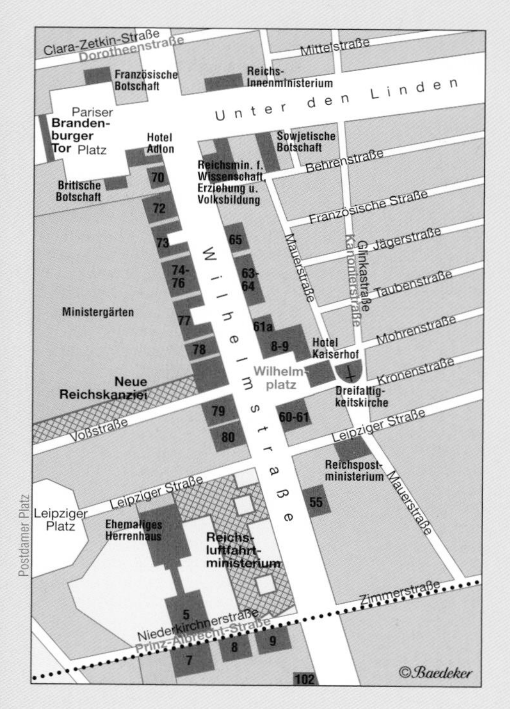

Ehemaliges Regierungsviertel

Bauten vor 1933

Bauten der Nationalsozialisten 1933-1939

•••• Verlauf der Berliner Mauer bis zum Abriß

Niederkirchnerstraße = derzeitige Benennung

Prinz-Albrecht-Straße = Benennung vor 1945

Die Zahlen geben die Hausnummern an

vermerkt. Die Weimarer Republik übernahm die Gebäude unverändert; erst die Nationalsozialisten veränderten das Gesicht des Viertels mit ihren gigantomanen Neubauten der 'Neuen Reichskanzlei' und des Reichsluftfahrtministeriums noch einmal einschneidend. Nach dem Krieg bebaute die DDR die gesamte Westseite der zerstörten, nun nach Otto Grotewohl benannten Straße zwischen Pariser Platz und Voßstraße etwa 20 m hinter der ursprünglichen Bauflucht mit Wohnbauten. Der dahinter liegende Bereich lag im Mauerstreifen und blieb unbebaut.

Von der Vorkriegsbebauung ist heute mit Ausnahme des ehemaligen Reichsluftfahrtministeriums nichts mehr erhalten. Der Plan gibt den Stand von 1939 wieder.

Rechte Seite der Wilhelmstraße ('Reichsseite'):

Nr. 70: seit 1876 englische Botschaft, ehemals Palais des Dr. Strousberg.

Nr. 72: Palais des Prinzen August Wilhelm von Preußen (1735), im Dritten Reich Sitz des Reichslandwirtschafts- und -ernährungsminsteriums.

Nr. 73 : 1734–1737 für den Grafen Schwerin erbaut, seit 1872 Ministerium des Königlichen Hauses, während der Weimarer Republik Amtssitz der Reichspräsidenten Ebert und Hindenburg. Nach dem Tode Hindenburgs von1934 an unbenutzt; 1939 Dienstwohnsitz des Außenministers.

Nr. 74: 1731 erbaut für Geheimrat v. Kellner, 1848 preußisches Staatsministerium, zunächst Reichskanzleramt, bis 1919 ▸

Baedeker Special

Reichsamt des Innern, dann zusammen mit den Gebäuden Nr. 75 (ehemalige Hofdruckerei Decker) und Nr. 76 Sitz des Auswärtigen Amts.
Nr. 76: 1735 erbaut für Oberst v. Pannwitz, bis 1877 Bismarcks Wohnung.
Nr. 77: erbaut 1736–1739 für General v. d. Schulenburg, von 1795 an Palais des Fürsten Radziwill, umgebaut 1875/1876, danach Reichskanzlerpalais, bis 1890 auch Privatwohnung Bismarcks. 1878 Schauplatz des 'Berliner Kongresses'.
Nr. 78: Neues Palais des Fürsten von Pless, als Teil der Reichskanzlei genutzt; 1927 abgerissen, 1931 Neubau, danach in Hitlers 'Neue Reichskanzlei' integriert.
Nr. 79: zunächst Handelsministerium, später Reichsbahndirektion.
Nr. 80: Reichsverkehrsministerium.
Nr. 82–97: Reichsluftfahrtministerium, 1935/1936 auf dem Gelände des preußischen Kriegsministeriums errichtet; es ist das einzige erhaltene Gebäude des ehemaligen Regierungsviertels. In der DDR 'Haus der Ministerien', dann Sitz der Treuhandanstalt (Detlev-Rohwedder-Haus), nun Bundesfinanzministerium. Das links daneben liegende Gebäude Prinz-Albrecht-Straße Nr. 5 war das Preußische Abgeordnetenhaus; 1934/1935 vorübergehend Sitz des 'Volksgerichtshofes', vereinnahmte Göring es danach als 'Haus der Flieger'.
Nr. 102: Prinz-Albrecht-Palais, 1737 als Palais des Barons Vernezobre erbaut und 1830 von Prinz Albrecht von Preußen, Sohn König Friedrich Wilhelms III., erworben. Ab 1939 Sitz des Reichssicherheitshauptamts der SS. Viele weitere Gebäude in diesem Abschnitt der Wilhelmstraße und der Prinz-Albrecht-Straße beherbergten ebenfalls Dienststellen von SS und Gestapo (s. S. 212).

Linke Seite der Wilhelmstraße ('Preußenseite'):
Nr. 65: zunächst preußisches, dann Reichsjustizministerium.
Nr. 64 u. 63: preußisches Staatsministerium und 'Verbindungsstab des Stellvertreters des Führers'.
Nr. 62: einstiger Standort des Kolonialministeriums, während der Weimarer Republik Ministerium für Wiederaufbau.
Nr. 61 a und Wilhelmplatz 89: Wilhelmplatz 8–9 wurde 1737 für den Großmeister des Johanniterordens erbaut und 1827/1828 von Schinkel umgestaltet, 1937–1939 erweitert. Zusammen mit Wilhelmstraße 61 a Sitz des Goebbels-Ministeriums für 'Volksaufklärung und Propaganda' und der Reichskulturkammer.
Nr. 60 u. 61: ursprünglich Wilhelmplatz 1, als Auswärtiges Amt geplant, dann Reichsschatzamt und schließlich Reichsfinanzministerium.
Nr. 55: Hitlers Privatkanzlei.

An der **Voßstraße** lagen ursprünglich mehrere Behörden, darunter in Nr. 1 (Borsigsches Palais) die Preußische Pfandbriefbank, in Nr. 4 und 5 das Reichsjustizamt, aber auch die Berliner Gauleitung der NSDAP (Nr. 11). Hitler ließ durch seinen Leibarchitekten Albert Speer entlang der gesamten Nordseite der Voßstraße die 'Neue Reichskanzlei' erbauen (1939 fertiggestellt), ein 430 m langer, den Größenwahn der Nationalsozialisten architektonisch manifestierender Bau. Nach Kriegsende wurde das stark beschädigte Gebäude gesprengt; aus demTrümmermaterial errichteten die Sowjets das Ehrenmal im Tiergarten. Bei den Bauarbeiten am Potsdamer Platz sind einige SS-Wach- und Bereitschaftsräume der Reichsklanzlei freigelegt worden.

Hauptstadt des Deutschen Reiches (Fortsetzung)

erstmals aus der Luft angegriffen wird. Der erste wirklich schwere Luftangriff erfolgt am 1. März 1943. Damit hat der 'totale Krieg', den Goebbels zwei Wochen zuvor am 18. Februar in seiner berüchtigten Rede im Sportpalast proklamiert hatte, die Stadt endgültig erreicht. Nach dem mißglückten Attentat auf Hitler in dessen 'Führerhauptquartier' in Ostpreußen am 20. Juli 1944 werden die führenden Offiziere der Verschwörergruppe im Hof des Oberkommandos der Wehrmacht in der Bendlerstraße erschossen. Im April 1945 beginnt die Rote Armee mit dem Angriff auf Berlin. Hitler begeht am 30. April im 'Führerbunker' unter dem Garten der Neuen Reichskanzlei an der Voßstraße Selbstmord. Am 2. Mai wird Berlin von sowjetischen Truppen eingenommen, am 8. Mai unterzeichnet die Wehrmachtführung in Berlin-Karlshorst die bedingungslose Kapitulation.

8. Mai 1945: Bedingungslose Kapitulation der Wehrmacht in Berlin-Karlshorst

Berlin im April 1945: ein sowjetischer Panzer vor dem Brandenburger Tor

Hauptstadt des Deutschen Reiches (Fortsetzung)

Ungeachtet des Kriegsgeschehens erfolgen seit 1941, als die ehemalige Synagoge in der Levetzowstraße Sammellager für die Berliner Juden wird, die Massendeportationen in die Vernichtungslager im Osten Europas, deren Durchführung bei der 'Wannsee-Konferenz' zur 'Endlösung der Judenfrage' am 20. Januar 1942 abschließend besprochen wird. Noch im März und April 1945 verlassen die letzten Transporte Berlin.
Am Ende des Zweiten Weltkriegs leben in Berlin noch 2,8 Mio. Menschen; 7247 jüdische Bürger haben die Verfolgung überlebt. 75 Mio. m³ Schutt liegen auf den Straßen, von 245 000 Gebäuden vor dem Krieg sind nun 50 000 irreparabel zerstört, das Zentrum ist zu 75 % vernichtet.

Die geteilte Stadt

Viersektorenstadt Berlin

Im Juni 1945 wird Berlin Sitz des Alliierten Kontrollrates. Am 4. Juli besetzen britische und US-amerikanische Truppen ihre Sektoren, am 12. August folgten die Franzosen. Berlin ist von nun an Viersektorenstadt. Schon bald zeigen sich Risse in der Allianz der Siegermächte, die schließlich zur Teilung der Stadt führen. Die Nachkriegszeit wird vom Kalten Krieg diktiert. Berlin ist 'Frontstadt' und Terrain für Propaganda und Spionage.
Bereits im Juni 1945 läßt die sowjetische Militäradministration wieder Parteien zu. In ihrem Sektor werden SPD und KPD am 21. April 1946 zur SED zwangsvereinigt. Am 20. Oktober 1946 werden unter alliierter Aufsicht Wahlen zur Stadtverordnetenversammlung abgehalten – die ersten freien Wahlen seit dreizehn Jahren und zugleich auch die letzten für die kommenden 44 Jahre in ganz Berlin. Klarer Sieger ist die SPD.
Die Sowjetunion nimmt die Absicht der Westalliierten, ihren Zonen eine Verfassung zu geben, am 20. März 1948 zum Anlaß, den Alliierten Kontrollrat zu verlassen. Drei Monate später, am 24. Juni, beginnt die Blockade der Zufahrtswege nach Westberlin durch die Sowjets als Antwort auf die Einführung der D-Mark in den Westsektoren – was allerdings nur wiederum

1948–1949: Berlin-Blockade

Die geteilte Stadt (Fortsetzung)

eine Reaktion auf die Währungsreform in der Sowjetischen Besatzungszone Deutschlands und im Ostsektor Berlins einen Tag zuvor war. Bis zur Aufhebung der Blockade am 12. Mai 1949 erfolgt die Versorgung der Bevölkerung nur noch durch die legendäre 'Luftbrücke'. Am 6. September 1948 verlegt der rechtmäßig gewählte Magistrat seinen Amtssitz gezwungenermaßen von Ost- nach Westberlin. Die politische Entwicklung verläuft von nun an völlig getrennt, auch wenn die Sektorengrenzen zwischen Ost- und Westberlin noch offen bleiben.

1949: Gründung der Bundesrepublik Deutschland und der Deutschen Demokratischen Republik

Am 23. Mai 1949 wird das Grundgesetz der Bundesrepublik Deutschland verkündet; in Ostberlin wird am 7. Oktober die Deutsche Demokratische Republik ausgerufen, und Berlin (Ost) zur Hauptstadt der DDR erklärt. Ernst Reuter wird am 18. Januar 1950 erster Regierender Bürgermeister von (West)-Berlin. Die neue Berliner Verfassung tritt am 1. Oktober in Kraft; sie erklärt Berlin zu einem Land der Bundesrepublik Deutschland und beansprucht Geltung für die ganze Stadt, kann sich de facto jedoch nur auf Westberlin beschränken. Die Jahre bis zum Bau der Mauer sind zum einen geprägt vom Aufstand des 17. Juni 1953. Er wird ausgelöst durch den Streik der mit dem Bau der Stalinallee beschäftigten Bauarbeiter gegen überhöhte Normen, doch von der DDR-Regierung mit Hilfe sowjetischer Truppen niedergeschlagen. Bis 1990 bleibt der 17. Juni als 'Tag der deutschen Einheit' Feiertag in der Bundesrepublik und in Westberlin. Zum anderen ist dies auch die Zeit von Aktionen mit symbolisch-propagandistischem Charakter beider Seiten. Dazu gehören auf Westseite die Sitzungen des Deutschen Bundestags im Reichstag, deren erste im Oktober 1955 stattfindet, auf Ostseite u.a. das vom sowjetischen Parteichef Nikita Chruschtschow 1958 gestellte 'Berlin-Ultimatum': Berlin soll den Viermächte-Status verlieren und eine 'freie', entmilitarisierte Stadt werden. Eine Außenministerkonferenz ein Jahr später in Genf bringt keine Lösung der Berlin-Frage. Chruschtschow läßt das Berlin-Ultimatum fallen. Auch ökonomisch driften die beiden Teile der Stadt auseinander: Während Westberlin bald zu einem der wichtigsten Industriestandorte der Bundesrepublik wird, kommt die Entwicklung in Ostberlin nur schleppend voran. Zudem hat die DDR mit einem immensen Problem zu kämpfen: Über die immer noch durchlässige Sektorengrenze fliehen jährlich immer mehr Menschen in den Westen.

17. Juni 1953

Berlin im Zeichen der Mauer

13. August 1961

Um der Fluchtbewegung Einhalt zu gebieten, beginnt die DDR am 13. August 1961 mit dem Bau der 'Berliner Mauer': Ostberlin wird zunächst durch eine Stacheldrahtsperre und dann durch eine streng bewachte Betonmauer von Westberlin getrennt. Der durchgehende S- und U-Bahn-Verkehr wird unterbrochen (→ *Baedeker-Special* S. 102 ff.). Berlin ist nun endgültig geteilt; Westberlin wird zum Ziel aller wichtigen Politiker des Westens, die die Einheit der Stadt betonen. Unvergessen bleibt der Besuch von US-Präsident John F. Kennedy am 26. Juni 1963. Vor dem Schöneberger Rathaus erklärt er: "Alle freien Menschen, wo immer sie leben mögen, sind Bürger dieser Stadt Westberlin, und deshalb bin ich als freier Mensch stolz darauf, sagen zu können: Ich bin ein Berliner", wobei er die letzten Worte auf Deutsch sprach.

Wandel durch Annäherung

Durch stille Diplomatie aber werden einige Verbesserungen erreicht – Egon Bahr prägte das Wort vom "Wandel durch Annäherung". So wird im Dezember 1963 das erste von mehreren Passierschein-Abkommen geschlossen: Westberliner können – zum ersten Mal wieder nach 28 Monaten – ihre Verwandten in Ostberlin besuchen. 1971 wird der seit 1952 unterbrochene Telefonverkehr zwischen Ost- und Westberlin wieder freigegeben. Am 3. September desselben Jahres wird das 'Viermächte-Abkommen über Berlin' von den Botschaftern der vier Siegermächte im Gebäude des einstigen Alliierten Kontrollrats unterzeichnet. Es ist ein Meilenstein in der Nachkriegsgeschichte Berlins. Wichtigste Punkte sind die Anerkennung des Status quo in Berlin, eine Gewaltverzichtserklärung und die Erklärung der Sowjetunion, den Straßen-, Schienen-, Wasser- und Luftverkehr zwischen der Bundesrepublik Deutschland und Westberlin sowie die Kommunikation zwischen Westberlin und den angrenzenden Gebieten nicht zu behin-

1971: Viermächte-Abkommen

Berlin im Zeichen der Mauer (Fortsetzung)

dern bzw. sie zu verbessern. Im Gegenzug anerkennen die Westalliierten den besonderen Status Westberlins. Im ein Jahr später geschlossenen 'Berlin-Abkommen' wird Westberlinern wieder gestattet, nach Ostberlin und in die DDR einzureisen; der Transitverkehr zwischen der Bundesrepublik und Westberlin wird wesentlich erleichtert. 1974 richtet die Bundesrepublik eine ständige Vertretung in Ostberlin ein. Auch auf niedrigerer Ebene erreicht man eine Zusammenarbeit: 1984 übernimmt die BVG die Westberliner S-Bahn, die bislang von der Reichsbahn verwaltet worden war. Am 31. März 1988 wird der Gebietsaustausch von 17 unbewohnten Exklaven zwischen Westberlin und der DDR unterzeichnet.
Während des gesamten Bestehens der Mauer aber finden zahlreiche Menschen bei dem Versuch, sie zu überwinden, den Tod.

Entwicklung in Westberlin

1967/1968

Beide Teile der Stadt entwickeln sich völlig unterschiedlich. Ende der sechziger Jahre wird Westberlin neben Frankfurt am Main Zentrum der westdeutschen Neuen Linken und der Außerparlamentarischen Opposition. Am 2. Juni 1967 wird während einer Demonstration gegen den Besuch des Schahs von Persien der Student Benno Ohnesorg von einem Polizeibeamten erschossen. 1968 erlebt Westberlin zahlreiche Demonstrationen der APO vor allem gegen den Vietnamkrieg und gegen den Springer-Verlag. Am 11. April wird Rudi Dutschke, einer ihrer führenden Köpfe, auf dem Kurfürstendamm durch einen Kopfschuß schwer verletzt. Heftige Protestaktionen sind die Folge. Auch in den Jahren danach bleibt es in Westberlin unruhig. In den achtziger Jahren macht Berlin durch Hausbesetzungen vor allem in Kreuzberg Schlagzeilen. Bei den teilweise gewaltsamen Räumungen kommt es immer wieder zu Straßenschlachten zwischen der Polizei und der Hausbesetzerszene bzw. den sog. Autonomen, die Westberlin zu einem ihrer Zentren erkoren haben. Eine politische Folge ist die Ablösung der SPD nach Jahrzehnten der Regierung durch die CDU 1981. Die Straßenschlachten zwischen Polizei und Autonomen halten bis in die Gegenwart an. Besonders die Nacht auf den 1. Mai ist zum 'traditionellen' Randale-Datum geworden. Dennoch ist Westberlin nicht nur eine von politischem Zwist und der Teilung geprägte Stadt, sondern macht auch auf kulturellem und wissenschaftlichem Gebiet von sich reden. Am Kemperplatz entsteht seit den sechziger Jahren das Kulturforum, ein Spiegel der modernen Architektur, und setzt damit eine Tradition fort, die mit dem Bau des Hansa-Viertels in den fünfziger Jahren begonnen hat. Die Berliner Filmfestspiele werden zu einem Ereignis von internationalem Rang. 1986 nimmt das größte und modernste Herzzentrum Europas seine Arbeit auf; im selben Jahr wird die erste jüdische Schule seit dem Nationalsozialismus eröffnet. 1987 begeht man – im Osten wie im Westen – die 750-Jahr-Feier der Stadt; 1988 ist man 'Europäische Kulturhauptstadt'.

Entwicklung in Ostberlin

Was Demonstrationen angeht, bleibt es in Ostberlin nach 1953 ruhig – die Stasi hat die Situation im Griff. Die DDR-Oberen sind bemüht, ihrer Stadt den Hauptstadtstempel aufzudrücken, was vor allem durch Architektur geschieht. So entsteht anstelle des bereits 1950 gesprengten Stadtschlosses der Palast der Republik, der wie der nahebei aufragende Fernsehturm das sozialistische Selbstbewußtsein ausdrücken soll. Die Linden, das Nikolaiviertel, der Gendarmenmarkt (Platz der Akademie) werden vorbildlich restauriert, der Alexanderplatz umgestaltet. In den Außenbezirken entstehen triste Massenwohnquartiere wie in Marzahn – allerdings kann in dieser Hinsicht auch der Westen mit dem Märkischen Viertel mithalten.
Die vermeintliche Ruhe nicht nur in Ostberlin, sondern in der ganzen DDR, ist allerdings trügerisch. Der Unmut der Bevölkerung über die ökonmische und politische Krise ist im Zeichen von Perestroika und Glasnost nicht mehr zu unterdrücken. Zwar wird am 7. Oktober 1989 mit großem Aufwand die 40-Jahr-Feier der DDR abgehalten, doch kann auch sie die unruhige Stimmung im Lande nicht vertuschen. Der sowjetische Staats- und Parteichef Michail Gorbatschow nimmt an den Feierlichkeiten teil und kommentiert die Situation in der DDR mit den Worten: "Wer zu spät kommt, den bestraft das Leben". Folgerichtig setzt das Politbüro am 18. Oktober

7. Oktober 1989: "Wer zu spät kommt, den bestraft das Leben"

Entwicklung in Ostberlin (Fortsetzung)

Staats- und Parteichef Erich Honecker ab und macht Egon Krenz zu seinem Nachfolger. Unbeeindruckt von dieser kosmetischen Operation demonstrieren am 4. November rund eine Million Menschen für demokratische Reformen. Am 7. November tritt die Regierung der DDR geschlossen zurück; am 8. November werden Politbüro und Regierung neu besetzt; Hans Modrow wird Ministerpräsident.

10. November 1989 am Brandenburger Tor. Die Mauer ist kein Hindernis mehr.

9. November 1989: Die Grenzen öffnen sich

Am Abend des 9. November gibt Politbüro-Mitglied Günter Schabowski vorzeitig und die Folgen nicht ahnend die von der neuen Führung beschlossene Öffnung der Grenzen zu Westberlin und zur Bundesrepublik Deutschland bekannt. Schlagartig drängen nun Zehntausende DDR-Bürger in den Westteil der Stadt, wo sich ergreifende Szenen des Wiedersehens abspielen und ein großes Fest der Verbrüderung gefeiert wird. Am Wochenende des 10.–12. November strömten über eine Million Menschen aus Ostberlin und anderen Teilen der DDR nach Westberlin. Bis zum 14. November werden in Berlin neun neue Grenzübergänge geöffnet, im Laufe des Dezembers folgen weitere. Die Öffnung der Mauer am 22. Dezember zu beiden Seiten des Brandenburger Tores beendet nach 28 Jahren symbolisch die Teilung Berlins. Die feierliche Eröffnung wird von Bundeskanzler Helmut Kohl und DDR-Ministerpräsident Hans Modrow auf dem Pariser Platz besiegelt. Gemäß einer neuen Reiseverordnung besteht ab 24. Dezember freier Reiseverkehr zwischen den beiden deutschen Staaten ohne Einreisevisum und Zwangsumtausch.

22. Dezember 1989: Die Mauer ist offen

Das wiedervereinigte Berlin

Politische Etappen auf dem Weg zur Wiedervereinigung

Im Jahr 1990 entwickeln die Ereignisse eine Eigendynamik, die innerhalb kürzester Zeit zur Aufhebung der Teilung Deutschlands und Berlins führt. Als Ergebnis der DDR-Kommunalwahlen vom 6. Mai 1990 löst eine SPD-

Das wiedervereinigte Berlin (Fortsetzung)

geführte Große Koalition den alten Magistrat von Ostberlin ab. Senat und Magistrat von Berlin treffen sich am 12. Juni zu ihrer ersten gemeinsamen Sitzung. Seit dem 20. Juni haben die Berliner Bundestagsabgeordneten volles Stimmrecht im Deutschen Bundestag.
Am 1. Juli tritt die Währungs-, Wirtschafts- und Sozialunion zwischen der Bundesrepublik Deutschland und der DDR in Kraft. Im Palais Unter den Linden (Kronprinzenpalais) wird am 31. August der Einigungsvertrag zwischen den beiden deutschen Staaten unterzeichnet. Am 12. September unterzeichnen in Moskau die Außenminister der Bundesrepublik Deutschland, der Deutschen Demokratischen Republik, Frankreichs, Großbritanniens, der Sowjetunion und der Vereinigten Staaten von Amerika den Schlußvertrag der sog. 'Zwei+Vier-Verhandlungen'. Dabei wird bekanntgegeben, daß die Siegermächte des Zweiten Weltkrieges mit sofortiger Wirkung ihre besonderen Rechte in bezug auf Deutschland als Ganzes und auf Berlin suspendieren. In ganz Berlin enden damit de facto die Sonderrechte der Siegermächte.

31. August 1990: Einigungsvertrag

12. September 1990: Abschluß der Zwei+Vier-Verhandlungen

In der Nacht vom 2. auf den 3. Oktober findet zur Vereinigung Deutschlands ein großes Volksfest rund um das Brandenburger Tor, Unter den Linden und auf dem Alexanderplatz statt. Am Tag darauf tritt das aus Volkskammer und Bundestag gebildete gesamtdeutsche Parlament im Reichstagsgebäude zusammen. Am 2. Dezember werden zum ersten Mal seit 1946 wieder freie Wahlen in ganz Berlin und ganz Deutschland abgehalten. In Berlin gehen CDU und SPD eine Große Koalition ein. Im März 1993 tagt das Berliner Abgeordnetenhaus zum letzten Mal im Rathaus Schöneberg; im April erfolgt der Umzug in das neue Abgeordnetenhaus, den ehemaligen Preußischen Landtag im Bezirk Mitte.

3. Oktober 1990: Deutsche Einheit

Im Laufe der Jahre 1990 und 1991 wird die Berliner Mauer – bis auf wenige als Mahnmal vorgesehene Teilstücke – komplett abgerissen. Seit Juni 1990 werden die nach dem Mauerbau unterbrochenen S- und U-Bahn-Linien wieder befahren und 'Geisterbahnhöfe' wieder geöffnet. Am 5. August landet erstmals seit 1945 wieder ein Flugzeug der Lufthansa in Berlin (auf dem Flughafen Schönefeld)

Praktische Etappen auf dem Weg zur Wiedervereinigung

Hauptstadt Berlin

Am 17. Januar 1991 tritt der erste für ganz Deutschland frei gewählte Deutsche Bundestag zu seiner konstituierenden Sitzung im Reichstagsgebäude zusammen. Am 20. Juni beschließt der Bundestag die Verlegung des Sitzes von Parlament und Regierung nach Berlin. Bundeskanzler Kohl und der Regierende Bürgermeister Diepgen unterzeichnen am 25. August 1992 das Abkommen zum Ausbau der Hauptstadt. Gigantische Bauvorhaben werden in Angriff genommen.

20. Juni 1991: Berlin wird Hauptstadt

Im Juni 1994 verabschieden sich die Truppen der Westalliierten mit einer Parade auf der Straße des 17. Juni von den Berlinern; die ehemaligen Sowjettruppen paradieren in Köpenick. Die offizielle Verabschiedung erfolgt im August bzw. September ebenfalls in getrennten Feierlichkeiten.

1994: Die Alliierten verlassen Berlin

Auf landespolitischer Ebene allerdings zeigt sich im Mai 1996, daß die Trennung Ost-West in den Köpfen vieler noch immer existiert: Die Fusion von Berlin und Brandenburg wird per Volksentscheid abgelehnt – die Befürworter sitzen in Westberlin, die Gegner in Ostberlin und Brandenburg.

Kein neues Bundesland: Berlin und Brandenburg bleiben getrennt

Bei all der großen Politik sollen zwei wichtige Ereignisse nicht vergessen werden: Am 17. Oktober 1992 wird der verstorbene Willy Brandt, Regierender Bürgermeister während des Mauerbaus, mit einem Staatsakt im Reichstag geehrt; im Sommer 1995 lockt der von Christo und Jeanne-Claude verhüllte Reichstag Kunstfreunde aus aller Welt nach Berlin.
Im Februar 1998 geht eine Ära zu Ende: Das letzte besetzte Haus in Kreuzberg wird geräumt.
1999 schließlich ist es soweit: Am 19. April verlegt der Deutsche Bundestag seinen Sitz von Bonn nach Berlin, und mit dem Einzug von Bundeskanzler Schröder ins ehemalige Staatsratsgebäude am 23. August hat auch die Regierung offiziell ihre Arbeit in der Hauptstadt aufgenommen.

1999: Parlament und Regierung nehmen die Arbeit auf

Mit der Eröffnung des Sony Centers sind die Bauarbeiten am Potsdamer Platz abgeschlossen. Zur Jahreswende reduziert die Bezirksreform Berlins 23 Bezirke auf nun zwölf.

2000/2001

Berühmte Persönlichkeiten

Hinweis

Die nachstehende, namensalphabetisch geordnete Liste vereinigt historische Persönlichkeiten, die durch Geburt, Aufenthalt, Wirken oder Tod mit Berlin verbunden sind und überregionale, oft sogar weltweite Bedeutung erlangt haben.

Otto von Bismarck
(1815 bis 1898)
Reichskanzler

Der am 1. April 1815 geborene Gründer des Deutschen Reiches (1871) studierte 1832 in Göttingen die Rechte, ging dann nach Berlin und schloß seine Studien hier im Jahre 1835 ab. In den Jahren 1836–1839 lebte Bismarck als Regierungsreferendar in Aachen, fand jedoch den Staatsdienst zunächst zu trocken und zog sich auf seine Güter in Pommern zurück. Nach dem Tode des Vaters (1845) übersiedelte er nach Schönhausen, wurde Gutsherr und Deichhauptmann. In dieser Eigenschaft entsandte man ihn als Abgeordneten zum Provinziallandtag. Auf dem Frankfurter Bundestag trat er für die Gleichberechtigung Preußens gegenüber Österreich ein. Dies war der eigentliche Einstieg des konservativen Bismarck in die Politik. 1859 ging er als preußischer Gesandter nach Petersburg und 1862 nach Paris. Im selben Jahr wurde er Ministerpräsident und Minister des Äußeren. 1871 wurde er erster Kanzler des durch seine Politik entstandenen Deutschen Reiches. 1890 entließ ihn Kaiser Wilhelm II. unter nicht sehr ehrenhaften Bedingungen. Er starb am 30. Juli 1898 auf seinem Gut.
Bismarck, ein eher cholerischer, herrischer Mann, war in Berlin sehr populär. Nach anfänglichen Schwierigkeiten wurde er überall, auch von Gegnern, geachtet und nach der Demission weiterhin von den Bürgern verehrt. Seine politische Erfahrung legte er in seinen "Gedanken und Erinnerungen" nieder.

Willy Brandt
(1913 bis 1992)
Bundeskanzler

In der dunkelsten Stunde Berlins in der Nachkriegszeit, am 13. August 1961, dem Tag des Mauerbaus, hielt der Regierende Bürgermeister Willy Brandt vor einer erregten Menge eine spontane Rede, in der er die Bitternis über die Ereignisse treffend zum Ausdruck brachte und doch die explosive Stimmung besänftigen konnte. Diese Eigenschaft zeichnete ihn besonders aus: die Realitäten sehen und dennoch die Hoffnung auf Veränderung nicht aufgeben.
Willy Brandt wurde am 18. Dezember 1913 als Herbert Frahm in Lübeck geboren. Als Mitglied der Sozialistischen Arbeiterpartei mußte er 1933 vor den Nazis nach Norwegen fliehen und legte sich den Untergrundnamen "Willy Brandt" zu. 1938 nahm er die norwegische Staatsbürgerschaft an. Nach Kriegsende kam er als norwegischer Presseattaché nach Berlin, trat, nunmehr wieder deutscher Staatsbürger, 1947 der SPD bei und war 1949 Mitglied des ersten Deutschen Bundestags. 1957 wurde er zum Regierenden Bürgermeister von Berlin gewählt. Bis 1966 hatte er dieses Amt inne, und

Willy Brandt (Fortsetzung)

schon in dieser Zeit zeichnete sich als Leitlinie seiner Politik die Anerkennung und der pragmatische Umgang mit der Realität ab, die sein Vertrauter Egon Bahr 1963 als "Wandel durch Annäherung" charakterisiert hatte und u.a. im ersten Passierscheinabkommen Ausdruck fand. Seit 1964 Vorsitzender der SPD, trat er 1966 in die Große Koalition als Außenminister und Vizekanzler ein. 1969 war "ein Stück Machtwechsel" vollzogen, als Willy Brandt in einer Koalition mit der FDP erster sozialdemokratischer Bundeskanzler wurde. Unter der Losung "mehr Demokratie wagen" wollte er das Aufbegehren der 68er-Generation in das gesellschaftliche Leben einbringen. Mit seiner 'Ostpolitik' betrieb er die Aussöhnung mit den von Hitlerdeutschland überfallenen Ländern Osteuropas und regelte die Beziehungen in bilateralen Verträgen. Unvergessen und in aller Welt beachtet seine große Geste, als er 1971 am Mahnmal für die Opfer des Warschauer Ghettos auf die Knie sank; nur in Deutschland wurde er als 'Verzichtpolitiker' und 'Vaterlandsverräter' beschimpft. Schon 1970 hatte er als erster Bundeskanzler die DDR besucht, mit der 1973 der Grundlagenvertrag geschlossen wurde. Nach der Aufdeckung des Spionagefalls Guillaume trat Willy Brandt 1974 zurück. Schon 1976 wurde er Vorsitzender der Sozialistischen Internationale, die unter seiner Führung zu einer weltweiten Organisation heranwuchs. Als Vorsitzender der Nord-Süd-Kommission setzte er sich für die Belange der Dritten Welt ein.
Seine große historische Leistung war die 'Ostpolitik', ohne die die europäische Entspannung, das Ende des Kalten Krieges und letztlich die Überwindung der Spaltung Deutschlands nicht zustande gekommen wären. Für Willy Brandt war Berlin das Symbol der Teilung, und es war nur folgerichtig und gerecht, daß er im November 1989 vor dem Schöneberger Rathaus, obgleich ohne politisches Amt, zu den Menschen sprach. Willy Brandt starb am 8. Oktober 1992 in Bonn.

Bertolt (Bert) Brecht (1898 bis 1956) Dramatiker

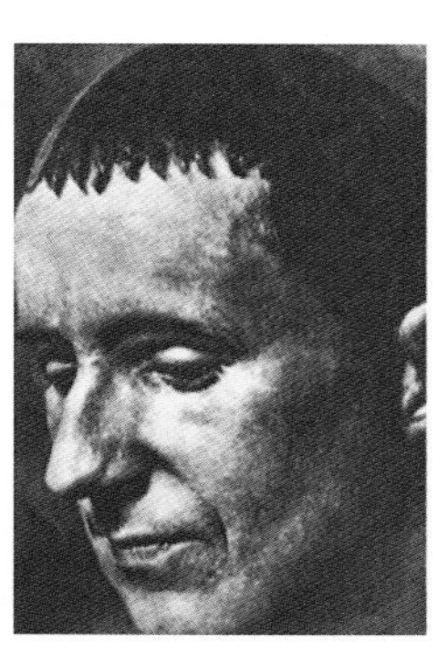

Der am 10. Februar 1898 in Augsburg geborene Brecht wurde vor allem als Dramatiker und Bühnentheoretiker bekannt. Er studierte zunächst in München Medizin und Naturwissenschaften; war 1918 Sanitätssoldat, setzte nach dem Ersten Weltkrieg sein Studium fort, ging aber dann 1920 als Dramaturg an die Münchener Kammerspiele. Seit 1924 lebte er in Berlin und führte gelegentlich Regie bei Max Reinhardt am Deutschen Theater. In den Jahren 1928 und 1929 besuchte er die Marxistische Arbeiterschule. 1933 floh er vor den Nationalsozialisten nach Dänemark und war von 1936 bis 1939 Mitherausgeber der in Moskau erscheinenden Zeitschrift "Das Wort". Über Moskau flüchtete er 1941 weiter in die Vereinigten Staaten von Amerika, von wo er erst 1947 zurückkehrte und sich in Zürich niederließ. Ein Jahr später gründete er in Ostberlin das von seiner Frau, der Schauspielerin Helene Weigel, geleitete Berliner Ensemble. Die Namen Brecht/Weigel sind mit dem Haus am Schiffbauerdamm untrennbar verbunden. Brechts Dramen sind, oft als Parabel angelegt, kämpferische Lehrstücke mit deutlicher Aussage zugunsten der Benachteiligten und Ausgebeuteten. Brecht entwickelte den Begriff und die Methode des 'epischen Theaters', das den Zuschauer nicht durch Illusionen und Suggestionen ablenken und unterhalten, sondern erzählen und zu einer klaren Stellungnahme bringen will. Seine bekanntesten Werke sind u.a. die in Zusammenarbeit mit dem Komponisten Kurt Weill entstandene "Dreigroschenoper" sowie "Mutter Courage und ihre Kinder", "Der gute Mensch von Sezuan" und der "Kaukasische Kreidekreis". Auch die Lyrik Brechts, insbesondere seine Balladen und Songs, sind von außerordentlichem Rang und dem Lehrhaften verpflichtet. Bertolt Brecht starb am 14. August 1956 in Ostberlin.

Daniel Nikolaus Chodowiecki (1726 bis 1801) Radierer und Kupferstecher

Chodowiecki war einer der bedeutendsten Radierer und Kupferstecher des deutschen Rokoko. Geboren am 16. Oktober 1726, war er zunächst von 1740 bis 1754 als Kaufmann, dann als Emailmaler tätig und lernte schließlich bei Christian Bernhard Rode Stechen und Radieren. Im Jahr 1764 wurde er Mitglied der Akademie der bildenden Künste, 1790 ihr Vizedirektor. Chodowiecki war auch Maler im Stil des französischen galanten Genres, bekannt wurde er jedoch vor allem als Meister des 'Zopfstils'. Er schildert auf meist sehr kleinformatigen Radierungen das bürgerliche Alltagsleben nicht ohne leise, freundliche Ironie. Die kleine Welt des friderizianischen Preußen wird auf diesen feinen, sorgfältig durchgearbeiteten Blättern lebendig. Daneben wirkte Chodowiecki auch als Illustrator, zumeist von Bühnenwerken (zum Beispiel von Lessing, Goethe und Schiller), aber auch wissenschaftlicher Untersuchungen (u. a. für Lavater oder Basedow). Er starb am 7. Februar 1801. 2000 Radierungen sind erhalten und beinahe ebenso viele Handzeichnungen. Das Kupferstichkabinett der Dahlem-Museen besitzt Druckgraphiken und Zeichnungen des Meisters.

Rudi Dutschke (1940 bis 1979) Studentenführer

Als die deutsche Studentenschaft daran ging, den "Muff von tausend Jahren" aus den Talaren zu stäuben und 'außerparlamentarische Opposition' zu betreiben, fand sie in Rudi Dutschke ihren charismatischen Führer. Am 7. März 1940 in Schönefeld im Kreis Luckenwalde geboren, war er noch kurz vor dem Mauerbau nach Westberlin gekommen, um an der FU Soziologie zu studieren. Bald engagierte er sich im Sozialistischen Deutschen Studentenbund (SDS), und als die Proteste gegen den Krieg in Vietnam heftiger wurden, sah man Dutschke immer an der Spitze der Demonstrationszüge. Sein innenpolitisches Anliegen – die gewaltfreie Umwandlung der von ihm als repressiv eingeschätzten bundesdeutschen Gesellschaft – faßte er in das Credo vom "langen Marsch durch die Institutionen". Rudi Dutschke war die Symbolfigur der APO-Zeit schlechthin – für Freund und Feind. War er für die einen der klare, visionäre Gesellschaftsanalytiker, stellte er für die anderen den Prototypen des gewalttätigen Bürgerschrecks dar. Dieses Bild verbreiteten vor allem die Blätter des Springer-Verlags, die wiederum eines der bevorzugten Ziele der studentischen Protestaktionen waren. Es kam schließlich soweit, daß Rudi Dutschke am 11. April 1968 am hellichten Tag von einem 23jährigen Arbeiter auf dem Kurfürstendamm niedergeschossen wurde und schwerste Kopfverletzungen erlitt. Nach der Genesung ging er ins Ausland. Er starb am Heiligabend 1979 an einem epileptischen Anfall als Spätfolge des Attentats.

Theodor Fontane (1819 bis 1898) Schriftsteller

Der am 30. Dezember 1819 geborene Theodor Fontane stammte aus einer Hugenottenfamilie, arbeitete zunächst als Apothekerlehrling und -gehilfe und war dann ausschließlich als Schriftsteller tätig. Nach Aufenthalten in

Theodor Fontane (Fortsetzung)

England wurde er 1860 Redakteur der "Neuen Preußischen Zeitung" in Berlin. Fontane war der Chronist Berlins und seiner Umgebung im 19. Jahrhundert. In seinen großen Romanen spielen Landschaft und Stadtlandschaft eine wesentliche Rolle, und in den "Wanderungen durch die Mark Brandenburg" (1862–1882) berichtet er in liebevollen Detailschilderungen und mit historischer Sorgfalt über Entstehung und Bedeutung von Havelland, Oderland, Spreeland und ihren Beziehungen zu Berlin.
Zu seinen bedeutendsten Werken gehören die Romane "Effi Briest" (1895), "Der Stechlin" (1899), "Grete Minde" (1880), "Stine" (1890) und "Mathilde Möhring" (1891). Daneben schrieb er viele Gedichte und Balladen. Theodor Fontane starb am 20. September 1898.

Friedrich II. der Große (1712 bis 1786) König von Preußen

Der am 24. Januar 1712 geborene dritte preußische König herrschte von 1740 bis zu seinem Tod am 17. August 1786. Sein Vater, Friedrich Wilhelm I. (1688–1740), der 'Soldatenkönig', war ein streng pragmatischer Mann mit Vorliebe für das Militärische, der das Land durch die Schaffung des typischen preußischen Beamten stabilisierte und Berlin mit Zweckbauten ausstattete. Im Gegensatz zu seinem Vater war der Kronprinz musisch veranlagt und auch den Ideen der Aufklärung nicht verschlossen; so korrespondierte er mit Voltaire, den er in seiner Regierungszeit auch an den preußischen Hof holte. Mit dieser Einstellung geriet er in so starken Gegensatz zu seinem Vater, daß er im Jahr 1730 mit Hilfe seines Freundes Leutnant von Katte vergeblich einen Fluchtversuch nach England unternahm, weshalb er von seinem Vater vor Gericht gestellt wurde. Hans Hermann von Katte wurde zum Tode verurteilt und auf Befehl Friedrich Wilhelms I. vor den Augen Friedrichs in der Festung Küstrin hingerichtet.
Nach der Verlobung mit Elisabeth Christine von Braunschweig-Bevern im Jahr 1732 bahnte sich allmählich eine Aussöhnung an. Friedrich lebte im Schloß Rheinsberg, wo er im Freundeskreis schrieb, musizierte und seine Vorstellung von der Stellung des Fürsten als 'ersten Diener des Staates' ausarbeitete und im "Antimachiavell" niederschrieb.
Friedrichs Wirken als preußischer König ist gekennzeichnet zum einen durch die territoriale Erweiterung Preußens in den Schlesischen Kriegen (1740–1742 und 1744) und im Siebenjährigen Krieg (1756–1763), an dessen Ende Preußen zur gleichberechtigten europäischen Großmacht aufgestiegen war und in dem Friedrich nach der Schlacht von Roßbach (1757) als 'der Große' tituliert wurde; zum anderen setzte er die von seinem Vater eingeleitete Stabilisierung Preußens im Inneren fort, indem er den preußischen Staat streng ständisch organisierte. Der Adel stellte die Offiziere und höheren Beamten, Handel und Gewerbe oblagen dem Bürgertum, die Bauern bestellten das Land.
Die späten Jahre des Königs waren gekennzeichnet durch eine innere Vereinsamung und Mißtrauen. In seinem Beinamen 'der Alte Fritz' steckt die ganze Ambivalenz seiner Person: das in vielen Anekdoten überlieferte Bild vom väterlichen Herrscher, der sich mit gesundem Menschenverstand um seine Untertanen kümmert, und der zurückgezogen lebende, mißtrauisch und zynisch gewordene Preußenkönig, der ohne Erben blieb.
Friedrich II. lebt in Bild, Dichtung und Legende fort bis in die heutige Zeit. Erst 1980 wurde sein von C. D. Rauch geschaffenes Denkmal, das lange in das Hippodrom von Potsdam verbannt war, an seinem alten Platz Unter den Linden wieder aufgestellt.

Friedrich Wilhelm (1620 bis 1688) Kurfürst von Preußen

Der 'Große Kurfürst', geboren am 16. Februar 1620, regierte von 1640 bis zu seinem Tod am 9. Mai 1688. Als ein Sohn Kurfürst Georg Wilhelms und Elisabeth Charlottes von der Pfalz erhielt er seine Ausbildung in Holland, wurde vom Calvinismus des Friedrich Heinrich von Oranien wesentlich geprägt und heiratete dessen Tochter Luise Henriette. Er orientierte sich weniger an Frankreichs aufgeklärtem Absolutismus, sondern wandte sich vielmehr dem Hause Habsburg und dem Reich zu.
Unter Friedrich Wilhelm konsolidierte sich das Herzogtum Preußen; im Jahr 1675 gewann er die entscheidende Schlacht gegen die Schweden bei Fehrbellin. Nach dem Potsdamer Edikt von 1685 fanden die französischen

Friedrich Wilhelm (Fortsetzung)

Hugenotten Zuflucht in Preußen, und mit ihnen blühten neue Gewerbezweige und Manufakturen auf. Mit seiner Steuerpolitik, die die Bevölkerung hart bedrückte, baute er das Heer neu auf, förderte das Beamtentum und festigte die außenpolitische Stellung seines Landes.

Heinrich George (1893 bis 1946) Schauspieler

Heinrich George, am 10. Oktober 1893 geboren, kam nach Engagements in verschiedenen Städten im Jahr 1922 nach Berlin, spielte dort am Deutschen Theater bei Max Reinhardt und an anderen Bühnen der Stadt. George, bürgerlich Georg Heinrich Schulz, war Bühnen- und Filmschauspieler; seine Lieblingsrolle war der "Götz von Berlichingen", seine größten Erfolge hatte er als Dorfrichter Adam in Kleists "Der zerbrochene Krug" und als 'Postmeister' im gleichnamigen Film von Gustav v. Ucicky. In seinen Filmen ("Metropolis", "Berlin Alexanderplatz", "Der große Schatten") und auf der Bühne spielte er meist kraftvolle Gestalten; in der Weimarer Republik widmete er sich stark der Darstellung sozial benachteiligter, verzweifelter Figuren und engagierte sich für die Linksparteien. Umstritten ist seine Tätigkeit im Dritten Reich, wo er offensichtlich bemüht war, sich mit den Machthabern zu arrangieren und zu einem der am meisten hofierten Stars aufstieg. Er leitete von 1936 bis 1945 als Intendant das Schillertheater in Berlin und spielte tragende Rollen in propagandistischen Filmen (den württembergischen Herzog Carl Alexander in "Jud Süß", 1940; den Nettelbeck in "Kolberg", 1945). Heinrich George wurde nach Kriegsende von den Sowjets verhaftet und kam am 25. September 1946 im Internierungslager Sachsenhausen ums Leben.

Adolf Glaßbrenner (1810 bis 1876) Schriftsteller

Der am 27. März 1810 geborene populäre Berliner Volksdichter war zunächst (1824) Kaufmannslehrling und erst seit 1830 als Schriftsteller und liberaler Journalist (Pseudonym: Brennglas) tätig. 1841 arbeitete er in Neustrelitz, im Revolutionsjahr 1848 wirkte er dort als Führer der Demokratischen Partei und wurde fünf Jahre später wegen seiner politisch unbequemen Haltung aus dem Lande verwiesen. Glaßbrenner ging nach Hamburg und kehrte 1858 als Redakteur nach Berlin zurück.
In seinen Mundartgedichten und Prosatexten schaute der Dichter dem Volk genau aufs Maul, gab seine Werke in äußerst beliebten Heften heraus und hatte mit Szenen aus dem Alltagsleben großen Erfolg. Den größten Zuspruch fand er mit der Folge "Berlin wie es ist – und trinkt" (1832–1850 in 32 Heften) und dem "Komischen Volkskalender" (1846–1867). Berühmt wurde die Figur des 'Eckenstehers Nante'. Adolf Glaßbrenner starb am 25. September 1876.

E.T.A. Hoffmann (1776 bis 1822) Schriftsteller

Der am 24. Januar 1776 in Königsberg geborene Ernst Theodor Amadeus Hoffmann, eine der eigenwilligsten und skurrilsten Dichtergestalten der deutschen Romantik, studierte von 1792 bis 1795 in seiner Heimatstadt Jura. 1798 ging er als Kammergerichtsreferendar nach Berlin und wurde zwei Jahre später Assessor in Posen. Nach Aufenthalten in anderen Städten Polens (da er wegen allzu kühner Karikaturen, die er in Umlauf brachte, in die Provinz strafversetzt worden war) kam er zurück nach Berlin. Hier verdiente er sich seinen Lebensunterhalt als Musiker, Zeichner, Literat und verdingte sich auch als Mitarbeiter an Zeitschriften, zum Beispiel an August von Kotzebues "Freimütigem". Im Jahr 1808 wurde er Kapellmeister, Musiklehrer, Regisseur und Dekorationsmaler in Bamberg, 1813–1814 Kapellmeister in Leipzig und Dresden und schließlich ab 1816 Regierungsrat am Berliner Kammergericht. In seinem Amt als Richter mußte er an Demagogenprozessen gegen die Mitglieder der Burschenschaften teilnehmen.

E.T.A. Hoffmann (Fortsetzung)

In der berühmten Weinstube von Lutter & Wegner begründete er die Tafelrunde der 'Serapionsbrüder'. Er verkehrte in Schauspieler- und Dichterkreisen, so bei Ludwig Devrient, den Brentanos, Adelbert von Chamisso und Friedrich de la Motte-Fouqué. Hoffmann zählte in den Berliner Salons zu den amüsantesten und geistreichsten, aber auch zu den trinkfestesten Gästen, der zwar oft durch sein sonderbares Wesen erschreckte, sich aber – besonders mit seinen Kunstmärchen – Ansehen und Zuneigung erwarb. Er starb am 25. Juni 1822.

Alexander von Humboldt (1769 bis 1859) Naturwissenschaftler und Forscher

Alexander von Humboldt gilt als der Begründer der Landwirtschaftskunde, der Meteorologie, der Meereskunde und der Pflanzengeographie.
Alexander Freiherr von Humboldt wurde am 14. September 1769 in Berlin geboren. Zunächst studierte er mit seinem zwei Jahre älteren Bruder Wilhelm Jura in Frankfurt an der Oder, ging aber dann zur weiteren Ausbildung an die Bergakademie in Freiberg (Sachsen). Im Jahr 1790 bereiste er Europa und war in den Jahren 1792 bis 1797 als Bergassessor und -meister in den Minen fränkischer Fürstentümer tätig.
Mit dem französischen Botaniker A. Bonpland unternahm er in den Jahren 1799 bis 1804 eine ausgedehnte Expeditionsreise nach Südamerika. Nach seiner Rückkehr lebte er von 1807 bis 1827 mit einigen Unterbrechungen in Paris und wertete dort seine Südamerika-Reise aus. Im Jahr 1827 kehrte er nach Berlin zurück, hielt Vorlesungen an der Friedrich-Wilhelm-Universität und unternahm 1829 eine weitere Expeditionsreise in das asiatische Rußland (Ural, Altai, Dsungarei, Kaspisches Meer). Von 1845 bis 1858 gab er sein Hauptwerk "Kosmos" heraus. Er starb bald darauf am 6. Mai 1859.

Wilhelm von Humboldt (1767 bis 1835) Preußischer Staatsbeamter

Wilhelm Freiherr von Humboldt wurde am 22. Juni 1767 in Potsdam geboren. Nach seinem Studium der Rechtswissenschaften in Frankfurt an der Oder und Göttingen reiste er nach Frankreich und in die Schweiz. Bis 1794 hielt er sich in Erfurt, Weimar und Jena auf, wo er Freundschaft mit Goethe und Schiller schloß. In den Jahren 1802 bis 1808 lebte er als diplomatischer Vertreter Preußens in Rom. 1809 wurde er Leiter des preußischen Kultus- und Unterrichtswesens im Innenministerium in Berlin und gründete 1810 die von Friedrich Wilhelm III. gestiftete Berliner Universität (Friedrich-Wilhelm-Universität). 1819 wurde er Mitglied des Staatsministeriums.
Der Jurist und Politiker interessierte sich auch für Philologie, Sprachen und Ästhetik. Nach dem Rücktritt von den Staatsdiensten im Jahr 1819 betrieb er in seinem Schloß am Tegeler See sprachwissenschaftliche Studien. Dort starb er am 8. April 1835.
Wilhelm und Alexander von Humboldt waren als weitgereiste geistreiche Unterhalter gern- und oftgesehene Gäste in der Berliner Gesellschaft und den literarischen Salons der Stadt.

August Wilhelm Iffland (1759 bis 1814) Schauspieler

Der Dramatiker und Schauspieler, am 19. April 1759 in ein reiches bürgerliches Elternhaus in Hannover hineingeboren, sollte ursprünglich Theologe werden. Im Jahr 1777 nahm er Reißaus und ging zum Theater: erst an das Hoftheater in Gotha und später nach Mannheim. Er spielte vor allem den Komiker und sentimentalen Helden, war aber auch ein sehr eindrucksvoller Bösewicht Franz Moor in Friedrich Schillers "Die Räuber". Sein Ruhm als Darsteller brachte ihm 1796 den Ruf zum Direktor des Königlich-Preußischen Nationaltheaters in Berlin; 1811 wurde er Generaldirektor der Königlichen Schauspiele. Er schrieb selber rührselig-bürgerliche Schauspiele und brachte vor allem die Werke von Shakespeare, Schiller und Zacharias Werner auf die Bühne.

August Wilhelm Iffland (Fortsetzung)

Iffland war, besonders in der Zeit der Besetzung Berlins durch die Franzosen, ein patriotischer Kämpfer, der listig alle Auflagen unterlief. Er starb am 22. September 1814.

Friedrich Ludwig Jahn (1778 bis 1852) 'Turnvater'

Der am 11. August 1778 in Sachsen geborene Jahn studierte ohne Abschluß Geschichte, Theologie und Sprachwissenschaften. Berühmt wurde er als Begründer des Turnwesens. Im Jahr 1811 richtete er in der Berliner Hasenheide den ersten Turnplatz ein und versuchte dort, vor allem die Jugend Preußens durch spartanische Lebensführung und körperliche Schulung abzuhärten.
Zunächst wandte er seine patriotische Gesinnung ganz gegen Napoleon, gegen dessen Truppen er in den Freiheitskriegen eines der Lützowschen Bataillone führte. Im Zeitalter der Restauration jedoch erregten seine derben Reden und seine offen ausgesprochene Gesinnung Anstoß. 1819 kam es zur 'Turnsperre' und zum Prozeß gegen ihn; 1825 wurde er jedoch freigesprochen. Bis 1840 stand er unter Polizeiaufsicht. In der Deutschen Nationalversammlung von 1848 hatte Friedrich Ludwig Jahn mit seinen Monarchievorstellungen keinen Erfolg und zog sich grollend aus der Öffentlichkeit zurück. Er starb am 15. Oktober 1852.

Heinrich von Kleist (1777 bis 1811) Schriftsteller

Der am 18. Oktober 1777 in Frankfurt an der Oder geborene Dichter stammte aus einer Offiziersfamilie und schlug zunächst die militärische Laufbahn ein. Seit 1788 lebte er in Berlin, nahm 1793 am Krieg gegen Frankreich teil, quittierte 1799 den Militärdienst und begann ein Studium der Philosophie, Mathematik und Staatswissenschaft. Im Jahr 1800 gab er diese Studien wieder auf, reiste 1802 in die Schweiz und plante, gemeinsam mit den Dichtern Heinrich Zschokke und Salomon Geßner, ein ganz naturverbundenes Leben. Kleist erkrankte aber schwer und mußte von seiner Schwester nach Hause geholt werden.
Um die Jahreswende 1802/1803 besuchte er in Weimar Christoph Martin Wieland und lernte auch Schiller und Goethe kennen. Kleist faßte den Beschluß, selber Dichter zu werden. Am Ende des Jahres 1803 fuhr er noch einmal in die Schweiz, anschließend nach Paris, wo er sein begonnenes Drama "Robert Guiscard" nach einem Nervenzusammenbruch verbrannte. Wieder genesen, siedelte er sich 1804 in Potsdam an, erhielt 1805–1806 eine Anstellung bei der dortigen Kriegskammer, lebte ab 1807 in Dresden und hatte dort Umgang mit den Dichtern Ludwig Tieck und Theodor Körner. Mit Körner gemeinsam gab er bis 1808 das Kunstjournal "Phöbus" heraus. 1809 gründete er die patriotische Wochenschrift "Germania" und gab 1810 gemeinsam mit Adam Müller die "Berliner Abendblätter" heraus.
Kleist ist zu Lebzeiten ruhelos und erfolglos geblieben, sein "Zerbrochener Krug", heute eine der bedeutendsten Komödien deutscher Sprache, fiel bei der Uraufführung durch. Goethe verwarf das von seinem Dichter 'auf Knien des Herzens' übersandte Trauerspiel "Penthesilea" als maßlos; der "Prinz von Homburg", das preußischste aller Bühnenwerke schlechthin, erschien erst nach dem Tode Kleists. Meisterlich in der Form und eigentümlich in ihrer Sprache sind seine Novellen wie "Michael Kohlhaas" und die "Hochzeit von Santo Domingo". Gemeinsam mit seiner Freundin Henriette Vogel nahm er sich am 21. November 1811 in einem Waldgelände beim Wannsee das Leben.

Georg Wenzeslaus von Knobelsdorff (1699 bis 1753) Baumeister

Der berühmte Rokoko-Baumeister wurde am 17. Februar 1699 auf Gut Kuckädel bei Crossen an der Oder geboren und starb am 16. Januar 1753. Zunächst schlug er die Offizierslaufbahn ein, nahm aber 1729 als Hauptmann seinen Abschied und ging als Schüler zu dem aus Frankreich stammenden preußischen Hofmaler Antoine Pesne. Zur gleichen Zeit studierte er bei Johann Gottfried Kemmeter und A. von Wangenheim Architektur. Seit 1732 gehörte er dem Kreis um den jungen Kronprinzen Friedrich an, unterbrach diesen Umgang jedoch 1736–1737 wegen einer Italienreise. Nach seiner Rückkehr erbaute er Schloß Rheinsberg (1737–1739), wobei er ältere, erhaltene Teile geschickt in die Anlage einbezog. Sein Hauptwerk, das Opernhaus in Berlin Unter den Linden (1741–1743), wurde von König

Georg Wenzeslaus von Knobelsdorff (Fortsetzung)

Friedrich dem Großen in Auftrag gegeben. Es war das erste Theater, das von einem Schloßbau unabhängig für sich stand. Hundert Jahre nach seiner Vollendung brannte das Opernhaus aus.
Knobelsdorff arbeitete auch als Gartenarchitekt. Von ihm stammen die Anlagen des Parks von Rheinsberg, von Sanssouci (ab 1744) und des Potsdamer Lustgartens (ab 1746). Der Jugendfreund des später einsam gewordenen 'Alten Fritz' fiel bei seinem königlichen Gönner in Ungnade. Friedrich II. mischte sich zu autoritär in die Baupläne ein. Ein berühmtes Werk allerdings war beinahe eine Gemeinschaftsarbeit von Herrscher und Architekt: Sanssouci entstand 1745–1747 aus einer freien Handzeichnung Friedrichs als Schloß in französischem Rokokostil.

Käthe Kollwitz (1867 bis 1945) Künstlerin

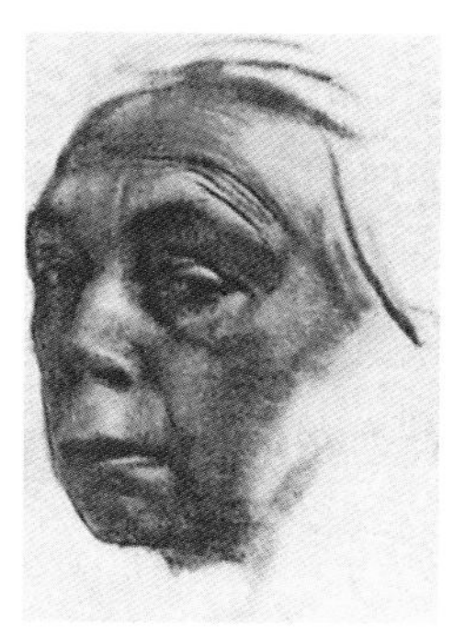

Die Graphikerin und Malerin kam am 8. Juli 1867 als Käthe Schmidt in Königsberg (Ostpreußen) zur Welt. In den Jahren 1885–1886 war sie Schülerin von Karl Stauffer-Bern in Berlin und 1886–1888 von Emil Neide in Königsberg. Danach ging sie für ein Jahr nach München und bildete sich bei Herterich und Max Klinger weiter aus. Im Jahre 1891 ehelichte sie den Berliner Arzt Karl Kollwitz. Bis zur Zerstörung ihres Ateliers (1943) blieb sie in Berlin ansässig. 1919 wurde Käthe Kollwitz Mitglied der Berliner Akademie, war Mitglied der Berliner Sezession und erhielt schließlich 1928 das Amt der Leiterin eines Meisterateliers für Graphik. Nach der Machtergreifung durch die Nationalsozialisten 1933 mußte sie ihr Lehramt aufgeben.
Käthe Kollwitz widmete ihre Arbeit ganz den armen und notleidenden Menschen, den Unterdrückten des Großstadtproletariats. Sie begann als Naturalistin, vereinfachte aber ihren Stil mehr und mehr, ohne das Menschenbild – ihr wichtigstes Sujet – aufzugeben. Zeitweilig stand sie – vor allem mit Holzschnitten – dem Expressionismus nahe. Sie publizierte gern in Folgen und Zyklen und blieb stets die Anwältin und Chronistin der Armen und Benachteiligten. Sie starb am 22. April 1945 in Moritzburg bei Dresden.

Carl Gotthard Langhans (1732 bis 1808) Baumeister

Carl Gotthard Langhans, am 15. Dezember 1732 geboren, war einer der Hauptvertreter des Klassizismus in Berlin und einer der frühesten Meister dieses Stils in Deutschland. Er studierte, bevor er sich der Architektur zuwandte, Sprachen und Musik und arbeitete zunächst in seiner Heimat Schlesien (Palais Hatzfeld in Breslau, protestantische Kirchen in mehreren kleineren Städten, Landschlösser).
1788 wurde er zum Direktor des Oberhofbauamtes nach Berlin berufen. Von 1788 bis 1791 entstand sein Hauptwerk: das Brandenburger Tor, das den Ehrennamen 'Pforte Preußens' erhielt. Der Bau ist nach dem Vorbild der Propyläen in Athen erbaut: breit hingelagert, mit wuchtigen dorischen Säulen und der Quadriga des Bildhauers Gottfried Schadow von 1793 als krönenden Abschluß. In Berlin und in der näheren Umgebung der Stadt baute Langhans noch das Alte Schauspielhaus am Gendarmenmarkt, das 1817 abbrannte, und das Theater in Charlottenburg. Außerdem schuf er Säle im Niederländischen Palais und im Schloß Bellevue in Berlin, gestaltete die Innenausstattung des Marmorpalais in Potsdam und erweiterte 1793–1794 das Königliche Schloß in Breslau. Er starb am 1. Oktober 1808.

Gottfried Wilhelm Leibniz (1646 bis 1716) Wissenschaftler und Philosoph

Der am 1. Juli 1646 geborene Leibniz, der erste bedeutende deutsche Philosoph der Neuzeit, war auch Mathematiker, Physiker, Jurist, politischer Schriftsteller, Geschichts- und Sprachforscher. Er studierte in Jena und Leipzig Rechte und Philosophie, promovierte 1667 zum Doktor der Jurisprudenz, folgte dann einem Ruf an den Hof des Kurfürsten Johann Philipp von Mainz und ging 1672 nach Paris. Dort beschäftigte sich Leibniz vor

Gottfried Wilhelm Leibniz (Fortsetzung)

allem mit Naturwissenschaften und Mathematik. Weitere Reisen führten ihn nach Holland und England. 1676 wurde er Rat und Bibliothekar in Hannover und blieb dort bis zu seinem Tod. Sein philosophisches Hauptwerk ist die "Theodizée".
Für Berlin spielte er, obwohl nur zeitweise in der Stadt, eine bedeutende Rolle. Er war Vertrauter und Ratgeber der ersten preußischen Königin Sophie Charlotte (1668–1705). Diese geborene Prinzessin von Hannover hielt in ihrem Schloß Charlottenburg eine Art Musenhof. Es wurde musiziert, Theater gespielt und kluge Unterhaltung gepflegt. Hier plante sie mit Leibniz die Gründung einer Akademie in Berlin. Es war die Geburt der späteren Preußischen Akademie der Wissenschaften, die 'Sozietät der Wissenschaften', in der Technik, Wissenschaft, Kultur und Christentum zu einer idealen Einheit verbunden werden sollten. Im Jahre 1700 wurde sie eröffnet, Leibniz war ihr erster Präsident. Er starb am 14. November 1716.

Max Liebermann (1847 bis 1935) Maler

Der Maler und Graphiker war ein Hauptmeister des Impressionismus in Deutschland. Er stammte aus einer wohlhabenden Berliner Kaufmannsfamilie – geboren am 20. Juli 1847, gestorben am 8. Februar 1935 –, war 1866–1868 Schüler von Carl Steffek in seiner Heimatstadt und 1868–1872 von Ferdinand Pauwels an der Akademie in Weimar. 1873 lebte er in Paris. Ab 1875 nahm er alljährlich seinen Sommeraufenthalt in Holland. 1878–1884 war er in München, danach in Berlin ansässig.
Im Jahr 1898 wurde Liebermann Mitglied der Berliner Akademie, 1899 Präsident der gemeinsam mit Walter Leistikow und Max Slevogt gegründeten Berliner Sezession. Von 1920 bis 1932 amtierte er als Präsident der Akademie der Künste, 1933 wurde er von den Nationalsozialisten mit Ausstellungsverbot belegt.
Max Liebermann verarbeitete in seinem Werk viele Anregungen, die er u.a. in Paris durch die Werke Courbets und Millets erhielt. Auch in Holland fand er zahlreiche Motive für seine Bilder. Dennoch wurden sein eigener Stil und seine alltäglichen Themen zunächst mit Unverständnis und Ablehnung zur Kenntnis genommen. Die Sezession war deshalb ein Fanal, eine Absetzbewegung vom in der Kunst Üblichen, der sich viele Maler auch außerhalb Berlins, z.B. Lovis Corinth oder Wilhelm Leibl, anschlossen.
Liebermanns Werke werden u.a. in der Nationalgalerie gezeigt.

Paul Lincke (1866 bis 1946) Komponist

Die berühmteste Operette des Komponisten und Musikverlegers ist "Frau Luna" (1899). Sie schildert die Ballonfahrt einer Handvoll Berliner zum Mond und enthält jenen Marsch "Das ist die Berliner Luft, Luft, Luft", der die 'Berliner Nationalhymne' geworden ist. Der am 7. November 1866 in Berlin Geborene war bereits mit 18 Jahren Kapellmeister, dirigierte vor allem an Unterhaltungsbühnen, ging einige Zeit nach Paris und machte dann in Berlin Karriere. Er starb am 3. September 1946.

Ernst Theodor Litfaß (1816 bis 1874) Erfinder der Litfaß-Säule

Litfaß war Drucker in Berlin. Sein Name ist überliefert und für alle Zeit verbunden mit der nach ihm genannten zylindrischen Werbesäule, die zuerst auf den Berliner Trottoirs aufgestellt wurde. Am 5. Dezember 1854 schloß Litfaß einen Vertrag mit dem Polizeipräsidenten der Stadt, der ihm 'öffentlichen Zettelaushang' an Säulen und Brunneneinfassungen zusagte. Am 7. Juli 1855 stellte er die erste Anschlagsäule auf (die Höhe der Säulen variiert zwischen 2,50 und 3,60 m, ihr Umfang zwischen 3,20 und 3,60 m) und verpachtete sie zu Werbezwecken. Die Säulen wurden schon kurze Zeit nach ihrem Erscheinen im Berliner Stadtbild nach ihrem Erfinder 'Litfaß-Säulen' genannt.

Adolph von Menzel (1815 bis 1905) Maler

Der bedeutende Maler und Graphiker des deutschen Realismus, am 8. Dezember 1815 in Breslau geboren, von seinem Vater in der Kunst der Lithographie ausgebildet, war zum größten Teil Autodidakt. 1832 übernahm Menzel die väterliche Werkstatt und veröffentlichte 1842 sein erstes großes Werk: die Illustrationen zum "Leben Friedrichs des Großen" von Franz Kugler. In den vierziger und fünfziger Jahren des 19. Jh.s entstanden vor allem Gemälde, die den späteren Impressionismus antizipierten. Eines

Adolph von Menzel (Fortsetzung)

der berühmtesten Bilder aus der friderizianischen Epoche, "Tafelrunde Friedrichs II. in Sanssouci" mit dem König und Voltaire, ist wohl dem Zweiten Weltkrieg zum Opfer gefallen.
Adolph von Menzel wurde ein gesuchter Maler – auch für Porträts – und erfuhr öffentliche Ehrungen aller Art. So wurde er in den Adelsstand erhoben, war Mitglied der Akademie und Träger hoher Orden. Sein Fleiß war sprichwörtlich. Wo er ging und stand, zeichnete er seine Umwelt in allen Details. Der außergewöhnlich kleingewachsene Mann mit dem mächtigen kahlen Schädel galt sowohl in den Berliner Cafés als auch in den hochherrschaftlichen Häusern als Institution.
Sein persönliches Schicksal war tragisch und einsam. Wegen seiner Kleinwüchsigkeit nannte man ihn liebevoll-spöttisch die 'Kleine Exzellenz'. Aber eben dieses Gebrechen machte ihn mißtrauisch und schroff im Umgang mit seinen Mitmenschen. Er starb hochbetagt am 9. Februar 1905.

Wolfgang Neuss (1923 bis 1989) Kabarettist

Als 'Mann mit der Pauke', der die Politik der frühen sechziger Jahre aufs bissigste kommentierte, wurde der Kabarettist und Schauspieler Wolfgang Neuss berühmt.
Der am 3. Dezember 1923 in Breslau geborene Sohn eines Fliegeroffiziers war nach dem Notabitur zunächst fünf Jahre lang Soldat im Zweiten Weltkrieg, bis er sich selbst den linken Zeigefinger wegschoß und sich so der Front entzog. Nach Kriegsende begann er seine Kabarettistenkarriere in Düsseldorf und spielte in den fünfziger und sechziger Jahren in zahlreichen Unterhaltungsfilmen meist witzige, hintersinnige Nebenrollen. Sein eigentliches Feld war jedoch die Satire sowohl auf der Bühne als auch im Film, wo er sich als Autor, Produzent und Hauptdarsteller zusammen mit seinem kongenialen Freund Wolfgang Müller in Werken wie "Wir Kellerkinder" und "Genosse Münchhausen" als unliebsamer Querdenker, der gern provozierte, auszeichnete. Er ging sogar so weit, 1962 via 'Bild-Zeitung' vorzeitig den streng geheim gehaltenen Namen des Mörders aus dem Fernsehkrimi "Das Halstuch" von Francis Durbridge zu verraten. Seine größten Erfolge hatte er ab 1963 in Westberlin in seinem eigenen Kabarett "Das jüngste Gerücht" und als 'Mann mit der Pauke'. Er sympathisierte mit linken Gruppen und war einer der Begründer des Republikanischen Clubs. Seit Anfang der siebziger Jahre wurde es immer stiller um Wolfgang Neuss, der nur noch durch zunehmenden Drogenkonsum von sich reden machte und körperlich verfiel; er starb am 5. Mai 1989.

Friedrich Nicolai (1733 bis 1811) Verleger

Nicolai wurde am 18. März 1733 in Berlin als Sohn eines Buchhändlers geboren. Er absolvierte von 1749 bis 1752 eine Buchhandelslehre in Frankfurt an der Oder. 1752 trat er in das Geschäft seines Vaters ein, zu dem auch ein Verlag gehörte, und gab 1755 die "Briefe über den itzigen Zustand der schönen Wissenschaften in Deutschland" heraus, die das Interesse

Friedrich Nicolai
(Fortsetzung)

Lessings und Moses Mendelssohns erregten. Gemeinsam mit diesen beiden Freunden war Nicolai 1759–1765 Herausgeber der "Briefe, die neueste Literatur betreffend"; 1798 wurde er Mitglied der Akademie der Wissenschaften. Nicolais Buchhandlung war der geistige Mittelpunkt der Aufklärung in Berlin. Der autodidaktisch gebildete Schriftsteller ("Sebaldus Nothanker", aufklärerischer Roman), zunächst ein aufgeschlossener, auch durch große Reisen in Europa (1781) weltgewandter Mann, wurde gegen Ende seiner Laufbahn immer starrer und unbeugsamer in seiner Gegnerschaft zum 'Irrationalismus' Goethes und der Romantiker, die seinem streng aufklärerischen Bewußtsein widersprachen. Friedrich Nicolai starb am 8. Januar 1811.

Ernst Reuter
(1889 bis 1953)
Regierender
Bürgermeister

Ernst Reuter wurde am 29. Juli 1889 in Apenrade (Dänemark) geboren. Er studierte Volkswirtschaft, war seit 1912 Mitglied der Sozialdemokratischen Partei und, nach russischer Kriegsgefangenschaft, kurze Zeit Anhänger der Lehre Lenins. Im Jahr 1926 wurde er Mitglied des Berliner Magistrats, Organisator der Berliner Verkehrsgesellschaft (BVG), 1931 Oberbürgermeister von Magdeburg und 1932 Mitglied des Reichstages. Nach der Machtergreifung der Nationalsozialisten 1933 emigrierte Reuter. Nach seiner Rückkehr im Jahre 1947 wurde er zum Oberbürgermeister von Berlin gewählt, bis 1948 aber durch sowjetisches Veto am Amtsantritt gehindert. Von 1950 bis zu seinem Tod am 29. September 1953 war er Regierender Bürgermeister der Stadt. In Reuters Amtszeit fielen die Blockade Berlins und die 'Luftbrücke' für Versorgungsgüter, die von den westlichen Alliierten eingerichtet wurde. Berühmt wurde sein Aufruf "Schaut auf diese Stadt" (s. S. 76) an die Völker der freien Welt, in dem er an den Willen, sich für Berlin zu engagieren, appellierte.

Hans Rosenthal
(1925 bis 1987)
Showmaster

Hans Rosenthal, am 2. April 1925 geboren, war ein waschechter Berliner und einer der beliebtesten deutschen Radio- und Fernsehshowmaster. Der Sohn eines jüdischen Bankbeamten verlor seinen Vater im Jahr 1937 und seine Mutter 1941; sein Bruder wurde nach Riga ins Konzentrationslager verschleppt und ermordet. Zwischen 1940 und 1943 mußte er Zwangsarbeit u.a. als Totengräber und Akkordarbeiter leisten, bis es ihm gelang, zu fliehen. Zwei Jahre lang versteckte er sich mit Hilfe zweier Berlinerinnen in einer Laubenkolonie.
Nach dem Ende des Zweiten Weltkrieges kam Hans Rosenthal als Volontär zum Berliner Rundfunk und wechselte 1948 zum Sender RIAS. Dort machte er schnell Karriere als Redakteur, Regisseur, Ideenlieferant und insbesondere als Quizmaster, zu dessen bekanntesten Sendungen 'Allein gegen alle' gehörte. Im Jahr 1967 unternahm Rosenthal erste Gehversuche im Fernsehen, wo er dann ab 1971 im ZDF das Fernsehquiz 'Dalli-Dalli' moderierte, das ihm bis 1986 größte Erfolge bescherte. Durch seine Volkstümlichkeit war Hans Rosenthal außerordentlich beliebt. Hinter dem fröhlichen Fernsehstar steckte aber auch ein Mann, der bis 1980 als Direktoriumsmitglied im Zentralrat der Juden in Deutschland und als Vorsitzender der Repräsentantenversammlung der Jüdischen Gemeinde zu Berlin aktiv für die Versöhnung zwischen Juden und Deutschen arbeitete. Hans Rosenthal starb am 10. Februar 1987 in Berlin.

Ernst Ferdinand
Sauerbruch
(1875 bis 1951)
Chirurg

Der berühmte Chirurg wurde am 3. Juli 1875 in Barmen geboren. Im Jahre 1908 arbeitete er als Professor in Marburg, 1911 in Zürich, 1918 in München und ab 1928 in Berlin. Er war Direktor der chirurgischen Universitätsklinik der Charité. Seine bedeutenden Leistungen lagen auf dem Gebiet der Lun-

Ernst Ferdinand Sauerbruch (Fortsetzung)

gen- und Herzchirurgie sowie der Prothesenentwicklung und der gezielten Ernährung in bestimmten Krankheitsfällen, so der kochsalzarmen, mineralreichen Diät bei Tuberkulose. Verschwiegen werden soll aber auch nicht, daß Sauerbruch – wie über 900 andere führende deutsche Mediziner auch – kurz nach der Machtergreifung der Nationalsozialisten 1933 seine Unterschrift unter eine Ergebenheitsadresse an Hitler setzte. Sauerbruch starb am 2. Juli 1951.

Gottfried Schadow (1764 bis 1850) Bildhauer

Der am 20. Mai 1764 geborene Hauptmeister des deutschen Klassizismus lernte in den Jahren 1785–1787 bei dem flämischen Meister Antoine Tassaert in Rom. Im Jahr 1788 wurde Schadow Leiter der Hofbildhauerwerkstatt, arbeitete 1791–1792 in Schweden und Rußland und wurde 1805 zum Vizedirektor und 1816 zum Direktor der Akademie in Berlin ernannt.
Schadow war in seinen letzten Lebensjahren – er starb am 27. Januar 1850 – ein ausgesprochenes Berliner Original. Er sprach Dialekt, liebte das gute Leben und schuf so eigenwillige, lebensnahe Plastiken wie das berühmte Doppelbildnis der Prinzessinnen Luise (spätere Königin von Preußen) und Friederike von Preußen (1795; → Abb. S. 23), das wegen seiner Freizügigkeit und lebensechten Charakteristik den Mißmut des Hofes heraufbeschwor. Auch sein Hauptwerk, die Quadriga mit der Siegesgöttin auf dem Brandenburger Tor (1789 entworfen), entstand in Berlin.

Karl Friedrich Schinkel (1781 bis 1841) Baumeister

Der am 13. März 1781 in Neuruppin geborene Baumeister erhielt seine erste Ausbildung bei Friedrich Gilly in Berlin; 1797 wurde er Schüler der neugegründeten Bauakademie in Berlin. Im Jahr 1803 unternahm er eine Reise nach Italien über Prag, Wien, Triest, Venedig, Rom, Neapel, Sizilien und trat schließlich die Heimreise über Paris an. Zwischen 1806 und 1810 war Schinkel vor allem als Landschaftsmaler tätig. Nachdem er 1815 zum Geheimen Baurat ernannt worden war, beschäftigte er sich intensiv mit der Denkmalpflege. 1816 begann er sich als Bühnenbildner einen Namen zu machen. Seit 1817 widmete sich Schinkel seinem Beruf als Baumeister. In und um Berlin entstanden Meisterbeispiele des Klassizismus, so die Neue Wache Unter den Linden (bereits 1816), das Neue Schauspielhaus am Gendarmenmarkt (1818), das Alte Museum (1822 – 1828) und die Nikolaikirche in Potsdam (1830–1838). Im Jahr 1824 reiste er wieder nach Italien, zwei Jahre darauf besuchte er Paris und London. Schinkel machte sich auch als Architekturtheoretiker einen Namen. In zwei Bänden verfaßte er 1834 die "Grundlagen der praktischen Baukunst". Der bedeutende Künstler auf dem Gebiet des klassizistischen Stils in Deutschland plante auch kühne Bauten für die Wiege der Klassik Griechenlands: 1834 entwarf er Pläne für ein Königsschloß auf der Akropolis in der griechischen Hauptstadt Athen. Er starb am 9. Oktober 1841.

Andreas Schlüter (1660 bis 1714)

Schlüter war einer der bedeutendsten Barockarchitekten in Deutschland, der vor allem das barocke Gesicht Berlins prägte. Über seine Herkunft, Jugend und Ausbildung ist wenig bekannt. Zwischen 1689 und 1693 arbeitete er nachweislich in Warschau an verschiedenen Palästen. 1694 kam er nach Berlin und erwarb sich zunächst als Bildhauer einen Namen. 1696 begab er sich auf Studienreisen nach Italien und machte sich dort mit der Architektur Michelangelos und Bramantes vertraut, aber auch mit der italienischen Plastik. Diese Erfahrung benutzte er bei den 21 Masken sterbender Krieger im Lichthof des Zeughauses Unter den Linden – Denkmäler individueller, einfühlsamer Ausdrucksfähigkeit. Von Schlüter stammt auch das erste Reiterdenkmal unter freiem Himmel in Deutschland: das Standbild des Großen Kurfürsten. Im Jahr 1700 wurde es von Johann Jakob

Andreas Schlüter
(Fortsetzung)

Jacobi gegossen und stand bis 1943, mit dem Blick zum Stadtschloß, auf der Langen Brücke in Berlin (heute im Ehrenhof von Schloß Charlottenburg). 1698–1707 leitete Schlüter als Schloßbaumeister die Arbeiten an der Berliner Residenz. Nach seinen Plänen wurde das Schloß im römischen Barockstil umgebaut. Der Einsturz des falsch berechneten Münzturmes ließ ihn in Ungnade fallen; er mußte seinen Dienst quittieren und ging 1713 nach St. Petersburg. In Berlin baute er nur noch die Villa Kameke (1711–1712). Aus der Zeit vor seinem Sturz stammen der Berliner Marstall, das Lustschloß Freienwalde, die Alte Post und einige Plastiken wie die berühmte Bronzebüste des Landgrafen Friedrich II. von Hessen-Homburg.

Otto Suhr
(1894 bis 1957)
Regierender
Bürgermeister

Otto Suhr wurde am 17. August 1894 in Oldenburg geboren, studierte an der Universität Göttingen Volkswirtschaft und war seit 1925 Leiter der wirtschaftspolitischen Abteilung des Allgemeinen Freien Angestellten-Bundes sowie Dozent an der Hochschule für Politik in Berlin. Nach 1933 arbeitete er als freier Volkswirt und Schriftsteller. Im Jahr 1945 wurde er Generalsekretär der Sozialdemokratischen Partei in Berlin, 1946–1954 Vorsteher der Stadtverordnetenversammlung bzw. Präsident des Abgeordnetenhauses, 1949 Direktor der Hochschule für Politik und Honorarprofessor an der Freien Universität und schließlich 1955 Regierender Bürgermeister von Berlin. Er starb am 30. August 1957.

Kurt Tucholsky
(1890 bis 1935)
Schriftsteller

Der am 9. Januar 1890 geborene Berliner Schriftsteller studierte zunächst Jura, arbeitete dann von 1924 bis 1929 als Journalist und Korrespondent (vor allem in Paris, später in Schweden) und war 1926 kurze Zeit Herausgeber der "Weltbühne", bei der er seit 1913 mitarbeitete. Tucholsky publizierte auch unter den Pseudonymen Theobald Tiger, Peter Panter, Ignaz Wrobel und Kaspar Hauser. Als zeitkritischer Satiriker schrieb er teilweise in Berliner Mundart und war, zusammen mit Erich Kästner und Walter Mehring, Schöpfer des modernen Großstadtchansons und ideenreicher Textlieferant der Berliner Kabaretts. Daneben verfaßte er auch Erzählungen ("Rheinsberg", "Schloß Gripsholm"). 1933 floh er vor den Nationalsozialisten. Aus Verzweiflung über das politische Regime in Deutschland nahm er sich am 21. Dezember 1935 in Hindås (Schweden) das Leben.

Karl August
Varnhagen
von Ense
(1785 bis 1858)
Schriftsteller

Karl August Varnhagen von Ense wurde am 21. Februar 1785 als Sohn eines Arztes in Düsseldorf geboren. Von 1800 bis 1808 studierte er in Berlin Medizin, lernte in dieser Zeit die Philosophen Fichte und Schelling kennen und verkehrte mit dem romantischen Dichter Adelbert von Chamisso. In Halle und Tübingen setzte er sein Studium fort, wurde dann aber Offizier in österreichischen, später russischen Diensten, nahm 1813 am Krieg teil und begleitete 1814 den preußischen Staatskanzler Hardenberg zum Wiener Kongreß und nach Paris. Im selben Jahr ehelichte er Rahel Levin. In den Jahren 1816–1819 war er preußischer Gesandter in Karlsruhe, verlor jedoch dieses Amt seiner liberalen Anschauungen wegen.
Varnhagen ging zurück nach Berlin und wurde dort zur witzig-geistreichen Hauptperson der Gesellschaft. Dichter, Gelehrte, Politiker rissen sich um ihn. Er schrieb nun Erzählungen, Biographien historischer Persönlichkeiten und Denkwürdigkeiten. Er starb am 10. Oktober 1858.

Rahel Varnhagen
von Ense
(1771 bis 1833)

Rahel Varnhagen von Ense, geboren am 26. Mai 1771, war die Tochter eines jüdischen Kaufmanns. Sie wuchs in Paris, Frankfurt am Main und Prag auf und heiratete 1814 Karl August Varnhagen von Ense. Ihr Salon wurde in den zwanziger Jahren des 19. Jh.s zum Treffpunkt der literari-

Rahel Varnhagen von Ense (Fortsetzung)

schen Welt. Alle großen Dichter der Spätromantik, Philosophen, Staatsmänner, Musiker und Schauspieler waren hier zu Gast. Rahel Varnhagen starb am 7. März 1833.

Wilhelm Voigt (1849 bis 1922) 'Hauptmann von Köpenick'

Wilhelm Voigt wurde am 13. Februar 1849 im ostpreußischen Tilsit geboren. Aus seiner Jugendzeit ist bekannt, daß er sich lebhaft für das Militärwesen und das Kasernenleben interessierte. Mit der Ehrlichkeit nahm er es jedoch nicht allzu genau. Schon früh kam er mit der Justiz in Konflikt, und im Alter von 18 Jahren wurde er wegen Urkundenfälschung zu zwölf Jahren Zuchthaus verurteilt. Nach dem Verbüßen der Haftzeit führte Voigt anscheinend einige Jahre lang ein geregelteres Leben als Schustergeselle, doch dann folgten Arbeitslosigkeit und immer wieder neue Vergehen. Als er Preußen verlassen wollte und vergeblich einen Paß beantragte, lernte er die Sturheit der Beamten, aber auch deren Unterwürfigkeit gegenüber Uniformträgern kennen. Dies und wohl auch seine Vorliebe für Gerichts- und Rathauskassen veranlaßten ihn zu seinem tollen Streich:
Am 16. Oktober 1906 nahm Wilhelm Voigt in der damals noch selbständigen Stadt Köpenick (heute ein Stadtbezirk von Berlin) in geliehener Hauptmannsuniform den Bürgermeister fest und 'beschlagnahmte' die Stadtkasse. Der Bürgermeister ließ sich einschüchtern, als der 'Hauptmann' ihm erklärte, die Verhaftung geschehe auf Allerhöchsten Befehl Seiner Majestät des Kaisers und Königs. Als der Bürgermeister nach dem Grund fragte, zeigte der 'Hauptmann' auf die hinter ihm mit aufgepflanztem Bajonett stehenden Soldaten (die er zuvor auf offener Straße in schneidigem Ton für requiriert erklärt hatte und die ihm gefolgt waren) und sagte, daß jeder Widerstand nutzlos sei: "Befehl ist Befehl. Hinterher könnense sich beschweren." Auf der Grundlage dieses Vorfalls schrieb der Schriftsteller Carl Zuckmayer sein Werk "Der Hauptmann von Köpenick. Ein deutsches Märchen in drei Akten" (1931).
Ganz Deutschland lachte über Wilhelm Voigts Tat, für die er mit vier Jahren Gefängnis bestraft, doch schon nach zwei Jahren wieder entlassen wurde. Er entschloß sich, ins Ausland zu gehen und meldete sich im Mai 1909 in Luxemburg an, wollte jedoch von dort nach Kanada auswandern. Tatsächlich begab er sich dann 1910 auf die Reise nach Übersee. Es wurde jedoch nur eine kurze Schaubudenfahrt: Im US-amerikanischen Zirkus Barnum & Bailey trat er als 'Hauptmann von Köpenick' auf. Noch im selben Jahr kehrte er wieder nach Luxemburg zurück, wo er am 3. Januar 1922 starb.

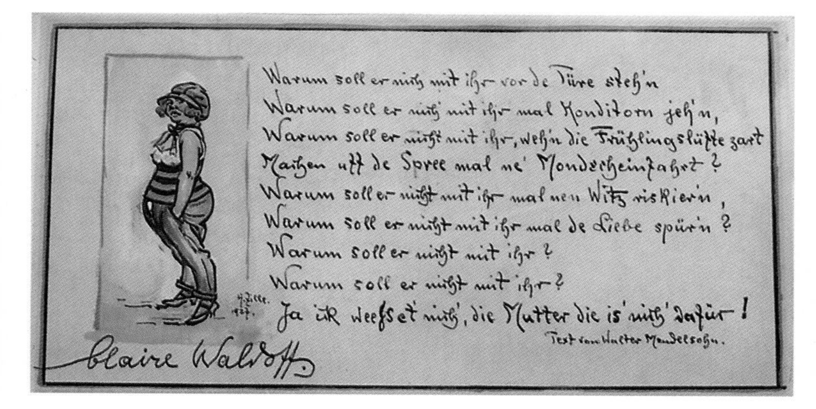

Claire Waldoff (1884 bis 1957) Kabarettistin

Die am 21. Oktober 1884 geborene Claire Waldoff war Schauspielerin, vor allem jedoch Kabarettistin und mit ihrer 'Schnauze' Inbegriff des Berliner Chansons. In frechen, aber auch besinnlichen Couplets besang sie die

Claire Waldoff (Fortsetzung)

Stadt, das 'Zillemilljöh', die Kümmernisse und Freuden der kleinen Leute. Ihre kesse 'Röhre' wurde auf zahlreichen Schallplatten festgehalten, ihr roter Schopf und ihre kleine rundliche Gestalt war für die Berliner Brettlkunst ein Markenzeichen. Durch ihren Tod am 22. Januar 1957 verlor Berlin ein Original.

Wilhelm I. (1797 bis 1888) Deutscher Kaiser

Wilhelm I., geboren am 22. März 1797, war ein Sohn König Friedrich Wilhelms III. von Preußen. Er regierte von 1861 bis 1871 als preußischer König und von 1871 bis zu seinem Tode als deutscher Kaiser. Während der Märzrevolution im Jahre 1848 zog Wilhelm sich den bösen Beinamen 'Kartätschenprinz' zu, da er die Aufständischen mit Gewalt niederwerfen wollte. Um dem Volkszorn zu entgehen, floh er nach England und kam erst 1849 nach Deutschland zurück, mit dem Ziel, Truppen gegen die badisch-pfälzischen Erhebungen zu führen. Bis 1854 bekleidete er das Amt des Generalgouverneurs der Rheinlande in Koblenz und mußte 1858 für seinen geisteskranken Bruder, Friedrich Wilhelm IV., die Regentschaft übernehmen. Seine zunächst relativ liberale Haltung wurde im Laufe der Jahre immer konservativer. Wilhelm I. wurde in Königsberg gekrönt, 1862 berief er Bismarck als Ministerpräsidenten und Minister des Äußeren nach Berlin. Auf Bismarcks Zuraten und Drängen seines Sohnes, des Kronprinzen Friedrich Wilhelm, nahm er nach langem Zögern 1871 die Kaiserwürde an. Wilhelm I. regierte bis ins hohe Alter, wurde vom Volk respektiert und ging schließlich als 'geliebter Herrschergreis' (so lautet ein Hofprotokoll) in die Geschichte Berlins ein. Vom 'historischen Eckfenster' seines Wohnsitzes, des Alten Palais, sah er fast täglich der Parade an der Neuen Wache zu. Der erste Kaiser des Deutschen Reiches von 1871 starb am 9. März 1888.

Heinrich Zille (1858 bis 1929) Zeichner

Heinrich Zille wurde am 10. Januar 1858 in Radeburg (Sachsen) geboren. Der berühmte Chronist des Berliner 'Milljöhs' stammte selbst aus ärmlichen Verhältnissen. Er war Schüler des populären Malers Theodor Hosemann und begann als Lithograph, wurde dann Mitarbeiter des "Simplicissimus", der "Jugend" und der "Lustigen Blätter" und schließlich Mitglied der Preußischen Akademie der Künste.

Seit der Jahrhundertwende machte Zille sich mit den sozialkritischen Blättern aus dem Elendsmilieu der Berliner Hinterhöfe einen Namen. Seine Arbeiten veröffentlichte er teils in Einzelblättern, teils als Mappenwerke. Der karikierende Humor, ein meisterhafter Strich und das scharfe Auge für komische Situationen täuschen oft darüber hinweg, daß Zille sich als engagierter Sozialkritiker verstand, der nicht durch Heiterkeit besänftigen, sondern den Betrachter seiner Arbeiten auffordern wollte, mitzuleiden und Armut und Not auch richtig zu erkennen. Er starb am 9. August 1929.

Berlin in Zitaten

Ulrich Bräker
Schweizer
Schriftsteller
(1735 bis 1798)

Berlin ist der größte Ort in der Welt, den ich gesehen; und doch bin ich bei weitem nie ganz darin herumgekommen. Wir drei Schweizer machten zwar oft den Anschlag zu einer solchen Reise; aber bald gebrach's uns an Zeit, bald an Geld, oder wir waren von Strapazen so marode, daß wir uns lieber der Länge nach hinlegten.
Von der Stadt Berlin sagen zwar viele, sie bestehe aus sieben Städten; unsereinem hat man aber nur drei genannt: Berlin, Neustadt und Friedrichstadt. Alle drei sind in der Bauart verschieden. In Berlin oder Kölln, wie man auch sagt, sind die Häuser so hoch wie in den Reichsstädten; aber die Gassen nicht so breit wie in Neu- und Friedrichstadt, wo die Häuser wieder niedriger, aber gleichförmiger gebaut sind. Da sehen auch die kleinsten, oft von sehr armen Leuten bewohnt, wenigstens sauber und nett aus. An vielen Orten gibt es ungeheuer viele große, leere Plätze, die teils zum Exerzieren und zur Parade, teils zu gar nichts gebraucht werden; ferner Äcker, Gärten, Alleen, alles in die Stadt eingeschlossen. Vorzüglich oft gingen wir auf die lange Brücke, auf deren Mitte ein alter Markgraf von Brandenburg zu Pferd in Lebensgröße, von Erz gegossen, steht, und etliche Enakssöhne mit krausen Haaren zu seinen Füßen gefesselt sitzen, dann der Spree nach, auf dem Weidendamm, wo's gar lustig ist, – dann ins Lazarett, um das traurigste Spektakel unter der Sonne zu sehn, bei dem einem, der nicht gar unsinnig ist, die Lust an Ausschweifungen bald vergehen muß. In diesen Gemächern, so geräumig wie Kirchen, steht Bett an Bett gereiht, in deren jedem ein elender Menschensohn auf seine eigene Art den Tod, und nur wenige ihre Genesung erwarten. Hier ein Dutzend, die unter den Händen der Feldscherer ein erbärmliches Zetergeschrei erheben; dort andere, die sich unter ihren Decken krümmen, wie ein halb zertretener Wurm: viele mit an- und weggefaulten Gliedern. Meist mochten wir's nur wenige Minuten aushalten, gingen wieder an Gottes Luft und setzten uns auf einen Rasenplatz. Da führte unsre Einbildungskraft uns fast immer unwillkürlich in unser Schweizerland zurück, und erzählten wir einander unsere Lebensart zu Hause; wie wohl's uns war, wie frei wir gewesen und was es hier für ein verwünschtes Leben sei.

Aus: "Lebensgeschichte und natürliche Ebentheuer des Armen Mannes im Tockenburg" (1789)

Johann Caspar
Riesbeck
Deutscher
Schriftsteller
u. Historiker
(1754 bis 1786)

Berlin ist eine außerordentlich schöne und prächtige Stadt. Man darf sie immer unter die schönsten Städte Europas setzen. Sie hat die Einförmigkeit nicht, welche den Anblick der meisten neu und regelmäßig gebauten Städte in die Länge ennuyant macht. Die Bauart, die Einteilung, die Gestalt der öffentlichen Plätze, die Besetzung derselben und einiger Straßen mit Bäumen, kurz, alles ist abwechselnd und unterhaltend.
Ich bin seit einigen Tagen nach meiner Art die Kreuz und Quer durch die Stadt gerannt. In der Größe gibt sie Paris und Wien nichts nach. Sie hat beinah anderthalb Stund in die Länge, nämlich von dem sogenannten Mühlentor gegen Südosten bis an das Oranienburger Tor gegen Nordwesten, und eine starke Stunde in die Breite, nämlich von dem Bernauer Tor gegen Nordosten bis an das Potsdamer Tor gegen Südwesten. Allein in

Johann Caspar Riesbeck (Fortsetzung)

diesem ungeheuren Umfang sind eine Menge Gärten und auf einer Seite sogar auch Felder mit eingeschlossen. Sie hat nicht viel über 6000 Häuser, da Paris hingegen beinahe 30 000 zählt. Die Ödheit vieler Gegenden sticht von der Pracht der Gebäude sonderbar ab.
Unter den vielen öffentlichen Vergnügungen ziehe ich, wenigstens zu der jetzigen Sommerszeit, das Spazieren in dem hart bei der Stadt auf der Südseite der Spree gelegenen Park weit vor. Ich habe noch keinen schöneren öffentlichen Spazierplatz gesehen. Die Mannigfaltigkeit des Gehölzes, der Alleen, Gebüsche, bedeckten Gänge und Irrgärten übertrifft alle Phantasie. Er hat weit über eine Stunde im Umfang und auch Wasser genug, um ihm mehr Leben zu geben, als die Spaziergänge großer Städte gemeiniglich zu haben pflegen.... In diesem Park sieht man auf die Sonntage Berlin in seinem Glanz. Er ist für das hiesige Publikum, was die Tuilerien für die Pariser sind, nur ist das Gemisch der Spazierenden hier mannigfaltiger. Er wird vom Pöbel und der feinern Welt gleich stark besucht. Man fährt und reitet darin ohne Einschränkung herum. Auf einigen Plätzen desselben findet man, wie in den Tuilerien, große und prächtige Zirkel von Damen auf Ruhebänken sitzen, und die Freiheit, sie zu beschauen und sie unter die Nase zu beurteilen, ist hier so groß als zu Paris. Man trifft hier auch zu gewissen Zeiten einen großen Teil der hiesigen Gelehrten beisammen. Man hat Erfrischungen von jeder Art. Man spielt, verirrt sich mit Damen oder Mädchen in einsame Gebüsche, verabredet Zusammenkünfte, und es steht hier nicht wie zu Wien immer ein Polizeidiener auf dem Sprung, einem verirrenden Paar auf dem Fuß nachzuschleichen.

Aus: “Briefe eines reisenden Franzosen über Deutschland an seinen ‘Bruder in Paris’”

Heinrich Heine
Deutscher Dichter
(1797 bis 1856)

Die Redouten im Opernhaus sind sehr schön und großartig. Wenn dergleichen gegeben werden, ist das ganze Parterre mit der Bühne vereinigt, und das gibt einen ungeheuern Saal, der oben durch eine Menge ovaler Lampenleuchter erhellt wird. Diese brennenden Kreise sehen fast aus wie Sonnensysteme, die man in astronomischen Kompendien abgebildet findet, sie überraschen und verwirren das Auge des Hinaufschauenden und gießen ihren blendenden Schimmer auf die buntscheckige, funkelnde Menschenmenge, die, fast die Musik überlärmend, tänzelnd und hüpfend und drängend im Saale hin- und herwogt. Jeder muß hier in einem Maskenanzuge erscheinen, und niemandem ist es erlaubt, unten im großen Tanzsaale die Maske vom Gesicht zu nehmen. Ich weiß nicht, in welchen Städten dieses auch der Fall wäre. Nur in den Gängen und in den Logen des ersten und zweiten Ranges darf man die Larve ablegen. Die niedere Volksklasse bezahlt ein kleines Entree und kann von der Galerie aus auf alle diese Herrlichkeit herabschauen. In der großen königlichen Loge sieht man den Hof, größtenteils unmaskiert; dann und wann steigen Glieder desselben in den Saal hinunter und mischen sich in die rauschende Maskenmenge. Fast alle Männer tragen hier nur einfache seidene Dominos und lange Klapphüte. Dieses läßt sich leicht aus dem großstädtischen Egoismus erklären. Jeder will sich hier amüsieren und nicht als Charaktermaske andern zum Amüsement dienen. Die Damen sind aus demselben Grunde ganz einfach maskiert, meistens als Fledermäuse. Eine Menge femmes entretenues und Priesterinnen der ordinären Venus sieht man in dieser Gestalt herumflirren und Erwerbsintriguen anknüpfen. “Ich kenne dir”, flüstert dort eine solche Vorbeiflirrende. “Ich kenne dir auch”, ist die Antwort. “Je te connais, beau masque”, ruft hier eine Chauve-souris einem jungen Wüstling entgegen. “Si tu me connais, ma belle, tu n’es pas grande chose”, entgegnet der Bösewicht ganz laut, und die blamierte Donna verschwindet wie ein Wind.
Aber was ist daran gelegen, wer unter der Maske steckt? Man will sich freuen, und zur Freude bedarf man nur Menschen. Und Mensch ist man erst recht auf dem Maskenballe, wo die wächserne Larve unsere gewöhnliche Fleischlarve bedeckt, wo das schlichte Du die urgesellschaftliche

Heinrich Heine
(Fortsetzung)

Vertraulichkeit herstellt, wo ein alle Ansprüche verhüllender Domino die schönste Gleichheit hervorbringt, und wo die schönste Freiheit herrscht – Maskenfreiheit.

Aus: "Briefe aus Berlin" (1823)

Baedekers
"Deutschland und der Österreichische Kaiserstaat"
(1846)

Berlin ist unstreitig auch eine der schönsten Städte Europas. Ihr Lichtpunct ist der weite Raum vom königl. Schlosse bis zum Brandenburger Thor. Nicht leicht mag man so viel glänzende und herrliche Gebäude zusammen finden, als auf diesem Raume, jenen Riesenbau, das Schloss, die prachtvolle Säulenhalle des Museums, die im edelsten Stile gehaltene neue Königswache, das Opernhaus, das so glücklich hergestellte Universitätsgebäude, das Zeughaus, von Manchen für das tüchtigste und schönste Gebäude der Stadt gehalten, der Palast des Prinzen von Preussen, die Akademie, – alles Bauwerke, die man von einem und demselben Standpuncte übersehen kann, während der Gensdarmenmarkt mit den beiden Kirchen und dem im grossartigsten Stile gehaltenen Schauspielhause nur wenige Schritte davon entfernt ist. Die Linden und der Platz am Opernhause sind unzweifelhaft der Brennpunct des Berliner Glanzes und Lebens.

Aus der dritten Auflage von Karl Baedekers "Handbuch für Reisende in Deutschland und dem Österreichischen Kaiserstaate", S. 468

Georg Heym
Deutscher Lyriker
(1887 bis 1912)

Berlin

Schornsteine stehn in großem Zwischenraum
im Wintertag und tragen seine Last,
des schwarzen Himmels dunkelnden Palast.
Wie goldne Stufe brennt sein niedrer Saum.

Fern zwischen kahlen Bäumen, manchem Haus,
Zäunen und Schuppen, wo die Weltstadt ebbt,
und auf vereisten Schienen mühsam schleppt
ein langer Güterzug sich schwer hinaus.

Ein Armenkirchhof ragt, schwarz Stein an Stein,
die Toten schaun den roten Untergang
aus ihrem Loch. Es schmeckt wie starker Wein.

Sie sitzen strickend an der Wand entlang,
Mützen aus Ruß dem nackten Schläfenbein,
zur Marseillaise, dem alten Sturmgesang.

Kurt Tucholsky
Deutscher
Schriftsteller
(1890 bis 1935)

An die Berlinerin!

Mädchen, kein Casanova
hätte dir je imponiert.
Glaubst du vielleicht, was ein doofer
Schwärmer von dir phantasiert?
Sänge mit wogenden Nüstern
Romeo, liebesbesiegt,
würdest du leise flüstern:
"Woll mit die Pauke jepiekt –?"
Willst du romantische Feste,
gehst du bei's Kino hin...
  Du bist doch Mutterns Beste,
  du, die Berlinerin? –

Venus der Spree – wie so fleißig
liebst du, wie pünktlich dabei!

Kurt Tucholsky
(Fortsetzung)

Zieren bis zwölf Uhr dreißig,
Küssen bis nachts um zwei,
Alles erledigst du fachlich,
bleibst noch im Liebesschwur
ordentlich, sauber und sachlich:
Lebende Registratur!
Wie dich sein Arm auch preßte:
gib dich nur her und nicht hin.
Bist ja doch Mutterns Beste,
du, die Berlinerin! –

Wochentags führst du ja gerne
Nadel und Lineal.
Sonntags leuchten die Sterne
preußisch-sentimental.
Denkst du der Maulwurfstola,
die dir dein Freund spendiert?
Leuchtendes Vorbild der Pola!
Wackle wie sie geziert.
Älter wirst du. Die Reste
gehn mit den Jahren dahin.
Laß die mondäne Geste!
Bist ja doch Mutterns Beste,
du süße Berlinerin! –

Eugen Szatmari
(Lebensdaten unbekannt)
Berliner Journalist

Das ist der Keller vom Hundegustav, – es gibt aber noch andere. Da ist in der Neuen Schönhauser Straße die Kaschemme von Rheese oder der Linienkeller in der Linienstraße, der Albertkeller in der Weinmeisterstraße, in der gefährlichsten Hehlergegend von Berlin, wo sich auch das bekannte "Frühlokal" von Karo befindet, in der Nähe des "Volksvarietés", wo schon einige schwere Verbrecher festgenommen worden sind, wie sie gerade die Attraktionen dieser seltsamen Kunststätte "genossen" haben. Einer der berühmtesten Berliner Verbrecherkeller war der Augustkeller, der aber jetzt verschwunden ist. Sein früherer Besitzer hat vor einiger Zeit in der Gipsstraße ein neues Lokal eröffnet, das sehr schnell eine der gesuchtesten Kaschemmen geworden ist. In dem Café Roland in der Chausseestraße und im "Uhu" in der Kronenstraße – also sozusagen in der City Berlins – verkehren die berüchtigsten Zuhälter mit ihren Dirnen; das sind eigentlich keine Verbrecherlokale mehr, aber immerhin Stätten, wo der Polizei schon mancher gute Fang gelungen ist.

Diese Lokale stehen, mag es noch so paradox klingen, sozusagen unter einer steten Kontrolle der Polizei. Das erscheint um so paradoxer, als die Kaschemmen fast sämtlich mit einem Wachtposten versehen sind. Der "Spanner" steht vor dem Lokal, vor dessen unsichtbarer oder schwer auffindbarer Tür, und hält Umschau. Er kontrolliert die ganze Umgegend, mustert auch eingehend jeden Gast, der Eintritt begehrt, er kennt freilich auch jeden Kriminalbeamten und meldet jede gefährlich aussehende Annäherung. Erscheint eine Streife der Polizei im Lokal, dann rücken die Gäste zusammen und warten ab, wer gesucht wird. Der Verbrecher ist Fatalist. Wenn er weiß, daß der Besuch nicht ihm gelten kann, dann sitzt er ruhig bei seinem Glas Bier und sieht zu, was sich da ereignen wird.

Aus: "Was nicht im Baedeker steht. Band 1: Berlin" (1927)

Alfred Döblin
Deutscher Schriftsteller
(1878 bis 1957)

Rumm rumm wuchtet vor Aschinger auf dem Alex die Dampframme. Sie ist ein Stock hoch, und die Schienen haut sie wie nichts in den Boden.
Eisige Luft. Februar. Die Menschen gehen in Mänteln. Wer einen Pelz hat, trägt ihn, wer keinen hat, trägt keinen. Die Weiber haben dünne Strümpfe und müssen frieren, aber es sieht hübsch aus. Die Penner haben sich vor Kälte verkrochen. Wenn es warm ist, stecken sie wieder ihre Nasen raus.

Alfred Döblin
(Fortsetzung)

Inzwischen süffeln sie doppelte Ration Schnaps, aber was für welchen, man möchte nicht als Leiche drin schwimmen.
Rumm rumm haut die Dampframme auf den Alexanderplatz. Viele Menschen haben Zeit und gucken sich an, wie die Ramme haut. Ein Mann oben zieht immer eine Kette, dann pafft es oben, und ratz hat die Stange eins auf den Kopf. Da stehen die Männer und Frauen und besonders die Jungens und freuen sich, wie das geschmiert geht: ratz kriegt die Stange eins auf den Kopf. Nachher ist sie klein wie eine Fingerspitze, dann kriegt sie aber noch immer eins, da kann sie machen, was sie will. Zuletzt ist sie weg, Donnerwetter, die haben sie fein eingepökelt, man zieht befriedigt ab. Alles ist mit Brettern belegt. Die Berolina stand vor Tietz, eine Hand ausgestreckt, war ein kolossales Weib, die haben sie weggeschleppt. Vielleicht schmelzen sie sie ein und machen Medaillen draus.
Wie die Bienen sind sie über den Boden her. Die basteln und murksen zu Hunderten rum den ganzen Tag und die Nacht. Ruller ruller fahren die Elektrischen, Gelbe mit Anhängern, über den holzbelegten Alexanderplatz, Abspringen ist gefährlich. Der Bahnhof ist breit freigelegt, Einbahnstraße nach der Königstraße an Wertheim vorbei. Wer nach dem Osten will, muß hinten rum am Präsidium vorbei durch die Klosterstraße. Die Züge rummeln vom Bahnhof nach der Jannowitzbrücke, die Lokomotive bläst oben Dampf ab, gerade über dem Prälaten steht sie, Schloßbräu, Eingang eine Ecke weiter. Über den Damm, sie leben alles hin, die ganzen Häuser an der Stadtbahn legen sie hin, woher sie das Geld haben, die Stadt Berlin ist reich, und wir bezahlen die Steuern.
Loeser und Wolff mit dem Mosaikschild haben sie abgerissen, 20 Meter weiter steht er schon wieder auf, und drüben vor dem Bahnhof steht er nochmal. Loeser und Wolff, Berlin-Elbing, erstklassige Qualitäten in allen Geschmacksrichtungen, Brasil, Havanna, Mexiko, Kleine Trösterin, Liliput, Zigarre Nr. 8, das Stück 25 Pfennig, Winterballade, Packung mit 25 Stück, 20 Pfennig, Zigarillos Nr. 10, unsortiert, Sumatradecke, eine Spezialleistung in dieser Preislage, in Kisten zu hundert Stück, 10 Pfennig. Ich schlage alles, du schlägst alles, er schlägt alles mit Kisten zu 50 Stück und Kartonpackung zu 10 Stück, Versand nach allen Ländern der Erde, Boyero 25 Pfennig, diese Neuigkeit brachte uns viele Freunde, ich schlage alles, du schlägst lang hin.

Aus: "Berlin Alexanderplatz" (1929)

Heimat Berlin

Walter Mehring
Deutscher
Schriftsteller
(1896 bis 1981)

Die Linden lang! Galopp! Galopp!
Zu Fuß, zu Pferd, zu zweit!
Mit der Uhr in der Hand, mit'm Hut auf'm Kopp
Keine Zeit! Keine Zeit! Keine Zeit!
Man knutscht, man küßt, man boxt, man ringt,
Een Pneu zerplatzt, die Taxe springt!
Mit eenmal kracht das Mieder!

Und wer in Halensee jeschwooft,
Jeschwitzt, det ihm die Neese looft,
Der fährt
immer mal wieder
Mit der Hand übern Alexanderplatz,
Neuköllner und Kassube,
Von Nepp zu Nepp een eenz'ger Satz,
Rin in die jute Stube!
Mach Kasse! Mensch! die Großstadt schreit:
Keine Zeit! Keine Zeit! Keine Zeit!

Hier kläfft's Hurra! Hier äfft der Mob,
Daß Jift und Jalle speit!

Walter Mehring
(Fortsetzung)

Revolver in der Hand, mit'm Helm auf'm Kopp,
Keine Zeit! Keine Zeit! Keine Zeit!
Jedrillt! jeknufft, jeschleift, jehängt!
Minister sein?? Jeschenkt, jeschenkt!
Von hinten brüllst'n nieder!

Und wer sich 'ne Oase kooft
Und zukiekt, wie der Hase looft,
Der fährt
immer mal wieder
Mit der Hand übern Alexanderplatz
Und Trumpf is Gassenbube;
Von rechts bis links een eenz'ger Satz,
Rin in die jute Stube!
Der nächste Herr! die Großstadt schreit:
Keine Zeit! Keine Zeit! Keine Zeit!

Im Globetrott mach stopp! mach stopp!
Und fährste noch so weit,
Billet in der Hand, mit'm Fez auf'm Kopp
Keine Zeit! Keine Zeit! Keine Zeit!
Der Mensch vaduft', die Panke stinkt!
Kehrt marsch! die Berolina winkt!
Da zuckt's durch alle Glieder!

Denn wer nu mal mit Spree jetooft
Durch alle Länder Weje looft,
Der fährt
immer mal wieder
Mit der Hand übern Alexanderplatz
Den Pharusplan im Schube!
New York – Berlin een eenz'ger Satz,
Rin in die jute Stube!
Da habt ihr mich! die Großstadt schreit:
Neue Zeit! Neue Zeit! Neue Zeit!

Ernst Reuter
Regierender
Bürgermeister
von Berlin
(1889 bis 1953)

Wenn wir heute in dieser Stadt die Welt rufen, dann tun wir es, weil wir wissen, daß die Kraft unseres Volkes der Boden ist, auf dem wir groß geworden sind und noch stärker werden, bis die Macht der Finsternis zerbrochen und zerschlagen sein wird. Diesen Tag werden wir vor unserem alten Reichstag mit seiner stolzen Inschrift: "Dem deutschen Volke" erleben und feiern mit dem Bewußtsein, daß wir ihn in Kümmernissen und Nöten, in Sorgen und Elend, aber mit Standhaftigkeit und Ausdauer herbeigeführt haben. Dann wird eines Tages zu uns kommen der Tag des Sieges, der Tag der Freiheit, an dem die Welt erkennen wird, daß dieses deutsche Volk neu geworden, neu gewandelt und neu gewachsen, ein freies, mündiges, stolzes, seiner Kraft und seines Wertes bewußtes Volk geworden ist, das im Bunde freier Völker ein Recht hat, ein Wort mitzusprechen. Dann werden unsere Züge wieder fahren nicht nur bis Helmstedt: sie werden fahren nach München, nach Stuttgart, nach Dresden und nach Leipzig. Sie werden fahren nach Breslau und nach Stettin.
Ihr Völker der Welt! Ihr Völker in Amerika, in England, Frankreich und Italien! Schaut auf diese Stadt und erkennt, daß ihr diese Stadt und dieses Volk nicht preisgeben dürft, nicht preisgeben könnt. Es gibt nur eine Möglichkeit für uns alle: Gemeinsam so lange zusammenzustehen, bis dieser Kampf gewonnen, bis dieser Kampf endlich durch den Sieg über die Feinde, durch den Sieg über die Macht der Finsternis gewonnen ist. Das Volk Berlins hat gesprochen. Wir haben unsere Pflicht getan, und wir werden unsere Pflicht weiter tun.
Völker der Welt! Schaut auf Berlin und das Volk von Berlin. Seid dessen gewiß: diesen Kampf, den sie wollen, diesen Kampf, den werden wir gewinnen!

Berlin

Wolf Biermann
Deutscher Dichter
und Sänger
(geb. 1936)

Berlin, du deutsche deutsche Frau
ich bin dein Hochzeitsfreier
Ach, deine Hände sind so rauh
von Kälte und von Feuer.
Ach, deine Hüften sind so schmal
wie deine schmalen Straßen
Ach, deine Küsse sind so schal,
ich kann dich nimmer lassen.
Ich kann nicht weg mehr von dir gehn
Im Westen steht die Mauer
Im Osten meine Freunde stehn,
der Nordwind ist ein rauher.
Berlin, du blonde blonde Frau
Ich bin dein kühler Freier
dein Himmel ist so hunde-blau
darin hängt meine Leier.

Berliner
Musikgruppe
"Ideal" (1980)

Bahnhof Zoo, mein Zug fährt ein
Ich steig aus, gut wieder da zu sein
Zur U-Bahn runter am Alkohol vorbei
Richtung Kreuzberg, die Fahrt ist frei
Kottbuser Tor ich spring' vom Zug
Zwei Kontrollöre ahnen Betrug
Im Affenzahn die Rolltreppe rauf
Zwei Türken halten die Beamten auf
Oranienstraße hier lebt der Koran
Dahinter fängt die Mauer an
Mariannenplatz rot verschrien
Ich fühl mich gut, ich steh auf Berlin
Ich fühl mich gut, wir stehn auf Berlin
Graue Häuser ein Junkie im Tran
Es riecht nach Oliven und Majoran
Zum Kanal an Ruinen vorbei
Dahinten steht das Büro der Partei
Auf dem Gehweg Hundekot
Ich trink Kaffee im "Morgenrot"
Später dann in die alte Fabrik
Die mit dem Ost/West-Überblick
Zweiter Stock vierter Hinterhof
Neben mir wohnt ein Philosoph
Fenster auf ich hör Türkenmelodien
Ich fühl mich gut, ich steh auf Berlin
Ich fühl mich gut, wir stehn auf Berlin
Nachts um elf aufm Kurfürstendamm
Läuft für Touristen Kulturprogramm
Teurer Ramsch am Straßenrand
Ich ess die Pizza aus der Hand
Ein Taxi fährt zu "Romy Haag"
Flasche Sekt hundertfünfzig Mark
Für'n Westdeutschen der sein Geld versäuft
Mal seh'n was im "Dschungel" läuft
Musik ist heiß, das Neonlicht strahlt...

dpa am
9.11.1989,
19.04 Uhr

Eil!!!

Von sofort an Ausreise über innerdeutsche Grenzstellen möglich
Ostberlin (dpa) – Von sofort an können DDR-Bürger direkt über alle Grenzstellen zwischen der DDR und der Bundesrepublik ausreisen. Dies teilte SED-Politbüromitglied Günter Schabowski am Donnerstag auf einer Pressekonferenz mit. (...)

Sehenswürdigkeiten von A bis Z

Stadtbesichtigung

Hinweis

Die nachstehenden Empfehlungen sollen dem Reisenden, der zum ersten Mal nach Berlin kommt und nur wenig Zeit zur Verfügung hat, als Leitfaden dienen, um den Aufenthalt in der Stadt möglichst eindrucksvoll zu gestalten. Die fettgedruckten Sehenswürdigkeiten, Orte und Plätze beziehen sich auf die Beschreibungen der "Sehenswürdigkeiten von A bis Z" im Hauptteil dieses Reiseführers. Die übrigen Stichworte erschließen sich durch das Register.

Stippvisite

Wer sich nur einige Stunden in Berlin aufhält, dem sei die Teilnahme an einer organisierten Stadtrundfahrt – mit Bus oder Kutsche (→ Praktische Informationen, Stadtbesichtigung) – empfohlen.

Rund- und Spaziergänge

Rundgang 1

Stadtpläne mit Rund- und Spaziergängen auf S. 82–85

Der erste Spaziergang führt durch das westliche Zentrum von Berlin – den ***Kurfürstendamm** und seine unmittelbare Umgebung. Der Weg beginnt am Bahnhof Zoologischer Garten, von wo es auf der Hardenbergstraße nur wenige Meter zum Breitscheidplatz sind. Dabei passiert man zunächst den ****Zoologischen Garten**, dessen Besuch man sich aber vielleicht für später aufheben sollte. Auf dem Breitscheidplatz muß man sich auf jeden Fall die *Kaiser-Wilhelm-Gedächtnis-Kirche anschauen und kann auch das Europa-Center erklimmen, um sich von der Aussichtsplattform einen ersten Überblick über Berlin zu verschaffen. Dann aber geht es endlich auf dem Ku'damm Richtung Westen, vorbei am Café Kranzler, der Fasanenstraße und dem Ku'damm-Karree bis zur Knesebeckstraße. Auf ihr geht es rechts hoch und unter den S-Bahnbögen hindurch zum Savignyplatz, einem noch fast unverfälscht gebliebenen Stück Alt-Charlottenburg (wer allerdings vom Ku'damm noch nicht genug hat, kann ihn auch über die Knesebeckstraße hinaus bis zum Olivaer Platz weiterverfolgen, dort aber sollte man dann auf der Leibnizstraße hinauf zur Kantstraße gehen). Der Savignyplatz ist der rechte Ort, um sich in einer der Kneipen ringsum zu stärken. Danach schlägt man entweder auf der Kantstraße den Weg zurück zum Breitscheidplatz ein, oder aber man bummelt auf der schöneren Mommsenstraße zurück zum Ku'damm. Auf der Kantstraße passiert man das Theater des Westens und – jenseits der S-Bahnstrecke in der Fasanenstraße – das Jüdische Gemeindehaus; geht man auf der Mommsenstraße, sollte man bald nach Erreichen des Ku'damms wieder in die Fasanenstraße abschwenken zum Jüdischen Gemeindehaus.
Kurz darauf ist man wieder auf dem Breitscheidplatz und geht auf der Tauentzienstraße über diesen hinaus zum Wittenbergplatz, denn hier wartet im sechsten Stock des **KaDeWe** eine der besten Lebensmittelabteilungen in einem europäischen Kaufhaus. Seine zahlreichen Delikatessentheken sind gerade richtig für die Erholung nach dem Marsch.

◂ *Mindestens einmal muß man darunter hindurchgegangen sein: Das Brandenburger Tor ist das Berliner Symbol schlechthin.*

Rundgang 2

Dieser Spaziergang führt durch und um einen Teil des *Tiergartens und berührt dabei nacheinander eines der kulturellen Zentren Berlins, die wichtigste Baustelle der Stadt und das zukünftige Parlaments- und Regierungsviertel. Er beginnt an der **Siegessäule** am Großen Stern (Anfahrt mit dem Bus), von wo man auf der nach Südwesten abgehenden Fasanerieallee durch die Parkanlage zum Großen Weg marschiert. Auf ihm wendet man sich nach links, bis man nahe dem Denkmal der Königin Luise auf die Tiergartenstraße stößt. Gegenüber mündet die Stauffenbergstraße ein, an der der Bendlerblock mit der **Gedenkstätte Deutscher Widerstand** liegt. Jenseits der Tiergartenstraße sieht man die Bauten des ** **Kulturforums**, gleichermaßen ein Schaufenster moderner Architektur wie eine Ansammlung hervorragender Museen: **Kunstgewerbemuseum, *Kupferstichkabinett, *Neue Nationalgalerie und *Musikinstrumenten-Museum. Welches davon man – zu einem späteren Zeitpunkt – besuchen will, sollte man auf einem Gang durch das Forum entscheiden. Danach betritt man den **Potsdamer Platz**, Berlins altes Zentrum und bis vor kurzem größte Baustelle Europas, nun weitgehend fertiggestellt: Die Einkaufspassage in Daimler City sollte man nicht auslassen. Dann marschiert man an der – noch bis Ende 2000 hier stehenden – Infobox vorbei auf der Leipziger Straße vor zur Wilhelmstraße und diese Richtung Norden hinauf zum Pariser Platz mit dem Wahrzeichen Berlins schlechthin, dem ****Brandenburger Tor**. In Sichtweite stehen Richtung Westen das Sowjetische Ehrenmal und weiter nördlich das ***Reichstagsgebäude**, dessen Kuppel ein neues Berliner Wahrzeichen geworden ist. Hier beginnt die letzte Etappe: auf der John-Foster-Dulles-Allee südlich vom Spreebogen, in dem das Bundeskanzleramt entsteht, vorbei am **Haus der Kulturen der Welt · Kongreßhalle** und über die Paulstraße hinweg zum **Schloß Bellevue**, dem Amtssitz des Bundespräsidenten. Von dort ist man rasch wieder am Großen Stern.

Spaziergang 1

Startpunkt dieses Spaziergangs durch das alte Herz von Berlin ist der Pariser Platz vor dem ****Brandenburger Tor**. Er markiert den Beginn der Prachtstraße ****Unter den Linden**. Deren schönster Teil beginnt nach der Kreuzung mit der **Friedrichstraße**. Man sieht nacheinander links die Staatsbibliothek, die Humboldt-Universität mit dem *Reiterdenkmal Friedrichs des Großen in der Straßenmitte davor und dem Bebelplatz und der *Staatsoper Unter den Linden gegenüber; weiterhin links die *Neue Wache (Zentrale Gedenkstätte) und schließlich das *Zeughaus, einer der schönsten erhaltenen Bauten des alten Berlin, mit dem Kronprinzenpalais gegenüber. Über die Schloßbrücke erreicht man den Lustgarten und den ***Schloßplatz**, der vom ***Berliner Dom** und vom Palast der Republik beherrscht wird. Nach Überquerung der Spree über die Rathausbrücke liegt rechts das ***Nikolaiviertel**, wo man sich in historischer Umgebung in einem der Cafés und Wirtshäuser eine wohlverdiente Pause gönnen kann. Vom Nikolaiviertel ist es, am Roten Rathaus und der ***Marienkirche** vorbei, nicht weit bis zum ***Fernsehturm**, der eine weit bessere Aussicht bietet als der Blick vom Europa-Center, und zum anschließenden **Alexanderplatz**. Ab hier sollte man seine Beine schonen und mit der U 2 zur Haltestelle Hausvogteiplatz fahren, von wo es wenige Schritte zum ****Gendarmenmarkt** sind. An diesem wohl schönsten Platz Berlins kann der Tag in einem der umliegenden Restaurants ausklingen. Wer es am Abend allerdings etwas lebhafter haben möchte, der sollte ab der Haltestelle Stadtmitte mit der U 6 nach **Kreuzberg** (Haltestelle Hallesches Tor; dort evtl. umsteigen in die U 1 zum Kottbuser Tor) fahren, wo es Restaurants und Kneipen für jeden Geschmack in Hülle und Fülle gibt; für ganz schrilles Vergnügen ist genau die entgegengesetzte Richtung angesagt: ebenfalls mit der U 6 zur Oranienburger Straße mit dem Kulturzentrum Tacheles (Haltestelle Oranienburger Tor).

Spaziergang 2

Auf diesem Spaziergang lernt man neben der Museumsinsel einen etwas stilleren Teil von Berlin-Mitte kennen. Er beginnt am Bahnhof Friedrichstraße, von wo man die **Friedrichstraße** in nördlicher Richtung bis zur Weidendammbrücke verfolgt. Von der Brücke sieht man links voraus auf das

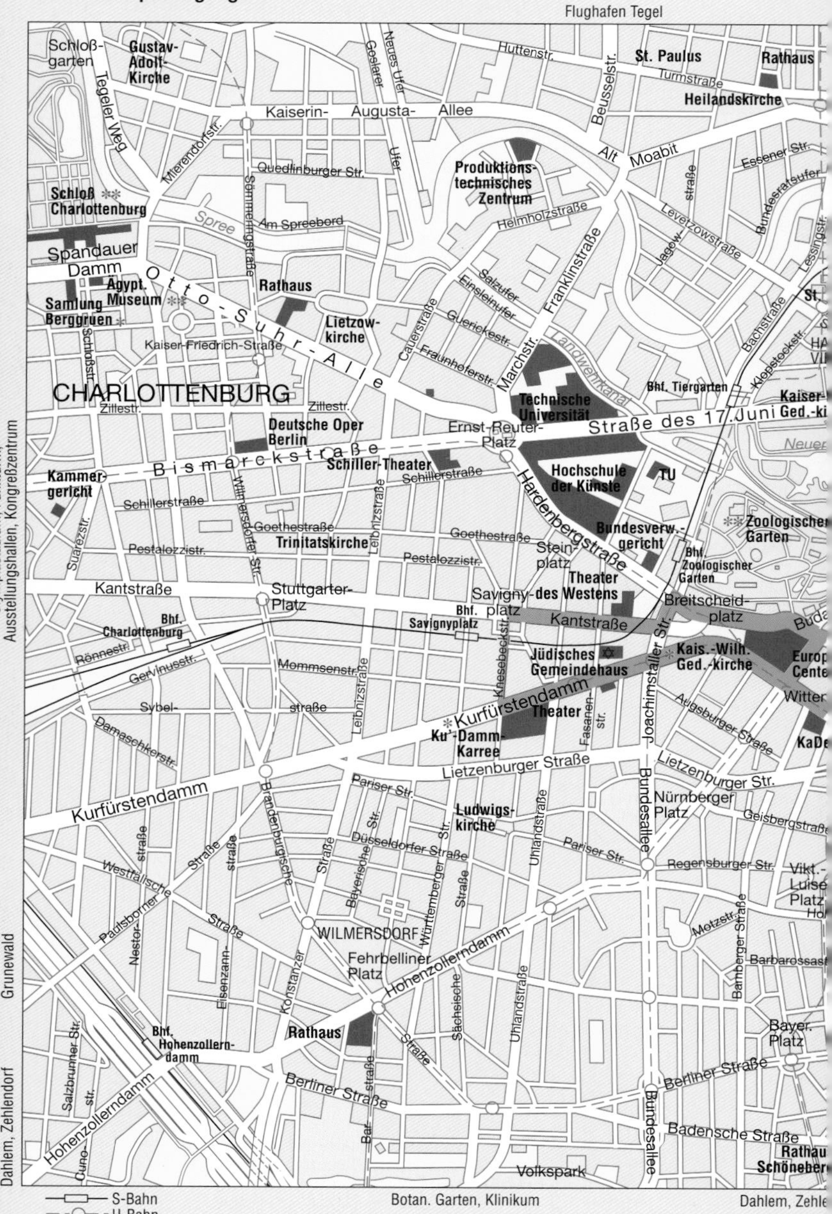

Flughafen Tegel

Schloßgarten
Gustav-Adolf-Kirche
Tegeler Weg
Huttenstr.
Goslarer Ufer
Neues Ufer
Beusselstr.
St. Paulus
Rathaus
Turmstraße
Heilandskirche
Kaiserin- Augusta- Allee
Mierendorffstr.
Quedlinburger Str.
Alt Moabit
Essener Str.
Bundesratsufer
Produktionstechnisches Zentrum
Schloß Charlottenburg
Spree
Am Spreebord
Sömmeringstraße
Helmholtzstraße
Levetzowstraße
Jagowstraße
Spandauer Damm
Otto-Suhr-Allee
Ägypt. Museum
Rathaus
Salzufer
Einsteinufer
Franklinstraße
Lessingstr.
Samlung Berggruen
Schloßstr.
Lietzowkirche
Cauerstraße
Guerickestr.
Landwehrkanal
Bachstraße
Kaiser-Friedrich-Straße
Fraunhoferstr.
Marchstr.
Klopstockstr.
CHARLOTTENBURG
Zillestr.
Technische Universität
Bhf. Tiergarten
Kaiser-Ged.-ki
Deutsche Oper Berlin
Ernst-Reuter-Platz
Straße des 17. Juni
Bismarckstraße
Schiller-Theater
Schillerstraße
Hochschule der Künste
TU
Kammergericht
Wilmersdorfer Str.
Leibnizstraße
Hardenbergstraße
Goethestraße
Suarezstr.
Trinitatskirche
Bundesverw.-gericht
Zoologischer Garten
Pestalozzistr.
Steinplatz
Bhf. Zoologischer Garten
Kantstraße
Stuttgarter-Platz
Theater des Westens
Savignyplatz
Breitscheidplatz
Bhf. Charlottenburg
Bhf. Savignyplatz
Rönnestr.
Gervinusstr.
Mommsenstr.
Jüdisches Gemeindehaus
Kais.-Wilh. Ged.-kirche
Europ Cente
Sybelstraße
Kurfürstendamm
Theater
Fasanenstr.
Knesebeckstr.
Joachimstaller Str.
Augsburger Straße
Damaschkestr.
Ku'-Damm-Karree
Witten
KaDe
Lietzenburger Straße
Lietzenburger Str.
Brandenburgische Straße
Pariser Str.
Ludwigskirche
Uhlandstraße
Bundesallee
Nürnberger Platz
Geisbergstraße
Düsseldorfer Straße
Bayerische Str.
Württemberger Str.
Westfälische Straße
Regensburger Str.
Vikt.-Luise-Platz
Paulsborner Straße
Nestorstraße
Eisenzannstraße
Konstanzer
WILMERSDORF
Fehrbelliner Platz
Hohenzollerndamm
Motzstr.
Bamberger Straße
Barbarossastr.
Sächsische
Rathaus
Bayer. Platz
Bhf. Hohenzollerndamm
Salzbrunner Str.
Berliner Straße
Badensche Straße
Rathaus Schöneberg
Cunostr.
Volkspark
Dahlem, Zehlendorf
Grunewald
Olympiastadium, Funkturm, Ausstellungshallen, Kongreßzentrum
Botan. Garten, Klinikum

S-Bahn
U-Bahn

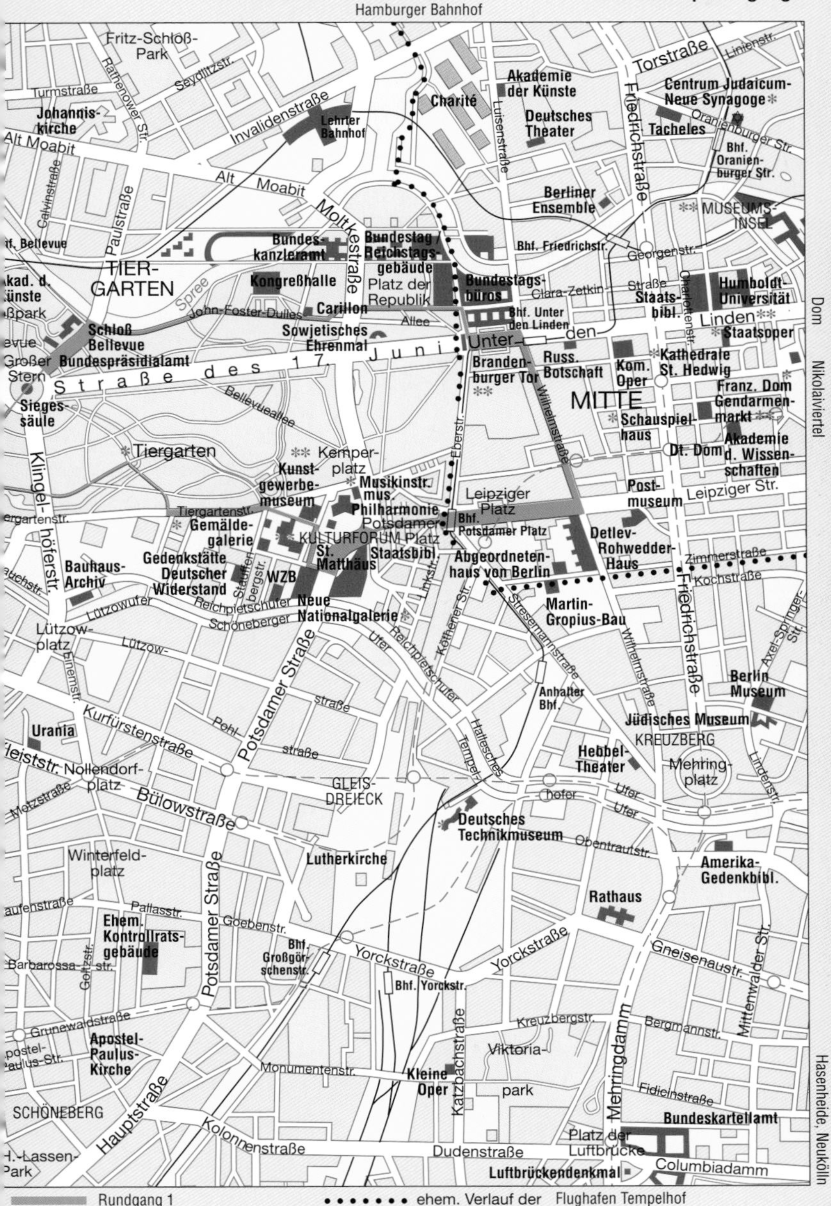

Rundgang 1
Rundgang 2
• • • • • • • ehem. Verlauf der 'Berliner Mauer'
Flughafen Tempelhof

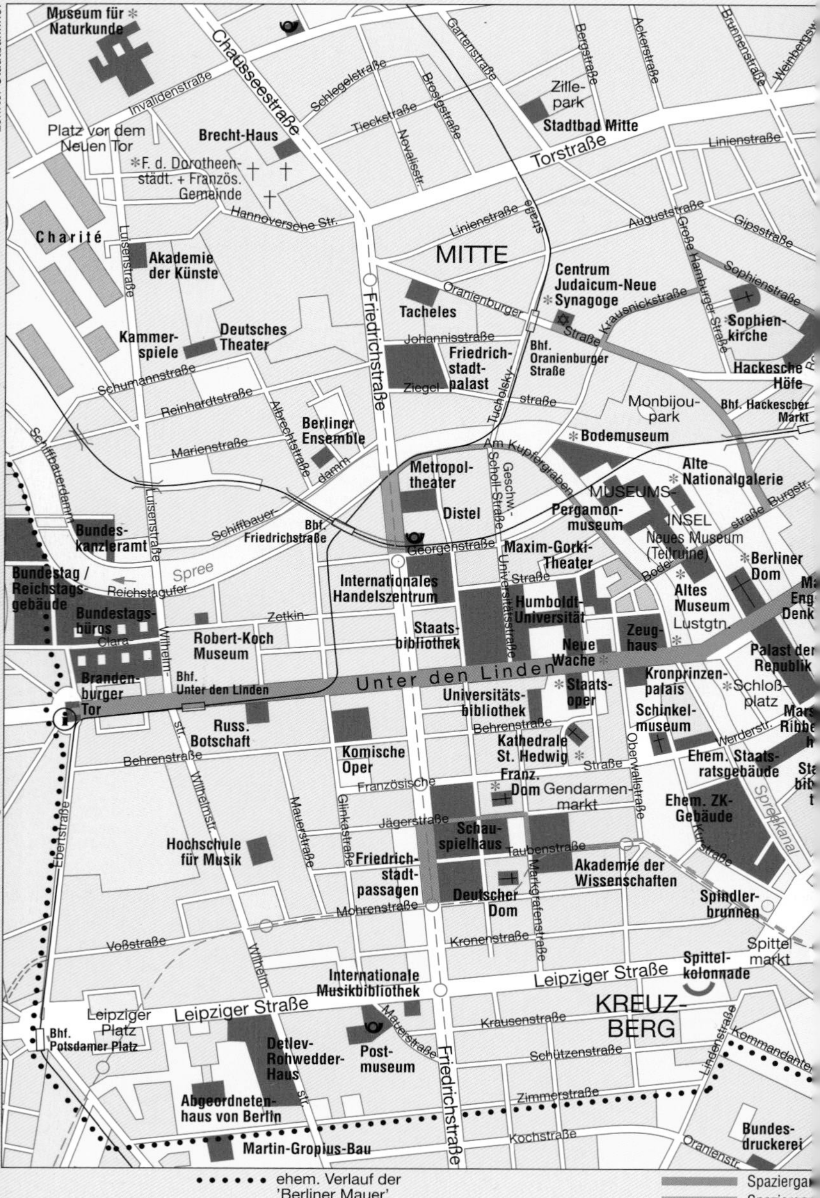

• • • • • • ehem. Verlauf der 'Berliner Mauer'

Spaziergar

Spaziergar

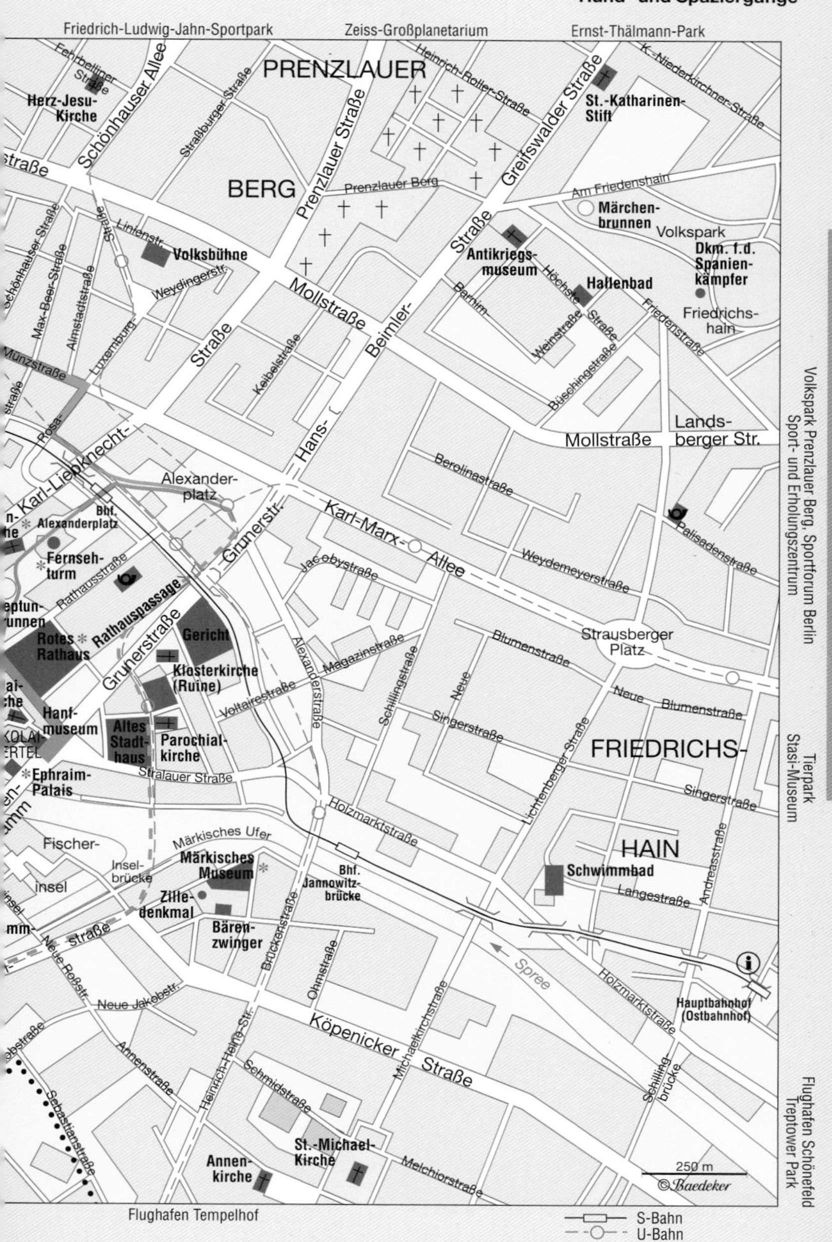

Friedrich-Ludwig-Jahn-Sportpark
Zeiss-Großplanetarium
Ernst-Thälmann-Park
PRENZLAUER
BERG
Herz-Jesu-Kirche
St.-Katharinen-Stift
Volksbühne
Antikriegs-museum
Hallenbad
Märchen-brunnen
Volkspark
Dkm. f.d. Spanien-kämpfer
Friedrichs-hain
Alexander-platz
Bhf. Alexanderplatz
Fernseh-turm
Rathauspassage
Rotes Rathaus
Gericht
Klosterkirche (Ruine)
Hanf-museum
Altes Stadt-haus
Parochial-kirche
Ephraim-Palais
Fischer-insel
Märkisches Museum
Zille-denkmal
Bären-zwinger
Bhf. Jannowitz-brücke
Strausberger Platz
FRIEDRICHS-
HAIN
Schwimmbad
Hauptbahnhof (Ostbahnhof)
Annen-kirche
St.-Michael-Kirche
Schönhauser Allee
Prenzlauer Straße
Greifswalder Straße
Hans-Beimler-Straße
Mollstraße
Karl-Liebknecht-
Karl-Marx-Allee
Grunerstr.
Grunerstraße
Alexanderstraße
Köpenicker Straße
Holzmarktstraße
Spree
Landsberger Str.
Märkisches Ufer
Stralauer Straße
250 m
©Baedeker
Volkspark Prenzlauer Berg, Sportforum Berlin
Sport- und Erholungszentrum
Tierpark
Stasi-Museum
Flughafen Schönefeld
Treptower Park
Flughafen Tempelhof
S-Bahn
U-Bahn

Spaziergang 2 (Fortsetzung)

Berliner Ensemble am Schiffbauerdamm und geradeaus zum Friedrichstadtpalast. Der Spaziergang aber führt vor der Brücke am Ufer der Spree entlang bis zur Spitze der **Museumsinsel** am Kupfergraben. Auch hier gilt: zunächst erkunden und später zu einem Museumsbesuch zurückkehren. Um die ganze Museumsinsel kennenzulernen, geht es an *Bodemuseum, **Pergamonmuseum und Neuem Museum vorbei und hinter dem *Alten Museum über die Bodestraße bis zur *Alten Nationalgalerie. Anschließend über die Spree hinweg und auf der Oranienburger Straße am Monbijoupark entlang bis zum ***Centrum Judaicum** in der Neuen Synagoge. Man befindet sich nun im einstigen Zentrum der jüdischen Gemeinde Berlins. Man erkundet es am besten, indem man auf der Oranienburger Straße wieder ein Stück zurück geht und nach links in die Krausnickstraße einbiegt, an der die Reste des ersten jüdischen Friedhofs der Stadt liegen. Dann geht man ein kurzes Stück die Große Hamburger Straße entlang und biegt bald in die im Stil des 19. Jh.s hergerichtete Sophienstraße ein. Auf der Schönhauser Straße und der Münzstraße durchquert man anschließend das Herz des Scheunenviertels und findet sich bald auf dem **Alexanderplatz** wieder, wo der Spaziergang endet.

Berlins Museen

Das Museumsangebot ist so vielfältig, daß man sich schon vorab entscheiden sollte, welches man besuchen will, um es vielleicht doch noch in einen der vorgeschlagenen Spaziergänge einzubauen. Dabei muß man berücksichtigen, daß die Berliner Museumslandschaft durch die Folgen des Zweiten Weltkriegs nach wie vor zerrissen ist und die Zusammenfügung noch Jahre in Anspruch nehmen wird, auch wenn die meisten Museen nun organisatorisch, aber eben nicht räumlich vereint sind. Daher wird es oft der Fall sein, daß der Besuch sich sinnvoll ergänzender Museen mit einer Fahrt von einem Teil der Stadt in den anderen verbunden ist.
Wer sich für die Antike und die Archäologie interessiert, findet in Berlin ein reiches Feld. An erster Stelle steht das **Pergamonmuseum mit dem berühmten Pergamonaltar in der Antikensammlung und unschätzbaren Funden aus Vorderasien. Direkt daneben liegt auf der ****Museumsinsel** das *Bodemuseum, das allerdings bis 2004 geschlossen sein wird. Teile der ägyptischen Abteilung des Bodemuseums werden nun im ****Ägyptischen Museum** beim ****Schloß Charlottenburg** – wo u.a. die berühmte Büste der Nofretete zu sehen ist – ausgestellt.
Freunde der bildenden Kunst sollten auf der ****Museumsinsel** die *Alte Nationalgalerie besuchen; auf jeden Fall darf aber die *Neue Nationalgalerie auf dem ****Kulturforum** nicht ausgelassen werden, wo ausgestellt ist, was man in den Galerien im Osten Berlins vermißt hat. Mitte 1998 ist hier auch die **Gemäldegalerie eröffnet worden.
Auch wer an Kunstgewerbe Gefallen findet, kommt in Berlin auf seine Kosten. Dazu sollte man den Besuch des **Kunstgewerbemuseums auf dem ****Kulturforum** einplanen.
An stadtgeschichtlichen Sammlungen bietet Berlin ebenso mehrere, die allesamt als **Stadtmuseum Berlin** zusammengefaßt sind: zuvorderst das **Berlin Museum** im Bezirk **Kreuzberg**, von wo man sogar zu Fuß ans **Märkische Ufer** mit dem ***Märkischen Museum** gehen kann; weitere, über die ganze Stadt verstreute Nebenstellen ergänzen das Angebot.
Wer vor allem an völkerkundlichen Sammlungen interessiert ist, für den sind die **Museen in **Dahlem** der richtige Ort. Ohne weiteres läßt sich ein ganzer Tag in den dort zusammengefaßten Museen für Völkerkunde, für Ostasiatische Kunst, für Islamische Kunst und für Indische Kunst verbringen, ergänzt durch die Skulpturengalerie. Zur Erholung bietet sich anschließend der nahegelegene ***Botanische Garten** an.
Daß damit die Liste der Berliner Museen noch lange nicht zu Ende ist, versteht sich von selbst. Im Abschnitt "Praktische Informationen von A bis Z" findet man noch genügend Museen für jeden Geschmack.

Für diejenigen aber, die sich weder für Kunst noch für die Antike erwärmen können, gibt es eine weitere reizvolle Alternative, einen ganzen Tag in Berlin zu verbringen: mit einem Besuch zunächst im ****Zoologischen Garten** im Westen Berlins und, wenn man vergleichen will, daran anschließend ein Gang durch den *Tierpark Friedrichsfelde. Vor allem Kindern werden die Zoobesuche großen Spaß bereiten.

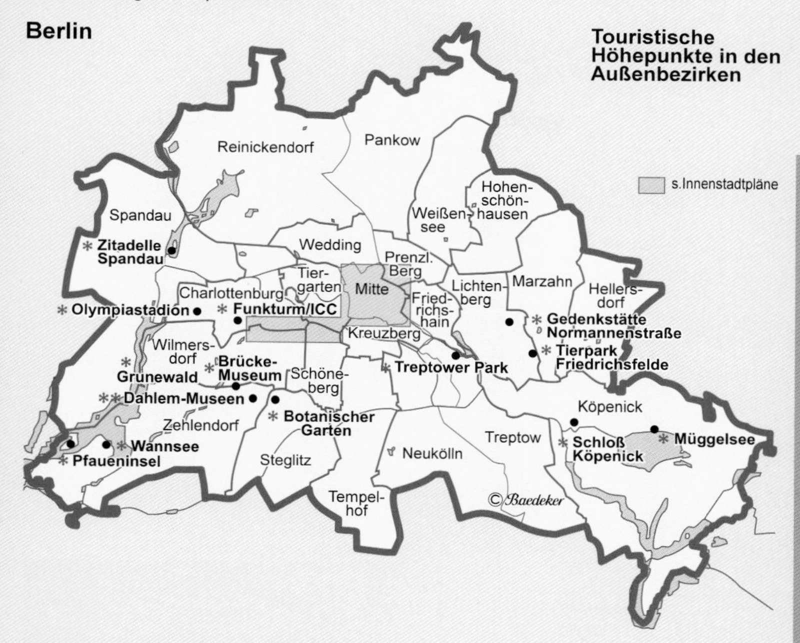

Berlins Natur

Wer genug hat vom Lärm der Stadt, sollte einen Ausflug in die äußeren Stadtbezirke nutzen und dies mit etwas Erholung verbinden. Es bieten sich mehrere Möglichkeiten an: im Westen eine Fahrt an den *Wannsee, was sich gut mit einem Besuch der *Pfaueninsel und von Spandau kombinieren läßt, oder ein Ausflug ins ländliche Lübars mit einer Wanderung durch die märkische Landschaft; im Osten eine Fahrt über Köpenick an den *Müggelsee. Wer West und Ost verbinden will, unternehme eine Fahrt auf Havel und Spree vom Wannsee nach Köpenick.

Sehenswürdigkeiten von A bis Z

**Ägyptisches Museum und Papyrussammlung L 14

Anschrift
Schloßstr. 70, Charlottenburg

U-Bahn
Richard-Wagner-Platz (U 7), Sophie-Charlotte-Platz (U 2)

Bus
109, 110, 145, 209

Öffnungszeiten
Di.–So. 10.00–18.00

Im östlichen Stülerbau, den Friedrich August Stüler 1850 gegenüber dem Schloß → Charlottenburg im klassizistischen Stil errichtete, und im alten Königlichen Marstall ist das aus den ehemals Königlichen Kunstsammlungen und verschiedenen Privatsammlungen um 1823 hervorgegangene, vormalige Ägyptische Museum untergebracht. Es ist bereits im Januar 1992 als Ägyptisches Museum und Papyrussammlung mit dem Schwestermuseum im Bodemuseum organisatorisch zusammengefügt worden und soll auch räumlich wiedervereint werden.

Wenn der Wiederaufbau des Neuen Museums, abgeschlossen ist, werden die Ägyptischen Sammlungen wieder auf die → Museumsinsel zurückkehren. Als Eröffnungsjahr ist 2005 anvisiert.
Nach der Schließung des Ägyptischen Museums im Bodemuseum wird das Charlottenburger Haus auf Jahre hinaus der einzige Ausstellungsort altägyptischer Kunst in Berlin sein. Es ist geplant, im Stülerbau einen repräsentativen Querschnitt beider Sammlungen zusammenzustellen. Deshalb sind Abweichungen zu nachfolgenden Beschreibungen und zum Grundriß abzusehen.
In den Ausstellungsräumen an der Schloßstraße werden Kunst- und Kulturwerke des alten Ägyptens aus der Zeit von 3000 v. Chr. bis 200 n. Chr. gezeigt. Im Hauptgebäude befinden sich in 13 Räu-

Ägyptische Porträtbüste

Museumsaufbau (Fortsetzung)

men des Erd- und Mittelgeschosses die bedeutendsten Kunstwerke; der dreischiffige Marstall mit den zierlichen Eisengußsäulen der Berliner Eisenmanufaktur aus der Mitte des 19. Jh.s beherbergt die bereits 1995 zusammengeführte Sammlung von Kunstwerken und kulturgeschichtlich interessanten Objekten des Alltags aus Tell el-Amarna, die 1911 bis 1914 von deutschen Archäologen ausgegraben wurden und nun zum größten Teil erstmalig seit Auffindung zu sehen sind.

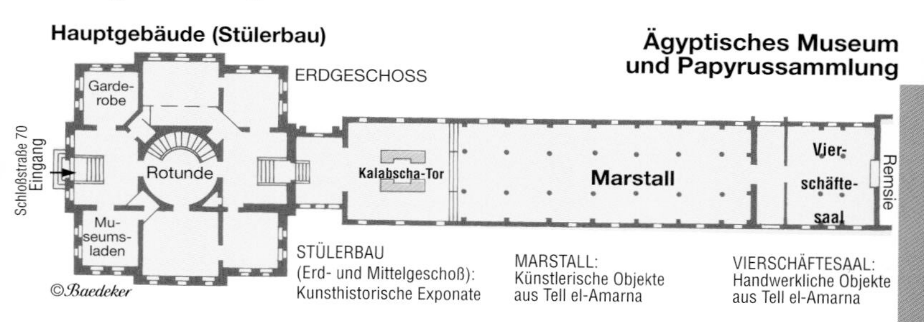

Marstall
Tell el-Amarna

Jeder Besucher, der den Marstall betritt, passiert zunächst das Kalabscha-Tor, ein Geschenk der ägyptischen Regierung an die Bundesrepublik Deutschland für ihre Hilfe bei der Rettung von Kunstwerken im Zuge der Errichtung des Assuan-Hochdamms. Zu den berühmtesten Exponaten im Marstall zählen die 1912 gefundene Kalksteinbüste der Königin Nofretete (um 1350 v. Chr.), Ehefrau des ägyptischen Pharaos Echnaton, wohl das bekannteste Kunstwerk des pharaonischen Ägyptens und vielleicht die "berühmteste Berlinerin", der vom selben Grabungsplatz stammende Stuckkopf des Königs Echnaton, Initiator einer kurzlebigen Religionsreform um 1350 v. Chr., die Familienstele mit der Darstellung von Nofretete und Echnaton mit drei ihrer sechs Töchter, der "Spaziergang im Garten" (bemaltes Relief mit Darstellung eines jugendlichen Königspaares), die Porträtmasken aus der Bildhauerwerkstatt des Thutmosis in Amarna, der kleine Ebenholzkopf der Königin Teje, Mutter des Echnaton (um 1370 v. Chr.), die Naos-Grabstele des Oberbildhauers Bak und seiner Frau sowie die fast vollständig erhaltene, aber unvollendet gebliebene Statue des Königs Echnaton.

**Nofretete-Büste

Übrige Ausstellung

Die übrige Ausstellung verteilt sich auf den ersten Stock und den Vierschäftesaal. Hier werden voraussichtlich die aus dem Bodemuseum gekommenen Stücke integriert. Viele davon geben einen Eindruck vom Totenkult der alten Ägypter, so z. B. der Bronzesarg einer heiligen Katze (um 500 v. Chr.) oder der äußere Sargdeckel der Dame Tare-kap (um 600 v. Chr.).
Zu den Kunstwerken, die bereits seit langem in Charlottenburg zu sehen waren, gehören als herausragende Arbeiten das Standbild des Per-her-nofret (5. Dynastie, 2200 v. Chr.), Kopf des Königs Sesostris (12. Dyn., um 1830 v. Chr.), Sitzbild des Chertihotep (12. Dyn., um 1800 v. Chr.) und die Bronzeplastik einer Frau (um 700 v. Chr.). Unter den bedeutendsten Schöpfungen der ägyptischen Spätzeit nehmen der Kopf des Königs Amasis (26. Dyn., um 550 v. Chr.) wie auch der Priesterkopf, der sog. "Berliner Grüne Kopf" (um 300 v. Chr.), beide aus grünem Stein, eine Vorrangstellung ein.
Der an den Marstall anschließende Vierschäftesaal bietet Zeugnisse handwerklicher Produktion, meist aus Ateliers von Tell el-Amarna.

Denkmal für Prinz Albrecht von Preußen

Auf der Mittelpromenade der Schloßstraße vor dem Museumseingang steht ein von Eugen Boermel 1872 geschaffenes Denkmal für Prinz Albrecht von Preußen, den Bruder Kaiser Wilhelms I.

Sammlung Berggruen

Im westlichen Stülerbau gegenüber des Ägyptischen Museums ist die → Sammlung Berggruen – "Picasso und seine Zeit" eingerichtet.

Alexanderplatz   R / S14 · o / p13

Lage
Mitte

S- und U-Bahn
Alexanderplatz
(S 3, S 5, S 7, S 75, S 9, U 2, U 5, U 8)

Der Alexanderplatz (im Volksmund 'Alex') war städtebaulicher Mittelpunkt von Ost-Berlin und ist nun neben dem Kreuzungsbereich Kurfürstendamm/Budapester Straße das zweite urbane Zentrum der Stadt.
Der Platz geht auf das Ende des 13. Jh.s vor dem Oderberger Tor eingerichtete Georgsspital zurück. Um 1700 entstand in dessen Umgebung ein Viehmarkt, zu dem in der zweiten Hälfte des 18. Jh.s ein Wollmarkt hinzukam. Nachdem Kurfürst Friedrich III. im Jahre 1701 durch das nunmehr Georgentor genannte Stadttor als 'König in Preußen' Friedrich I. in Berlin einzog, wurde das Tor in Königstor umbenannt. Von 1777 an ließ Friedrich II. ein repräsentatives Brückenbauwerk, die Königsbrücke, über einen zu dieser Zeit noch sichtbaren Seitenarm der Spree errichten. Die Entwürfe für die Kolonnaden, die sich an diese Brücke anschlossen, wurden von Karl von Gontard geschaffen; sie befinden sich heute am Kleistpark vor dem ehemaligen → Kontrollratsgebäude der Alliierten. Im Jahre 1805 schließlich erhielt der Platz vor dem Tor zu Ehren des russischen Zaren Alexander I. seinen heutigen Namen.

Wandbilder in der Fußgängerunterführung

Die wechselvolle Gestaltung des Platzes kann man heute in acht Porzellanbildern im Fußgängertunnel am Forum-Hotel betrachten. Die Wandbilder zeigen von links nach rechts: die Gegend am Königstor 1730, den Ochsenmarkt auf dem Contre Escarpe vor dem Königstor 1780, die Königsbrücke 1785, den Wollmarkt auf dem Alexanderplatz 1830, den Alexanderplatz um 1900 und um 1930, den zerstörten Platz am Kriegsende 1945 und schließlich das Bild des erweiterten und neu gestalteten Platzes Ende 1968.

Bauten

Von der einstigen Bebauung – besonders bekannt waren die 1895 aufgestellte Kolossalfigur der Berolina von Emil Hundrieser und das Berliner Poli-

Auch die Weltzeituhr macht den Alexanderplatz noch nicht zu einer städtebaulichen Schönheit. Ob er es durch die Umbaupläne wird, bleibt zu hoffen.

Alexanderplatz (Fortsetzung)

zeipräsidium – sind nur noch das Berolinahaus (heute Bezirksrathaus Mitte) und das Alexanderhaus an der Südseite erhalten. Diese beiden Häuser von Peter Behrens entstanden zwischen 1928 und 1931 und repräsentieren den Stil der Neuen Sachlichkeit. Ansonsten dominieren Neubauten den etwas leer und trostlos wirkenden Platz: An der Nordseite erhebt sich das 30stöckige, 1967–1970 errichtete, rund 120 m hohe Forum Hotel (ehemals Hotel 'Stadt Berlin'); dazu treten das 1964 fertiggestellte 13geschossige ehemalige Haus des Lehrers (erster Neubau nach 1945 am Alex), der flache Kuppelbau der Kongreßhalle und das 18geschossige ehemalige Haus des Reisens. Den Brunnen der Völkerfreundschaft schuf Walter Womacka im Jahre 1969. Im selben Jahr wurde auch die Weltzeituhr von Erich John aufgestellt. Der 1945 stark beschädigte S- und U-Bahnhof Alexanderplatz ist nach dem Zweiten Weltkrieg modernisiert worden. Der Platz soll nach Plänen von Hans Kollhoff zu einer 'Hochhaus-City' umgestaltet werden (→ *Baedeker Special* S. 204 ff.).

Umgebung des Alexanderplatzes

Scheunenviertel

Nördlich des Alexanderplatzes, jenseits der Karl-Liebknecht-Straße, liegt das Scheunenviertel, dessen Hauptstraßen die Max-Beer-Straße (früher Dragonerstraße) und die Almstadtstraße (früher Grenadierstraße) sind. Es verdankt seinen Namen dem Umstand, daß hier im 18. Jh. zahlreiche Scheunen und Ställe standen. Bis zur Machtübernahme durch die Nationalsozialisten war diese Gegend ein Quartier vor allem für aus Osteuropa gekommene Juden mit zahlreichen Geschäften, Hotels und religiösen Einrichtungen. Von der alten Bebauung ist nur die einstige Gaststätte 'Zum Weißen Elefanten' (Almstadtstraße/Ecke Schendelgasse) übriggeblieben. Heute ist das Viertel wieder voller Leben und toller Kneipen. Am Rosa-Luxemburg-Platz am Rande des Scheunenviertels sieht man das bemerkenswerte Gebäude der Volksbühne Berlin.

Karl-Marx-Allee

Von der Ostecke des Alexanderplatzes strebt die sechsspurige Karl-Marx-Allee über den ovalen Strausberger Platz zu den Türmen des Rathauses Friedrichshain. Sie wurde 1953 als 'Stalin-Allee' begonnen und war ein Renommierobjekt der damaligen DDR-Führung, die billige, gut ausgestattete Arbeiterwohnungen entlang einer 'sozialistischen' Magistrale bauen wollte. Es entstanden riesige, mit Meißner Keramikplatten verkleidete Wohnbauten im typischen 'Zuckerbäckerstil' der Stalin-Ära mit tatsächlich bemerkenswerten Einrichtungen wie Zentralheizung und Müllschlucker zu geringen Mieten. Die Allee steht heute unter Denkmalschutz. Auf den Baustellen der damaligen Stalin-Allee wurde deutsche Geschichte geschrieben: Hier entzündete sich der Unmut der Arbeiter über zu hohe Normen, der zum Aufstand vom 17. Juni 1953 führte.

Alliierten-Museum K 8

Anschrift
Clayallee 135, Zehlendorf

U-Bahn
Oskar-Helene-Heim (U 1)

Öffnungszeiten
tgl. außer Mi. 10.00–18.00

(West-)Berlin als Frontstadt und Vorposten des freien Westens – das ist das Thema des Alliierten-Museums in Dahlem, eingerichtet in einer ehemaligen Siedlung für US-Soldaten rund um das Army-Kino 'Outpost' . Aus der Sicht der westlichen Alliierten USA, Großbritannien und Frankreich werden Themen aus der großen Politik wie die Luftbrücke, der alliierte Kontrollrat, das Kriegsverbechergefängnis in Spandau behandelt, aber auch das Zusammenfinden und -leben der Westberliner und der Soldaten. Zahlreiche Dokumente und Originalstücke erwecken ein wenig die Zeit, als Westberlin als Insel der Freiheit im Reich des Bösen galt: eine britische Hastings, die bei der Luftbrücke eingesetzt war, ein französischer Interzonenwaggon, US-Jeeps und das originale Kontrollhäuschen vom Checkpoint Charlie. Am Schluß ein Zeichen der neuen Zeit – ein Fahrbahnkegel von der Glienicker Brücke, 1990 von US- und Sowjetsoldaten signiert.

Ausstellungs- und Messegelände · Funkturm · ICC J/K 12

Lage
Charlottenburg, zwischen Masurenallee und Jafféstraße

U-Bahn
Kaiserdamm (U 2)

Bus
104, 149, 204, N 4, N 49

Zu Füßen des Funkturms erstreckt sich das Ausstellungs- und Messegelände der Messe Berlin. Es umfaßt 30 Hallen mit rund 160 000 m² Ausstellungsfläche. Im Hallenviereck erstreckt sich der ovale Sommergarten mit dem Palais am Funkturm (Restaurant).
Die ersten Ausstellungshallen wurden schon in der Zeit des Ersten Weltkrieges und 1924 – 1926 errichtet. Ab 1936 kamen neue Hallen hinzu, und nach 1945 folgten weitere Neubauten. 1999 ist das Gelände abermals um mehrere Hallen erweitert worden. Als wichtigste Messen werden auf dem Gelände die Grüne Woche, die Internationale Tourismusbörse und die Internationale Funkausstellung abgehalten.

Ausstellungs-und Messegelände

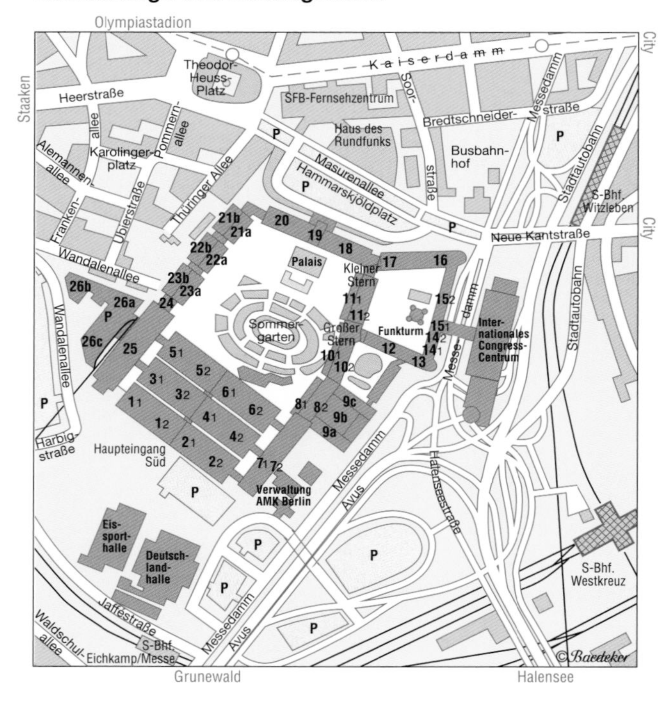

Deutschlandhalle
Eissporthalle
ZOB

Südwestlich vom Messegelände liegen die 1957 neu errichtete Deutschlandhalle, ein großer Mehrzweckbau von 140 m Länge und 120 m Breite, der bis zu 8000 Besucher aufnehmen kann (Sportveranstaltungen, Konzerte u.a.), die Eissporthalle mit rund 6000 Zuschauerplätzen und der S-Bahnhof Eichkamp/Messe. Jenseits der Masurenallee befindet sich der Zentrale Omnibusbahnhof für Berlin.

Avus

Südlich des Messegländes verläuft parallel zum Messedamm die Nordschleife der Autorennstrecke → Avus.

*Funkturm **K12**

Ein Berliner Wahrzeichen ist der von den Berlinern 'langer Lulatsch' genannte Funkturm, der sich im östlichen Hallenviereck des Ausstellungs- und Messegeländes erhebt. Er wurde 1924 in Stahlgitterkonstruktion auf Porzellanfüßen nach Plänen von Heinrich Straumer erbaut und 1926 im Rahmen der dritten Deutschen Funkausstellung in Betrieb genommen. Er sollte als Antennenträger, Aussichtsturm und Leuchtturm für den Flugverkehr dienen. 1929 wurde von ihm das erste Fernsehbild der Welt ausgestrahlt; 1945 zerstörte eine Granate eine der Hauptstreben, so daß der Turm nur 'auf drei Beinen' stand, jedoch nicht umkippte. Der Turm hat eine Gesamthöhe von 150 m (inkl. Antennen); von dem in 55 m Höhe gelegenen Funkturmrestaurant und von der Aussichtsplattform in 126 m Höhe bietet sich ein herrlicher Rundblick über die Stadt.

Aussichtsplattform
tgl. 10.00 – 23.00

Funkturm und Internationales Congress-Centrum (ICC)

Das Deutsche Rundfunkmuseum ist aus seinem angestammten Platz unter dem Funkturm ausgelagert worden und sucht derzeit neue Räume. Ort und Zeitpunkt der Wiedereröffnung sind noch nicht geklärt.

Deutsches Rundfunk-Museum

Ein anderes Zeugnis deutscher Rundfunkgeschichte erblickt man nordöstlich jenseits der Masurenallee. Dort steht das 1929 – 1931 von Hans Poelzig erbaute fünfgeschossige Haus des Rundfunks; nördlich anschließend das Fernsehzentrum des SFB (1965 – 1970).

Haus des Rundfunks SFB

*Internationales Congress-Centrum (ICC) **K12**

Östlich des Ausstellungsgeländes und mit diesem durch eine dreigeschossige, überdachte Brücke über den Messedamm hinweg verbunden liegt zwischen Messedamm und S-Bahn das Internationale Congress-Centrum. Es war bis zum Beginn der Bauarbeiten am → Potsdamer Platz das umfangreichste Bauwerk Berlins nach 1945 (Bauzeit: 1970 – 1979). Die Gesamtlänge des Gebäudes beträgt 320 m, die Breite 80 m, die Höhe 40 m, der umbaute Raum 800 000 m³, die in das Dach des ICC eingebaute Stahlmasse 8500 t. Es verfügt über 80 Säle und Räume von 20 bis 5000 Plätzen. Der größte Saal (Saal 1) faßt bis zu 5000 Personen und verfügt über

Information
Tel. 30 38-0
Fax 30 38-30 32

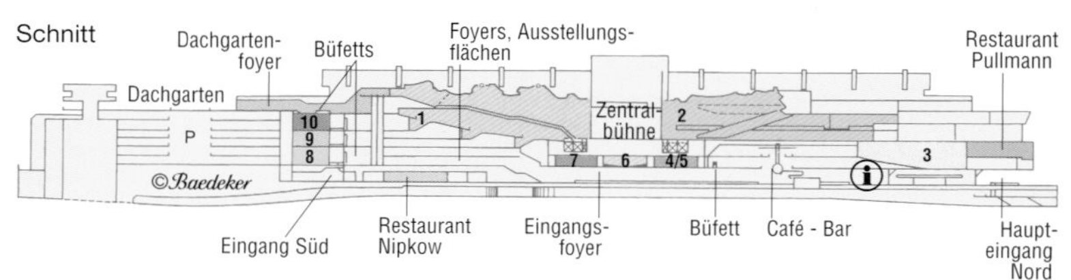

Internationales Congress-Centrum (ICC)

Veranstaltungssäle: 1-10

Ausstellungs- und Messegelände, Internationales Congress-Centrum (Fortsetzung)

die zweitgrößte Bühne Europas, ausgestattet mit moderer Bühnentechnik. Neoprenlager, sogenannte architektonische Stoßdämpfer, sorgen dafür, daß keine Schwingungen und Störgeräusche von außen zu bemerken sind. Im Eingangsfoyer befinden sich Informations-Counter, Post, Bank, Souvenirläden, Café-Bar und das Selbstbedienungsrestaurant Nipkow sowie eine Erste-Hilfe- und eine Polizeistation. Tagungsteilnehmer, die mit dem Auto über die → Avus kommen, können das ICC direkt über die Autobahn erreichen. Ein Parkhaus mit 650 Stellplätzen ist vorhanden.

Avus G–J 7–11

Lage
Wilmersdorf, Zehlendorf

Verlauf
im Grunewald

Die Automobil-Verkehrs- und Übungsstraße – abgekürzt Avus – wurde bereits 1921 als erste “kreuzungsfreie, doppelspurige Nur-Autostraße” fertiggestellt. In zwei parallel laufenden Geraden von je rund 8,5 km Länge führt sie durch den Grunewald und endet in Nikolassee. Heute ist die Avus Berlins wichtigste Ausfallstraße nach Südwesten (Grunewald, Wannsee, Potsdam). Ihre im Jahr 1937 errichtete berühmte steile Nordkurve wurde 1967 abgetragen. Internationale Formel-I-Rennen finden heute zwar nicht mehr statt; es werden aber noch Sportwagenrennen veranstaltet.

Rekorde auf der Avus

Im Jahre 1926 wurde auf der Avus erstmals der ‘Große Preis von Deutschland’ ausgetragen. 1937 stellte Bernd Rosemeyer auf Auto-Union den Rundenrekord von 276,4 km/h auf, und Rudolf Caracciola erreichte eine Höchstgeschwindigkeit von 400 km/h auf Mercedes.

Bahnhöfe

Entwicklung des Eisenbahnverkehrs

Berlin war vor dem Zweiten Weltkrieg eine Drehscheibe des europäischen Eisenbahnverkehrs und stand mit täglich 500 ein- und ausfahrenden Zügen an erster Stelle aller deutschen Städte. Auf fünf großen Kopfbahnhöfen wurde im wesentlichen der Fernverkehr abgewickelt; die weiteren fünf Stadtbahnhöfe dienten überwiegend dem Nahverkehr. Im Zweiten Weltkrieg waren die Bahnhöfe schweren Bombenangriffen ausgesetzt. Nach Kriegsende wurde im Westteil der Stadt der einstige Stadtbahnhof Zoologischer Garten zum wichtigsten Bahnhof für den Fernverkehr; im Ostteil waren noch der frühere Schlesische Bahnhof (heute Ostbahnhof) und als Grenzstation der Bahnhof Friedrichstraße in Betrieb. Mit dem neuen Lehrter Bahnhof wird Berlin bis ca. 2004 nicht nur einen neuen zentralen Bahnhof, sondern auch ein spektakuläres verkehrstechnisches Bauwerk erhalten (→ Abb. S. 19).

Anhalter Bahnhof Q 12

Lage
Kreuzberg

S-Bahn
Anhalter Bahnhof (S 1, S 2)

Von dem ehemaligen Prachtbahnhof, der einst für die Berliner das Tor zum Süden war – hier trafen bis zum Zweiten Weltkrieg die Züge aus Dresden, Leipzig und Halle an der Saale ein –, zeugen heute nur noch ein Teil der Frontfassade und der Portikus am Askanischen Platz. Der in seinem Aussehen noch recht bescheidene erste Anhalter Bahnhof stammte aus dem Jahre 1839; 1841 zog von hier August Borsigs erste Lokomotive einen Zug bis Jüterbog. Die steigenden Bedürfnisse im Personen- und Güterverkehr verlangten jedoch bereits Mitte des 19. Jh.s den Bau eines neuen Bahnhofgebäudes. Mit dieser Aufgabe wurden im Jahr 1875 der Architekt Franz Schwechten, u.a. auch Erbauer der → Kaiser-Wilhelm-Gedächtniskirche und des AEG-Fabrikgebäudes, und der Ingenieur Heinrich Seidel betraut, der sich als Autor des autobiographischen Romans “Leberecht Hühnchen” auch in der Literatur einen Namen gemacht hat.

Am 15. Juni 1880 rollte der erste Zug mit 700 Personen vom Anhalter Bahnhof in Richtung Lichterfelde. Die Konstruktion der 170 m langen und 60 m breiten monumentalen Bahnsteighalle, deren eisernes Dach 10 200 m² überspannte, wie auch der als Backsteinbau mit Terrakotten und Formsteinen verzierte Empfangsbereich galten damals als meisterhafte künstlerische Lösungen für ein Bahnhofsgebäude. Nach Verstaatlichung der Preußischen Bahnen erlebte der Anhalter Bahnhof um 1900 und nach dem Ersten Weltkrieg seine Blütezeit. Vor dem Zweiten Weltkrieg fuhren pro Tag 58 Züge ein und aus, rund 40 000 Menschen bevölkerten täglich die Bahnsteige. Am 23. November 1943 wurde die Bahnanlage so schwer getroffen, daß der Fernverkehr eingestellt werden mußte. Nach dem Zweiten Weltkrieg verfielen die Anlagen, 1961 wurden sie gesprengt. Das lange verwaiste Gelände ist nun zu einer Grünanlage umgestaltet, die mit dem → Potsdamer Platz verbunden werden soll.

Anhalter Bahnhof (Fortsetzung)

Bahnhof Friedrichstraße Q4 · 13

Der Bahnhof Friedrichstraße wurde am 1. Mai 1882 als Stadtbahnhof eröffnet. Die Bauzeit für die 163 m lange und 40 m breite Anlage betrug neun Jahre. Daraufhin entwickelte er sich schnell zum wichtigsten innerstädtischen Haltepunkt der Reichshauptstadt. Zwischen 1924 und 1926 wurde der Bahnhof vollkommen umgestaltet, zwei parallele Hallen – je eine für die Fern- und für die Stadtbahn – entstanden. Während des Zweiten Weltkrieges erlitt er schwere Schäden, konnte jedoch bis 1959 / 1960 renoviert werden. Nach dem Mauerbau 1961 wurde der Bahnhof Friedrichstraße zur einzigen Verbindung für Fern-, Stadt- und U-Bahn zwischen beiden Teilen Berlins. Als Ostberliner Bahnhof und Grenzkontrollpunkt war er gleichzeitig zur Schleuse zwischen zwei Welten geworden mit so absurden Erscheinungen wie exterritorialen Bahnsteigen, die nur mit Schildern und aufgemalten Linien markiert waren. Die Grenzkontrollstellen in der 'Tränenhalle', in der Besucher Ostberlins in engen Kabuffs von DDR-Grenzern argwöhnisch gemustert wurden, sind längst abgebaut, der Bahnhof zu einem Dienstleistungszentrum umgebaut worden.

Lage
Mitte

S- und U-Bahn
Bahnhof Friedrichstraße
(S 1, S 2, S 3, S 5, S 7, S 75, S 9, U 6)

Görlitzer Bahnhof S / T 11

Zwischen Wiener Straße und Görlitzer Straße erstreckt sich um ein Hallenbad herum eine Parkanlage, die lange Zeit eine weite, verwilderte Fläche mit Resten von Gleisanlagen und Gebäuden war. Hier befand sich der Görlitzer Bahnhof, von dem der Zugverkehr nach Görlitz, Schlesien, in den Spreewald und ins Riesengebirge abgewickelt wurde. Das im Zweiten Weltkrieg durch Bomben zerstörte Bahnhofsgelände wurde Ende der achtziger Jahre saniert. Die Gegend ist heute ein sozialer Problemort.

Lage
Kreuzberg

U-Bahn
Görlitzer Bahnhof
(U 1, U 15)

Bahnhof Grunewald J 11

Der Bahnhof Grunewald direkt an der → Avus ist einer der Orte in Berlin, der an die Terrorherrschaft der Nazis erinnert. Von dieser Stelle und vom anschließenden Gelände des Grunewalder Güterbahnhofes wurden von 1941 bis 1945 Zehntausende von Berliner Juden in die Vernichtungslager abtransportiert. Ein 1991 vor dem Bahnhof und ein 1998 an Gleis 17 enthülltes Mahnmal erinnern an diese schrecklichen Ereignisse.

Lage
Zehlendorf

S-Bahn
Bahnhof Grunewald
(S 1, S 3,, S 7)

Ostbahnhof T 13

Der im Süden von Friedrichshain gelegene Ostbahnhof, der bis 1950 'Schlesischer Bahnhof' und zwischenzeitlich Hauptbahnhof hieß, ist der wichtigste Fernbahnhof im Ostteil der Stadt. Im Jahre 1842 wurde er als

Lage
Friedrichshain

An den Abtransport der Berliner Juden vom Bahnhof Grunewald erinnert ein Mahnmal.

Ostbahnhof
(Fortsetzung)

S-Bahn
Ostbahnhof
(S 3, S 5, S 7, S 75, S 9)

'Frankfurter Bahnhof' für die Strecke nach Frankfurt an der Oder (seit 1847 bis nach Breslau) eröffnet. 1867 und 1868 ersetzten Eduard Römer und Johann Wilhelm Schwedler das Gebäude durch einen Neubau, der im Krieg zerstört, danach vereinfacht wiederhergestellt und Ende der achtziger Jahre zum Hauptbahnhof von Ostberlin umgestaltet wurde.

Potsdamer Bahnhof **P 12 · k 2**

Lage
Tiergarten

S- und U-Bahn
Potsdamer Platz
(S 1, S 2, U 2)

Der 1835 – 1838 erbaute Potsdamer Bahnhof hatte große Bedeutung für den → Potsdamer Platz. Schon im Frühjahr 1833 waren beim Innenministerium Gesuche eingegangen, eine Bahnlinie zwischen Magdeburg, Potsdam, Berlin, Frankfurt an der Oder und Breslau zu bauen. Die zur Auflage gemachte Privatfinanzierung hatte zur Folge, daß der Plan rasch auf die Linie Berlin – Potsdam reduziert wurde. Ursprünglich sollte die Berliner Endstation am Schafgraben, südlich der Potsdamer Brücke, angelegt werden. Weil dies einen zu weiten Weg zur Innenstadt bedeutet hätte, einigte man sich auf der Aktionärsversammlung im Februar 1836 auf das Areal am Südrand des Potsdamer Platzes. Der Bahnbetrieb konnte zwei Jahre später aufgenommen werden. Mitte des 19. Jh.s war bereits abzusehen, daß der Bahnhof aufgrund des ständig wachsenden Verkehrs nicht mehr ausreichte. Zwanzig Jahre später erfolgte eine Erweiterung, 1869 wurde der erste Bahnhof abgerissen, drei Jahre später der neue für den Fernverkehr nach Potsdam, Magdeburg und dem Harz in Betrieb genommen. An Spitzentagen fuhren hier mehr als 80 000 Fahrgäste ab. Vom rechts angrenzenden Wannsee-Bahnhof verkehrten die Vorortzüge nach Potsdam, linker Hand lag die Ringbahn. An allen Seiten des fünfarmigen Sterns etablierten sich renommierte Hotels und vielbesuchte Gaststätten, so das berühmt gewordene 'Haus Vaterland'. Die Bomben des Zweiten Weltkrieges zerstörten den Bahnhof.

Noch ist der Bahnhof Zoo der wichtigste Berliner Bahnhof. Diese Stellung wird er verlieren, wenn der Lehrter Bahnhof fertig ist.

Unter dem Fernverkehrsbahnhof wurde 1939 der S-Bahnhof eingeweiht, der eine der großzügigsten unterirdischen Ladenpassagen Europas besaß. Am 2. Mai 1945 sprengte die SS den S-Bahn-Tunnel unter dem Landwehrkanal, wodurch der S-Bahnhof überflutet wurde und viele Menschen ertranken. Nach dem Bau der Mauer schloß die DDR-Regierung den S-Bahnhof, der zwischen den beiden Mauerlinien am Potsdamer Platz lag. Im Zuge der städtebaulichen Neugestaltung des Platzes ist mittlerweile der S- und U-Bahnhof wieder in Betrieb genommen und modernisiert worden; ein Regionalbahnhof ist geplant.

Bahnhöfe, Potsdamer Bahnhof (Fortsetzung)

Bahnhof Zoologischer Garten N 12 · d/e 2/3

Am Südwestende des → Tiergartens liegt am Hardenbergplatz der Ende der achtziger Jahre renovierte Bahnhof Zoologischer Garten (kurz 'Bahnhof Zoo' genannt), der heute der wichtigste Fernbahnhof im Westteil der Stadt (ICE-Endstation) und gleichzeitig U- und S-Bahn-Station ist. Die Gegend um den Bahnhof ist einer der lebhaftesten Plätze der Stadt. Traurige Berühmtheit erlangte der Bahnhof Anfang der achtziger Jahre durch den Erlebnisbericht "Wir Kinder vom Bahnhof Zoo", in dem die vierzehnjährige Christiane F. ihre Jugend in der Berliner Drogenszene beschrieben hat – und heute noch ist dieses Problem im und um den Bahnhof gegenwärtig.

Lage
Charlottenburg

S- und U-Bahn
Bahnhof Zoologischer Garten (S 1, S 2, S 3, S 5, S 7, S 75, S 9, U 1, U 12, U 9)

Schloß Bellevue O 13 · g 4

Schloß Bellevue, nordöstlich der → Siegessäule gelegen, ist seit 1994 erster Amtssitz des deutschen Bundespräsidenten. Das Sommerpalais des Prinzen August Ferdinand, des jüngsten Bruders von Friedrich dem

Anschrift
Spreeweg 1, Tiergarten

Schloß Bellevue ist der Amtssitz des Bundespräsidenten.

Schloß Bellevue (Fortsetzung)

S-Bahn
Bellevue
(S 3, S 5, S 7, S 9)

Bus
100, 187

Großen, erbaut 1785, war im Zweiten Weltkrieg zerstört worden. Beim Wiederaufbau hielt man sich in seiner äußeren Anlage und Form an das Vorbild; auch der ovale Festsaal, 1791 von C. G. Langhans gestaltet, wurde stilgerecht wiederhergestellt. Bei einer neuerlichen Teilrenovierung wurde die ursprüngliche Raumabfolge zurückgewonnen.
Schloß und Park sind – mit Ausnahme des Englischen Parks – für die Öffentlichkeit nicht zugänglich.

Englischer Park

Der westliche Teil des Schloßparks (20 ha) ist im Stil eines englischen Landschaftsparkes gehalten. Er wurde 1952 mit Hilfe der 'Shropshire Horticultural Society' durch Spenden britischer Gartenfreunde (u.a. auch das englische Königshaus) wiederaufgeforstet und neugestaltet mit Stein- und Naturgärten, seltenen Pflanzen und dem strohgedeckten Parkhaus, in dem auch Ausstellungen und Konzerte stattfinden. Ein Café und eine Lesestube für Garten- und Tierliteratur sind angegliedert.

Neues Bundespräsidialamt

Im Park unmittelbar südwestlich vom Schloß steht das mit scharzem Granit verkleidete neue Bundespräsidialamt, ein von den Frankfurter Architekten Martin Gruber und Helmut Kleine-Kraneburg entworfener ellipsenförmiger Bau.

*Berliner Dom — R 14 · n 3

Lage
Lustgarten,
Mitte

Der Berliner Dom wurde in den Jahren 1894 bis 1905 nach Plänen von Julius Carl Raschdorff anstelle einer friderizianischen Domkirche (1747 bis 1750, Entwurf von Johann Boumann d. Ä.) auf Wunsch Kaiser Wilhelms II. als Hauptkirche des preußischen Protestantismus und Grablege der Hohenzollern errichtet. Das Bauwerk – ein Zentralbau in den neubarocken Formen des Historismus – gliederte sich ursprünglich in drei Hauptteile: im

Norden die heute abgetragene Denkmalskirche, im Süden die Tauf- und Traukirche und in der Mitte die Predigtkirche mit 2000 Sitzplätzen. Die Kuppel weist eine Scheitelhöhe von 74,8 m auf, die älteste Glocke stammt aus dem Jahre 1532. Der Sakralbau von 116 m Höhe, 114 m Länge und 73 m Tiefe wurde im Krieg schwer beschädigt. Nach Sicherungsarbeiten konnte sein Äußeres ab 1974 bis 1982 wiederhergestellt werden, die Innenrenovierung wurde im Sommer 1993 abgeschlossen. Die Wiedereröffnung des Doms wurde mit einem feierlichen Gottesdienst begangen, wobei auch die große Sauer-Orgel (113 Register, 7200 Pfeifen) geweiht wurde (Orgelkonzert tgl. 15.00 – 15.30 Uhr; dann Eintrittsgebühr).
Im Kirchenraum sind die Sarkophage des Großen Kurfürsten und seiner Gemahlin Dorothea, des Kurfürsten Johann Cicero, die von Andreas Schlüter geschaffenen Prunksarkophage des ersten preußischen Königspaares Friedrich I. und Sophie Charlotte sowie das Grabmal von Kaiser Friedrich III. aufgestellt.
90 weitere Sarkophage aus dem 16. bis 20. Jh. mit sterblichen Überresten von Mitgliedern der Hohenzollern können in der nun wieder zugänglichen Hohenzollerngruft besichtigt werden.

S-Bahn
Hackescher Markt
(S 3, S 5, S 7, S 9)

Bus
100, 157, 348

Öffnungszeiten
tgl. 9.00 – 20.00
(außer bei Gottesdiensten und Konzerten)

Kaiserliches Treppenhaus

Das Kaiserliche Treppenhaus, das zur Predigtkirche hinaufführt, zieren bronzierte Kapitelle und 13 Temperagemälde des Berliner Landschaftsmalers Albert Hertel (1905), davon neun eine Folge zum Thema “Das Leben Christi”. Eine Ausstellung dokumentiert die ‘Berliner Domgeschichte’. Von der kaiserlichen Loge hat man einen prachtvollen Blick in den Kirchenraum (geöffnet: Mo. – Sa. 10.00 – 17.45, So. und Fei. 11.30 – 18.00 Uhr).

Aufstieg zur Kuppel

Vom Kaiserlichen Treppenhaus steigt man über ein Gewirr von Stiegen und Gängen zur Kuppel hinauf, von deren Umgang in 50 m Höhe man ganz Berlin überschauen kann (geöffnet: Mo. – Sa. 10.00 – 18.00, So. 12.00 bis 18.00; letzter Einlaß jeweils 17.00 Uhr).

Diese Aussicht genoß auch Kaiser Wilhelm II.:
Blick von der kaiserlichen Loge auf den Altarraum des Doms.

**Brandenburger Tor P 13 · k 3

Lage
Pariser Platz, Mitte

S-Bahn
Unter den Linden (S 1, S 2)

U-Bahn
Potsdamer Platz (U 2)

Der monumentale Sandsteinbau des Brandenburger Tors, das Berliner Wahrzeichen und Symbol der überwundenen Teilung schlechthin, entstand auf Anordnung von König Friedrich Wilhelm II. in den Jahren 1788–1791 nach Entwürfen von Carl Gotthard Langhans d.Ä., der sich stark an den Propyläen der Akropolis von Athen orientierte. Hier sollte der Prachtstraße → Unter den Linden nach Westen hin ein würdiger architektonischer Abschluß verliehen werden.
Das klassizistische Bauwerk (es war das erste seiner Art in Berlin) erhielt eine Höhe von 26 m (samt Quadriga), eine Breite von 65,50 m und eine Tiefe von 11 m. Fünf Durchfahrten wurden durch Mauern voneinander getrennt, deren Stirnseiten je sechs dorische Säulen zieren. Das 5,65 m breite Mitteltor war für die Hofequipagen der königlichen Familie reserviert, die vier Seitentore (jeweils 3,80 m breit) ließen den öffentlichen Verkehr durch. Die südlich und nördlich zum Pariser Platz hin angelagerten Flügelbauten, die als Unterkunft für Steuereinnehmer, wachhabende Soldaten und Offi-

Das Brandenburger Tor wird nun wieder – in Anlehnung an die alte Bebauung – von neuen Bauten eingerahmt.

ziere dienten, erhielten an den Stirnseiten dorische Tempelfronten. Am 6. August 1791 wurde das Brandenburger Tor in Abwesenheit des Königs ohne besonderen Festakt für den öffentlichen Verkehr freigegeben. In den Jahren 1861–1868 schuf Johann Heinrich Strack zwischen dem Tor und den beiden Torhäuschen neue Durchgänge und versah die Torhäuschen mit offenen Säulenhallen. Außerdem wechselten die Figuren von Mars und Minerva ihre Standorte. Der Vorplatz nach Westen wurde 1903 umgestaltet. Während des Zweiten Weltkrieges erlitt das Tor durch Bombardierungen und Artilleriebeschuß sehr schwere Schäden. Die langwierigen Restaurierungsarbeiten dauerten bis 1958. Unmittelbar vor der Westseite verlief von 1961 bis 1990 die Mauer.

Quadriga

Der bildkünstlerische Schmuck des Brandenburger Tors stammt weitgehend von dem gebürtigen Berliner Johann Gottfried Schadow (1764–1850), der auch den Entwurf für die sich auf dem Bauwerk erhebende Quadriga schuf. Ihre Ausführung übernahm der Potsdamer Kupferschmied Jury, dessen Nichte Ulrike Modell stand für die Statue der Friedensgöttin Eirene und späteren Siegesgöttin Viktoria, die – mit den Siegessymbolen in der Hand – den mit vier Pferden bespannten Wagen lenkt. Nach dem Sieg der Franzosen in der Schlacht bei Jena und Auerstedt wurde die Quadriga 1806 auf Befehl Napoleons abgebaut und nach Paris gebracht. Nach den Befreiungskriegen mit der französischen Niederlage in der Völkerschlacht bei Leipzig (1813) sorgte Gebhard Leberecht von Blücher dafür, daß die Quadriga nach Berlin zurückkehrte. Hier nahm sie unter großem Jubel der Berliner am 14. August 1814 wieder ihren angestammten Platz ein. Auf Befehl des Königs erhielt die Friedensgöttin von Karl Friedrich Schinkel eine neue Trophäe – ein das Eiserne Kreuz umschließender Eichenkranz, gekrönt vom preußischen Adler – und wurde jetzt als Viktoria bezeichnet. Das erste Siegeszeichen waren ein an einem Speer befestigter Helm, ein Brustpanzer und zwei Schilde gewesen.

Die Quadriga auf dem Brandenburger Tor

Im Zweiten Weltkrieg wurde das imposante Gespann der Quadriga zerstört – als einziges Fragment blieb ein Pferdekopf übrig, der sich heute im → Märkischen Museum befindet. Anhand von Gipsmodellen konnte in Westberlin von der Friedenauer Kunstgießerei Noack eine neue Quadriga getrieben werden, die im September 1958 den Platz ihrer Vorgängerin einnahm. Kurz darauf wurden das Eiserne Kreuz und der Preußenadler auf Geheiß der damaligen DDR-Staatsführung entfernt.

Zeuge der Geschichte

Seit dem Einzug der französischen Truppen im Jahre 1806 sah das prächtige Tor zahlreiche Aufmärsche und Paraden. Dazu gehörten die Triumphmärsche des preußischen Staates: 1864, als die Truppen aus Dänemark zurückkehrten, 1866 aus Anlaß des Feldzuges gegen Österreich und 1871

Baedeker Special

Absichtserklärungen – die Berliner Mauer

"Ich verstehe Ihre Frage so, daß es in Westdeutschland Menschen gibt, die wünschen, daß wir die Bauarbeiter der Hauptstadt der DDR dazu mobilisieren, eine Mauer aufzurichten. Mir ist nicht bekannt, daß eine solche Absicht besteht. Die Bauarbeiter unserer Hauptstadt beschäftigen sich hauptsächlich mit Wohnungsbau. ... Niemand hat die Absicht, eine Mauer zu errichten."
Mit inbrünstiger Empörung erteilte DDR-Staatsratsvorsitzender und SED-Generalsekretär Walter Ulbricht am 15. Juni 1961 einem Journalisten Antwort, der sich Aufklärung über schon lange schwirrende Gerüchte erhoffte. Nicht ganz zwei Monate später, gegen 2.00 Uhr in der Nacht vom 12. auf den 13. August 1961, riegelten Einheiten der Volkspolizei, der Betriebskampfgruppen und der Nationalen Volksarmee der DDR zur "verläßlichen Bewachung und wirksamen Kontrolle der Staatsgrenze" den Ostteil Berlins entlang der Grenze des sowjetischen Sektors ab und begannen, nahe dem Potsdamer Platz, Straßensperren aufzubauen und Stacheldrahtzäune zu ziehen. Stunden später war die gesamte Sektorengrenze blockiert, und die Offiziere konnten dem Verantwortlichen für die Aktion, Erich Honecker, Vollzug melden.

"Niemand hat die Absicht, eine Mauer zu errichten."

Schon seit Jahren bereitete den Regierenden der DDR der ständige Strom von Flüchtlingen über die Berliner Sektorengrenzen erhebliches Kopfzerbrechen. Seit 1952 die Grenze zur Bundesrepublik geschlossen worden war, war Berlin das einzige Schlupfloch durch den Eisernen Vorhang, denn hier garantierten die vier Siegermächte Freizügigkeit. Von 1952 bis zum Mauerbau nutzten ca. 2,7 Millionen

Menschen diese Chance – die DDR drohte auszubluten, und die SED sah ihren letzten Ausweg darin, die Menschen in der DDR einzusperren. Selbstverständlich wurde dies offiziell nie zugegeben, vielmehr verkaufte man den Mauerbau als friedensrettende Aktion und Schutzmaßnahme gegen "ständige Provokationen von Westberliner Seite" – das propagandistische Schlagwort vom 'Antifaschistischen Schutzwall' war geboren.

Zeitgleich mit den ersten Sperrmaßnahmen wurde die Zahl der Übergänge von ursprünglich 81 zunächst auf zwölf und wenig später auf sieben reduziert, der S- und U-Bahn-Verkehr – mit Ausnahme der Haltestelle Bahnhof Friedrichstraße – gänzlich unterbrochen, sodaß die beiden Ostberlin unterquerenden U-Bahn-Linien fortan durch von Volkspolizisten bewachte Geisterbahnhöfe fahren mußten. Bereits am 15. August wurde damit begonnen, die Straßensperren und den Stacheldraht durch eine Baustein- und Betonplattenmauer zu ersetzen. Häuser, die genau auf der Grenzlinie lagen wie etwa an der Bernauer Straße, wurden vom 19. August an geräumt und die nach Westen zeigenden Eingänge und Fenster zugemauert. Viele Menschen entkamen zuvor durch einen Sprung aus dem Fenster nach Westberlin, wo Passanten, Polizei und Feuerwehr sie aufzufangen versuchten. Am 24. August wurde der erste Flüchtling beim Versuch, den Humboldthafen zu durchschwimmen, erschossen.

Viersektorenstadt Berlin von 1945 bis 1990

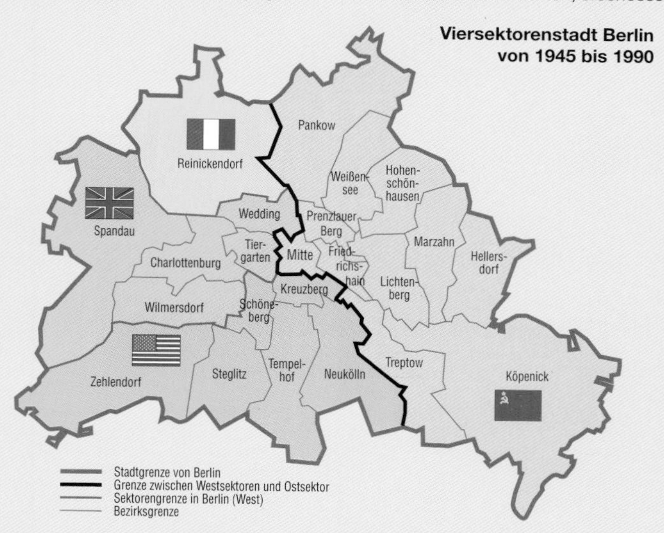

Schlagartig war Berlin nun geteilt. Die innerstädtische Mauer trennte – von Norden nach Süden – die westlichen Bezirke Reinickendorf, Wedding, Tiergarten, Kreuzberg und Neukölln von den östlichen Bezirken Pankow, Prenzlauer Berg, Mitte, Friedrichshain und Treptow.
Im Lauf der Jahre wurden Mauer und Überwachungsanlagen immer perfekter. 1988 hatte sie eine Gesamtlänge von rund 155 km, wovon 43,1 km auf den innerstädtischen Bereich und 111,9 km auf die Grenze zwischen Westberlin und den angrenzenden DDR-Bezirken entfielen. Die aufwendigen Sperranlagen bestanden von West nach Ost gesehen aus der eigentlichen Mauer, einer bis 4,10 m hohen und 16 cm starken, L-förmigen Beton- ▸

Trotz bunter Graffitti: An keinem anderen Ort in Berlin wurde die Teilung der Stadt schmerzhafter empfunden als am Brandenburger Tor.

plattenwand (mit einem dicken Betonrohr darauf) bzw. an der Außengrenze auch aus einem Metallgitterzaun, dahinter Beobachtungstürme (293), Bunker (57), der ca. 10 m breite, beleuchtete 'Todesstreifen' mit Hundelaufanlage, Patrouillenweg und einem Kontaktzaun, der bei Berührung akustische und Lichtsignale auslöste, sowie einem 100 m breiten Sperrgebiet. 55 Straßen wurden durch die Mauer abgeschnitten. Die auf Westberliner Seite weithin mit Graffiti bedeckte Mauer markierte nicht immer die direkte Grenzlinie, sondern verlief vielfach zurückversetzt, sodaß man sich auf der Westseite der Mauer mancherorts eigentlich schon im Osten befand. Erich Honecker ließ sich gar zwei Modelle der Sperranlagen anfertigen, die zukünftig hoffentlich wieder im Stadtmuseum Berlin zu sehen sind.
Über 70 Menschen kamen bei Fluchtversuchen ums Leben. An sie wird mit Gedenkkreuzen und -steinen u.a. an der Bernauer Straße, am Reichstagsgebäude und an der Zimmerstraße gedacht. Weit über 100 Menschen wurden durch Schußwaffen der DDR-Grenztruppen verletzt, über 3000 Festnahmen im Ostberliner Mauerbereich konnten von Westberliner Seite beobachtet werden. Einer Vielzahl von Menschen gelang jedoch auch die Flucht; welche z.T. verzweifelte Phantasie, Erfindungsreichtum und Mut sie dabei entwickelten, zeigt mit Fotos, Dokumenten und originalen Fluchtapparaten eindrucksvoll das **Haus am Checkpoint Charlie** (Ecke Zimmerstraße / Friedrichstraße; geöffnet tgl. 9.00–22.00 Uhr). Es dokumentiert darüber hinaus die DDR-Menschenrechtsbewegung und besitzt manch mittlerweile historisches Stück wie einige weiß bemalte Asphaltbrocken, letzter Rest des auf die Straße aufgemalten Trennungstrichs zwischen Ost und West am Checkpoint Charlie.

Checkpoint Charlie war der in aller Welt bekannte Sektorenübergang für Ausländer, ausgewählte DDR-Bürger, Diplomaten, zum Austausch anstehende Agenten und Militärs ('Allied Checkpoint Charlie') im Herzen Berlins an der Grenze des amerikanischen zum sowjetischen Sektor. Wie kaum an einem anderen Ort in der Stadt war hier die Atmosphäre des Kalten Krieges zu spüren, wenn sich französische, britische und amerikanische Soldaten auf der einen und DDR-Grenzer und sowjetische Soldaten auf der anderen Seite argwöhnisch beäugten. Entsprechend aufwendig waren die Sicherungsanlagen auf östlicher Seite: Mehrere Schlagbäume, Schikanen, durch die sich die Fahrzeuge schlängeln mußten, bewaffnete Posten auf Wachtürmen sollten jeglichen Durchbruchversuch verhindern. Auf dem Höhepunkt der Berlin-Krise standen sich vom 25. bis 28. Oktober 1961 hier auf der Friedrichstraße amerikanische und sowjetische Panzer mit laufenden Motoren gegenüber, als die Amerikaner sich ihr Recht auf unkontrollierten Zugang in den Ostsektor der Stadt erzwangen. Der Checkpoint Charlie ist heute eine Baustelle, auf der der Büro- und Geschäftskomplex 'American Business Center' entsteht. In ihn wird ein Freilichtmuseum integriert, in dem die alten Schlagbäume, Teile der Mauer, Panzersperren und eine Hundelaufanlage zu sehen sind. Damit aber auch jeder sieht, wer hier investiert, ragt bereits eine 20 m hohe Nachbildung der Freiheitsstatue von New York über der Baustelle auf.

Das Ende der Mauer kam mit der Öffnung der DDR-Grenzen zu Westberlin und zur Bundesrepublik Deutschland am 9. November 1989. Von 22.00 Uhr an strömten an diesem und den folgenden Tagen die Ostberliner nach Westberlin. Am 11. November wurde der Schießbefehl aufgehoben; bis zum 14. November wurden neun neue Grenzübergänge zwischen West- und Ostberlin geöffnet, am 22. Dezember beendete die Öffnung des Brandenburger Tores nach 28 Jahren symbolisch die Teilung Berlins.
Seither ist die Mauer nahezu gänzlich aus Berlin verschwunden. Schon in der Nacht vom 9. auf den 10. November 1989 rückten die 'Mauerspechte' dem Betonmonstrum mit Hammer und Meißel zuleibe, später dann wurde sie mit schwerem Gerät abgerissen und zu Betongranulat verarbeitet – bis Dezember 1990 war 1 Million Tonnen Beton entsorgt! Viele große Teile der Mauer – insbesondere solche, die von bekannten Künstlern bemalt wurden – sind aber auch in alle Welt verkauft worden. Vielfach kann man ihren einstigen Verlauf nur noch erraten, doch plant der Berliner Senat, die Mauerlinie mit einer Doppelreihe Pflastersteine zu verewigen. An mehreren Stellen sind noch originale Stücke erhalten: ein Mauerstück vom Checkpoint Charlie Ecke Zimmer- / Charlottenstraße, ein von Mauerspechten bis auf die Armierungseisen 'abgenagtes', 150 m langes an der Niederkirchnerstraße beim Martin-Gropius-Bau, ein Stück Hinterlandmauer beim Reichstag auf beiden Ufern der Spree, ein einschließlich der Grenzanlagen erhaltener 200 m langer Abschnitt zwischen Bernauer und Invalidenstraße (**Gedenkstätte Berliner Mauer**), ein weiteres Stück an der Bernauer / Ecke Eberswalder Straße ('Mauerpark'), ein 160 m langes Stück am Invalidenfriedhof und ein 1300 m langer Abschnitt von der Oberbaumbrücke an entlang der Spree, der auf der Ostseite von z.T. namhaften Künstlern bemalt wurde und als **'East Side Gallery'** zu einer Touristenattraktion geworden ist. Ein einziger Wachturm ist geblieben: Er steht am Schlesischen Busch (Puschkinallee / Schlesische Straße) und ist zum **'Museum der Verbotenen Kunst'** umfunktioniert, in dem es u.a. Uniformen von Grenzern und andere Utensilien zu sehen gibt (geöffnet: Mi. bis So. 12.00 – 18.00 Uhr).

Das war's: Neue Perspektiven tun sich auf.

Brandenburger Tor (Fortsetzung)

anläßlich des Sieges über Frankreich und der Gründung des Deutschen Reiches. Zu Beginn des Ersten Weltkrieges zog die Berliner Garnison feierlich durch das Brandenburger Tor, und am 30. Januar 1933 marschierte die SA in einem großen Fackelzug durch das Tor zur Wilhelmstraße, um die Machtübernahme Hitlers zu feiern. Max Liebermann, der vom Fenster seines Hauses den Aufmarsch betrachtete, kommentierte den Anblick mit den Worten: "Ich kann gar nicht soviel fressen, wie ich kotzen möchte."
Seit dem Beginn des Mauerbaues am 13. August 1961 war das Brandenburger Tor das Symbol der zweigeteilten Stadt an der Grenze zwischen Ost- und Westberlin. Wenige Wochen nach Öffnung der Grenzen am 9. November 1989 konnte das Tor am 22. Dezember feierlich wiedereröffnet werden. Ein dreiviertel Jahr später wurde rund um das Brandenburger Tor am 2./3. Oktober 1990 die deutsche Vereinigung und die endgültige Wiedervereinigung Berlins mit einem großen Volksfest begangen.

200 Jahre Brandenburger Tor

Umweltbedingte Korrosion und die Schäden der Silvesterfeier 1989/1990 machten eine umfangreiche Restaurierung von Torbau und Quadriga erforderlich. Am 15. Juli 1991 kehrte die künstlich patinierte Quadriga mit der erneut Preußenadler und Eichenkranz tragenden Viktoria auf ihren angestammten Platz zurück. Das Brandenburger Tor wurde zu seinem 200jährigen Bestehen am 6. August 1991 feierlich wieder eingeweiht. Im südlichen Torhaus befindet sich ein Berlin-Informationsbüro, im nördlichen Torhaus ein 'Raum der Stille'.

Pariser Platz

Der Pariser Platz war vor dem Zweiten Weltkrieg ein stark frequentiertes, bis zum Tor hin dicht bebautes Areal. Hier standen u.a. die Gebäude der französischen und britischen Botschaft, das Wohnhaus von Max Liebermann und das legendäre Hotel Adlon. Die Neubebauung in Anlehnung an den historischen Zustand ist fast vollendet. Der Wiederaufbau des Adlon ist bereits abgeschlossen, ebenso die 'kritische Rekonstruktion' der das Tor flankierenden Zwillingsgebäude Haus Sommer und Haus Liebermann (Architekt: J. P. Kleihues), in die Banken eingezogen sind; südlich vom Tor entsteht die neue Botschaft der USA. Die übrige Platzbebauung wie die zukünftige französische Botschaft orientiert sich wie in der Friedrichstraße an den historisierenden Vorgaben. Lediglich der Neubau der Akademie der Künste mit seiner vom Architekten Günther Behnisch entworfenen gläsernen Fassade wird am Pariser Platz ein deutliches Zeichen des beginnenden 21. Jahrhunderts setzen. Auf dem Freigelände südlich vom Brandenburger Tor soll das Holocaust-Mahnmal entstehen, dessen Bau nun nach endloser Diskussion begonnen hat.

Britz

R-U 5-8

Lage
Neukölln

U-Bahn
Parchimer Allee (U 7)

Bus
144, 174, 181

Im südlich des Teltowkanals liegenden Stadtteil Britz findet man mit der sog. Hufeisensiedlung von Bruno Taut und Martin Wagner eine der bekanntesten Großsiedlungen Berlins aus den zwanziger Jahren. Der Kern der 1024 Wohnungen umfassenden Siedlung sind die 1924 bis 1927 errichteten Gebäude um den Teich am Louise-Reuter-Ring; in den dreißiger bzw. in den fünfziger Jahren erfolgte die Erweiterung nach Osten bzw. Süden.

*Schloß und Park Britz

Nur wenig westlich der Hufeisensiedlung beginnt der Gutspark Britz, in dem sehr hübsch das Schloß Britz liegt. Dieses ländliche preußische Herrenhaus wurde 1706 erbaut und kann heute mit seiner Einrichtung im Stil der Gründerzeit (geöffnet: Di. – Do. 14.00 – 18.00, Fr. bis 20.00, Sa. und So. 11.00 – 18.00, Führungen Mi. 14.00 – 17.00 Uhr) besichtigt werden. Zudem werden Wechselausstellungen abgehalten und Konzerte gegeben. Das Schloß ist während der Sommer- und Winterferien geschlossen.

Britzer Garten (BUGA-Park)

Im südlichen Britz erstreckt sich zwischen Buckower Damm und Mohriner Allee der ausgedehnte Britzer Garten (Erholungspark Massiner Weg), wo 1985 die Bundesgartenschau (BUGA) stattgefunden hat. Die damals neu angelegte weiträumige Parklandschaft mit künstlichen Teichen, Milchbars, Bistro-Café und Museumsbahn wird heute von den Berlinern als Freizeit- und Erholungspark genutzt (Öffnungszeiten: tgl. 9.00 – 18.00 Uhr; Anfahrt: mit U 6 bis Alt-Mariendorf, dann Bus 181).

Eingänge
Buckower Damm, Mohriner Allee, Tauernallee, Sangerhauser Weg, Massiner Weg

Östlich des Geländes steht am Buckower Damm die Britzer Mühle, eine holländische Windmühle von 1865 (Führungen: So. 11.00 – 12.00, 14.00 bis 16.00 Uhr).

Britzer Mühle

→ Dorfkirchen

Britzer Dorfkirche

Bröhan-Museum

L 14

Das 1983 in einer ehemaligen Infanteriekaserne neben der → Sammlung Berggruen beim Schloß → Charlottenburg eröffnete Bröhan-Museum (Landesmuseum für Jugendstil, Art Deco und Funktionalismus) beherbergt die 1982 der Stadt Berlin gestiftete Privatsammlung von Karl H. Bröhan.
Die etwa 1600 Exponate des Museums umfassen Gemälde, graphische und plastische Arbeiten, Möbel, Porzellan, Keramik, Glas, Zinn und Silber aus der Zeit von 1889 bis 1939. Die Vitrinen mit ausgewählten Jugendstil- und Art-Deco-Objekten, aber auch mit typischen Beispielen guten Industriedesigns, sind in Räume eingefügt, die mit kostbaren französischen Möbeln des Jugendstils und des Art Deco sowie mit Teppichen der Zeit ausgestattet sind. So wird zusammen mit den Gemälden und Plastiken ein anschaulicher Eindruck der jeweiligen Epoche vermittelt.

Anschrift
Schloßstr. 1a, Charlottenburg

U-Bahn
Richard-Wagner-Platz (U7), Sophie-Charlotte-Platz (U 2)

Bus
109, 110, 145, X 26

Öffnungszeiten
Di.–So. 10.00–18.00

Versilberter Metall-Kandelaber von Henry van de Velde, 1898

Die einzelnen Räume enthalten jeweils Werke eines Möbelkünstlers und tragen dessen Namen (in den Räumen 14 – 21 finden zeitweise auch Sonderausstellungen statt):

Erdgeschoß

1. Vitrinengang: Europäisches Jugendstilporzellan – 2. Salon Hector Guimard: Jugendstilmöbel von Guimard, Gemälde von Karl Hagemeister – 3. Salon Eugène Gaillard: Jugendstilmöbel von Gaillard und Louis Majorelle, Gemälde von Karl Hagemeister – 4. / 5. Salon Dominique: Möbel des Art Deco von Dominique, Gemälde von Hans Baluschek und Willy Jaeckel – 6. / 7. Salon Edgar Brandt: Eisenarbeiten des Art Deco von Brandt, Gemälde von

Bröhan-Museum, Erdgeschoß (Fortsetzung)

Hans Baluschek und Willy Jaeckel – 8. Salon Pierre Chareau: Möbel des Art Deco von Chareau, Gemälde von Jean Lambert-Rucki, Glas der zwanziger und dreißiger Jahre – 9. Salon Sue et Mare: Möbel des Art Deco von Sue et Mare, Gemälde von Hagemeister und Jaeckel. – 10. – 13. Suite Jacques-Emile Ruhlmann: Möbel des Art Deco von Ruhlmann, Gemälde von Jaeckel und Lambert-Rucki, Porzellan der zwanziger und dreißiger Jahre – 14. Oberlichtraum: Rörstrand-Porzellan des Jugendstils – 15. Schatzkammer: Bildteppich von Walter Leistikow, Jugendstil-Porzellan – 16. Raum Paul Iribe: Möbel des Art Deco von Iribe, Glas der zwanziger und dreißiger Jahre. – 17. Raum Bruno Paul: Schreibtisch und Büfett von Bruno Paul – 18. Raum Louis Majorelle: Jugendstil-Möbel von Majorelle, Gemälde von Walter Leistikow – 19. Porzellan- und Glaskabinett.

Drittes Obergeschoß

20. Saal mit Galerie: Luxus- und Gebrauchsgerät vom Jugendstil zum Fundamentalismus – 22. Raum Josef Hoffmann: Möbel, Metall, Silber und Porzellan von Josef Hoffmann – 23. Raum Henry van de Velde: Möbel, Metall, Silber und Porzellan von Henry van de Velde.

*Brücke-Museum K 9

Anschrift
Bussardsteig 9, Zehlendorf

U-Bahn
Oskar-Helene-Heim (U 1), dann Bus 115 bis Pücklerstraße

Der moderne Flachbau wurde 1967 im Grunewald von Werner Düttmann (u.a. Architekt der Akademie der Künste) als Archiv und Ausstellungsgebäude für Werke der 1905 in Dresden gegründeten expressionistischen Künstlergemeinschaft 'Die Brücke' errichtet. Die Anregung zu diesem Museum gab der Berliner Künstler und Brücke-Altmeister Karl Schmidt-Rottluff, der ihm einen Großteil seiner Werke zukommen ließ. Zu den weiteren Brücke-Künstlern, die vertreten sind, gehören Erich Heckel, Ernst Ludwig Kirchner, Otto Mueller und Max Pechstein. Allerdings sind die meisten der Werke im Archiv, denn hauptsächlich werden hier Sonderausstellungen veranstaltet (geöffnet: Mo., Mi. – So. 11.00–17.00, Führungen So. 13.00 und 15.00 Uhr).

Charité P / Q 14 / 15 · k / l 4

Anschrift
Schumannstr. 20/21, Mitte

S-Bahn
Friedrichstraße (S 1, S 2, S 3, S 5, S 7, S 9)

U-Bahn
Oranienburger Tor (U 6)

Auf einem Areal von 147 000 m² erstreckt sich zwischen Invalidenstraße, Robert-Koch-Platz, Luisenstraße und Schumannstraße die am 13. Mai 1710 durch König Friedrich I. gegründete Krankenanstalt Charité (Charité = Mildtätigkeit). Die Charité war zuerst als Pesthaus gedacht. Da aber die Pest Berlin und Umgebung verschonte, wurde die Anstalt nach und nach (Umbau 1785 – 1797) zum Krankenhaus umgestaltet. Mit der Gründung der Berliner Universität 1810 wurden die Leiter und Lehrer an den Charité-Kliniken und -Instituten zu Universitätsprofessoren berufen. Im Gründungsjahr der Medizinischen Fakultät waren 117 Studenten immatrikuliert, ihr erster Dekan war Christoph Wilhelm Hufeland, der die Pockenschutzimpfung einführte. An der Charité lehrten und wirkten u.a. Rudolf Virchow, Robert Koch, Ferdinand Sauerbruch und Theodor Brugsch. Im Zweiten Weltkrieg erlitt die Charité schwere Schäden. 1982 wurde das neue chirurgische Zentrum fertiggestellt, heute verfügt die Charité über 2000 Betten.

Berliner Medizinhistorisches Museum

In der Charité kann man – Nervenstärke vorausgesetzt – im Berliner Medizinhistorischen Museum die von Rudolf Virchow begründete pathologisch-anatomische Sammlung besichtigen. Ausgestellt sind Trocken- und Feuchtpräparate, chirurgische Instrumente und einige Dinge aus dem persönlichen Besitz Virchows (Eingang: Schumannstr. 20/21; Mo. – Fr. 13.00 bis 16.00, Mi. bis 19.00 Uhr).

Schloß Charlottenburg zählt zu den Wahrzeichen Berlins: Blick über den Ehrenhof auf den Schloßturm. ▶

**Schloß Charlottenburg K / L 14

Lage
Spandauer Damm, Charlottenburg

U-Bahn
Richard-Wagner-Platz (U7), Sophie-Charlotte-Platz (U 2)

Bus
109, 110, 145, X 26

Nach dem Verlust des Berliner Stadtschlosses (→ Schloßplatz) ist das Schloß Charlottenburg das beste Beispiel für die Baulust und Baukunst der preußischen Könige in Berlin.
Im Jahre 1695 wurde der kurfürstlich-brandenburgische Oberbaudirektor Johann Arnold Nering mit dem Bau eines kleinen Lustschlosses für die Kurfürstin Sophie Charlotte, Gemahlin des Kurfürsten Friedrich III., beauftragt. Da Nering noch vor Fertigstellung der 'Lietzenburg' (so genannt nach der Gemarkung Lützenburg, in der es lag) starb, führte vorerst Martin Grünberg den Bau weiter, der die Bauleitung später an den Günstling der Kurfürstin, Johann Eosander Göthe, abgeben mußte. Unter Grünbergs Leitung entstanden die beiden Seitenflügel als Unterkunft für das Gefolge.
Johann Eosander Göthe fügte den vorspringenden Mittelrisalit in den Frontbau ein, um Raum für den fast 50 m hohen Kuppelturm zu gewinnen, der zum Wahrzeichen des Schlosses wurde. Zwischen 1709 und 1712 errichtete er schließlich die Orangerie an der Westseite.
Friedrich der Große beauftragte Georg Wenzeslaus von Knobelsdorff mit einem weiteren Anbau. Als Pendant zur Orangerie wurde an der Ostseite der Neue Flügel mit zwei Festsälen angefügt (1740 – 1746). Unter Friedrich Wilhelm II. wurde neben der Orangerie unter der Leitung von Carl Gotthard Langhans ein kleines Schloßtheater errichtet (1788), so daß sich das Schloß mit einer Front von 505 m Länge präsentiert. Auch das Teehaus Belvedere im Schloßpark entstand in diesen Jahren.
Zur Zeit der Kurfürstin und späteren ersten preußischen Königin Sophie Charlotte wurden in dem damals noch kleinen Schloß glanzvolle Feste und

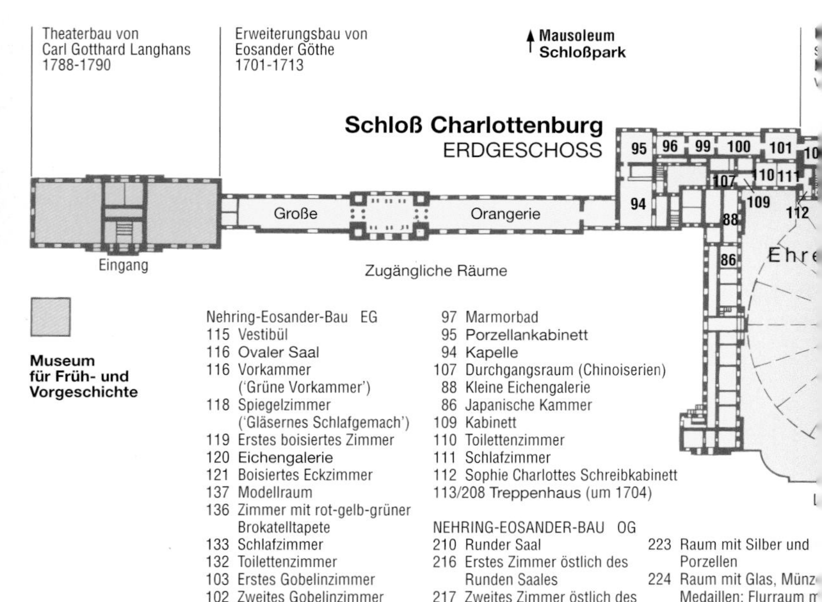

Bälle abgehalten; unter Friedrich dem Großen fanden große Familienfeiern statt. Im 19. Jahrhundert lebte hier die Fürstin Liegnitz, die Gemahlin Friedrich Wilhelms III., und gelegentlich auch Friedrich Wilhelm IV.
Die gesamte Anlage wurde bei einem Luftangriff am 23. November 1943 schwer beschädigt. Nach dem Zweiten Weltkrieg wurde das Schloß außen und innen restauriert. Die goldene Fortuna auf der Kuppel wurde durch Richard Scheibe neu geschaffen. Am Eingangsportal zum Hof stehen zwei Nachbildungen des borghesischen Fechters.

Geschichte (Fortsetzung)

Das Schloß beherbergt neben den Historischen Räumen das Museum für Vor- und Frühgeschichte sowie die Galerie der Romantik der Neuen Nationalgalerie (→ Kulturforum). Im Schloßpark sind der Schinkel-Pavillon, das Belvedere und das Mausoleum zu besichtigen.

Besichtigungsmöglichkeiten

Historische Räume: Di. – Fr. 9.00 – 17.00, Sa. und So. 10.00 – 17.00 Uhr
Museum für Vor- und Frühgeschichte und Galerie der Romantik:
Di. – Fr. 10.00 – 18.00, Sa. und So. 11.00 – 18.00 Uhr
Schinkel-Pavillon: Di. – So. 10.00 – 17.00 Uhr
Belvedere: April – Okt. Di. – So. 10.00 – 17.00 Uhr
Mausoleum: April – Okt. Di. – So. 10.00 – 12.00 und 13.00 – 17.00 Uhr

Öffnungszeiten

Ehrenhof

Vom Spandauer Damm / Schloßplatz kommend tritt man zunächst auf den Ehrenhof mit dem Reiterdenkmal des Großen Kurfürsten Friedrich Wilhelm von Brandenburg in seiner Mitte, eines der bedeutendsten barocken Reiterdenkmäler überhaupt. Sein Sohn, Kurfürst Friedrich III., ließ die monu-

*Reiterdenkmal des Großen Kurfürsten

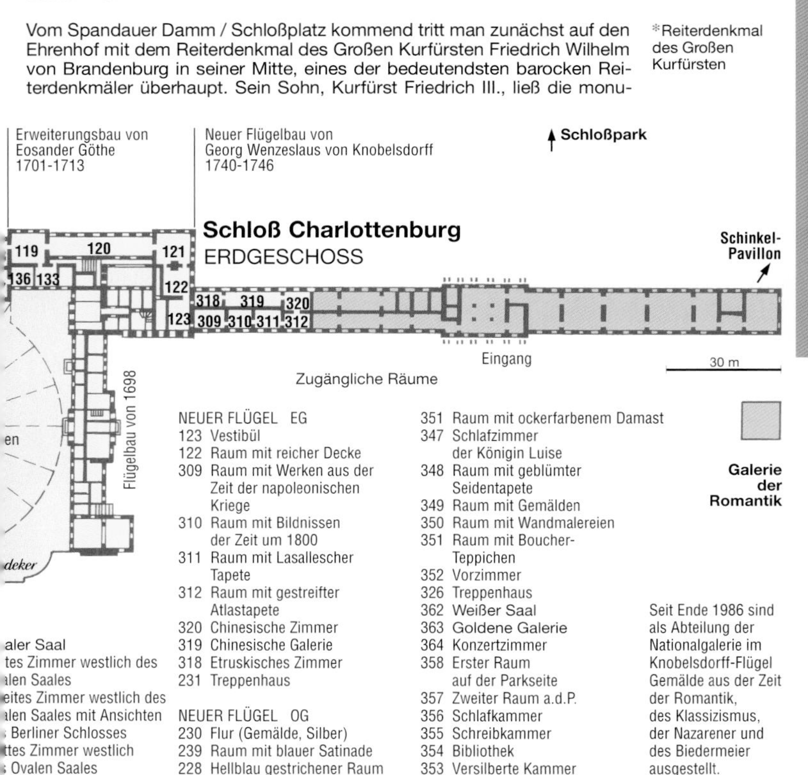

Ehrenhof
(Fortsetzung)

mentale Statue von Andreas Schlüter entwerfen, um auf diese Weise die Verdienste seines Vaters als Begründer des brandenburgisch-preußischen Staates zu würdigen. Der Guß wurde im Oktober 1700 begonnen, das Monument am 12. Juli 1703, dem Geburtstag des Kurfürsten und ersten preußischen Königs Friedrich I., feierlich enthüllt.
Der Große Kurfürst ist teils in römischer, teils in zeitgenössischer Tracht mit ehernem Brustpanzer, wallender Allongeperücke und gebieterisch ausgestrecktem Kommandostab dargestellt. Der Marmorsockel (Kopie; Original im Bodemuseum auf der → Museumsinsel) trägt ein schön modelliertes Wappenschild, das den Dank des Sohnes in lateinischer Sprache ausdrückt. An den Sockelenden sind Sklaven angekettet: Sie versinnbildlichen die vom Fürsten besiegten Feinde.
Ursprünglich stand das Monument auf der Langen Brücke (Kurfürstenbrücke, heute Rathausbrücke) beim Stadtschloß. Um es in Sicherheit zu bringen, wurde es 1943 dort entfernt, versank aber – da der Lastkahn überladen war – im Tegeler Hafen. 1949 geborgen, wurde es drei Jahre später im Ehrenhof des Schlosses Charlottenburg aufgestellt.

Im Porzellankabinett von Schloß Charlottenburg

**Historische Räume

Die Historischen Räume wurden in ihren ursprünglichen Formen und Farben restauriert und mit Wirkteppichen, Seidendamasten, Wandvertäfelungen, Verspiegelungen und Deckengemälden ausgestaltet.
Auf der Westseite des Mittelbaus liegen die Räume Friedrichs I. (Schlafzimmer, Schreibzimmer, Tressenzimmer, Audienzzimmer) und seiner zweiten Frau Sophie Charlotte (Audienzraum, Vorraum, Wohnräume). Ihre Einrichtung besteht vor allem aus chinesischen Lackmöbeln bzw. deren europäischen Nachahmungen sowie aus intarsierten und geschnitzten Möbeln aus der Zeit um 1700. Die Gemälde stammen u.a. von Pesne, Schonjans, Weidemann, die Wandteppiche aus der Berliner Manufaktur Ch. Vigne.

Historische Räume (Fortsetzung)

Im Porzellankabinett ist ostasiatisches Porzellan des 17./18. Jh.s zu sehen. Die Schloßkapelle, in der König Friedrich Wilhelm II. im Jahre 1767 in einer 'Trauung zur linken Hand' (morganatische Ehe) die Gräfin Julie von Ingenheim geheiratet hatte, ist völlig erneuert.

Eichengalerie

Im östlichen Teil des Mittelbaus befindet sich im Erdgeschoß die Eichengalerie, in der noch heute zuweilen Kammerkonzerte aufgeführt werden.

Neuer Flügel (Knobelsdorff-Flügel)

Im anschließenden unter Friedrich dem Großen von Georg Wenzeslaus von Knobelsdorff erbauten Neuen Flügel befinden sich im Erdgeschoß die Sommerwohnung Friedrich Wilhelms II. von 1788 sowie die Wohnung Friedrich Wilhelms III.; ihre Einrichtung besteht aus Chinoiserien und Möbeln, Gemälden und Porzellan.
Im ersten Stock desselben Flügels liegen die Wohnungen Friedrichs des Großen sowie die beiden Festsäle des Schlosses. Beide Festsäle waren einstmals von Georg Wenzeslaus von Knobelsdorff und Nahl in reichstem Rokoko ausgestattet worden. Die im Zweiten Weltkrieg zerstörten Säle sind zum Teil originalgetreu wiederhergestellt worden.
Die Wände des Großen Speisesaals (auch Weißer Saal genannt) sind mit rosa Stuckmarmor verkleidet; die nach Osten anschließende 42 m lange Goldene Galerie erfüllt die ganze Breite des Flügels und zeigt phantasievolle Dekoration aus vergoldetem Stuck.
Die ebenfalls zu besichtigenden einstigen Wohnräume Friedrichs des Großen enthalten eine bedeutende Bildersammlung, besonders Werke von Watteau, u.a. "Einschiffung nach Kythera" in der zweiten Wohnung hinter der Goldenen Galerie und andere Maler der französischen Schule vom Anfang des 18. Jahrhunderts.

Museum für Vor- und Frühgeschichte

Im Westflügel des Schlosses, dem sogenannten Langhans-Bau (ehemaliges Schloßtheater), befindet sich das Museum für Vor- und Frühgeschichte, das 1991 auch die bis dato im Bodemuseum befindlichen Bestände dieser Sammlung aufgenommen hat. In seinen sechs Ausstellungsräumen wird die Entwicklung der Kulturen Alteuropas und des alten Orients dargestellt.

Erdgeschoß

In Saal 1 ist die Entwicklungsgeschichte des Menschen und seine Existenz als Jäger und Sammler in Nord-, West- und Mitteleuropa erklärt. Vorgestellt werden Beispiele eiszeitlicher Tierwelt, Techniken steinzeitlicher Geräteherstellung, Beispiele eiszeitlicher Kunst und die Ausbreitung des Bauern- und Städtertums zwischen 9000 und 4500 v. Chr. in Vorderasien. Saal 2 zeigt Beispiele der Kunst und Kultur frühsumerischer und frühdynastischer Epochen Mesopotamiens, Irans und Kleinasiens im 3. Jt. v. Chr. sowie Kulturen der jüngeren Steinzeit Europas (6. – 3. Jt. v. Chr.).

Erstes Obergeschoß

Saal 3 widmet sich der Bronzezeit in Europa. Zur Darstellung kommen die frühe Metallgewinnung und -verarbeitung, die Siedlungs- und Bestattungsformen der jüngeren Bronzezeit und verschiedene zentraleuropäische und vorderasiatische Kulturgruppen dieser Epoche. Funde aus kaukasischen Kulturen der späten Bronze- und der frühen Eisenzeit sind in Saal 4 zu sehen. Thema von Saal 5 ist das eisenzeitliche Europa im 1. Jt. v. Chr. bis zum 12. Jh. n. Chr; vorgestellt werden z. B. die regional unterschiedlichen Ausprägungen der Kelten und der Germanen. Zu sehen sind Fundgegenstände aus den Provinzen des Römischen Reichs und aus der Völkerwanderungszeit. Das frühe Mittelalter, die Merowinger, Karolinger, Balten und Slawen sind ebenfalls mit reichem Fundmaterial vertreten.

Zweites Obergeschoß

Im einzigen Saal des zweiten Obergeschosses sind Teile der 'Sammlung troianischer Altertümer' ausgestellt, die Heinrich Schliemann 1881 "dem deutschen Volk zum ewigen Besitze und ungetrennter Aufbewahrung in

Schloß Charlottenburg, Museum für Vor- und Frühgeschichte (Fts.)

der Reichshauptstadt" schenkte. Zu sehen sind meist Tongefäße, Metallgegenstände und Steingeräte aus den neun Siedlungsschichten Troias sowie qualitätvoll gearbeitete Nachbildungen der Goldfunde aus dem 'Schatz des Priamos', deren Originale sich seit dem Zweiten Weltkrieg im Puschkin-Museum in Moskau befinden.

*Galerie der Romantik

Im Erdgeschoß des Neuen Schloßflügels ist die Galerie der Romantik eingerichtet. Sie zeigt Werke der Romantik (v.a. C. D. Friedrich, K. F. Schinkel, C. Blechen), des Klassizismus (J. A. Koch, G. Schick, Ph. O. Runge), der Nazarener (J. F. Overbeck, P. v. Cornelius) und des Biedermeier (u.a. Schnorr v. Carolsfeld, M. v. Schwindt, L. Richter, C. Spitzweg).

*Schloßpark

Der Schloßpark ist einer der beliebtesten Stadtparks der Berliner. Im Jahre 1697 wurde er von Siméon Godeau als französischer Garten angelegt und Anfang des 19. Jh.s. von Peter Joseph Lenné weitgehend in einen englischen Garten umgestaltet. Nach dem Zweiten Weltkrieg konnte der Mittelteil des Parks hinter dem eigentlichen Schloß in seiner ursprünglichen Barockform wiederhergestellt werden.
Die 24 Marmorbüsten römischer Kaiser und ihrer Gemahlinnen auf der Gartenseite des Schlosses wurden 1989 abgebaut. Die kleine Eisenbrücke beim Karpfenteich stammt von 1800; im Park steht ein Marmorobelisk des Jugoslawen Braco Dimitrijević (1979).

Schinkel-Pavillon

Der Neue Pavillon (Schinkel-Pavillon) am Osteingang des Parks wurde 1824 / 1825 nach Entwürfen Karl Friedrich Schinkels im Stil einer neapolitanischen Villa erbaut. Friedrich Wilhelm III. hatte es für sich und seine zweite Gemahlin, Fürstin Liegnitz, im Stil der Zeit einrichten lassen.

Belvedere

Das Belvedere im nördlichen Teil des Schloßparks, von Carl Gotthard Langhans 1788 als Teehaus erbaut, beherbergt heute eine beachtenswerte Sammlung 'Berliner Porzellan' des 18. und frühen 19. Jahrhunderts.

Mausoleum

Im Westteil des Parks, am Ende einer Tannenallee, steht ein kleiner dorischer Tempel mit einer Säulenfront aus märkischem Findlingsgranit: das Mausoleum, das König Friedrich Wilhelm III. als letzte Ruhestätte für Königin Luise (1776 – 1810) von Heinrich Gentz errichten ließ; 1812 war es fertiggestellt. In den Jahren 1841 und 1889 wurde der Bau vergrößert. Eingebettet in waldartigen Baumbestand, führt eine achtstufige Treppe in die Vorhalle mit den Sarkophagen. Sarkophag und Grabstatue der Königin schuf Christian Daniel Rauch. Er stellte Luise als Schlafende dar, gehüllt in ein lose fallendes, leichtes Gewand, die Hände gefaltet. Dreißig Jahre später fand auch ihr Gemahl hier seine letzte Ruhestätte; seinen Sarkophag schuf ebenfalls der Bildhauer Rauch. Die Grabstatue zeigt den König im schlichten Feldmantel. Es folgten weitere Beisetzungen, so von Prinz Albrecht (1809 – 1872), Kaiser Wilhelm I. (1797 – 1888) und seiner Gemahlin Kaiserin Augusta (1811 – 1890) sowie der Fürstin Liegnitz, der zweiten Gemahlin Friedrich Wilhelms III. (1800 – 1873). Das Herz Friedrich Wilhelms IV. (erster Sohn König Friedrich Wilhelms III., 1795 – 1861) wird in einer Steinkapsel aufbewahrt.

Dahlem J – L 7 – 9

Lage
Zehlendorf

Über die Gründung des Dorfes Dahlem ist nichts bekannt. Erste Funde (Scherben) datieren aus dem 13. Jahrhundert. Im Landbuch Karls IV. findet sich 1375 die urkundliche Erwähnung als 'Dalm', die nächste Beurkundung

Geschichte (Fortsetzung)

steht im Steuerverzeichnis des Schloßregisters von 1450 als Lehn- und Rittergut des Otto von Milow. Der Besitz ging 1483 in das Eigentum derer von Spil über, die fast 200 Jahre auf dem Gut blieben. Anfang 1665 wurde das Rittergut für 3300 Taler an den Generalwachtmeister Georg Adam von Pfuhl verkauft, 1671 erwarb es der Kreiskommissar Cuno Hans v. Willmerstorff, ab 1701 erster Landrat des Kreises Teltow. Die Ansiedlung wurde daraufhin vergrößert und das jetzige Gutshaus erbaut. Ab 1804 gehörte es dem Großkanzler Beyme, dessen Erben den Besitz an den Domänenfiskus verkauften. 1901 wurde die Domäne in eine Landhauskolonie und in Flächen für wissenschaftliche Institute aufgeteilt, wobei der idyllische Dorfkern um die St.-Annen-Kirche (→ Dorfkirchen) erhalten blieb. Dahlem spielt heute als Sitz der Freien Universität, einiger Institute der Technischen Universität, der Max-Planck-Gesellschaft und der Dahlem-Museen eine wichtige Rolle im Kultur- und Wissenschaftsleben Berlins.

U-Bahnhof Dahlem-Dorf

Der östlich des Gutshauses gelegene U-Bahnhof Dahlem-Dorf wurde 1913 auf Anregung Kaiser Wilhelms II. als niedersächsisches Fachwerkhaus mit Strohdach errichtet.

*Botanischer Garten L/M 7/8

Anschrift
Königin-Luise-Str. 6–8

S-Bahn
Botanischer Garten (S 1)

Der Berliner Botanische Garten hatte seinen Ursprung als fürstlicher Küchen- und Kräutergarten am ehemaligen Berliner Stadtschloß im Lustgarten (→ Unter den Linden). Auf Anordnung des Großen Kurfürsten wurde 1679 in Schöneberg – im jetzigen Kleistpark – ein 'Mustergarten' angelegt, aus dem sich im Laufe der Zeit ein Botanischer Garten im eigentlichen Sinne entwickelte, der um die Jahrhundertwende nach Dahlem verlegt wurde. Hier schuf in den Jahren 1899 – 1910 der deutsche Botaniker Adolf Engler (1844 – 1930; sein Grabstein befindet sich links von der Hauptallee)

Wo einst der Kurfürst seinen Mustergarten besichtigte,
kann der gemeine Mann heute Pflanzen aus aller Welt studieren.

Botanischer Garten (Fortsetzung)

U-Bahn
Dahlem-Dorf (U 1)

Bus
101, 148, 183

einen der größten und auch bedeutendsten botanischen Gärten der Erde. Auf einer Fläche von rund 42 ha finden sich über 18000 Pflanzenarten, die nach wissenschaftlichen Gesichtspunkten einzelnen Abteilungen zugeordnet sind. So gibt es z.B. die pflanzengeographisch geordnete Freilandanlage (13 ha), die Gehölzabteilung (Arboretum, 14 ha; ca. 1800 Baum- und Straucharten), eine Nutz- und Heilpflanzenabteilung, 16 Gewächshäuser für Pflanzen aus dem tropischen und subtropischen Bereich (allein das Große Tropenhaus ist 60 m lang, 30 m breit und 25 m hoch) mit einem 480 m^2 großen Teich als Mittelpunkt des Wasser- und Sumpfpflanzenbiotops, den Kurfürstlichen Garten mit Gartenpflanzen aus dem 17. Jh. sowie einen Duft- und Tastgarten für Sehbehinderte. Ein Gartenrestaurant am Südeingang ('Unter den Eichen') ist im Sommer geöffnet.

Eingänge und Öffnungszeiten

Es gibt zwei Eingänge: Königin-Luise-Str. 6 – 8 (von der U-Bahn-Station aus) und Unter den Eichen 5 – 10 (von der S-Bahn-Station aus).
Garten: täglich 9.00 bis 16.00 (Nov. – Feb.), bis 17.00 (März, Okt.), bis 20.00 (April, Sept.) bzw. bis 21.00 Uhr (Mai – Aug.)
Gewächshäuser: täglich 9.00 (Sa., So. von April – Sept. ab 10.00) bis 15.00 (Nov. – Feb.), bis 16.00 (März, Okt.) bis 19.00 (April, Sept.) bzw. bis 20.00 Uhr (Mai – Aug.)

Botanisches Museum

Di.–So.
10.00–17.00

Das Botanische Museum beim Eingang Königin-Luise-Straße besitzt ein Herbarium mit über zwei Millionen Pflanzen sowie eine umfangreiche Fachbibliothek. Die Sammlung umfaßt die Gebiete Paläontologie, Verbreitung, Wuchsformen sowie Vermehrung und Fortpflanzung der Pflanzen, Pflanzengeographie, Hölzer, Fasern, Genußmittel sowie tropische und subtropische Nutzpflanzen. Beachtenswert sind die Ägyptische Abteilung und der Raum mit Gift- und Speisepilzen.
Wer seine botanischen Kenntnisse prüfen oder gar vertiefen möchte, kann in zwei Ratespielen Baumarten nach Blättern bestimmen, Fragen zur Kakaogewinnung und Holzverarbeitung beantworten und mit Druck auf einen Schaltknopf – die richtige Antwort erscheint in Leuchtschrift – feststellen, ob er mit seiner Vermutung richtig lag. Zahlreiche Dioramen vermitteln dem Besucher einen lebhaften Eindruck von den Urlandschaften der Erde. Eine Ton-Dia-Schau präsentiert zwei interessante Lernprogramme.

Gutshaus Dahlem

Anschrift
Königin-Luise-Str. 49

U-Bahn
Dahlem-Dorf (U 1)

Das 1680 von Cuno Hans von Willmerstorff erbaute Gutshaus Dahlem überstand alle Wirren der Zeit und dient heute als Lehr- und Ausbildungsstätte des Instituts für Veterinärmedizin der FU Berlin.
Die Hauptfront des Barockbaus wendet sich zum Hof und wird durch einen Portalrisalit mit Dreiecksgiebel und Alliancewappen der Willmerstorffer hervorgehoben. Innen informiert ein kleines Museum über die Geschichte der Domäne (geöffnet: tgl. außer Mo. 10.00 – 18.00 Uhr). Die gotische Kapelle im Erdgeschoß besitzt ein prachtvolles Sternengewölbe. Alljährlich finden auf Gut Dahlem Veranstaltungen unter dem Motto 'Bäuerliches Leben in Berlin' statt.

Geheimes Staatsarchiv

Anschrift
Archivstr. 12–14

U-Bahn
Dahlem-Dorf, Podbielskiallee (U 1)

Das Staatsarchiv besitzt eine bedeutende Sammlung von Urkunden und Akten, beginnend mit Dokumenten des Heiligen Römischen Reiches Deutscher Nation bis hin zur Auflösung des preußischen Staates. So enthält es ein Provinzialarchiv für die Mark Brandenburg, 50 000 historische Karten und Pläne, eine Spezialbibliothek zur preußischen Geschichte mit rund 80 000 Bänden sowie Sammlungen von Urkunden und Orden, Wappen und Siegeln des deutschen Ostens (u.a. Bestände des früheren Preußischen Staatsarchivs Königsberg). Ein Lesesaal ist eingerichtet (geöffnet: Mo., Mi., Do., Fr. 8.00 – 15.30, Di. 8.00 – 19.30 Uhr).

Museum Europäischer Kulturen

Das zu den Staatlichen Museen gehörende Museum Europäischer Kulturen ist eine Neugründung, die die Bestände des alten, von Rudolf Virchow begründeten Museums für Volkskunde mit den europäischen Sammlungen des Völkerkundemuseums vereint. Die Ausstellung ist in zwei große Bereiche unterteilt: über die Bedeutung von Bildern im Alltag der Menschen und über die Orte der Bildrezeption (geöffnet: Di. – Fr. 10.00 bis 18.00, Sa. und So. 11.00 – 18.00 Uhr).

Anschrift
Im Winkel 6

U-Bahn
Dahlem-Dorf (U 1)

Villenviertel und Wissenschaftliche Institute

An der Nordwestecke der Gemarkung Dahlem liegt der einst reizvolle, heute von der Stadtautobahn zerschnittene Breitenbachplatz. Die U-Bahn führt von hier durch das mit Grünanlagen aufgelockerte Villenviertel Dahlem zu den wissenschaftlichen Instituten und Sammlungen. Vom U-Bahnhof Breitenbachplatz erreicht man die 1982 von Gerd Hänska konzipierte Elektronenspeicherringanlage BESSY (Lentzallee 100) und den 1974 von Hermann Fehling und Daniel Gogel errichteten Bau des Max-Planck-Instituts für Bildungsforschung. Wenige Schritte entfernt am Albrecht-Thaer-Weg beherbergen rote Backsteinbauten der zwanziger Jahre die Institute für Landwirtschaft und Gartenbau der Technischen Universität. Die Lentzallee mündet auf den 'Platz am Wilden Eber', der seinen Namen einer hier aufgestellten bronzenen Eberplastik verdankt.

U-Bahn
Breitenbachplatz (U 1)

**Dahlem-Museen L 8

Die Hauptattraktion von Dahlem sind die Sammlungen der Staatlichen Museen zu Berlin – Preußischer Kulturbesitz. Das dreigeschossige Museumsgebäude mit der mächtigen Säulenvorhalle wurde zwischen 1914 und 1923 von Bruno Paul errichtet. Es war als Heimstätte für das Asiatische Museum gedacht, wurde dann aber später mehrfach erweitert und beherbergt nach dem Umzug von Gemäldegalerie und Skulpturensammlung auf das → Kulturforum bzw. auf die → Museumsinsel nun die Museen für Indische und Ostasiatische Kunst sowie das Museum für Völkerkunde.

Anschrift
Arnimallee 23/27
bzw. Lansstr. 8

U-Bahn
Dahlem-Dorf (U 1)

Umgestaltung

In den letzten Jahren haben diese Häuser grundlegende Umgestaltungen erfahren. Dahlem ist damit, ergänzt um Ausstellungsstücke aus dem Osten Berlins, den Vorstellungen der Berliner Museumsplaner entsprechend das Zentrum der völkerkundlichen Sammlungen der Stiftung Preußischer Kulturbesitz.
Für alle Museen gelten dieselben Öffnungszeiten: Di. – Fr. 10.00 – 18.00, Sa., So. 11.00 bis 18.00 Uhr.

*Museum für Indische Kunst

Eingang
Lansstraße

Das 1963 gegründete und nach Umbau im Herbst 2000 wiedereröffnete Museum für Indische Kunst ist das einzige dieser Art in Deutschland, das nicht einem Völkerkundemuseum angegliedert ist. Die ikonographische Vielfalt und Qualität seiner Exponate ist so beeindruckend, daß es bei keinem Besuch der Dahlem-Museen ausgelassen werden sollte. In der Ausstellung werden Terrakotten, Steinskulpturen, Bronzen, Holzschnitzereien und Malereien aus Indien, den Himalayaländern, Südost- und Zentralasien gezeigt. Die ältesten Stücke sind im 2. Jh. v. Chr., die jüngsten im 19. Jh. entstanden und sind nahezu alle den großen Religionen Buddhismus, Hinduismus und Jinismus zuzuordnen. Herausragend ist die "Turfan"-Sammlung mit Wandmalereien und Skulpturen aus dem 5. bis 12. Jh., die von den an der Nördlichen Seidenstraße gelegenen Klöstern in vier Expeditionen zwischen 1902 und 1914 nach Berlin gelangten.

Ein Schmuckstück im Museum für Ostasiatische Kunst: "Frühlingswolken in den Linggu-Bergen", Seidenmalerei von Dai Jin (1388 – 1462)

Museum für Ostasiatische Kunst

Eingang
Lansstraße

Das Museum für Ostasiatische Kunst geht auf die 1906 gegründete "Ostasiatische Kunstsammlung" zurück und vereint in Dahlem seit 1992 deren nach Kriegsende nicht in die Sowjetunion verbrachten Überreste und die in Ostberlin gegründete "Ostasiatische Sammlung". Der größte Teil der alten Sammlung befindet sich nach wie vor aber in der Eremitage in St. Petersburg. Die neugestalteten und ebenfalls im Herbst 2000 wieder eröffneten Abteilungen stellen chinesische Archäologie, buddhistische Kunst Ostasiens, chinesisches Kunstgewerbe, chinesische und japanische Malerei sowie japanisches und koreanisches Kunstgewerbe vor, darunter Bronzen, Keramiken, Tuschzeichnungen, Holzschnitte, Skulpturen, Lack- und Emaillearbeiten, Wandschirme, Hängerollen, Jadeschnitzereien, Schwertstichblätter, Grabbeigaben und Kleinplastiken (u.a. einen chinesischen Kaiserthron aus einem Reisepalast, 2. Hälfte 17. Jh.), chinesische und japanische Perlmutteinlagen, Farblackmalerei, Seidenwebereien und Stickereien. Ein japanischer Teeraum ist neu aufgebaut worden

**Museum für Völkerkunde

Eingang
Lansstraße

Dieses Museum nimmt eine Spitzenstellung unter den ethnographischen Museen Europas ein. Wegen Platzmangels kann nur ein Teil der Bestände gezeigt werden, allerdings in sehr eindrucksvollem Rahmen.
Das Museum besitzt fast 500 000 Ethnographica und 60 000 musikethnologische Tonaufnahmen aus allen Teilen der Welt. Es umfaßt die Sammelgebiete Alt-Amerika (Erdgeschoß) und Südsee (Erdgeschoß und Obergeschoß) sowie Afrika (Obergeschoß), Asien (Obergeschoß und Dachgeschoß) und Australien. Besonders hervorzuheben sind die Terrakottaplasti-

Trommelstütze aus Hawaii

ken aus Ife (10. – 13. Jh., Westnigeria), die Bronzen aus Benin (16. Jh.), die infolge der Einnahme der Stadt 1897 durch die Briten nach Europa gelangten, die "Goldkammer" mit Objekten aus Kolumbien, Costa Rica und Peru (u.a. Opferschale der Inkas aus Alt-Peru), die Bootshalle, südasiatische Masken-, Marionetten- und Schattenspiele und den Saal mit Originalhäusern aus Polynesien, Mikronesien, Neuguinea, dem Bismarck-Archipel und Neuseeland (u.a. Königsumhang von Hawaii und Zeremonial-Trauergewand von Tahiti).

Sammlungserweiterung

Von den hinterlassenen Beständen des 1873 gegründeten alten Berliner Völkerkunde-Museums, das sich bis zum Ende des Zweiten Weltkriegs in der Stresemannstraße befand und von dessen Sammlungen seit 1978 Teile im Leipziger Völkerkunde-Museum ausgestellt waren, werden im Laufe der neunziger Jahre rund 45 000 Gegenstände in das Dahlemer Völkerkunde-Museum nach Berlin zurückkehren (u.a. Totempfähle von der amerikanischen Nordwestküste und 26 Bronzeplatten aus dem heutigen Benin) und in neugestalteten Räumen in Auswahl gezeigt.

Deutscher Dom

→ Gendarmenmarkt

Dorfkirchen

Bei der Schaffung Groß-Berlins im Jahre 1920 wurden insgesamt 59 Dörfer nach Berlin eingemeindet, so daß es heute im Stadtgebiet von Berlin noch über 50 typische Dorfkirchen gibt.

Britzer Dorfkirche T 7

Lage
Backbergstraße, Neukölln

U-Bahn
Parchimer Allee (U 7)

Im Neuköllner Stadtteil Britz liegt zwischen Britzer Damm und der Straße Alt-Britz in malerischer Lage die alte Dorfkirche auf einem kleinen Hügel am Teich. Der auf das 13. Jh. zurückgehende Feldsteinbau ist wiederholt verändert worden. 1766 wurde die Gruft (heute Sakristei) angefügt. Einschneidende Umbauten vom Ende des 19. Jh.s wurden in den fünfziger Jahren wieder rückgängig gemacht und der Kirche ihre alte Gestalt wiedergegeben. Zum Inventar gehören der 1720 gestiftete Altar und eine spätmittelalterliche Nürnberger Messingtaufschale.

Buckower Dorfkirche südlich U 5

Lage
Alt-Buckow, Neukölln

U-Bahn
Johannisthaler Chausee (U 7), dann Bus 172, X 11

Die Buckower Dorfkirche wurde um 1220 bis 1250 erbaut. Der frühgotische Granitquaderbau mit dem Satteldach geht auf die Gründungszeit zurück, das spätgotische Kreuzgewölbe auf das 15. Jahrhundert. Der breite Westturm ist neben dem der Kirche in Marienfeld der einzige seit dem 13. Jh. unverändert erhaltene Kirchturm Berlins und beherbergt eine Glocke aus der Erbauungszeit; eine zweite ist auf 1322 datiert. Die Altarfenster stammen von Siegmund Hahn aus Berlin, Altarkreuz und Altargeräte von Gerhard Schreiter aus Bremen. Der eindrucksvolle Epitaph für den 1412 in der Schlacht am Kremmener Damm gefallenen Johann v. Hohenlohe ist das älteste Berliner Tafelbild.

Dahlemer Dorfkirche K 8

Lage
Königin-Luise-Straße, Dahlem

U-Bahn-Line
Dahlem-Dorf (U 1)

Unweit vom Gutshaus → Dahlem steht die Dahlemer Dorfkirche (St.-Annen-Kirche). Sie wurde um 1220 aus Backstein errichtet. Der spätgotische Altarraum stammt aus dem 15. Jh., Barockkanzel und Empore wurden 1679 eingebaut. Sehr schön ist der Schnitzaltar, welcher der hl. Anna gewidmet ist. Ein Mast auf dem Kirchturm diente in den Jahren 1832 bis 1892 als Zwischenstation für einen ersten optischen Telegraphen der Linie Berlin – Koblenz.

Mariendorfer Kirche Q 6

Lage
Alt-Mariendorf, Tempelhof

U-Bahn
Alt-Mariendorf (U 6)

Die Mariendorfer Kirche wurde zu Beginn des 13. Jh.s aus Granitquadern im spätrömischen Stil erbaut. In dem breiten barocken Westturm mit dem hölzernen Turmaufsatz, der von einer geschweiften Kupferhaube aus dem Jahre 1737 gekrönt wird, läutet noch immer die alte Glocke von 1480. Im 16. Jh. wurde das Langhaus durch den Einbau von drei Säulen und Einwölbung der Decke zu einem zweischiffigen Raum umgestaltet.

Marienfelder Dorfkirche P 4

Lage
Alt-Marienfelde, Tempelhof

Die Marienfelder Dorfkirche ist eine der ältesten Kirchen der Mark Brandenburg und Berlins. Sie wurde vom Templerorden aus Feldsteinen und Findlingen um 1220 errichtet und im Jahre 1318 vom Johanniterorden übernommen. Im Jahre 1435 wurde sie den Räten der Städte Berlin und Cölln übergeben und 1921 restauriert, wobei das Langhaus mit einer Holztonnendecke versehen wurde. Man erreicht Marienfelde mit der S 2 bis Station Buckower Chaussee, von dort Bus 172.

Ernst-Reuter-Platz M 13

Lage
Bismarck-Straße / Straße des 17. Juni, Charlottenburg

U-Bahn
Ernst-Reuter-Platz (U 2)

Nach dem überraschenden Tod des populären Berliner Regierenden Bürgermeisters Ernst Reuter wurde einer der größten zentralen Plätze der Stadt nach ihm benannt. Ernst Reuter, 1947 zum Oberbürgermeister in Berlin gewählt, doch bis 1948 durch sowjetisches Veto am Amtsantritt gehindert, führte 1948 – 1949 den Widerstand gegen die Blockade Berlins und war von 1950 bis 1953 Regierender Bürgermeister von Berlin.
In den Platz, einen der größten Europas (130 × 117 m), münden fünf große Straßen: Hardenbergstraße, Bismarck-Straße, Straße des 17. Juni, Otto-Suhr-Allee und Marchstraße. In der Mitte des Platzes sind zwischen Grünflächen zwei Wasserbecken eingebettet, deren Fontänen in den Abendstunden angestrahlt werden (vom Frühjahr bis zum Herbst). Die höchste Fontäne schießt ihren Strahl 23 m hoch, bei starkem Wind schaltet sie sich jedoch automatisch entsprechend niedriger.

Ernst-Reuter-Platz (Fortsetzung)

Um den Platz reihen sich Bauten namhafter Architekten, u.a. am Nordwest- und Westrand das Telefunken-Hochhaus (1960, Architekten: Paul Schwebes und Hans Schoszberger), am Südrand das IBM-Gebäude (1961, Architekt: Rolf Gudbrod) und das Raiffeisen-Haus von Hans Gerber und Otto Risse (1972), in dessen Foyer die Tierskulptur "Spielende Hengste" (1975) von Gerhard Marcks (1889 – 1981) steht. An der Ostseite des Ernst-Reuter-Platzes liegen südlich und nördlich der Straße des 17. Juni die umfangreichen Bauten der Technischen Universität. Erster Nachkriegsbau auf dem Stammgelände der TUB war das hier an der Hardenbergstraße errichtete Institut für Bergbau (1955 – 1959, Architekt: Willy Kreuzer) mit einem Bergwerks-Versuchsschacht ('Wetter'-Anlage). Vor dem Gebäude der Architekturfakultät der Technischen Universität (nördlich) wurde zum zehnjährigen Todestag Ernst Reuters (1963) eine Bronzeskulptur von Bernhard Heiliger aufgestellt: "Die Flamme".

*Fernsehturm R 14 · o 3

Lage
Mitte

S- und U-Bahn
Alexanderplatz (S 3, S 5, S 7, S 75, S 9, U 2, U 5, U 8)

Öffnungszeiten
Aussichtsplattform: März – Okt. tgl. 9.00 – 1.00, Nov. – Feb. tgl. 10.00 – 24.00

Der Fernsehturm ist eines der markantesten Wahrzeichen Berlins. Seine wichtigsten Ausmaße: Höhe (mit Antenne) 368 m und damit höchstes Bauwerk der Stadt, Betonschaft 250 m, Gewicht des Turms 26 000 t, Gewicht der aus 140 Segmenten mit einer facettierten Nirosta-Haut verkleideten Kugel 4800 t, Aussichtsrundgang in 203 m Höhe für 200 Personen, Fußdurchmesser 32 m, Aussichtsgeschoßdurchmesser 24 m, Durchmesser des drehbaren Tele-Cafés (in 207 m Höhe) 29 m.

Mit dem Bau wurde am 4. August 1965 nach einem Entwurf der Architekten Fritz Dieter und Günter Franke in Zusammenarbeit mit schwedischen Ingenieuren begonnen. Schon vier Jahre später, am 3. Oktober 1969, konnte der Fernsehturm dann in Betrieb genommen werden. Vom Aussichtsgeschoß sieht man bei gutem Wetter bis zu 40 km weit.

Die Zahl der Spitznamen des Turms ist groß – das "Neue Deutschland" nannte ihn "Telespargel", das Volk taufte ihn "Imponierkeule", "Protzstengel" oder "St. Walter" (denn Walter Ulbricht soll den Standort bestimmt haben). Mächtig geärgert haben sich die DDR-Oberen, als zum ersten Mal die Sonne auf die verspiegelte Kugel schien: Das Licht brach sich in Form eines Kreuzes, das fortan bei schönem Wetter über Ostberlin strahlte.

©Baedeker

Flughäfen

Flughafen Berlin-Tegel (Flughafen Otto Lilienthal) J – L 17 / 418

Lage
Tegel, nordwestlich vom Zentrum

Bus
109, 128, X 9 Jet Express

Das Flughafengelände in Tegel hat eine wechselvolle Geschichte. Zunächst diente es um 1870 als Schießplatz für die Gardefüseliere; 1909 landete hier Graf Zeppelin mit seinem Luftschiff Z 3. Später wurde es dann zum Übungsgelände für das Berliner Luftschifferbataillon, schließlich Raketenversuchsgebiet, auf dem Hermann Oberth und Wernher v. Braun 1931 ihre ersten Raketenversuche unternahmen. Während der Blockade Berlins (1948 / 1949) erhielt das Gebiet erste Bedeutung als Flugplatz für die Versorgung der Bevölkerung über die Luftbrücke. Zu diesem

Flughafen Berlin-Tegel (Fortsetzung)

Zweck wurde das Gelände weiter ausgebaut und die 2400 m lange Lande- und Startbahn, damals die längste Europas, angelegt. Anschließend wurde es französischer Militärflugplatz, der ab 1960 auch der zivilen Luftfahrt diente. Im Jahre 1969 begann man mit dem Ausbau des Flughafengeländes zur heutigen Größe; am 23. 10. 1974 wurde der nach dem preisgekrönten Entwurf der Architekten Meinhard v. Gerkan, Volkwin Marg und Klaus Nickels entstandene neue Flughafen Berlin-Tegel eingeweiht und am 1. September 1975 voll in Betrieb genommen. Seit der Öffnung des Luftraumes über Berlin läuft der größte Teil des Luftverkehrs mit Deutschland, Westeuropa und den USA über Tegel, seit 1988 auch unter dem Namen des Flugpioniers Otto Lilienthal bekannt (originalgetreuer Nachbau des Lilienthal-Gleiters in der Haupthalle). Der Flughafen besitzt zwei Start- und Landebahnen von 2400 m und 3000 m Länge, ein sechseckiges Abfertigungsgebäude und eine Jahreskapazität von knapp 6 Mio. Fluggästen über 14 Fluggastbrücken. Auf der Besucherterrasse kann man eine Ausstellung alter Flugzeuge besichtigen (geöffnet: April – Oktober tgl. 10.00 bis 18.00, November – März nur an Wochenenden 10.00 – 16.00 Uhr).
Auf dem Parkplatzgelände vor dem Flughafengebäude stehen die 'Wolkentor'-Skulptur von Heinrich Brummack (1975) und die Boeing 707 "Berlin" der Lufthansa.

Flughafen Berlin-Tempelhof Q–S 8–10

Lage
Tempelhof, südlich vom Zentrum

U-Bahn
Platz der Luftbrücke (U 6)

Bus
104, 119, 184, 341

In früherer Zeit wurde das Gelände des heutigen Zentralflughafens Tempelhof als Militärübungsplatz genutzt. 1883 wollte der Schweizer Maler Arnold Böcklin mit zwei von ihm gebauten motorlosen Doppeldeckern von hier Flugversuche durchführen, scheiterte aber an Windböen; 1908 gelang den Brüdern Orville und Wilbur Wright hier ein Motorflug von 19 Minuten Dauer. Im Jahre 1923 wurde der kommerzielle Flughafen in Betrieb genommen und in den folgenden Jahren erweitert, u.a. zwischen 1936 und 1939 nach Plänen des Architekten Ernst Sagebiel im typischen Monumentalstil des Nationalsozialismus, der das Aussehen des heutigen Flughafens immer noch bestimmt.
Nach dem Zweiten Weltkrieg übernahm die amerikanische Militärregierung Tempelhof als Militärflughafen, der während der Berliner Luftbrücke eine wichtige Rolle spielte. Erst 1950 konnte der zivile Flugverkehr wieder aufgenommen werden, ein Jahr später eröffnete man den Zentralflughafen Tempelhof. 1962 wurde die Ankunftshalle mit 17 m Höhe, 100 m Länge und 50 m Breite in Betrieb genommen. Von 1975 an wurde der Berliner Linienflugverkehr über den Flughafen Berlin-Tegel geleitet, da die innerstädtische Lage Tempelhofs keinen weiteren Ausbau der Start- und Landebahnen in die Länge erlaubte und auch die Bevölkerung nicht unbegrenzt belastbar war. In den folgenden Jahren stand Tempelhof der amerikanischen Militärregierung zur Verfügung. Im Oktober 1986 wurde eine erste zivile Flugverbindung von Berlin-Tempelhof nach Dortmund hergestellt, und seit der Wiedervereinigung Berlins wird Tempelhof als Regionalflughafen genutzt. Mittlerweile wird über eine neue Verwendung nachgedacht; in einem Teil der Gebäude wird schon jetzt das Musical "Space Dream" aufgeführt (→ Praktische Informationen, S. 296).

Luftbrückendenkmal

Auf dem Platz der Luftbrücke vor dem Haupteingang des Flughafens erhebt sich das Mahnmal zur Erinnerung an die Blockade Berlins (1948 / 1949) und die Versorgung der Stadt durch die West-Alliierten aus der Luft. Vom Juni 1948 bis zum Mai 1949 versorgte die von den US-Generälen Clay und Wedemeyer organisierte Luftbrücke Berlin mit allen lebensnotwendigen Gütern und brachte die von der Sowjetunion verhängte Blockade zum Scheitern. Das Denkmal, das Eduard Ludwig 1951 schuf und volkstümlich 'Hungerkralle' genannt wird, ist 20 m hoch. Die drei aufstrebenden, nach Westen geneigten Betonbögen symbolisieren die drei Luftkorridore, die Berlin während der Blockade mit den Westzonen Deutschlands verbanden. An den z.T. gefährlichen Transportflügen, die in den nur

32 km breiten Luftkorridoren bewältigt werden mußten, waren 222 amerikanische, 110 britische und 48 andere Maschinen beteiligt. Bei dem Unternehmen fanden 77 Männer – 41 Briten, 31 Amerikaner und fünf Berliner – den Tod. Während der elf Monate dauernden Blockade wurden in 250 000 Flügen 2 324 257 t Güter eingeflogen. 1986 wurde ein gleichartiges Denkmal im amerikanischen Teil des Rhein-Main-Flughafens bei Frankfurt a. M. aufgestellt; man sieht es bei der Autobahnausfahrt 'Zeppelinheim' der A 5.

Flughafen Berlin-Tempelhof (Fortsetzung)

Flughafen Berlin-Schönefeld **südöstlich U 10**

Der 1960 bis 1965 erbaute Flughafen Berlin-Schönefeld, der bis 1989 Zentralflughafen der DDR war, besitzt zwei rund 3600 m lange Start- und Landebahnen und ein 1976 fertiggestelltes Abfertigungszentrum. Heute wird von hier aus in erster Linie der Flugverkehr zwischen Berlin und den ost- und südosteuropäischen Ländern sowie dem östlichen Mittelmeerraum und Asien abgewickelt; zudem läuft der größte Teil des Charterflugverkehrs über Schönefeld. Nachdem die Pläne zum Bau eines neuen Großflughafens im Süden Berlins ad acta gelegt sind, soll nun Schönefeld zum Berliner Großflughafen mit einer Kapazität von 20 Mio. Passagieren pro Jahr ausgebaut werden. Bereits in den letzten Jahren sind ein weiteres Fluggastabfertigungsgebäude und zusätzliche Frachtabfertigungsanlagen errichtet sowie Sanierungs- und Erweiterungsarbeiten an betriebstechnischen Anlagen unternommen worden.

Lage
ca. 25 km südöstlich vom Zentrum

S-Bahn
Berlin-Schönefeld (S 9, S 45)

Bus
171, 160, 163, 602, 735 – 738, N 46, N 60

AirportExpreß
ab Bhf. Zoo

Flugplätze

Südwestlich von dem Dorf Gatow zwischen Groß-Glienicker See und Wannsee liegt der Flugplatz Gatow, der den britischen Streitkräften als Mi- →

Flugplatz Gatow

Auch Kaiser Wilhelms Fliegertruppe ist Thema im Luftwaffenmuseum auf dem Flugplatz Gatow. Hier sieht man eine Fokker D VII.

Flughafen Gatow (Fortsetzung)

Luftwaffenmuseum
Di. – So.
9.00 – 16.00

litärflughafen diente und ebenfalls zu Zeiten der Luftbrücke von Versorgungsmaschinen angeflogen wurde. Heute wird er von der Bundesluftwaffe genutzt, die hier auch das Luftwaffenmuseum eingerichtet hat, das Militärflugzeuge vom Ersten Weltkrieg bis zur Gegenwart zeigt (General-Steinhoff-Kaserne, Eingang Ritterfelddamm; Bus: 135, 234).

Ehemaliger Flugplatz Johannisthal

Im Bezirk Treptow befindet sich der ehemalige Flugplatz Johannisthal, der 1909 auf den für Bebauung erschlossenen Ländereien des Gutes Johannisthal angelegt wurde. Im Ersten Weltkrieg war der Flugplatz Mittelpunkt des deutschen Flugzeugbaus und der Fliegerausbildung. Sein heute nicht mehr existierendes Luftfahrtmuseum war das erste in Deutschland.

*Forschungs- und Gedenkstätte Normannenstraße östl. U 13

Anschrift
Ruschestr. 59,
Haus 1,
Lichtenberg

U-Bahn
Magdalenenstraße
(U 5)

Öffnungszeiten
Di. – Fr.
11.00 – 18.00,
Sa. und So.
14.00 – 18.00

Die Stasi-Zentrale im Bezirk Lichtenberg ist ein riesiger Gebäudekomplex um die Normannenstraße, die zum Synonym für die Staatssicherheit wurde. Am 15. Januar 1990 stürmten im Anschluß an eine Demonstration aufgebrachte Bürger die Zentrale des Ministeriums für Staatssicherheit (MfS), die berüchtigte und allgegenwärtige 'Stasi', die unter der Regierung Modrow als Amt für Nationale Sicherheit weiterarbeitete. Das Berliner Bürgerkomitee verhinderte größere Zerstörungen. Eine Woche später beschloß der Zentrale Runde Tisch die Schaffung einer Forschungs- und Gedenkstätte zur Erforschung der Menschenrechtsverletzungen in der DDR. Das Bürgerkomitee übernahm im wesentlichen diese Aufgabe und behielt auch nach dem Ende der DDR die Verantwortung in Gestalt des Vereines 'Antistalinistische Aktion Berlin-Normannenstraße (ASTAK)'. Am 7. November 1990 erfolgte die Eröffnung der Gedenkstätte in den Räumen der einstigen Macht- und Kommandozentrale der Stasi, seither allgemein als 'Stasi-Museum' bekannt.

Hier saß das Haupt der Stasi-Krake: der Schreibtisch von Erich Mielke.

Forschungs- und Gedenkstätte Normannenstraße (Fortsetzung)

Der Zugang zum Museum befindet sich in der Ruschestraße (nicht in der Normannenstraße!). Am Ende eines großen Hofes liegt Haus 1, seit 1961 Stasi-Zentrale, mit den originalen Büroräumen des Stasi-Chefs Erich Mielke, Konferenz- und Sekretariatsräumen. Im Treppenhaus, in den Gängen und in einigen Räumen sind u.a. Bespitzelungstechnik, Fahnen, Orden, Büsten sowie Bilddokumentationen über die Erstürmung des Gebäudekomplexes zu sehen.

Französischer Dom

→ Gendarmenmarkt

Friedhöfe

Hinweis

Auf den nachstehend aufgeführten Berliner Friedhöfen sind bedeutende Persönlichkeiten begraben. In Klammern sind, soweit dies in Erfahrung zu bringen war, die Lagebezeichnungen der einzelnen Gräber angegeben.

Friedhofsführungen

Thematische Führungen auf verschiedenen Friedhöfen bietet an:
Kultur Büro Berlin e.V. – Zeit für Kultur, Greifenhagener Str. 62
D-10437 Berlin, Tel. 4 44 09 36, Fax 4 44 09 39

*Friedhof der Dorotheenstädtischen und Friedrichswerderschen Gemeinde Q 15

Lage
Mitte

Lage
Chausseestr. 126

U-Bahn
Oranienburger Tor (U 6)

Tram
13

Auf diesem kleinen und romantischen Friedhof unweit vom Nordende der Friedrichstraße, der ab 1762 belegt wurde, haben viele bekannte Persönlichkeiten aus Kunst, Kultur, Wirtschaft und Politik ihre letzte Ruhe gefunden, darunter (die Lageangaben beziehen sich auf den Hauptweg vor dem Verwaltungshäuschen):

Johann Gottlieb Fichte (†1814), Philosoph (2. Weg links, rechte Seite)
Georg Wilhelm Friedrich Hegel (†1831), Philosoph (2. Weg li., re. S.)
Christoph Wilhelm Hufeland (†1832), Arzt (1. Weg li., li. S.)
Karl Friedrich Schinkel (†1841), Baumeister (5. Weg li., li. S.)
Gottfried Schadow (†1850), Bildhauer (5. Weg li., am Ende)
August Borsig (†1854), Industrieller (5. Weg li., li. S.)
Christian Daniel Rauch (†1857), Bildhauer (5. Weg li., li. S.)
Ernst Litfaß (†1874), Buchdrucker, Erfinder der Anschlagsäule (1. Weg li., re. S.)
Johann Heinrich Strack (†1880), Baumeister (3. Weg li., li. S.)
Heinrich Mann (†1950), Schriftsteller (1. Weg li., li. S.; → Abb. S. 38)
Doppelgrab von Bertolt Brecht (†1956), Schriftsteller, Dramatiker, und Helene Weigel-Brecht (†1971), Schauspielerin und Theaterleiterin (1. Weg li., li. S.;→ Abb. S. 38)
Hanns Eisler (†1962), Komponist (1. Weg li., re. S.)
Johannes R. Becher (†1958), Schriftsteller, Kulturminister der DDR (1. Weg li., li. S.)
John Heartfield (†1968), Grafiker und Bühnenbildner (3. Weg li., re. S.)
Arnold Zweig (†1968), Schriftsteller (4. Weg li., li. S.)
Paul Dessau (†1979), Komponist (1. Weg li., li. S.)
Anna Seghers (†1983), Schriftstellerin (1. Weg li., li. S.)
Heiner Müller (†1995), Dramatiker

Der Opfer aus dem Widerstand gegen die Nationalsozialisten wird an einem Ehrenmal gedacht (5. Weg li., re. S.)

Grab von Karl Friedrich Schinkel

Grab von John Heartfield

Französischer Friedhof (Hugenottenfriedhof) Q 15

Lage
Chausseestr. 127, Mitte

U-Bahn
Oranienburger Tor (U 6)

Tram
13

Unmittelbar neben dem Friedhof der Dorotheenstädtischen und Friedrichswerderschen Gemeinde liegt der Französische Friedhof, u.a. mit den Grabstätten von:

Daniel Chodowiecki (†1801), Kupferstecher und Illustrator
Madame Dutitre (†1827), stadtbekanntes Original
Ludwig Devrient (†1832), Schauspieler
Friedrich Ancillon (†1837), Erzieher Friedrich Wilhelms IV., 1832 preußischer Außenminister (Grabmal von Karl Friedrich Schinkel)

Auf dem weiter nördlich an der Wöhlertstraße (Seitenstraße der Chausseestraße) liegenden zweiten Friedhof der Französischen Gemeinde ist u.a. Theodor Fontane (†1898) begraben (U-Bahn Schwartzkopffstraße, U 6).

Invalidenfriedhof P 15

Lage
Scharnhorststr. 33, Mitte

U-Bahn
Zinnowitzer Straße (U 6)

Auf dem 1748 angelegten Friedhof am Berlin-Spandauer Schiffahrtskanal ruhen zahlreiche Offiziere der preußischen und deutschen Armee. Der Friedhof wurde 1972 teilweise eingeebnet, da er direkt an der Grenze von Westberlin zu Ostberlin lag. Es befinden sich hier die Gräber von:

Gerhard Johann David von Scharnhorst (†1813), Grabdenkmal nach Schinkels Entwurf mit Löwen von Christian Daniel Rauch und Reliefs von Friedrich Tieck
Friedrich Friesen (†1814), Adjutant in der Lützowschen Freischar
General Graf Tauentzien von Wittenberg (†1824)
Generalfeldmarschall Adolf Graf von Schlieffen (†1913)
Generaloberst Werner von Fritsch (†1939)

Die Gräber von Jagdflieger Manfred von Richthofen (†1918) und Generaloberst Hans von Seeckt (†1936) fielen der Einebnungsaktion von 1972 zum Opfer, die ebenfalls aufgehobenen Gräber der Jagdflieger Generaloberst Ernst Udet (†1941) und Oberst Werner Mölders (†1941) sind inzwischen wieder errichtet worden.

Invalidenfriedhof (Fortsetzung)

Ein weiterer Militärfriedhof ist der Alte Garnisonfriedhof an der Linienstraße in Mitte (U-Bahn Rosenthaler Platz, U 8). Hier sind u. a. Adolf von Lützow (†1834), General der Befreiungskriege, und der Dichter Friedrich de la Motte Fouqué (†1843) beerdigt.

Alter Garnisonfriedhof

Dreifaltigkeitskirchhof R 10

Friedrich Daniel Schleiermacher (†1834), Theologe und Philosoph (B-OA-118)
Georg Andreas Reimer (†1842), Buchhändler (B-OA-72)
Charlotte von Kalb (†1843), Freundin Schillers (B-HA-14)
August Kopisch (†1853), Dichter (C-W.S.-52)
Ludwig Tieck (†1853), Dichter (B oben 3-3)
Martin Gropius (†1880), Baumeister (C-W.S.-6)
J. G. Halske (†1890), Mitbegründer der heutigen Siemens AG (M-HA-1-11)
Theodor Mommsen (†1903), Historiker (O-UA-36)
Adolph von Menzel (†1905), Maler (A-W.S.-48)
Georg Wertheim (†1940), Gründer des Warenhauskonzerns (H-HA-31-33)

Lage
Bergmannstr. 39–41, Kreuzberg

U-Bahn
Südstern (U 7)

Kirchhöfe vor dem Halleschen Tor Q 11

Von 1735 an wurden vor dem Halleschen Tor vier Begräbnisplätze angelegt, die zu drei verschiedenen Kirchengemeinden gehören.

Dreifaltigkeitskirchhof (Baruther Straße):
Felix Mendelssohn-Bartholdy (†1847), Komponist (VI-6-7)
Fanny Hensel (†1847), Komponistin, Schwester von Felix Mendelssohn-Bartholdy (VI-6-6)
Karl-August Varnhagen von Ense (†1858), Schriftsteller, und Rahel Varnhagen von Ense (†; VII-2-38/39)
Heinrich von Stephan (†1897), Generalpostmeister (VII-SA-10)

Jerusalems- und Neue Kirchengemeinde, Kirchhof I (Blücher-/Zossener Straße):
Denkmal für Georg Wenzeslaus v. Knobelsdorff (†1753), Baumeister Friedrichs II., und Antoine Pesne (†1757), Hofmaler Friedrichs II. (1/1 Hauptweg)

Kirchhof II (Zossener/Baruther Straße):
David Gilly (†1808), Baumeister (3/2 Erbb.)
August Wilhelm Iffland (†1814), Schauspieler (3/1 Erbb.)
Henriette Herz (†1847), Gründerin eines literarischen Salons (1/-3-9/10)

Kirchhof III (Mehringdamm 21):
E.T.A. Hoffmann (†1822), Dichter und Komponist (1/1-32-6)
Adelbert von Chamisso (†1838), Dichter (3/1-38-1)
Carl Ferdinand Langhans (†1869), Baumeister (2/2-12-16)
Adolf Glaßbrenner (†1876), Journalist und Schriftsteller (1/2-17-20/21)
Ernst Christian Fr. Schering (†1889), Chemiefabrikant (4/3 Erbb.)

Lage
zwischen Mehringdamm und Zossener Straße, Kreuzberg

U-Bahn
Mehringdamm (U 6)

Eingang
Mehringdamm 21

Städtischer Zentralfriedhof Friedrichsfelde östl. U 14

Auf diesem von Hermann Mächtig angelegten und 1881 seiner Bestimmung übergebenen Friedhof ruhen u.a.:

Städt. Zentralfriedhof (Fts.)

Lage
Gudrunstraße, Lichtenberg

S- und U-Bahn
Lichtenberg (S 5, S 7, U 5)
Gedenkstätte der Sozialisten

Friedrich Archenhold (†1939), Begründer der Volkssternwarte Treptow (Urn. Abt. an der Feuerhalle Nr. 18)
Käthe Kollwitz (†1945), Grafikerin und Bildhauerin (8. Urn.-Abt. Nische 2)
Eduard von Wangenheim-Winterstein (†1961), Schauspieler (Nische an Urnenhalle 1)
Otto Nagel (†1967), Maler (8. Urn.-Abt. Nische 3)
Arnold von Golssenau (†1979), Schriftsteller unter dem Pseudonym "Ludwig Renn" (8. Urn.-Abt. Nische 7)

An der heutigen Reihenabteilung 46 befand sich die von Mies van der Rohe 1926 gestaltete und 1935 zerstörte 'Gedenkstätte der Sozialisten'. Sie wurde 1951 in völlig anderer Form im vorderen Teil des Friedhofes beim Verwaltungsgebäude neu angelegt.
Gedenktafeln erinnern an: Karl Liebknecht (†1919), Rosa Luxemburg (†1919) und Rudolf Breitscheid (†1944). Beigesetzt sind: Wilhelm Liebknecht (†1900), Franz Mehring (†1919), Karl Legien (†1920), Wilhelm Pieck (†1960) und Walter Ulbricht (†1973). Auf der anschließenden Bestattungsfläche am Pergolenweg ruhen u.a.: Adolf Hennecke (†1975), als Übererfüller der Norm berühmt gewordener Arbeiter mit Vorbildfunktion in der DDR, sowie der Filmregisseur Konrad Wolf (†1982).

Friedhof Heerstraße — westlich J 13

Lage
Südlich der Olympischen Straße, Charlottenburg

U-Bahn
Olympiastadion (Ost; U 2, U 12)

Der 1924 eröffnete große Friedhof Heerstraße gehört zu den landschaftlich schönsten Kirchhöfen Berlins. Hier ruhen u.a.:

Paul Cassirer (†1926), Kunstverleger (5C Nr. 4)
Maximilian Harden (†1927), Kritiker und Publizist (8C Nr. 10)
Arno Holz (†1929), Schriftsteller (3B Nr. 29/30)
Joachim Ringelnatz (Hans Bötticher, †1934), Schriftsteller (12D Nr. 21)
Georg Kolbe (†1947), Bildhauer (2D)
Paul Wegener (†1948), Schauspieler (4B)
Leo Blech (†1958), Dirigent (20 Wald Nr. 1e)
George Grosz (†1959), Maler und Zeichner (16B Nr. 19)
Curt Goetz (†1960), Dramatiker und Schauspieler, und seine Frau Valerie von Martens (†1986), Schauspielerin (16G Nr. 11/12)
Grete Weiser (†1970), Schauspielerin (18L Nr. 228/229)
Tilla Durieux (†1971), Schauspielerin (5C Nr. 4)
Victor de Kowa (†1973), Schauspieler (16G Nr. 29)
Hilde Hildebrand (†1976), Schauspielerin (6F Nr. 12)
Käthe Haack (†1986), Schauspielerin (16J Nr. 27)

Alter St. Matthäus-Kirchhof — P 11

Lage
Großgörschenstr. 12, Schöneberg

S-Bahn
Großgörschenstraße/Yorckstraße (S 1)

In der Nähe des Kleistparks liegt der 1856 eingeweihte Matthäuskirchhof:

Franz Theodor Kugler (†1858), Kunsthistoriker (A-s-)
Eilhard Mitscherlich (†1863), Chemiker (Erb 27 F-s-)
Jacob und Wilhelm Grimm (†1863 bzw. †1859), Sprachforscher und Germanisten (F-s-1/14)
Adolf Diesterweg (†1866), Pädagoge (I-s-1)
Friedrich Drake (†1882), Bildhauer (D-o-30)
Wilhelm Loewe (†1886), letzter Präsident der Deutschen Nationalversammlung (Erb 270 L-sl)
Ernst Robert Curtius (†1896), Historiker und Philologe (D-17-16)
Heinrich von Treitschke (†1896), Historiker (Q-o-16)
Rudolf Virchow (†1902), Mediziner und Sozialpolitiker (H-s-12)
Carl Andreas Julius Bolle ("Bimmel-Bolle", †1910), ehem. Maurermeister und Gründer des Meiereibetriebes Bolle (Erb 301 P-sl)
Max Bruch (†1920), Komponist (Q-w-85)

Ein Gedenkstein erinnert an die Widerstandskämpfer des 20. Juli 1944 Claus Schenk Graf von Stauffenberg, Ludwig Beck, Friedrich Olbricht, Albrecht Mertz von Quirnheim und Werner von Haeften, deren Leichname hier zunächst begraben, dann aber von der SS exhumiert und eingeäschert wurden; ihre Asche wurde verstreut (A-s-).

Alter St. Matthäus-Kirchhof (Fortsetzung)

Der kleine Friedhof im Schöneberger Stadtteil Friedenau (U-Bahn: Friedrich-Wilhelm-Platz, U 9) ist seit 1992 Ziel von Marlene-Dietrich-Verehrern: Hier ist die Diva begraben.

Friedhof Stubenrauchstraße

Friedhof Nikolassee G 6

Gegenüber dem Waldfriedhof Zehlendorf auf der Ostseite der Rehwiese steht die von Erich Blunck im Jahre 1911 entworfene evangelische Kirche von Nikolassee. Auf dem kleinen Friedhof gegenüber befinden sich die Grabstätten von:

Lage
Kirchweg 18/20, Zehlendorf

S-Bahn
Nikolassee (S 1)

Hermann Muthesius (†1927), Architekt (Familienstelle 83)
Jochen Klepper (†1942); der Schriftsteller ging mit seiner jüdischen Ehefrau und seiner Tochter in den Freitod (J 1/4)
Richard Friedenthal (†1979), Schriftsteller (C II 49/50)
Axel Springer (†1985), Verleger (Familienstelle 98)

Waldfriedhof Dahlem J 8

Auf diesem Friedhof am Rande des Grunewalder Forstes ruhen u.a.:

Lage
Hüttenweg 47, Zehlendorf

U-Bahn
Oskar-Helene-Heim (U 1)

Erich Mühsam (†1934), Schriftsteller (2A 144)
Bernd Rosemeyer (†1938), Autorennfahrer (11-4a)
Henriette Hebel gen. 'La Jana' (†1940), Schauspielerin (22B 97)
Gottfried Benn (†1956), Arzt und Lyriker (27W 32)
Hilde Körber (†1969), Schauspielerin (20B 1/2)
Karl Schmidt-Rottluff (†1976), Maler (10E 11/12)
O. E. Hasse (†1978), Schauspieler (23A 7)

Waldfriedhof Zehlendorf G 5/6

Auf dem erst 1946 angelegten Friedhof ruhen u. a.:

Lage
Potsdamer Chaussee 75, Zehlendorf

S-Bahn
Mexikoplatz (S 1, S 3, S 7), dann Bus 211

Ernst Reuter (†1953), Regierender Bürgermeister (VI 18/19); dahinter:
Willy Brandt (†1992), Regierender Bürgermeister und Bundeskanzler
Otto Suhr (†1957), Regierender Bürgermeister (III U 49)
Jakob Kaiser (†1961), Bundesminister (XIV W 1-5)
Erwin Piscator (†1966), Intendant der Volksbühne (XX 688-91)
Paul Löbe (†1967), Reichstagspräsident (III U 24)
Hans Scharoun (†1972), Architekt (I U 24)
Helmut Käutner (†1980), Regisseur und Schauspieler (III U 7)

Südwestfriedhof westlich G 5

Der Südwestfriedhof der Berliner Stadtsynode erstreckt sich südlich vom Bezirk Zehlendorf am Potsdamer Damm in Stahnsdorf, das bereits zu Potsdam gehört. Auf dem reizvollen Friedhof sind u.a. begraben:

Lage
Potsdam, Stahnsdorf

S-Bahn
Babelsberg (S 3), dann Bus 601, 602, 603

Werner von Siemens (†1892), Industrieller
Gustav Langenscheidt (†1895), Verleger
Engelbert Humperdinck (†1921), Komponist
Lovis Corinth (†1925), Maler

Südwestfriedhof
(Fortsetzung)

Heinrich Zille (†1929), Berliner Milieuzeichner
F. W. Murnau (†1931), Filmregisseur
Rudolf Breitscheid (†1944), SPD-Reichstagsabgeordneter
Hermann Steinschneider gen. 'Hannussen', Spiritist

Jüdische Friedhöfe

Hinweis

Beim Besuch jüdischer Friedhöfe muß eine Kopfbedeckung getragen werden (z.T. Verleih bei den Verwaltungen).

Lage R 14 · n 4
Große Hamburger Str. 26, Mitte

S-Bahn
Hackescher Markt (S 1, S 3, S 5, S 75, S 9)

Auf dem Grundstück Große Hamburger Straße 26 befinden sich die Überreste des ältesten jüdischen Friedhofs in Berlin, der 1672 eingeweiht wurde. Bis zu seiner Schließung im Jahr 1827 fanden hier über 3000 Verstorbene ihre letzte Ruhe. Im Jahre 1943 wurde der Friedhof von den Nazis verwüstet, so daß heute kaum noch Grabsteine erhalten sind. Gedenksteine erinnern an:

Moses Mendelssohn (†1786), Philosoph und Lessings Vorbild für Nathan den Weisen; der Originalgrabstein wurde 1943 zerstört.
Veitel Heine Ephraim (†1775), Münzpächter Friedrichs II.
Daniel Itzig (†1799), Bankier

Auf dem jüdischen Friedhof an der Schönhauser Allee sind u. a. Giacomo Meyerbeer und Max Liebermann beerdigt.

Lage S 15
Schönhauser Allee 22/23, Prenzlauer Berg

U-Bahn
Senefelder Platz (U 2)

Dieser jüdische Friedhof wurde 1827 als Ersatz angelegt für den gleichzeitig geschlossenen ersten nachmittelalterlichen jüdischen Friedhof Berlins an der Großen Hamburger Straße. Bis 1942 wurden auf dem 5 ha großen Friedhof Verstorbene beigesetzt, darunter viele Mitglieder der jüdischen intellektuellen Oberschicht. Hier befinden sich u.a. die Grabstätten von:
Giacomo Meyerbeer (†1864), Komponist
Ludwig Löwe (†1886), Fabrikant und Parlamentarier

Jüdische Friedhöfe (Fortsetzung)

Gerson von Bleichröder (†1893), Bankier und Finanzberater Bismarcks
Leopold Ullstein (†1899), Verleger
Max Liebermann (†1935), Maler

Lage U 16
Herbert-Baum-Straße, Weißensee

U-Bahn
Rosa-Luxemburg-Platz (U 2), dann Tram 2, 3, 4

Der 1880 eröffnete, 40 ha große jüdische Friedhof, dessen Eingangsbereich und die Trauerhalle aus gelben Ziegeln von Hugo Licht stammen, ist mit rund 115 000 Beisetzungen der größte jüdische Friedhof Westeuropas. Hier sind u.a. die Gräber von (Übersichtstafel am Eingang):

Hermann Tietz (†1907), Kaufhauskönig ('Hertie')
Lina Morgenstern (†1909), Schriftstellerin und Frauenrechtlerin
Hermann Cohen (†1918), Philosoph
Rudolf Mosse (†1920), Zeitungsverleger
Eugen Goldstein (†1930), Physiker
Adolf Jandorf (†1931), Begründer des KaDeWe
Lesser Ury (†1931), impressionistischer Maler
Samuel S. Fischer (†1934), Verleger
Theodor Wolff (†1943), Journalist
Alex (†1905) und Doris Tucholsky (†1943). Nur der Vater von Kurt Tucholsky ist hier begraben. Die Mutter kam in Theresienstadt um. Dem Friedhof hat Tucholsky die folgenden Zeilen gewidmet:
"Es tickt die Uhr. Dein Grab hat Zeit, drei Meter lang, drei Meter breit.
Du siehst noch drei, vier fremde Städte, du siehst noch eine nackte Grete,
noch zwanzig-, dreißig Mal den Schnee –
Und dann: Feld P – in Weißensee – in Weißensee."

Außerdem befinden sich auf dem Friedhof die Urnenstätten von 809 in Konzentrationslagern ermordeten Juden sowie die Gräber von rund 3000 Menschen, die während der Nazi-Zeit Selbstmord begingen, sowie das Grab des jüdischen Widerstandskämpfers Herbert Baum (†1943).

Lage östl. U 16
Wittlicher Straße, Weißensee

Der Friedhof der orthodoxen jüdischen Gemeinde Adass Jisroel, Mitte der siebziger Jahre geschlossen und dem Verfall überlassen, ist seit 1986 von Adassianern restauriert worden und wird nun wieder als Gemeindefriedhof geführt. Hier wurden zwischen 1939 und 1942 zahlreiche Urnen von in Konzentrationslagern umgekommenen Juden beigesetzt; ein Gedenkstein erinnert an die Opfer des Rassenwahns der Nationalsozialisten (Anfahrt: mit Tram Linie 2 vom S-Bahnhof Hackescher Markt bis Haltestelle Berliner Allee / Rennbahnstraße).

Lage westl. J 13
Heerstraße, Charlottenburg

Westlich vom Scholzplatz liegt zwischen Heerstraße und Am Postfenn südlich vom britischen Soldatenfriedhof ein kleiner jüdischer Friedhof. Hier befinden sich mehrere Grabsteine aus der Zitadelle Spandau, darunter einer aus dem 14. Jahrhundert. Ferner gibt es hier eine Gedenkstätte für die jüdischen Opfer der Nationalsozialisten (Anfahrt: mit U 2 oder U 12 bis Theodor-Heuss-Platz, dann Bus 149).

Friedrichstraße — Q 11 – 14 · l / m 1 – 3

Lage
Mitte

S-Bahn
Friedrichstraße (S 1, S 2, S 3, S 5, S 7, S 75, S 9)

Die insgesamt etwa 3,3 km lange Friedrichstraße verläuft in Nord-Süd-Richtung vom Oranienburger Tor bis zum Mehringplatz am Halleschen Tor. Von 1961 bis 1989 wurde sie an der Zimmerstraße von der Berliner Mauer durchtrennt, wo sich der legendäre Ausländerübergang Checkpoint Charlie (→ *Baedeker Special* S. 102 ff.) befand.

Zu Zeiten Friedrich Wilhelms I. wurde die Friedrichstraße als direkte Marschstraße zum Exerzierplatz auf dem Tempelhofer Feld benutzt, und noch unter Wilhelm II. diente sie den Truppen auf dem Weg vom Manöver zum Schloß als Paradestrecke. Im kaiserlichen Berlin wurde die Friedrichstraße erste Geschäfts- und vor allem Vergnügungsstraße der Stadt; um die Jahrhundertwende war sie glanzvolle Verkehrsachse zwischen Regie-

U-Bahn
Oranienburger Tor, Friedrichstraße, Französische Straße, Stadtmitte, Kochstraße, Hallesches Tor (U 6)

rungs- und Presse-, Banken- und Theaterviertel mit noblen Hotels und Banken, Operettenhäusern, Bier- und Revuepalästen, bis sie diesen Rang nach 1918 an den aufstrebenden republikanischen Kurfürstendamm abtreten mußte und sich zum Dorado der Roués wandelte. Auf der Friedrichstraße fuhr 1896 die erste elektrische Straßenbahn. Als die Magistrale nach der Reichsgründung eine 'kolossale Boomphase' erlebte, wurden die berühmte Kaisergalerie und wenig später die doppelt so große Friedrichstraßenpassage gebaut. Die Behrenstraße, erste Querstraße gleich hinter den Linden, entwickelte sich in dieser Zeit zum Synonym für die Macht des Geldes. Hier standen u.a. das Stammhaus der Deutschen Bank und die Berliner Niederlassung der Dresdner Bank. Der große amerikanische Luftangriff, der am 3. Februar 1945 das Zentrum Berlins zerstörte, verschonte kaum ein Gebäude der Friedrichstraße. Die Teilung Berlins ließ anschließend den Raum beiderseits der Mauer zum innerstädtischen Randgebiet verkümmern. Das nach dem Mauerbau 1961 verstaatlichte Terrain sollte gemäß den letzten Fünfjahresplänen der DDR durch Bauten wie den Friedrichstadtpalast und das Grand Hotel neugestaltet werden und den Flair eines Weltstadt-Boulevards zurückerhalten.
Seit der 'Wende' im Jahre 1989 erlebte die Straße einen wahren Ansturm privater Investoren auf den überwiegend kleinteilig parzellierten Grundbesitz und die halb oder fast fertigen Rohbauten aus der sozialistischen Ära. Bereits kurz nach der Wiedervereinigung setzte eine rege Bautätigkeit ein, die fünf Milliarden DM verschlang und darauf abzielte, die Straße zu einer attraktiven Einkaufsmeile und einem innerstädtischen Zentrum allererster Güte zu machen. Zwischen dem Bahnhof Friedrichstraße im Norden und dem ehemaligen Checkpoint Charlie im Süden (Zimmerstraße) ist fast jeder Block neu bebaut worden. Roh- und Altbauten aus DDR-Zeiten sind dabei überwiegend abgerissen worden. Die Architekten mußten sich dabei zwar an die historische Traufhöhe halten, auf der Strecke geblieben aber ist die Kleinteiligkeit und damit die Diversifizität des Angebots – das sich hinter den nicht gerade besonders phantasievollen Fassaden der mächtigen Baublöcke versteckt. Was man oben nicht aufsetzen durfte, verlegte man bis zu fünf Etagen tief in den Untergrund.

Friedrichstraße nördlich der Linden
Bahnhof Friedrichstraße

Im Abschnitt nördlich von → Unter den Linden ragt an der Ostseite das 93 m hohe, 25geschossige Internationale Handelszentrum (1978) auf.
Schräg gegenüber folgt der 1882 als Stadtbahnhof eröffnete Bahnhof Friedrichstraße (→ Bahnhöfe), seit dem Mauerbau einzige Verbindung für Fern-, Stadt- und Untergrundbahn zwischen den beiden Teilen Berlins. Seit Sommer 1990 gibt es diesen Grenzkontrollpunkt nicht mehr; der Bahnhof hat nun wieder seine volle Funktion als innerstädtischer Kreuzungspunkt von S- und U-Bahnlinien übernommen. Der gesamte Bahnhof und sein Umfeld werden derzeit neugestaltet, u.a. mit dem direkt südlich anschließenden Wintergarten.

Haus der Presse
Kabarett Distel

Geht man vom Bahnhof nach Norden Richtung Oranienburger Tor, liegt hinter der S-Bahn-Unterführung rechts das Haus der Presse (Gebäude von 1910) mit dem Presse-Café und dem Kabarett 'Die Distel'.

Admiralspalast · Metropol-Theater

Ein Hofeingang führt zu dem 1910 von Heinrich Schweitzer und Alexander Diepenbrock als repräsentative Badeanstalt und Eislaufhalle erbauten Admiralspalast, der seit 1955 das Metropol-Theater (Operetten und Musicals) beherbergt. In diesem Gebäude vereinigten sich im April 1946 KPD und SPD zur Sozialistischen Einheitspartei Deutschlands (SED).

Friedrichstadtpalast

Jenseits der 82,50 m langen Weidendammbrücke (1895/1896; schönes schmiedeeisernes Geländer) über die Spree steht rechts der 1984 eröffnete neue Friedrichstadtpalast, ein Varieté- und Revuetheater von internationalem Rang mit allen Raffinessen moderner Bühnentechnik; davor erinnert ein Denkmal an die Diseuse Claire Waldoff (1884–1957). Die 'Große Revue' hat rund 1900 Plätze, ferner gibt es noch das Nachtkabarett 'Kleine Bühne', ein 'Kleines Theater', das 'Ei' und eine Kinderrevue. Südwestlich davon befand sich der 1869 als erste Markthalle Berlins erbaute alte Friedrichstadtpalast, der ab 1874 als Zirkus diente, 1919 zum Großen Schauspielhaus umgebaut wurde, das danach unter Max Reinhardt seine Glanzzeit erlebte. Die vom Schiffbauerdamm, an dem am Bertolt-Brecht-Platz das Gebäude des Berliner Ensembles liegt, abgehende Straße Am Zirkus erinnert an den alten Friedrichstadtpalast.

Berliner Ensemble

Wolf Biermann hat sie besungen: Schmiedeeiserne preußische Adler zieren das Gitter der Weidendammbrücke.

Friedrichstraße südlich der Linden

Gleich an der Kreuzung Friedrichstraße / Unter den Linden gegenüber vom Grand Hotel steht das neue Lindencorso (Architekt: Christoph Mäckler, Frankfurt), statt wie vorgesehen Französisches Kulturzentrum nun Autosalon. Südlich der Lindenstraße beginnt derjenige Abschnitt der Friedrichstraße, an dem am heftigsten gebaut wurde. Zu den eher 'kleineren' der wichtigen Projekte gehören das Rosmarin-Karree, das Kontorhaus Mitte (Investitionsvolumen: 300 Mio. DM) und der aus vielen einzelnen Gebäuden verschiedener Architekten bestehende Hofgarten (550 Mio. DM).

Friedrichstadt-passagen

Höhepunkt – sowohl optisch als auch preislich – sind jedoch die völlig neu entstandenen Friedrichstadtpassagen. Dieser 1,4 Mrd. DM teure Gebäudekomplex besteht aus drei unterirdisch verbundenen Baublöcken zwischen Französischer Straße und Mohrenstraße, die hochwertige Läden und Büros beherbergen. Der nördliche der drei Blöcke (Architekt: Jean Nouvel, Paris) sticht als einziges komplett gläsernes Gebäude mit seiner elegant geschwungenen Ecke aus der Reihe der Neubauten heraus. Er hat

Galeries Lafayette

die Berliner Dependance des berühmten Pariser Kaufhauses Galeries Lafayette aufgenommen, das mehr als mit seinem Warenangebot mit seinem spektakulären Lichthof, der aus zwei übereinanderliegenden gläsernen Kegeln von insgesamt 37 m Höhe besteht, von sich reden gemacht hat. Der

Quartier 206

mittlere der Blöcke (Quartier 206; Architekten: I. M. Pei, Cobb und Freed, New York) läßt mit seiner expressiven Fassade, in die Hunderte von Lichtbändern eingelassen sind, die Architektur des Art-Deco anklingen. Im Innenhof sind besonders die aufwendigen Bodeneinlegearbeiten aus Carrara-Marmor sehenswert.

Quartier 205

Der Quartier 205 genannte südliche Block (Architekt: O.M. Ungers, Köln) stellt mit seiner sachlichen, auf dem Quadratraster aufgebauten Fassade das formal zurückhaltendste Gebäude dar.

Eigentlich interessanter als das Warenangebot: die Glasellipse der Galeries Lafayette

Ehemaliger Checkpoint Charlie

Weitere interessante Neubauten an der Friedrichstraße sind an der Schützenstraße der von Aldo Rossi entworfene, recht bunt daherkommende Block und vor allem das 1,2 Mrd. DM teure American Business Center am ehemaligen Checkpoint Charlie, dessen endgültige Verwirklichung sich allerdings dahinschleppt. An den alten Grenzübergang, der ein riesiges Areal bedeckte, erinnern gerade ein einsamer Kontrollturm, ein Warnschild, ein Straßenpflasterband sowie eine im Winter 2000 aufgestellte Kopie des berühmten Wachhäuschens; von den Neubauten ist u. a das vom US-Architekten Phillip Johnson konzipierte Gebäude bereits fertig.

Haus der Demokratie

Immerhin sind auch noch einige Altbauten erhalten geblieben. So wurde im Haus Friedrichstraße 165 (Ecke Behrenstraße) Geschichte geschrieben. Hier im 'Haus der Demokratie' hatten diejenigen Kräfte wie das Neue Forum, die die Demokratisierung der DDR forderten, ihren Hauptsitz. Zuvor saß hier die SED-Bezirksleitung Mitte, und vor dem Krieg war das Haus ein vielbesuchter Bierkeller der Münchener Pschorr-Brauerei.

Funkturm

→ Ausstellungs- und Messegelände

Gedenkstätte Deutscher Widerstand O 12 · h 2

Im Hof des ehemaligen Oberkommandos der Wehrmacht, dem sogenannten Bendlerblock, gemahnt ein 1953 von Richard Scheibe geschaffenes Ehrenmal an die Opfer des 20. Juli 1944, die hier nach dem mißlungenen

Attentat auf Hitler im 'Führerhauptquartier' in Ostpreußen noch in derselben Nacht erschossen wurden; hingerichtet wurden die Generale Beck und Olbricht, die Obersten Graf von Stauffenberg und Mertz von Quirnheim und der Oberleutnant von Haeften.

Gedenkstätte Deutscher Widerstand (Fortsetzung)

Im zweiten Stock ist die Ausstellung 'Widerstand gegen den Nationalsozialismus' eingerichtet, die dem deutschen Widerstand im Reich und im Ausland gewidmet ist. Die einzelnen Räume behandeln folgende Themen: 1. Einführung. – 2. Die zerstörte Republik. – 3. Der Nationalsozialismus. – 4. Widerstand aus der Arbeiterbewegung bis 1939. – 5. Widerstehen aus christlichem Glauben bis 1939. – 6. Widerstehen in Kunst und Wissenschaft. – 7. Exil und Widerstand. – 8. Widerstehen aus liberalem und konservativem Denken. – 9. Anfänge der militärischen Verschwörung. – 10. Von der Kritik zum Umsturzplan. – 11. Umsturzpläne 1938 bis 1943. – 12. Stauffenberg und das Attentat vom 20. Juli 1944. – 13. Regierungspläne. – 14. Scheitern des Umsturzes. – 15. Der Kreisauer Kreis. – 16. Die Weiße Rose. – 17. Die Rote Kapelle. – 18. Widerstand im Kriegsalltag. – 19. Nationalkomitee Freies Deutschland. – 20. Jugendopposition. – 21. Widerstand von Juden. – 22. Hilfen für Verfolgte. – 23. Selbstbehauptung von Häftlingen. – 24. Widerstand aus christlichem Glauben nach 1939. – 25. Widerstand aus der Arbeiterschaft nach 1939. – 26. Unrechtstaat und Widerstand. A, B und C sind Film- und Vortragsräume.

Lage
Stauffenberg-str. 13 – 14, Tiergarten

U-Bahn
Kurfürstenstraße (U 1, U 15)

Bus
129, 142, 248, 341, 348

Öffnungszeiten
Mo. – Mi., Fr. 9.00–18.00, Sa., So., Fei. 10.00–18.00; Führungen So. 11.00

Gedenkstätte Plötzensee M 16

Plötzensee ist nach dem Zweiten Weltkrieg zum Begriff für den Widerstand gegen den Nationalsozialismus geworden, denn im ehemaligen Zuchthaus Plötzensee (heute Jugendstrafanstalt) wurden zwischen 1933 und 1945 rund 1800 Männer, Frauen und Jugendliche verschiedener Nationen aus politischen Gründen hingerichtet.
Im Jahre 1952 ließ der Senat von Berlin die nationalsozialistische Hinrichtungsstätte als 'Gedenkstätte Plötzensee' gestalten, die an die Opfer des Nationalsozialismus erinnern soll. Hierin einbezogen ist die ehemalige Hinrichtungsbaracke, in der heute noch der Deckenbalken mit den acht Haken zu sehen ist (früher war hier auch ein Fallbeil aufgestellt), an denen die Opfer der NS-Justiz aufgehängt wurden – allein 89 aus dem Kreis der Widerstandsgruppe des 20. Juli 1944 (u.a. der ehem. Oberbürgermeister von Leipzig Carl Friedrich Goerdeler und Helmuth James Graf v. Moltke, Sachverständiger für Völkerrecht im Oberkommando des Heeres).

Lage
Hüttigpfad, Charlottenburg

U-Bahn
Jakob-Kaiser-Platz (U 7), dann Bus 123

Öffnungszeiten
März – Okt. tgl. 9.00–17.00, Nov. – Feb. tgl. 9.00–16.00

Vor der Baracke steht ein Gedenkstein mit der Aufschrift "Den Opfern der Hitlerdiktatur der Jahre 1933 – 1945" sowie eine große Steinurne mit Erde aus allen nationalsozialistischen Konzentrationslagern.

Gedenkstein

Maria Regina Martyrum (Sühnekirche)

Nordöstlich des U-Bahnhofs Jakob-Kaiser-Platz und westlich der Gedenkstätte Plötzensee kommt man zur schmucklosen, kubisch gebauten Kirche Maria Regina Martyrum, Mahnmal für die Opfer der Jahre 1933 bis 1945. Sie entstand 1960 bis 1963 nach Entwürfen der Würzburger Architekten Friedrich Ebert und Hans Schädel.
Man betritt die Kirche durch einen Feierhof, den Basaltplatten mit Bronzeskulpturen der Kreuzwegstationen von Otto H. Hajek umgeben. An der Außenwand der Oberkirche ist eine Marienskulptur von Fritz Koenig angebracht. Der Andachtsraum wird beherrscht von einem großen Altarbild Georg Meistermanns, dessen Thema eine himmlische Vision Jerusalems ist. In der kryptaartigen Unterkirche sieht man eine Pietà von Fritz Koenig, die Grabstätten für Domprobst Lichtenberg (der jedoch in der → St. Hedwigs-Kathedrale beigesetzt ist) und für Erich Klausener, den Leiter der Katholi-

Lage
Heckerdamm 230/232

Gedenkstätte Plötzensee (Fortsetzung)

schen Aktion, sowie ein symbolisches Grab für alle Naziopfer, denen ein Begräbnis verwehrt wurde. Seit 1982 ist der Kirche ein 'Sühnekloster' der Karmelitinnen angeschlossen.

** Gendarmenmarkt Q 13 · m 2

Lage
Mitte

U-Bahn
Französische Straße (U 6), Stadtmitte (U 2, U 6)

Von der → Friedrichstraße sind es nur wenige Minuten Fußweg in südlicher Richtung bis zum Gendarmenmarkt, dem wohl schönsten und harmonischsten Platz Berlins. Er wird beherrscht von drei monumentalen, ein geschlossenes Ensemble bildenden Bauten: dem Schauspielhaus, dem Französischen Dom und dem Deutschen Dom.
Der Platz wurde schon im 17. Jh. angelegt und hieß zunächst Esplanade, dann nacheinander Lindenmarkt, Mittelstädtischer bzw. Friedrichstädtischer Markt und schließlich Gendarmenmarkt, weil hier von 1736 bis 1782 das Garderegiment 'Gens d'armes' Wache und Ställe hatte. Anläßlich der 250-Jahr-Feier der Akademie der Wissenschaften wurde er 1950 in Platz der Akademie umbenannt. Dem im Zweiten Weltkrieg stark beschädigten Platz wurde noch zu DDR-Zeiten in jahrelanger Wiederaufbauarbeit seine alte Gestalt wiedergegeben. Nach der Wiedervereinigung Berlins erhielt er 1990 seinen eingebürgerten Namen zurück. An der Ecke Französische Straße und Charlottenstraße, wenige Schritte vom Platz entfernt, stand das Weinhaus Lutter & Wegner, in dem E.T.A. Hoffmann Stammgast war, der hier am Platz auch seine Wohnung hatte.

Ehem. Weinhaus Lutter & Wegner

* Schauspielhaus

Mittelpunkt des langgestreckten, 48 000 m² großen Platzes ist das Schauspielhaus. Es ist eines der vorzüglichsten Bauwerke Schinkels und wurde in den Jahren 1818 bis 1821 auf den Grundmauern des 1817 abgebrannten Nationaltheaters errichtet. Die Reliefs der Giebelfelder und die Musengestalten des Daches stammen von Friedrich Tieck; Christian Daniel Rauch schuf den Giebel des Theatersaales. Zur Einweihung 1821 wurde Goethes "Iphigenie" gegeben. Im Jahr 1848 tagte die preußische konstituierende Nationalversammlung im Schauspielhaus.
Im Herbst 1984 wurde das äußerlich originalgetreu wiederhergestellte Gebäude als Konzerthaus wiedereröffnet. Der klassizistisch ausgeführte Große Saal faßt 1200 Personen (Orgel mit 5801 Pfeifen und 74 Registern); im Kammermusiksaal haben 350 bis 450 Personen Platz (→ Abb. S. 296). Ferner gibt es einen Probensaal und einen Musikklub.

Schillerdenkmal

Nach dreijährigen Restaurierungsarbeiten kehrte das 1986 von Westberlin an die DDR übergebene Schillerdenkmal im Frühjahr 1989 an seinen ursprünglichen Standort vor der Freitreppe des ehemaligen Schauspielhauses zurück, wo es 1938 von den Nazis entfernt worden war. Die vier Frauengestalten auf der Brunnenschale sind Personifizierungen der Lyrik (mit Harfe), der Dramatik (mit Dolch), der Geschichte (mit Schrifttafeln, auf denen u.a. Goethe, Beethoven und Michelangelo verzeichnet sind) und der Philosophie (Pergamentrolle mit der Inschrift "Erkenne Dich selbst").

Deutscher Dom

An der Südwestseite des Platzes steht der Deutsche Dom. Zunächst wurde zwischen 1701 und 1708 durch den Baumeister Martin Grünberg ein schlichter Kirchenbau für die deutsch-reformierte Gemeinde errichtet. Un-

Kein Zweifel: Der schönste Platz Berlins ist der Gendarmenmarkt – hier das Schillerdenkmal vor dem Schauspielhaus und der Französische Dom. In ihm ist sogar ein Restaurant zu finden. ▶

Gendarmenmarkt, Deutscher Dom (Fortsetzung)

ter Friedrich dem Großen erhielt diese Kirche nach Plänen von Carl Friedrich von Gontard Säulenvorhalle und Kuppelturm. Die Kuppel krönt eine 7 m hohe vergoldete Skulptur ("Tugend" oder "Anmut"). Im Dom ist Georg Wenzeslaus von Knobelsdorff begraben; auf den Stufen wurden 1848 die bei Barrikadenkämpfen getöteten Demokraten, die sog. 'Märzgefallenen', aufgebahrt. Im Dom ist die Ausstellung 'Fragen an die deutsche Geschichte' aufgebaut (geöffnet: Di. – So. 10.00 – 18.00, Führungen jeweils 11.00 und 13.00 Uhr).

*Französischer Dom

Das Gegenstück zum Deutschen Dom ist an der Nordseite des Platzes der Französische Dom. Er besteht aus der Friedrichstadtkirche und dem, wie auch beim Deutschen Dom, nachträglich angefügten Kuppelturm. Die Kirche der Friedrichswerderschen und der französisch-reformierten Gemeinde entstand nach Plänen von Louis Cayart und Quesnay in den Jahren 1701 bis 1705 und diente der Hugenottengemeinde, die sich 1685 in Berlin angesiedelt hatte. Der 70 m hohe Turm wurde nach Plänen Carl Friedrich von Gontards von Georg Christian Unger ausgeführt; darin hängt ein fünf Oktaven umfassendes Carillon mit 60 Glocken, die nicht geläutet, sondern über eine Klaviatur angeschlagen werden (dreiminütiges Automatikspiel tgl. 12.00, 15.00, 19.00; Handspielkonzerte Di. 14.00 u. Sa. 15.00 Uhr; Führungen nach Vereinbarung). In 20 m Höhe befindet sich das Weinlokal 'Turmstuben', in 40 m Höhe eine Aussichtsbalustrade. Kirche und Turm wurden nach Kriegsschäden (1944) bis 1987 vollständig restauriert.

Carillon

Hugenotten-Museum

Im Erdgeschoß der Kirche befindet sich das Hugenotten-Museum mit Ausstellungen zur Geschichte der Hugenotten in Frankreich und Berlin-Brandenburg (geöffnet Di. – Sa. 12.00 – 17.00, So. 11.00 – 17.00 Uhr).

Akademie der Wissenschaften

An der Ostseite des Platzes liegt Ecke Jäger- und Markgrafenstraße das Gebäude der Akademie der Wissenschaften. Es wurde 1901 für die ehemalige Preußische Staatsbank errichtet.
Kurfürst Friedrich III. stiftete im Jahr 1700 die 'Kurfürstlich-Brandenburgische Societät der Wissenschaften'. Anstoß dazu gab der Philosoph Gottfried Wilhelm Leibniz. Zu den Wissenschaftlern, die im Laufe der Jahrhunderte an der Akademie gewirkt haben, gehören u.a. Franz Karl Achard, Andreas Sigismund Marggraf, Leonhard Euler, Albert Einstein, Jacob und Wilhelm Grimm, Alexander und Wilhelm von Humboldt, Max Planck und Rudolf Virchow. Nach dem Zweiten Weltkrieg konnte die Akademie 1946 ihren Betrieb wieder aufnehmen. Seit 1972 war sie Akademie der Wissenschaften der DDR mit über 40 Instituten für Grundlagenforschung. Diese sind nun – allerdings personell erheblich reduziert – in den Wissenschaftsbetrieb des wiedervereinigten Deutschland integriert worden.

Glienicke (Kleinglienicke) westlich G 5

Lage
Zehlendorf

Das 1375 erstmals erwähnte Dorf Kleinglienicke liegt südwestlich vom Stadtzentrum in Wannsee am Ostufer der Havel auf der Landenge zwischen Griebnitzsee und Glienicker Lake. Die Verbindung zum nahen Potsdam stellt die schon zu Humboldts Zeiten für ihre Havelaussicht berühmte Glienicker Brücke her.

Glienicker Brücke

Die heutige eiserne Brückenkonstruktion über die Havel (Jungfernsee/ Tiefer See) wurde 1907 als Nachfolgerin einer von Baumeister Karl Friedrich Schinkel konstruierten Backsteinbrücke eingeweiht. Zu DDR-Zeiten

Glienicker Brücke (Fortsetzung)

wurde die Glienicker Brücke in 'Brücke der Einheit' umgetauft und ein Grenzübergang eingerichtet, der ausschließlich den Alliierten, akkreditierten Diplomaten der DDR, dem Austausch von Agenten und der Übergabe politischer Häftlinge vorbehalten war. Hier wurde u. a. 1962 der amerikanische U 2-Pilot Gary Powers gegen den sowjetischen Meisterspion Rudolf Abel ausgetauscht. Dieser Kontrollpunkt wurde am 12. November 1989 als erster Grenzübergang zwischen Ost und West freigegeben und stellt seither wieder eine Hauptverbindung nach Potsdam dar.

*Schloß und Park Glienicke (Schloß und Park Kleinglienicke)

Lage
nördlich der Königstraße in Wannsee

S-Bahn
Wannsee (S 1, S 3, S 7), dann Bus 116

Schloß Glienicke, aus einem ehemaligen Landgut hervorgegangen, wurde in seiner heutigen Form 1826 von Karl Friedrich Schinkel als Sommerresidenz für den Prinzen Carl von Preußen in spätklassizistischem Stil aufgeführt. Das Haupthaus ist mit dem 1832 angefügten Kavaliersflügel und anderen Gebäuden verbunden; sie umschließen einen italienischen Gartenhof mit Brunnen. Die an den Wänden eingelassenen Antiken hatte Prinz Carl von seinen Reisen mitgebracht. Das Schloß kann von Mai bis Oktober an Wochenenden von 10.00 bis 17.00 Uhr besichtigt werden.

Kaum betritt man den Park von Schloß Glienicke, grüßt die Löwenfontäne.

Der 116 ha große, ganzjährig geöffnete Park des Schlosses ging 1934 in den Besitz der Stadt Berlin über und wurde dann als 'Volkspark Kleinglienicke' bezeichnet. Er ist ursprünglich eine Schöpfung von Peter Joseph Lenné. Begonnen wurde die Parkanlage 1816 für den Staatskanzler Fürst Hardenberg, jedoch gingen Park und Schloß 1824 in den Besitz des Prinzen Carl von Preußen über. Unter seiner Ägide schuf Schinkel den Rundtempel 'Große Neugierde' in der Südwestecke des Parks, den Teepavillon 'Kleine Neugierde' an der Königstraße und den gotischen Jägerhof im Nordteil. Am Vorbild der der Villa Medici orientiert sich die Löwenfontäne. Der Park bietet herrliche Ausblicke auf die Havel und nach Potsdam, hat einen sehr schö-

Schloß Glienicke (Fortsetzung)

nen Uferweg, der von der Glienicker Brücke vorbei am Kasino von 1824 zum vielbesuchten Naturschutzgebiet der → Pfaueninsel führt.

Klosterhof

Unweit nördlich vom Schloß empfiehlt sich ein Besuch im sogenannten Klosterhof, der 1850 von Ferdinand von Arnim nach venezianischem Muster erbaut wurde. Eine Besonderheit des Baus sind die über 100 Kunstwerke aus byzantinischer Zeit, die Prinz Carl von Preußen in die Architektur integrieren ließ.

Nikolskoe

Östlich vom Schloß führt ein gleichnamiger Weg zum Aussichtspunkt Nikolskoe (sprich 'Nikólskoje'), der ebenfalls von Lenné geschaffen wurde; an diesem Punkt ließ Friedrich Wilhelm III. im Jahre 1819 für seine Tochter ein Blockhaus errichten, das zu Ehren seines Schwiegersohnes Zar Nikolaus den Namen Blockhaus Nikolskoe erhielt (heute Restaurant).

St. Peter und Paul

Zwischen 1834 und 1837 wurde am Aussichtspunkt Nikolskoie von den Architekten Friedrich August Stüler und Johann Gottfried Schadow die von einem russischen Zwiebelturm gekrönte Kirche St. Peter und Paul erbaut, in der noch Gottesdienste abgehalten werden. Täglich erklingt von 10.00 bis 18.00 Uhr zu jeder vollen Stunde ein Glockenspiel.

Jagdschloß Glienicke

Südlich der Königstraße liegt am Nordostufer der Glienicker Lake das 1682 / 1683 für den Großen Kurfürsten errichtete, 1859 umgestaltete Jagdschloß Glienicke, heute internationale Jugendbegegnungsstätte.

*Grunewald G – J 7 – 12

Lage
Wilmersdorf/ Zehlendorf

S-Bahn
Grunewald (S 3, S 7)

Der 32 km² große Forst liegt östlich der Havel zwischen Heerstraße und → Wannsee. Sein Name geht auf das Jahr 1542 zurück, als sich Kurfürst Joachim II. das von ihm 'Zum grünen Wald' genannte Jagdschloß bauen ließ. In der Amtssprache hat sich diese Bezeichnung erst seit dem 19. Jh. eingebürgert, früher hieß das Gelände Spandauer Forst.
Der natürlich gewachsene Waldbestand (Stieleichen und Buchenmischwald) wurde seit ungefähr 200 Jahren mehr und mehr durch schnellwachsende Holzarten wie Kiefer, Birke, Akazie und Pappel abgelöst. In den strengen Wintern nach Ende des Zweiten Weltkrieges und während der Blockade Berlins wurden 70% der Holzmasse abgeschlagen, da kein anderes Heizmaterial verfügbar war. Inzwischen ist der Wald wieder völlig aufgeforstet und besitzt artenreichen Vogel- und Wildbestand, z.B. Damwild, Rehwild, Wildschweine (in der Saubucht) und Muffelwild.
Innerhalb des Waldgebietes liegt eine eiszeitliche Schmelzwasserrinne mit Moorgebieten (Hochmoore) und Fennflächen, zu denen auch Pech-, Bars- und Teufelssee gehören. Die gesamte Fläche der Naturschutzgebiete mit seltenen Pflanzen- und Tierarten umfaßt 111 ha.

Ausflugsziel

Ausflugsziel der Berliner wurde der Grunewald erst Ende des 19. Jh.s; davor war er Jagdgebiet des preußischen Herrscherhauses. Im Jahre 1915 wurde er an die Stadt verkauft. Zahlreiche Seen im Osten (Hundekehle-, Grunewald- und Schlachtensee, Krumme Lanke) und im Westen 9 km Uferlandschaft entlang der Havel bieten der Stadtbevölkerung kleine und größere Bademöglichkeiten, während Teufelsberg, Grunewaldturm, Schildhorn und Jagdschloß Grunewald die beliebtesten Ausflugsziele darstellen. Zwischen Nikolassee und Grunewald verläuft die 1921 als erste deutsche Automobilrennstrecke angelegte → Avus.

Grunewaldturm

Öffnungszeiten
tgl. 10.00 – 17.30

Der Grunewaldturm an der Havelchaussee, früher 'Kaiser-Wilhelm-Turm' genannt – korrekterweise allerdings 'König-Wilhelm-Turm', da er zu Ehren

des preußischen Königs (und deutschen Kaisers) Wilhelm I. benannt wurde, – ist 56 m hoch und liegt 104 m über der Havel; 205 Stufen führen hinauf. Er wurde 1897 bis 1898 von Franz Schwechten aus rotem Backstein erbaut. In einer Halle des Turmes befindet sich das Marmorstandbild Wilhelms I.; vom Turm genießt man eine prächtige Aussicht über den Wald und die Havel hinüber nach Gatow und in den Kreis Potsdam.
Im Sommer fahren Ausflugsbusse ab Bahnhof Zoo / Hardenbergplatz nach Sonderfahrplan zum Turm. Auch Havelschiffe steuern die Anlegestelle unterhalb des Turmes an; in unmittelbarer Nähe gibt es ein Gartenrestaurant mit schönem Havelblick.

Grunewaldturm (Fortsetzung)

Bus
218 ab U-Bahn-Station Theodor-Heuss-Platz (U 2)

*Jagdschloß Grunewald (Museum) J 9

Von der Bushaltestelle Pücklerallee/Clayallee sind es noch 20 Minuten zu Fuß durch den Grunewald, bis man das Jagdschloß am Grunewaldsee erreicht, das der Baumeister Caspar Theyss 1542 im Auftrage von Joachim II., Kurfürst von Brandenburg, errichtete. Es entstand ein schlichter Renaissancebau, der im Laufe der Jahrhunderte mehrfach verändert wurde. Unter Kurfürst Johann Georg wurde 1593 der Erker als Anbau an die Rückfront angefügt, unter dem Preußenkönig Friedrich I. (1657–1713) das Schloß völlig renoviert und verändert und schließlich unter Friedrich dem Großen (1712 bis 1786) der Wirtschaftshof und der Jagdzeugschuppen erbaut. Friedrich Wilhelm II. (1744–1797) führte hier die 'Rote Jagd' am Hubertustag wieder ein, eine Tradition, die die Berliner Reitervereine mit der alljährlichen Hubertusjagd noch heute pflegen. Turbulente Tage erlebte das Schloß, als 1814 die in Kisten verpackten Einzelteile der von Napoleon Bonaparte geraubten Quadriga aus Paris wieder in Berlin eintrafen. Sie blieben hier bis zur Rückkehr auf das → Brandenburger Tor.

Lage
am Grunewaldsee

U-Bahn
Oskar-Helene-Heim (1), dann Bus 115 bis Haltestelle Pücklerallee, dann zu Fuß

Öffnungszeiten
Mai – Okt. Di. – So. 10.00 – 17.00, ansonsten nur an Wochenenden bis 16.00

Nicht nur der Natur wegen lohnt der Weg in den Grunewald. Im Jagdschloß gibt es eine feine Gemäldegalerie zu sehen; gleich hinter dem Schloß breitet sich der Grunewaldsee aus.

Grunewald, Jagdschloß (Fortsetzung) Museum

Im Jahre 1949 wurde das Schloß als Museum eröffnet. Zu sehen sind neben Mobiliar auch deutsche und niederländische Gemälde des 15. bis 19. Jh.s, u.a. seltene Stücke von Barthel Bryn, Lucas Cranach d.Ä., Anton Graff, van Haarlem, Jacob Jordaens, Franz Krüger und Antoine Pesne.

Jagdzeugmagazin

Im Jagdzeugmagazin befindet sich ein kleines Jagdmuseum mit einer Sammlung von Jagdwaffen und Trophäen (Öffnungszeiten wie Schloß).

Waldlehrschau

Im Nebengebäude kann eine sehr interessante Waldlehrschau der Schutzgemeinschaft Deutscher Wald besichtigt werden (geöffnet: Di.–Fr. 10.00 bis 14.00, Sa., So. 11.00–16.00 Uhr).

Teufelsberg

Lage
am Nordrand des Grunewaldes

S-Bahn
Grunewald (S 3, S 5)

Von der S-Bahn-Station Grunewald bedarf es noch eines etwa halbstündigen Fußmarsches, um in das Erholungsgebiet am nördlichen Rand vom Grunewald zu gelangen. Der Teufelsberg besteht aus 25 Mio. m^3 Trümmerschutt, ist 120 m hoch und auf dem Gelände der ehemaligen wehrtechnischen Fakultät entstanden. Der künstliche Berg ist mit verschiedensten Baumarten, u.a. Ahorn, Erle, Pappel und Robinie, bepflanzt worden; allerdings ist der Freizeitwert durch fernmeldetechnische Anlagen sehr beeinträchtigt. Ein benachbarter Hügel dient als Startplatz für Modellflugzeuge.

Hamburger Bahnhof P 15

Lage
Invalidenstr. 50–51, Tiergarten

S-Bahn
Lehrter Stadtbahnhof (S 3, S 5, S 7, S 75, S 9)

Nördlich vom Spreebogen liegt an der Invalidenstraße gegenüber vom zukünftigen Lehrter Bahnhof der klassizistische Bau des ehemaligen Hamburger Bahnhofs, der heute älteste erhaltene Personenbahnhof Berlins, 1845 bis 1847 nach Plänen von Friedrich Neuhaus und Ferdinand Wilhelm Holz erbaut. Die von Borsig ausgeführte Bahnhofshalle war eine reine Eisenkonstruktion und diente später vielen anderen Bahnhöfen in Deutschland als Vorbild. Züge verkehren vom Hamburger Bahnhof allerdings seit über 100 Jahren nicht mehr. Nachdem 1879 der benachbarte neue Lehrter Bahnhof die Abwicklung des Zugverkehrs übernommen hatte, wurde der Hamburger Bahnhof 1884 stillgelegt. Im Jahre 1906 ließ der preußische Staatsminister Budde hier ein Verkehrs- und Baumuseum einrichten, dessen Exponate nach 1945 zwar im Gebäude verblieben, jedoch – da unter Reichsbahnverwaltung und damit bei der DDR – bis 1984 unzugänglich waren (jetzt z.T. im → Museum für Verkehr und Technik).

***Museum für Gegenwart**

Di.–Fr. 10.00–18.00, Sa. und So. 11.00–18.00

Nach dem Umbau nach Plänen von Josef Paul Kleihues ist im Hamburger Bahnhof unter dem Namen Museum für Gegenwart eine Dependance der Neuen Nationalgalerie eröffnet worden, in der auf 10000 m^2 Fläche zeitgenössische Kunst seit 1960 aus der Privatsammlung Erich Marx, ergänzt durch Stücke aus dem Bestand der Neuen Nationalgalerie, präsentiert wird. Die ausgestellten Werke – u.a. Anselm Kiefer, Richard Serra und Junge Wilde in der großen Halle, Joseph Beuys im Westflügel, Andy Warhol, Cy Twombly und Robert Rauschenberg im modernen Anbau – machen den Hamburger Bahnhof schon jetzt zu einem der bedeutendsten Museen moderner Kunst in Europa.

Hansaviertel N 13/14

Lage
Südlicher Spreebogen, Tiergarten

Schon im letzten Jahrhundert war das heutige Hansaviertel wegen seiner Nähe zum → Tiergarten eine beliebte großbürgerliche Wohngegend, deren Häuser der alten Berliner Bauweise (Vorderhaus, Seitenflügel und Quergebäude) entsprachen. Im Zweiten Weltkrieg wurde das alte Viertel fast voll-

Kaum eröffnet, erntete das Museum für Gegenwart im Hamburger Bahnhof schon Lob von allen Seiten. Eines seiner Prunkstücke ist Anselm Kiefers Düsenjäger-Plastik "Mohn und Gedächtnis".

ständig zerstört, und so beschloß 1953 der Senat von Berlin seinen Wiederaufbau "in lockerer Bauweise". Der Grundstein zu dieser Mustersiedlung wurde im Jahre 1955 gelegt, 1957 war die Anlage Mittelpunkt der Internationalen Bauausstellung. Zehn Gartengestalter sorgten dafür, daß der Grund des ebenfalls neubepflanzten Tiergartens weit in das Wohngebiet miteinbezogen wurde.

Aus 13 verschiedenen Ländern hatten sich 48 der bedeutendsten Architekten zusammengeschlossen. Es entstanden alle Haus- und Wohnungstypen vom Einfamilienhaus mit Gartenhof über Zeilenbau bis zum Scheiben- und Punkthochhaus, eine Kongreßhalle, eine Schule und Kindertagesstätte, Kirchen für beide Konfessionen, eine Bibliothek und ein Ladentrakt mit Restaurant und Kino (jetzt Kindertheater), gruppiert um einen U-Bahnhof. Besondere Aufmerksamkeit verdienen der achtgeschossige blockhafte Bau des Finnen Alvar Aalto nahe der U-Bahn-Station Hansaplatz, das viergeschossige Wohnhaus von Günther Gottwald an der Klopstockstraße, dessen Wohnungen verschiebbare Wände haben, der große geschwungene Wohnblock von Walter Gropius in der Händelallee, wo auch die Kupferblechskulptur "Morgendämmerung Nr. 1" von Berto Ladera steht, der farbenfrohe Block des Franzosen Pierre Vago mit seinen versetzten Balkonen daneben, der blau-rot verkleidete Bau von Fritz Jaenekke und Sten Samuelson an der Altonaer Straße, das auf gespreizten Stützen ruhende Gebäude des Brasilianers Oscar Niemeyer schräg gegenüber und das siebzehngeschossige Punkthaus von Klaus Müller-Rehm und Gerhard Siegmann am Südrand mit 164 Einzelappartements. Eine originelle Komposition um einen Innenhof ist die Bücherei von Werner Düttmann. Die abstrakte Stahlskulptur "Denkmal der unbekannten Pulloverstrickerin" am Hansaplatz schuf 1960 Hans Uhlmann. Im Gebäude der Akademie der Künste (Hanseatenweg 10) werden regelmäßig wechselnde Ausstellungen, Konzerte und Theateraufführungen veranstaltet.

S-Bahn
Bellevue, Tiergarten (S 3, S 5, S 7, S 9)

U-Bahn
Hansaplatz (U 9)

Hansaviertel
(Fortsetzung)
Kaiser-Friedrich-Gedächtniskirche

Die evangelische Kaiser-Friedrich-Gedächtniskirche ist das einzige Gebäude im Hansaviertel, das auf seinem ursprünglichen Platz wiedererrichtet worden ist. Der alte neugotische Sakralbau, 1892 bis 1895 entstanden, wurde im Zweiten Weltkrieg zerstört. Im Jahre 1957 konnte der von dem Architekten Ludwig Lemmer entworfene Neubau fertiggestellt und geweiht werden. Seine Glasfenster stammen u.a. von Ludwig Peter Kowalski, die Außentüren aus Aluminiumguß von Gerhard Marcks. Die moderne Orgel mit ihren 5100 Pfeifen und 63 Registern schuf Karl Schuke. Gänzlich durchsichtig ist der insgesamt 68 m hohe Kirchturm mit seiner freihängenden Glocke. Er trägt den Spitznamen 'Seelenbohrer'.

Haus der Kulturen der Welt · Kongreßhalle P 13/14 · h 4

Lage
John-Foster-Dulles-Allee, Tiergarten

S-Bahn
Unter den Linden (S 1, S 2)

Bus
100

Das seit 1989 in der Kongreßhalle beheimatete Haus der Kulturen der Welt versteht sich als Forum für die Länder der Dritten Welt und veranstaltet u. a. regelmäßig Ausstellungen und vor allem – mittlerweile ein großes Publikum findende – Ethno-Konzerte (Veranstaltungshinweise unter Tel. 39 78 70). Den geeigneten Rahmen dazu gibt das 1250 Zuhörern Platz bietende Auditorium der Kongreßhalle, ein Markstein moderner Architektur und ein bauliches Wahrzeichen Berlins.
Die Kongreßhalle wurde im Auftrag der 'Benjamin-Franklin-Stiftung' nach Entwürfen von Hugh A. Stubbins unter Mitwirkung von Werner Düttmann und Franz Mocken als US-amerikanischer Beitrag zur Internationalen Bauausstellung 1957 (→ Hansaviertel) errichtet. Die Halle steht am Ort der Kroll-Oper, in die nach dem Reichstagsbrand 1933 der Reichstag einzog.
Dem kühn geschwungenen Dach, bis 18 m hoch, verliehen die Berliner den Spitznamen 'Schwangere Auster'. Vor der Halle befindet sich ein großes Wasserbecken mit der Plastik "Zwei Formen" von Henry Moore. Im

Ob 'Haus der Kulturen der Welt' oder 'Kongreßhalle' – für den Berliner bleibt es die 'schwangere Auster'.

Sommer 1980 stürzte das Dach zum größten Teil in sich zusammen. Nach seiner Rekonstruktion wurde die Kongreßhalle zum Stadtjubiläum 1987 wiedereröffnet.

Kongreßhalle (Fortsetzung)

Neben der Kongreßhalle steht ein 42 m hoher Glockenturm mit dem viertgrößten Carillon der Welt, gestiftet von der Daimler Benz AG. Die 68 Glokken werden von Hand über einen Glockenspieltisch bedient. Die mittleren zwei Oktaven können auch computergesteuert gespielt werden (Glockenspiel tgl. 12.00 und 18.00 Uhr).

Carillon

Havel

Flußlauf

Die Havel ist rund 340 km lang und durchströmt das Stadtgebiet von Berlin in einer Länge von 30 km. Sie entspringt in Mecklenburg bei Neustrelitz, fließt dann weiter von Norden nach Süden durch die Stadt Berlin und mündet schließlich bei Havelberg in die Elbe. Sie ist durch Kanäle mit anderen natürlichen Wasserwegen verbunden; ihr wichtigster Nebenfluß ist die → Spree, die in Spandau einmündet. Im Berliner Raum sind die landschaftlich schönsten Gebiete der Havel Schildhorn, Lindwerder, Schwanenwerder und die Gegend um die → Pfaueninsel. Das linke Ufer bildet der → Grunewald. Die Havelseen sind ein sehr beliebtes Wassersportgebiet.

*Havelchaussee

Wer einen umfassenden Eindruck von der Havel erhalten will, sollte sich eine Fahrt über die Havelchaussee nicht entgehen lassen. Umweltbewußte Reisende sollten die Bus-Ausflugslinie benutzen, die ganzjährig zwischen dem U-Bahnhof Theodor-Heuss-Platz (U 2) und der S-Bahn-Station Wannsee (S 1, S 3, S 7) auf der Linie Glockenturm – Waldbühne – Schildhorn – Grunewaldturm – Havelchaussee verkehrt. Noch schöner ist eine Radtour (→ Praktische Informationen, Fahrradverleih).
Die Havelchaussee beginnt im Norden an der Teltower Straße in → Spandau, führt an Tiefwerder vorbei und unter der Heerstraße hindurch in den → Grunewald und steigt bei Schildhorn, wo Schildhornbaude und Waldklause zur Einkehr einladen, in Windungen um den Dachsberg zum Grunewaldturm hoch, um schließlich in mäßigem Gefälle auf gerader Strecke wieder auf das Wasserniveau zu sinken. An der Lieper Bucht läuft sie am Havelufer entlang zur Großen Steinlanke (Badestrand) und dort, hinter dem Parkplatz, wieder aufwärts auf eine eiszeitliche Düne. Nach rund 2 km mündet die Chaussee dann auf den Kronprinzessinnenweg. Von hier (rechts abbiegen) gelangt man rasch in den Ortsteil Nikolassee.

*Dampferfahrt

Eine weitere Möglichkeit, dem Charakter der Havellandschaft – und auch der Spree – nachzuspüren, bietet eine Dampferfahrt. Die Berliner Personenschiffahrt hat eine lange Tradition. Ihre Anfänge lassen sich bis zum Jahr 1702 zurückverfolgen. Damals verkehrte täglich zweimal eine Treckschute (Zugschiff), die von Pferden auf einem neben der Spree angelegten Treidelweg gezogen wurde, zwischen Berlin und Charlottenburg. Das erste auf dem europäischen Festland erbaute Dampfschiff war die "Prinzessin Charlotte von Preußen". Sie lief am 14. August 1816 in Pichelsdorf bei Berlin vom Stapel und hatte eine Länge von 136 Fuß. Eine besondere Attraktion heutzutage ist das Motorschiff "Moby Dick", erbaut 1973, mit einer Länge von 48,30 m und einer Breite von 8,20 m (Fahrgastzahl 486 Personen), das die Gestalt eines Wales hat. Sie und andere Schiffe von privaten Unternehmern sowie der Stern- und Kreisschiffahrt in Verbindung mit der Weißen Flotte schippern nahezu durch 'ganz' Berlin auf Havel, Spree und den Kanälen (→ Praktische Informationen, Stadtbesichtigung).
Ein Vorschlag: mit dem Dampfer ab Anlegestelle Freybrücke (Heerstraße in Pichelsdorf, Bezirk Spandau) über Schildhorn, Grunewaldturm, Badewiese (Hohengatow), Lindwerder, Breitehorn und Kladow; hier umsteigen auf die Linien nach → Pfaueninsel, → Wannsee, Glienicker Brücke (→ Glienicke) und Potsdam. Vom Wannsee mit Bus oder S-Bahn zurück zur Innenstadt.

Internationales Congress-Centrum (ICC)

→ Ausstellungs- und Messegelände

*Jüdisches Museum · Berlin Museum R 12

Anschrift
Lindenstr. 14,
Kreuzberg

U-Bahn
Hallesches Tor
(U 1, U 6)

Bus
129, 240

Kaum ein Neubau in Berlin hat für so viel Aufregung in der Architektenwelt gesorgt wie der des Jüdischen Museums von Daniel Libeskind. Dieses expressive Gebäude auf dem Grundriß einer blitzähnlichen Zick-Zack-Linie, die einen aufgebrochenen Davidstern symbolisiert, entzieht sich konsequent dem in Berlin vorherrschenden architektonischen Mainstream. Durch seine Zinkblechfassade, in die unregelmäßige, streifenförmige Fensteröffnungen eingeschnitten sind, erhält der Bau einen sehr abstrakten, objekthaften Charakter. Das Innere des Museums, das unterirdisch an das angrenzende, barocke Berlin Museum angebunden ist, wird vor allem durch Rampenanlagen erschlossen, die den Besucher durch die irritierenden, schiefe und spitze Winkel aufweisenden Säle leiten. In manche Räume sieht man nur durch schmale Schlitze – und erblickt Leere, denn sie sollen die Abwesenheit der Opfer des Holocaust versinnbildlichen.

Ein Blitz vor Berlins Skyline: das Jüdische Museum

Das Museum war ursprünglich nur als Erweiterung des Berlin Museums gedacht, doch hat es zwischenzeitlich eine Eigendynamik entwickelt und sich zum Ziel gesetzt, als eines der größten jüdischen Museen Europas die jüdische Kulturgeschichte in Deutschland zu erzählen. Die Ausstellungen werden voraussichtlich im Herbst 2001 eröffnet.
Das Berlin Museum, bislang mit der Stadtgeschichte befaßt, wird im Gegenzug umgewidmet: Sein Eingangsbereich wird zum Servicebereich des Jüdischen Museums; mittelfristig soll es die Mode- und Kostümabteilung

des Stadtmuseums aufnehmen und langfristig ganz dem Jüdischen Museum zugeordnet werden. Stadtgeschichte wird dann vor allem im → Märkischen Museum präsentiert. Das Berlin Museum ist im barocken Gebäude des ehemaligen Alten Kammergerichts zu Hause, das 1734 und 1735 von Philipp Gerlach als 'Kollegienhaus' errichtet wurde. Das Giebelfeld ziert das preußische Staatswappen, darüber ruhen die Figuren der Justitia (Gerechtigkeit) und der Veritas (Wahrheit).

Jüdisches Museum · Berlin Museum (Fortsetzung)

KaDeWe (Kaufhaus des Westens) N 12 · e 1

Das KaDeWe ist das bekannteste Warenhaus Berlins und das größte Deutschlands. Es wurde 1907 eröffnet, 1927 von Hermann Tietz erworben und gehört nun zum Karstadt / Hertie-Konzern. Nachdem es im Zweiten Weltkrieg völlig ausbrannte, wurde es wiederaufgebaut und am 3. Juli 1950 wiedereröffnet; am ersten Verkaufstag strömten ca. 18 000 Kunden durch die Eingangstüren. Ein erneuter Aus- und Umbau erfolgte in den Jahren 1977 / 1978, und nach einem weiteren Umbau 1993 – 1996 einschließlich Aufstockung um ein Geschoß und Einbau eines Atriums– die Galeries Lafayette in der → Friedrichstraße machen Konkurrenz – präsentiert sich der Konsumtempel nun mit 60 000 m² Verkaufsfläche auf sieben Etagen: Vom Antiquitäten-Shop über Angler-Bedarf, Camping-Artikel, Computer, Elektrogeräte, Kosmetikstudios, Mode, Optiker, Parfümerien, Schallplatten- und CD-Abteilungen, Spielwaren und Sportartikel, Schuhe, Schmuck, Hochzeits-Service, Hobby- und Heimwerkerbedarf bis zum Hundesalon werden alle erdenklichen Waren und Dienstleistungen angeboten.

Lage
Tauentzienstr. 21/ Wittenbergplatz, Schöneberg

U-Bahn
Wittenbergplatz (U 1, U 2, U 12, U 15)

Star des Angebots und eine Touristenattraktion erster Güte ist aber die Lebensmittelabteilung mit einer schier unüberschaubaren Fülle an vielfältigsten und nicht zuletzt ausgefallensten Nahrungs- und Genußmitteln (insgesamt ca. 5100 Artikel), z.B. etwa 1800 Sorten Käse, 1500 Sorten Wurst, 400 Sorten Brot; ganze Wildschweine hängen zur Saison in der Abteilung 'Wild und Geflügel'; Karpfen, Hechte, Forellen, Hummer und Langusten schwimmen in den Bassins; große Auswahl an Weinen und Spirituosen. Feinschmecker und Delikatessenliebhaber belagern regelmäßig die zahlreichen Verzehrstände und Eßtheken (→ Abb. S. 271).

Lebensmittelabteilung

Karlshorst östlich U 13

Karlshorst ist ein Ortsteil des Stadtbezirks Lichtenberg. Der Name geht auf ein 1828 / 1829 errichtetes Gutsvorwerk zurück. Im Jahre 1893 wurde hier eine Pferderennbahn eröffnet, die jetzt für Trabrennen genutzt wird.

Lage
Lichtenberg

S-Bahn
Karlshorst (S 3), dann Bus 396

Deutsch-Russisches Museum Berlin-Karlshorst

Wer an deutscher Geschichte interessiert ist, sollte Karlshorst einen Besuch abstatten. Der Grund ist die graue Villa Zwieseler Str. 4: Hier befand sich 1945 das Hauptquartier des sowjetischen Marschalls Schukow, in dem in der Nacht vom 8. auf den 9. Mai 1945 der Chef des OKW Keitel die bedingungslose Kapitulation der Deutschen Wehrmacht unterzeichnete. Bereits zu DDR-Zeiten war das Haus als 'Museum der bedingungslosen Kapitulation des faschistischen Deutschlands im Großen Vaterländischen Krieg 1941 – 1945' Gedenkstätte, allerdings eindeutig aus Sicht der Sowjetunion. Nach dem Ende der DDR arbeitete eine deutsch-russische Expertenkommission ein neues Konzept aus, das die gesamten deutsch-sowjetischen bzw. russischen Beziehungen von 1917 bis heute darstellt. Im Mittelpunkt steht natürlich der Zweite Weltkrieg, doch keine der beiden Seiten wird heroisiert oder verschont. Das Museum versteht sich als Beitrag zur Verständigung zwischen Deutschen und Russen.

Öffnungszeiten
Di. – So. 10.00 – 18.00

Königliche Porzellan-Manufaktur (KPM) N 13 · e 4

Anschrift
Wegelystr. 1, Charlottenburg

S-Bahn
Tiergarten (S 3, S 5, S 7, S 75, S 9)

Von der S-Bahn-Station Tiergarten sind es wenige Minuten zur Werkstätte der Königlichen Porzellan-Manufaktur Berlin, die hier seit 1868 ihren Sitz hat. Sie ging hervor aus der 1751 von Wilhelm Kaspar Wegely gegründeten und 1763 von Friedrich dem Großen als Königliche Porzellan-Manufaktur (KPM) übernommenen ersten Berliner Porzellanfabrik. Erhalten ist allein das alte Dreherei- und Formereigebäude von 1871 an der Spree. Nach 1918 wurde die Manufaktur als Staats- und später Eigenbetrieb der Stadt Berlin in 'Staatliche Porzellan-Manufaktur' umbenannt, zum 225. Jubiläum am 19. September 1988 erhielt sie jedoch wieder die traditionsreiche Bezeichnung 'Königliche'. Nach wie vor wird in der Manufaktur hochwertiges Gebrauchs- und Zierporzellan hergestellt, das mit historisch überlieferten und modernen Mustern bemalt ist. Ausstellungs- und Verkaufsräume befinden sich in der Wegelystraße 1 (geöffnet: Mo. – Fr. 8.30 – 18.00, Sa. 9.00 – 14.00 Uhr) und am Kurfürstendamm (geöffnet: Mo. – Fr. 9.00 – 18.30, Sa. 9.00 – 14.00 Uhr); eine ständige Ausstellung mit 500 Exponaten kann im Belvedere im Park von Schloß → Charlottenburg besichtigt werden.
Friedrich der Große führte das kurbrandenburgische blaue Zepter als Schutzmarke ein, das seit 1763 die Porzellanprodukte in verschiedenen Variationen kennzeichnet. Die Farbe der heute verwendeten Malereimarke hängt von der Glasur ab: in rot für alle Malereien, in grün für alle Dekore, in blau für Kobaltdekore.

Ehemalige Synagoge der Adass Jisroel

Unweit östlich, an der Straße Siegmundshof, befanden sich eine Schule und eine Synagoge der Israelitischen Synagogengemeinde Adass Jisroel zu Berlin, derer mit einem Gedenkstein auf dem jüdischen Friedhof in Berlin-Weißensee gedacht wird (→ Friedhöfe).

Ehem. Kontrollratsgebäude O 11

Lage
Potsdamer Straße/ Kleistpark, Schöneberg

U-Bahn
Kleistpark (U 7)

Das Gebäude des ehemaligen Kammergerichts, ein 1909 bis 1913 in neobarockem Stil an der Westseite des Kleistparks (Potsdamer Straße) errichteter Bau, war Schauplatz einiger für die Nachkriegsgeschichte Berlins äußerst wichtiger Ereignisse. Während des Dritten Reiches zeitweiliger Sitz des gefürchteten NS-Volksgerichtshofes, belegten die Siegermächte des Zweiten Weltkrieges das Gebäude und hielten hier bis 1948 die Sitzungen des Alliierten Kontrollrates in der Viersektorenstadt ab. Am 20. März 1948 verließ die Sowjetunion das Gremium, das daraufhin seine Arbeit einstellte. Lediglich die Luftsicherheitszentrale der Vier Mächte setzte ihren Betrieb bis 1990 fort – das einzige Überbleibsel der gemeinsamen Verantwortung der Alliierten für Berlin. Im Jahre 1954 fand in dem Gebäude die Viermächte-Konferenz statt, 1971 wurde hier das Viermächte-Abkommen über Berlin unterzeichnet.

Rossebändiger

Die beiden "Rossebändiger" (1842 – 1844) des russischen Bildhauers Baron de Clodt vor dem Gebäude standen bis 1945 an der Lustgartenseite des Berliner Stadtschlosses. Ihre Originale befinden sich in St. Petersburg.

Sportpalast

Unweit nördlich befand sich früher der 1910 eröffnete Sportpalast. Vor allem die hier in den zwanziger und frühen dreißiger Jahren abgehaltenen Sechstagerennen machten ihn berühmt. Die Nazis entdeckten ihn ebenfalls bereits in den zwanziger Jahren als Versammlungsort, berüchtigt wurde er wegen Goebbels' Rede vom totalen Krieg im Jahr 1943. Er wurde 1951 renoviert, 1973 schließlich abgerissen und durch einen Sozialwohnungskomplex ersetzt, der nun gemeinhin 'Sozialpalast' genannt wird.

Köpenick südöstlich U 11

S-Bahn
Köpenick (S 3)

Der durch die berühmte Geschichte des Hauptmanns von Köpenick weitbekannte Stadtteil ist wie Berlin/Cölln und Spandau ein sehr altes Siedlungsgebiet, das seit der jüngeren Bronzezeit bewohnt wurde. Mitte des 12. Jh.s wurde Jaczo de Copnic als Fürst genannt, 1240 erstmals die 'Burg Koppenik' auf der Insel südlich der Stadt erwähnt.
Köpenick ist mit 127,3 km² der flächengrößte Bezirk Berlins und zugleich auch der wald- und seenreichste, weshalb er auch als 'Badewanne mit Waldrand' bezeichnet wird. Zum Stadtteil gehören außer Köpenick selbst noch die Ortsteile Oberschöneweide, Friedrichshagen, Rahnsdorf mit Wilhelmshagen und Hessenwinkel, Müggelheim, Grünau und Schmöckwitz mit Karolinenhof und Rauchfangswerder. Obwohl Köpenick mit rund 80 % an Wasser-, Wald- und anderen Grünflächen größtes Erholungsgebiet im Ostteil der Stadt ist, gilt er immer noch als größter Industriestandort in diesem Teil Berlins, obwohl er in den vergangenen Jahren einige Einbußen hinnehmen mußte.

Eingerahmt von Wasser und Grün – Köpenick ist Berlins 'Badewanne mit Waldrand'. Über allem ragt der Turm des Rathauses empor, in dem der Hauptmann von Köpenick sein Bubenstück trieb.

In Köpenick mündet die Dahme oder Wendische Spree in die → Spree. Über diese (Langer See) gelangt man am Seddinsee zum Oder-Spree-Kanal, der in den Jahren 1887–1891 angelegt wurde und kurz vor Fürstenwalde die Spree erreicht, wo er deren sehr windungsreichen Lauf abkürzt. Die ausgedehnten Wald- und Wasserflächen von Köpenick locken im Sommer Zehntausende von Wanderern und Wassersportlern in diesen Bezirk. Die weiten Heidewälder (ca. 5880 ha) zeigen neben den charakteristischen Kiefern auch Birken, Eichen, Buchen und Linden. Die Wälder um Köpenick und den → Müggelsee gehörten bis ins 18. Jh. hinein zu den reichsten Wildkammern zwischen Elbe und Oder.

Altstadt

Tram
62, 63 ab S-Bahnhof Köpenick

Die alte Stadt Köpenick entstand auf einer Insel am Zusammenfluß von Spree und Dahme und hat seit Anfang des 14. Jh.s Stadtrecht. Im 19. Jh. zunächst wegen ihrer Wäschereien als Berlins 'Waschküche' bekannt, entwickelte sie sich von 1871 an auch als Standort von Fabriken. Der 1898 eingemeindete Ortsteil Kietz, der Altstadt südlich gegenüber, hat seit jeher Fischereirechte.
Mehrere alte Häuser des 18. und 19. Jh.s sind in der Straße Alt-Köpenick erhalten. Westlich davon am Luisenhain legen die Schiffe der Weißen Flotte an.

Rathaus · 'Hauptmann von Köpenick'

Im Zentrum der Altstadt liegt der neugotische Backsteinbau des alten Rathauses, das 1901 – 1904 nach einem Entwurf von Hans Schütte errichtet wurde. Bekannt geworden ist der Bau durch den 'Hauptmann von Köpenick', den 57jährigen Schuhmacher Wilhelm Voigt (→ Berühmte Persönlichkeiten) aus Tilsit, der 1906 in Hauptmannsuniform 12 Grenadiere von der Militärbadeanstalt am Plötzensee seinem Kommando unterstellte, mit diesem Trupp nach Köpenick fuhr und hier den Bürgermeister verhaftete und die Stadtkasse beschlagnahmte. Die Geschichte des Hauptmanns von Köpenick hat Carl Zuckmayer in seinem gleichnamigen Bühnenstück ("Der Hauptmann von Köpenick. Ein deutsches Märchen in drei Akten", 1931) verarbeitet. Im Herbst 1996 ist Wilhelm Voigt vor dem Köpenicker Rathaus ein Denkmal gesetzt worden.

St.-Laurentius

Unweit nördlich vom Rathaus steht die 1838 – 1841 von Butzke erbaute St. Laurentiuskirche.

*Schloß Köpenick

Lage
auf der Schloßinsel

Auf der Schloßinsel östlich der Altstadt stand schon im Mittelalter eine slawische Burganlage, die vermutlich Sitz des Fürsten Jaczo de Copnic war. Mitte des 16. Jh.s ließ dann Kurfürst Joachim II. statt der baufällig gewordenen Wasserburg ein Jagdschloß im Stil der Renaissance errichten. Während des Dreißigjährigen Krieges nahm hier Gustav Adolf von Schweden Aufenthalt. Ende des 17. Jh.s ließ der Große Kurfürst das Schloß von Rutger van Langerfeldt in seiner heutigen Form umbauen. Im prachtvollen Wappensaal des Schlosses tagte vom 22. bis 28. Oktober 1730 auf Befehl Friedrich Wilhelms I. das Kriegsgericht über den Kronprinzen Friedrich (später Friedrich II.) und seinen Freund Leutnant Hans Hermann von Katte, der dem Kronprinzen bei seinem Fluchtversuch geholfen hatte. Katte wurde zum Tode verurteilt und auf Befehl Friedrich Wilhelms I. vor den Augen Friedrichs in Küstrin hingerichtet. Von 1849 bis 1926 befand sich im Schloß ein Lehrerseminar.

Sanierung

Seit 1963 beherbergte das Schloß einen Teil des 1867 gegründeten Kunstgewerbemuseums. Die Köpenicker Bestände werden nun nach und nach in die Ausstellung des Kunstgewerbemuseums auf dem → Kulturforum integriert. Schloß Köpenick wird derzeit saniert und soll – voraussichtlich im Jahr 2002 – als 'Museum der Raumkunst' wiedereröffnet werden. Dahinter verbirgt sich eine Abfolge von Epochenräumen, die Möbel und Ausstattungsstücke aus verschiedenen Zeiten präsentieren werden. Im Mittelpunkt wird der schon erwähnte Wappensaal stehen, und auch die Schloßkapelle nach Entwürfen von Johann Arnold Nering (1680 – 1690) wird dann wieder zu sehen sein. Im Schloßpark gedeihen einige seltene, im 19. Jh. gepflanzte Baumarten. Von der Langen Brücke hat man einen schönen Blick auf die Wasserseite des Schlosses und die Altstadt.

Oberschöneweide

Das östlich von Alt-Köpenick gelegene Oberschöneweide ist ein traditionsreicher Industriestandort. Wo heute die Elektronikfirma Samsung ihren Sitz hat, produzierte bis 1933 die Nationale Autogesellschaft (NAG) Autos,

Preußische Geschichte spielte sich in Schloß Köpenick ab: 1730 wurde hier Leutnant von Katte zum Tode verurteilt.

Köpenick (Fortsetzung)

dann folgten AEG-Telefunken und zu DDR-Zeiten das Werk für Fernsehelektronik. Das Gelände wird überragt vom denkmalgeschützten, 70 m hohen Industrieturm des Peter-Behrens-Baus von 1916/1917 an der Ostendstr. 1 (Anfahrt: Bus 167 ab Schloßplatz Köpenick).

Wuhlheide

Nur wenig nördlich beginnt die Wuhlheide, ein Freizeitgelände für Kinder und Jugendliche mit Freilichtbühne, Freizeitpalast, Schwimm- und Sporthalle, Badesee, Tiergehege und der Berliner Parkeisenbahn.

Kreuzberg P–T 10–12

U-Bahn
mehrere Stationen der U 1, U 6 und U 8 im Bereich zwischen Gleisdreieck, Schlesischem Tor, Hermannplatz und Moritzplatz

Lange Jahre war Kreuzberg der Inbegriff für ein alternatives Berlin, für eine Kneipenkultur erster Güte, in der die Nächte lang und länger sind, für ein multikulturelles Stadtteilexperiment, aber auch für Wohnraumspekulation, Hausbesetzung und Randale, bevorzugt am 1. Mai. Von alldem ist heute immer weniger zu spüren, denn Kreuzberg ist einer der Verlierer der Berliner Einheit. Durch den Fall der Mauer rückte Kreuzberg von seiner Randlage, in der manch alternatives Pflänzchen auch mit Hilfe von Senatsgeldern wachsen konnte, urplötzlich in die Mitte der Stadt. Alternative und Autonome haben sich nach → Prenzlauer Berg oder Friedrichshain verzogen; die Kassen sind leer, Arbeit gibt es nicht allzuviel. Heute sind mehr als 30 % der erwerbsfähigen Kreuzberger ohne Job, und jeder sechste bezieht Sozialhilfe. In solch einem Umfeld gedeihen Konkurrenzneid, Jugendkriminalität und Mißstimmungen zwischen Einheimischen und Ausländern, deren Anteil sich auf insgesamt 34 % beläuft. Die größte Gruppe sind die Türken – Kreuzberg ist die größte türkische Gemeinde in Deutschland.
Trotzdem: In Kreuzberg gibt es etwas zu sehen, und auch abends ist noch einiges los, z. B. an der Oranienstraße zwischen Oranien- und Heinrichplatz oder an der Adalbertstraße.

Kreuzberger Stilleben

Die Hochbahn prägt Kreuzberg

Der Bezirk Kreuzberg wurde 1920 aus der südlichen Friedrichstadt, der Luisenstadt und aus der Tempelhofer Vorstadt gebildet. Charakteristisch für Kreuzberg sind die hier als Hochbahn verlaufende U-Bahn und der Landwehrkanal, die den Bezirk von Ost nach West durchschneiden. Zu den Hauptsehenswürdigkeiten Kreuzbergs gehören das → Museum für Verkehr und Technik, der → Martin-Gropius-Bau, die Kirchhöfe vor dem Halleschen Tor (→ Friedhöfe) und das → Berlin Museum.

Kreuzberg (Viktoriapark) P / Q 10

U-Bahn
Platz der Luftbrücke (U 6)

Seinen Namen erhielt der Stadtteil nach dem 66 m hohen Kreuzberg, der im Süden unweit vom → Flughafen Berlin-Tempelhof liegt. Um 1300 hieß der Berg noch 'Tempelhofer Berg'. Zu dieser Zeit war er durch Schenkung in den Besitz der Franziskaner gekommen. Später hieß er der 'Runde' oder 'Götzesche Weinberg', denn bis 1740 wurde hier Wein angebaut. An seinen Hängen erstreckt sich der 16 ha große, 1888 – 1894 von Gartenbaudirektor Hermann Mächtig angelegte und 1913 / 1914 erweiterte Viktoriapark. Zu seinen Anlagen gehören eine Wolfsschlucht, eine Rodelbahn und ein künstlicher Wasserfall, der dem Zackelfall im Riesengebirge nachempfunden ist. Auch die Tradition des Weinbaus hat man im Park wieder aufgenommen; angebaut werden ein Rot- und ein Weißwein, der jedoch nur zu offiziellen Anlässen ausgeschenkt wird. Den Gipfel des Kreuzbergs krönt das 20 m hohe Denkmal zur Erinnerung an die Freiheitskriege 1813 – 1815, das nach Entwürfen von Schinkel von 1818 bis 1821 errichtet wurde. Zwölf Statuen symbolisieren die Hauptsiege und tragen zugleich die Züge der herausragenden Persönlichkeiten dieser Zeit.

Südlich unterhalb liegt die burgartige Schultheiss-Brauerei. Nach Umbau soll hier 2003 die Berlinische Galerie einziehen.

Riehmers Hofgarten

Wenig nördlich vom Viktoriapark kann man zwischen Hagelberger, Großbeeren- und Yorckstraße ein interessantes Kapitel der Berliner Wohnungsbaugeschichte studieren und noch Alt-Kreuzberger Atmosphäre unter Gaslaternen spüren. Maurermeister Riehmer ließ hier zwischen 1891 und 1899 eine dreiflügelige Wohnanlage errichten, die sich wohltuend von den tristen Mietskasernen abhebt. Die Wohnhäuser gruppieren sich um kopfsteingepflasterte, begrünte Innenhöfe und sind durch eine eigene Zufahrtsstraße erschlossen.

Bergmannstraße Q 10

U-Bahn Gneisenaustraße (U 7)

Vom U-Bahnhof Gneisenaustraße erreicht man in südlicher Richtung die Bergmannstraße: Gaslaternen, Kopfsteinpflaster, Gründerzeithäuser mit Läden, Kneipen, Cafés, Imbißstände aller Couleur machen sie zu einem ganz authentischen Stück Kreuzberg: Alt-Kreuzberger Atmosphäre gepaart mit Multi-Kulti. Die schönsten Ecken sind der etwas südlich gelegene Chamissoplatz und der Marheinekeplatz mit einer der vier von ursprünglich 14 in Berlin vorhandenen Markthallen – die Kreuzberger Ausgabe zieren Wandzeichnungen von Heinrich Zille.

Landwehrkanal Q–U 11

Der 10,3 km lange Landwehrkanal durchzieht Kreuzberg von Osten nach Westen und verbindet die Oberspree (Schlesisches Tor) mit der Unterspree (Charlottenburg). Er wurde 1845 bis 1850 nach Plänen von Peter Joseph Lenné anstelle des Floß- oder Schafgrabens angelegt und 1883 bis 1889

Auch das ist Kreuzberg: Ruhe und Beschaulichkeit auf dem Landwehrkanal

Kreuzberg, Landwehrkanal (Fortsetzung)

erweitert. Ursprünglich als Grenzmarkierung gezogen und schon 1450 erwähnt, hat der Kanal viel zur wirtschaftlichen Entwicklung beigetragen, ist heute jedoch ohne Bedeutung. Die schönsten Uferspazierwege und Häuserzeilen findet man am Paul-Lincke-Ufer. Am gegenüberliegenden Maybachufer findet dienstags und freitags ein bunter türkischer Markt statt.

Lapidarium

Am Halleschen Ufer 78 kann man im Lapidarium Fragmente hauptstädtischer Skulpturenkunst und Teile der Sammlung der Berlinischen Galerie bewundern (geöffnet: tgl. außer Di. 10.00 – 20.00 Uhr).

Mariannenplatz S 12

U-Bahn
Görlitzer Bahnhof (U 1, U 15)

Der Mariannenplatz liegt im Norden Kreuzbergs an der Adalbert- und Weimarstraße. Er wurde 1853 von Peter Joseph Lenné entworfen und 1979/1980 weitgehend rekonstruiert. An seiner Westseite steht das ehemalige Krankenhaus Bethanien, 1845 bis 1847 als erster größerer Bau in dieser Gegend errichtet. 1848/1849 arbeitete Theodor Fontane als Apotheker hier im Krankenhaus. Heute dient das Gebäude dem Künstlerhaus Bethanien und beherbergt Ateliers, Theater- und Ausstellungsräume, Druckwerkstätten, das Kunstamt Kreuzberg, das Heimatarchiv Kreuzberg und die Namik-Kemal-Bücherei, die einzige türkische Bibliothek Berlins. An der Nordseite des Platzes erhebt sich die neoromanische Thomas-Kirche.

Weitere Sehenswürdigkeiten in Kreuzberg

Am Fraenkelufer und am Schlesischen Tor stehen interessante, für die Internationale Bauausstellung (IBA 1987) errichtete Neubauten.
An der Ecke Admiralstraße/Kohlfurter Straße ist das sog. Admiralsdenkmal von Ludmila Seefried-Matejková (1985) aufgestellt. Es zeigt eine große steinerne Eieruhr, auf der zwei Admiräle mit Fernrohren stehen; am Fuß des Denkmals sitzen eine Punkerin und ein Mundharmonikaspieler.

Oberbaumbrücke (Bezirk Friedrichshain) U 12

U-Bahn
Schlesisches Tor (U 1, U 15)

Nordöstlich der Einmündung des Kanals in die Spree überspannt die Oberbaumbrücke den Fluß und verbindet Kreuzberg mit Friedrichshain. Die im Stil der märkischen Backsteingotik aufgeführte, 30 m breite Brücke mit zwei mächtigen Türmen wurde 1896 erbaut. Sie und ihre Vorgängerbauten galten als Tor zur inneren Stadt. Ihr Name führt sich darauf zurück, daß hier einst nachts ein Schwimmbaum quer vor die Brückendurchfahrt gelegt wurde, um die Schiffe am Einfahren zu hindern. Nach dem Mauerbau konnten nur Rentner mit Passierschein die Brücke benutzen. Am 9. November 1989, kurz nach Bekanntgabe der Öffnung der Grenzen, erlebte sie einen Ansturm Zehntausender von Ostberlinern. Fünf Jahre später ist sie renoviert und dem Verkehr einschließlich der U-Bahnlinie 1 übergeben worden – sehr zum Leidwesen der Anwohner, die um ihre Ruhe fürchten.

**Kulturforum P 12 · h/j 2

Lage
zwischen Tiergartenstraße, Potsdamer Platz und Landwehrkanal

S- und U-Bahn
Potsdamer Platz (S 1, S 2, S 25, U 2)

Zwischen dem Südostrand des → Tiergartens, dem Landwehrkanal und dem → Potsdamer Platz erstreckt sich das Kulturforum, neben → Museumsinsel und den Museen in → Dahlem der Hauptstandort der Staatlichen Museen Preußischer Kulturbesitz. Hier sind nach der Neukonzeption der Berliner Museumslandschaft die Museen mit dem Schwerpunkt 'Europäische Kunst' versammelt.
Der Gedanke zur Schaffung eines neuen Kulturzentrums in Westteil der Stadt geht zurück auf ein städtebauliches Konzept des Architekten Hans Bernhard Scharoun (1893 – 1972). In dem durch Hitlers Baupläne für eine gigantische neue Reichshauptstadt schon vor und vollends während des Zweiten Weltkrieges durch Bomben verwüsteten Stadtbereich entstanden zuerst als östliche Eckpfeiler die Philharmonie (1960 – 1963) und die Staats-

Baugeschichte (Fortsetzung)

bibliothek (1966–1978) sowie am Südrand die Neue Nationalgalerie (1965–1968). Es folgten das nordöstlich an der Philharmonie angesetzte Gebäude für das Staatliche Institut für Musikforschung (1979–1984) mit dem Musikinstrumentenmuseum, der massive Zweckbau für das Kunstgewerbemuseum (1978–1985) westlich gegenüber der Philharmonie und der sich südlich an diese anschließende Neubau des Kammermusiksaales ('Kleine Philharmonie'; 1984–1987). Am Matthäikirchplatz erhielten bis 1994 zudem das Kupferstichkabinett und die Kunstbibliothek neue Räumlichkeiten. Die Westseite schließt nun die mehrfach gegliederte Baugruppe der Gemälde- und der Skulpturengalerie ab.

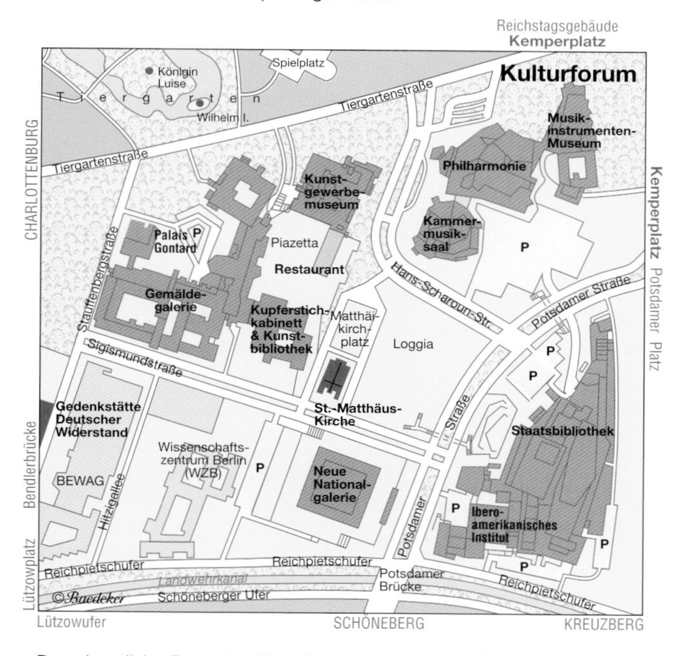

Forum

Das eigentliche Forum inmitten der zuvor genannten Bauten entwarf der österreichische Architekt Hans Hollein: Zum Bereich nordöstlich vor der 1846 von August Stüler errichteten St.-Matthäus-Kirche, einem Ziegelbau in italo-romanischem Stil (bis 1960 restauriert; innen modern) gehört ein geschwungener Kolonnadenbau ('Loggia') an der Potsdamer Straße sowie westlich anschließend die 'Piazzetta'.

**Gemäldegalerie

Öffnungszeiten
Di. – So.
10.00 – 18.00,
Do. bis 22.00;
Galerierundgang
So. 14.30; Themenführungen Do. und Sa. 14.30

Mit der Eröffnung der neuen Gemäldegalerie Mitte 1998 ist die Neuformierung der Museen auf dem Kulturforum abgeschlossen. In der Gemäldegalerie, eine der bedeutendsten Kunstsammlungen der Welt, sind nun die ehemals in Dahlem bzw. auf der Museumsinsel befindlichen Werke wieder vereint. Die Galerie ist hervorgegangen aus den Kunstsammlungen des Großen Kurfürsten und Friedrichs des Großen und bietet trotz schwerer Verluste im Zweiten Weltkrieg einen ausgezeichneten Überblick über die europäische Malerei bis zum ausgehenden 19. Jahrhundert.

Gemäldegalerie (Fortsetzung)

Der Galerieneubau zeigt sich von außen im – ungeliebten – Gewand von Rolf Gutbrod, die Innenräume sind von den Münchener Architekten Hilmer und Sattler umgestaltet worden. Kern des Gebäudes ist die große dreischiffige Wandelhalle, die bis auf eine Skulptur von Walter de Maria völlig leer ist. Von ihr aus geht es nach rechts zur deutschen, flämischen und niederländischen Malerei, nach links zu den Italienern, Franzosen und Spaniern. Danach trifft man sich in drei Sälen mit europäischer Malerei aus dem 18. Jahrhundert. Im Untergeschoß befindet sich die Studiengalerie. In der digitalen Galerie bewegt man sich am PC durch die Gemäldewelt.

Deutsche Malerei

Glanzstücke sind acht Werke von Albrecht Dürer, u.a. "Madonna mit dem Zeisig", die "Junge Venezianerin" sowie die berühmten Bildnisse des Hieronymus Holzschuher und des Jacob Muffel. Weiterhin sind Lucas Cranach d. Ä., Hans Holbein d. J., Albrecht Altdorfer u.a. vertreten.

Flämische und niederländische Malerei

Einen besonderen Schwerpunkt bilden die Gemälde von Rembrandt und seiner Werkstatt ("Der Mennonitenprediger Anslo und seine Frau", 1641; "Susanna und die beiden Alten", 1647; "Hendrickje Stoffels" und der "Mann mit dem Goldhelm"); außerdem Bildnis- und Landschaftsmalerei von Frans Hals, Thomas de Kayser, Jakob van Ruisdael, Salomon van Ruisdael und Esais van de Velde, Genrebilder von Jan Vermeer van Delft und Jan Steen; weiterhin Gerard ter Borch, Hieronymus Bosch, Peter Brueghel d.Ä., van Cleve, Jordaens, van Dyck, Jan van Eyck, Hugo van der Goes, van Leyden, Hans Memling, Peter Paul Rubens, Jean Fouquet und Rogier van der Weyden.

Nicht von Rembrandt, aber aus seiner Werkstatt: "Der Mann mit dem Goldhelm"

Italienische Malerei

Barockgemälde von Caravaggio, Veduten von Canaletto und Guardi, florentinische Arbeiten von Botticelli, Fra Filippo Lippi, Fra Angelico, Pollaiuolo und Signorelli, venezianische und norditalienische Malerei von Bellini, Mantegna, Carpaccio, Tizian, Tintoretto, Veronese und Correggio sowie Ludovico Carracci, Giotto, Bartolomeo Passerotti, Tiepolo und Raffael.

Französische Malerei

Drei Werke von Nicolas Poussin, ein Landschaftsbild von Claude Lorrain; weiterhin Georges de La Tour und die Brüder Le Nain (17. Jh.) sowie Werke von Künstlern des 18. Jh.s, u.a. von Antoine Pesne, Jean Restout und Antoine Watteau.

Spanische Malerei

"Mater Dolorosa" von El Greco, Goya, Velázquez ("Bildnis einer Dame"), Murillo ("Taufe Christi") und Zurbarán ("Bildnis des Alonso Verdugo").

Englische Porträtmalerei

Arbeiten von Thomas Gainsborough ("Bildnis einer alten Dame"), Joshua Reynolds ("George Clive und Familie"), Thomas Lawrence, John Hoppner.

Kunstbibliothek

Die 1867 gegründete Kunstbibliothek ging aus dem Gewerbemuseum des Berliner Handwerkervereins hervor. Heute gehört sie mit ihrem Museum für Architektur, Modebild und Grafik-Design den Staatlichen Museen zu Berlin – Stiftung Preußischer Kulturbesitz an und umfaßt die Unterabteilungen Kunstwissenschaftliche Bibliothek (ca. 180 000 Bände), Lipperheidesche Kostümbibliothek mit eigenem Lesesaal (in 18 000 Bänden und 65 000 grafischen Blättern werden Trachten und Kostüme vorgestellt), grafisches Kabinett für angewandte Kunst mit einer Sammlung der Architekturmaterialien von der Gotik bis zur Moderne (100 Baumodelle, 25 000 Handzeichnungen, 40 000 Blätter und Stiche), Gebrauchsgrafische Sammlungen mit 48 000 Plakaten und ca. 100 000 Blättern angewandter Grafik, Sammlung Grisebach (2000 Bände und 5000 Einzelblätter zur europäischen Buch- und Schriftkunst vom 15. bis 18. Jh.) und Sammlung illustrierter Bücher und Pressendrucke des 19. und 20. Jahrhunderts. Die magazinierten Sammlungen der Architekturzeichnungen, Gebrauchsgrafik und Plakate stehen nur nach Anmeldung zur Verfügung.

Öffnungszeiten
Ausstellung:
Di. – Fr.
10.00 – 18.00,
Sa. und So.
11.00 – 18.00;
Bibliothek:
Mo. 14.00 – 20.00,
Di. – Fr.
9.00 – 20.00

**Kunstgewerbemuseum

Das 1867 als älteste Einrichtung seiner Art in Deutschland gegründete Kunstgewerbemuseum befand sich bis 1921 im → Martin-Gropius-Bau und danach bis 1939 im Berliner Stadtschloß. Ein Teil der Sammlungen wurde nach dem Zweiten Weltkrieg im Schloß → Köpenick neu zusammengestellt. Der andere Teil war bis 1984 provisorisch im Charlottenburger Schloß untergebracht, bevor die Räume des neuen Kunstgewerbemuseums im Mai 1985 in einem trutzigen Zweckbau von Rolf Gutbrod eröffnet werden konnten. Nach und nach werden die Bestände aus Köpenick, darunter auch das berühmte Berliner Silberbuffet, nun in das Museum auf dem Kulturforum integriert.

Öffnungszeiten
Di. – Fr.
10.00 – 18.00,
Sa. u. So.
11.00 – 18.00

Das Museum zeigt Beispiele aus allen Bereichen des europäischen Kunstgewerbes vom frühen Mittelalter bis in die Gegenwart. Ausgestellt sind auf vier Ebenen Keramik, Porzellan, Glas, Bronzen, byzantinische Goldemailarbeiten, Goldschmiedearbeiten, Silbergefäße, Möbel, Uhren, Textilien, Stickereien, Bildteppiche, Historismus, Jugendstilarbeiten, Art deco, Industriedesign, modernes Kunsthandwerk und vieles andere. Besonders erwähnenswert sind der 'Welfenschatz' (44 Reliquiare, Tragaltäre und Kreuze aus dem 11. bis 15. Jh., die dem ehemaligen Kirchenschatz des St. Blasius-Doms in Braunschweig entstammen), der Schatz des ehemaligen Dionysiusstiftes von Enger/Herford (u.a. das sog. Bursenreliquiar, wahrscheinlich ein Taufgeschenk Karls des Großen an den Sachsenherzog Widukind, Ende 8. Jh.), die Sammlung spanischer und italienischer Majolika (16. Jh.), das Lüneburger Ratssilber

Kuppelreliquiar aus dem Welfenschatz

Kulturforum

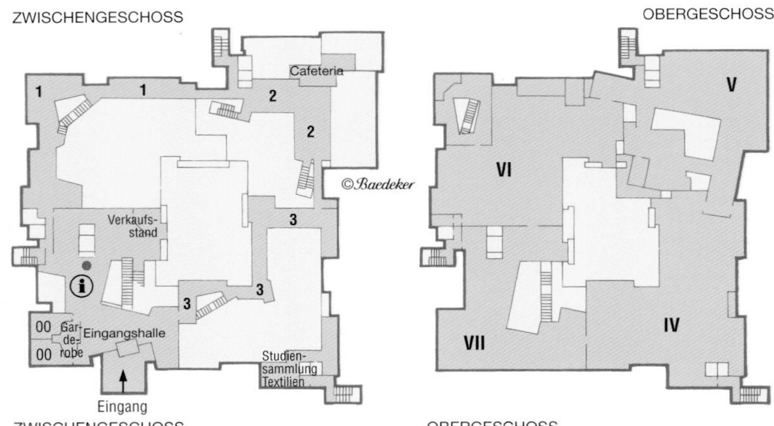

ZWISCHENGESCHOSS
Informationsgalerien zu den Themen
1 Metall
2 Glas, Keramik
3 Textilien, Holz und andere organische Stoffe, Möbel, Ausstattung des Innenraumes, festliche Tafel

OBERGESCHOSS
IV Renaissance bis Barock: Pommerscher Kunstschrank, Uhren, Steinzeug, Glas, Silber
V Barock und Rokoko: Fayence, Porzellan, Silber, Möbel, Chinoiserien, Kanton-Emails
VI Rokoko bis Jugendstil: franz. und deutsche Möbel des 18. Jh.s, Porzellan und Silber des Klassizismus, 'Berliner Eisen', Kostüme, Bugatti-Zimmer
VII Jugendstil bis Art deco

Kunstgewerbemuseum

ERDGESCHOSS
I Mittelalter: Schatz von Enger, Heinrichskreuz, Operatio, Taufschale Barbarossas, Welfenschatz
II Renaissance: venezianische Gläser, Majolika, Bronzen, Limoges-Email, Möbel, Bildteppiche
III Renaissance: Lüneburger Ratssilber, Teppichserie nach Petrarca, Kabinettscheiben, Jagdwaffen
VIII Sonderausstellungen

UNTERGESCHOSS
IX, X Die Neue Sammlung - Kunsthandwerk und Design 1900-1945: Porzellan, Glas, Möbel, Bauhaus-Arbeiten; Kunsthandwerk und Design 1945-1990: Porzellan, Glas, Metall, Kunststoff, Möbel, technische Geräte

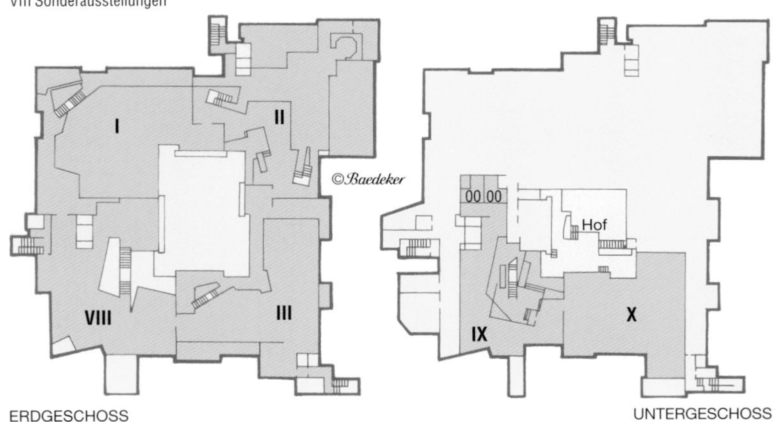

(15./16. Jh.), der Kaiserpokal von Wenzel Jamnitzer (1564), die Weltallschale von Jonas Silber (1589), ein Verwandlungstisch von Abraham Roentgen (18. Jh.), Überfanggläser von Emile Gallé (19. Jh.) sowie die Ausstellung von zeitgenössischem Produktdesign.

Kunstgewerbemuseum (Fortsetzung)

*Kupferstichkabinett

Öffnungszeiten
Di. – Fr. 10.00 – 18.00, Sa. u. So. 11.00 – 18.00

Das im Jahr 1994 in seinem neuen Domizil auf dem Kulturforum eröffnete Kupferstichkabinett zeigt vereint die beiden bedeutenden Sammlungen, die früher im → Alten Museum und in → Dahlem getrennt ausgestellt waren.
Die Geschichte des Kupferstichkabinetts begann 1652, als der Große Kurfürst rund 2500 Zeichnungen und Aquarelle erwarb und in der Hofbibliothek beim Berliner Stadtschloß unterbringen ließ. Ende des 18. Jh.s plädierte der Archäologe Aloys Hirth dafür, die umfangreiche kurfürstliche Sammlung in einem eigenen Haus der Öffentlichkeit zugänglich zu machen, 1831 öffnete schließlich das Preußische Kupferstichkabinett im Königlichen Museum seine Tore. Heute besitzt die ehemals königliche Sammlung mehr als 80 000 Zeichnungen, Aquarelle, Gouachen und Pastelle vom 14. bis 20. Jh., rund 520 000 druckgrafische Blätter vom späten Mittelalter bis zur Gegenwart, ca. 2000 Druckplatten und mit Originalgrafik illustrierte Bücher vom 15. bis 20. Jh. sowie fast 250 Inkunabeln.

Ausstellung

Rund 500 Exponate werden in der dreigeteilten Ausstellung präsentiert. Die erste Abteilung zeigt Werke aus dem 'Mittelalter und der Renaissance', darunter ein 1056 gestaltetes Reichenauer Evangeliar, Druckgrafiken Martin Schongauers und eine Auswahl aus den 84 Illustrationen Botticellis zur "Göttlichen Komödie" von Dante. 'Von der Renaissance bis zur Aufklärung' führen in der zweiten Sektion Zeichnungen und Druckgrafiken der altdeutschen Meister Dürer, Grünewald, Altdorfer und der Gebrüder Cranach sowie Grafiken der Niederländer Pieter Brueghel d. Ä., Rembrandt, Rubens und Ruisdael; die italienische Renaissance ist mit Arbeiten von Tizian, Tintoretto, Tiepolo und Piranesi vertreten, Frankreich mit Blättern von Clouet, Callot, Lorrain, Watteau und Jacques Louis David, während aus England Arbeiten von Reynolds, Hogarth und Gainsborough zu sehen sind. Die Überleitung zum 19. Jh. illuminieren Zeichnungen von Goya. Der untere Saal ist Exponaten 'von der Romantik bis zur Gegenwart' gewidmet, von Caspar David Friedrich und Menzel bis zu Kirchner, Ensor und Beuys, von Daumier und van Gogh bis zu den Expressionisten der 'Brükke' und des 'Blauen Reiters' sowie amerikanischen Graphiken der Nachkriegszeit. Zu den Haupterwerbungen der jüngsten Zeit zählen Picassos 1908 gemaltes Aquarell "Studie zur Huldigung" und das von Oskar Schlemmer stammende Aquarell "HK 1926".

*Musikinstrumenten-Museum

Öffnungszeiten

Die Öffnungszeiten des Museums sind Di. – Fr. 9.00 – 17.00, Sa., So. 10.00 bis 17.00 Uhr; die Bibliothek ist Di. – Do. 10.00 – 17.00, Fr. 10.00 – 12.00 Uhr, das Archiv Mo. – Do. 9.00 – 15.00, Fr. 9.00 – 14.00 Uhr geöffnet. Führungen finden Sa. 11.00 Uhr und nach Vereinbarung statt.

Das zum Staatlichen Institut für Musikforschung Preußischer Kulturbesitz gehörige Musikinstrumenten-Museum, gegründet im Jahre 1888, war bis zum Herbst 1983 in Wilmersdorf untergebracht. Das neue Haus, von Hans Scharoun entworfen und von Edgar Wisniewski vollendet, konnte 1984 bezogen werden und ist direkt mit der Philharmonie verbunden.
In dem offenen, hellen Museumsraum werden ca. 500 Instrumente weitgehend in ihrem Kontext gezeigt, einer chronologischen Ordnung folgend. Die Sammlung umfaßt überwiegend europäische Kunstmusikinstrumente vom 16. bis 20. Jh., darunter Unikate aus Renaissance und Barock. Zwei Kirchenorgeln sind in den Raum ebenso integriert wie eine Wurlitzer Kon-

Kulturforum

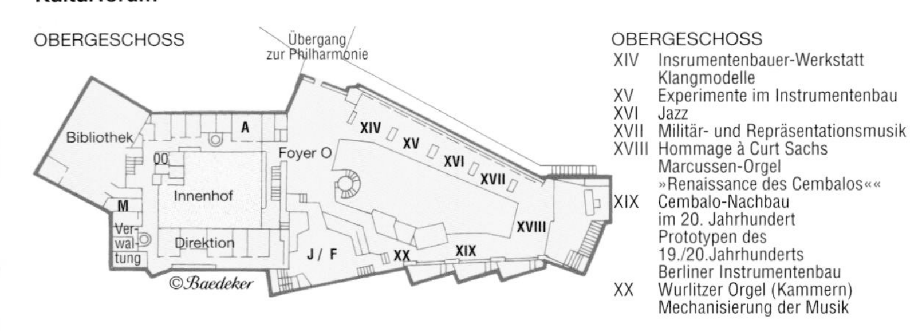

OBERGESCHOSS

XIV	Insrumentenbauer-Werkstatt Klangmodelle
XV	Experimente im Instrumentenbau
XVI	Jazz
XVII	Militär- und Repräsentationsmusik
XVIII	Hommage à Curt Sachs Marcussen-Orgel »Renaissance des Cembalos««
XIX	Cembalo-Nachbau im 20. Jahrhundert Prototypen des 19./20.Jahrhunderts Berliner Instrumentenbau
XX	Wurlitzer Orgel (Kammern) Mechanisierung der Musik
A	Archiv des 19.Jahrhunderts
J/F	Jazz- und Folkloresaal
M	Musikgeschichte und Musiktheorie

Musikinstrumenten-Museum

Staatliches Institut für Musikforschung Preußischer Kulturbesitz

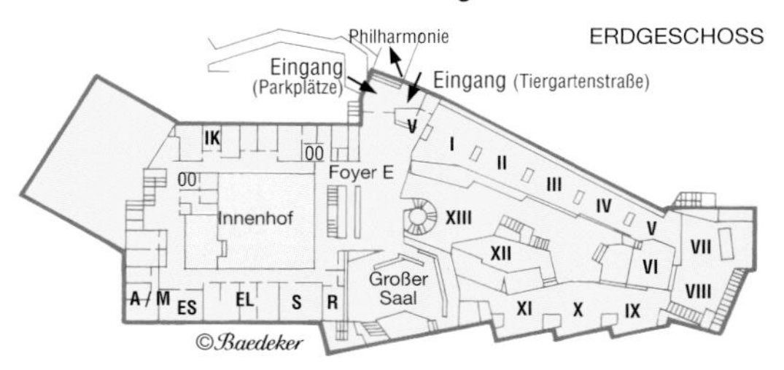

ERDGESCHOSS

I-IV	Cembali, Tangentenflügel Tafelklavier, Clavichord
I	Blasinstrumentenbau aus St. Wenzel in Naumburg, Orgelpositiv
II	Frühe Orgeln und Lauten Alemannische Schule
III	Gamben, berühmte Streichinstrumente (Amati, Stradivari, Strainer, Gagliano, Vuillaume)
IV	Nürnberger Blasinstrumentenbau Drehleiern
V	Pandurien und Pochetten
VI	Musik in Preußen und Berlin
VII	Gray-Orgel mit Rückpositiv Harmonien
VIII	Wiener Klassik
IX	Musikpersönlichkeiten im 19.Jahrhundert
X	Biedermeier
XI	Gründerzeit
XII	Wurlitzer-Orgel (Spieltisch) Objekte des 20. Jahrhunderts
XIII	Verkehrsfläche (u.a. für musikalische Veranstaltungen)
A/M	Akustik und Musikpsychologie
EL	Elektroniklabor
ES	Elektronische Schneideanlage
G	Garderobe
IK	Instrumentenkunde
R	Regie
S	Studio
V	Verkaufsstand

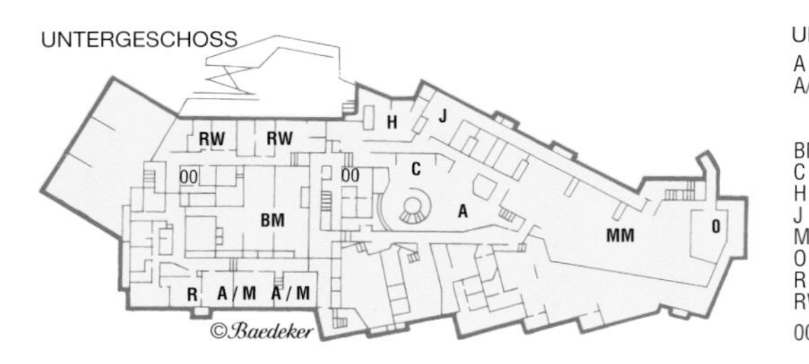

UNTERGESCHOSS

A	Ausstellungsfläche
A/M	Akustik & Musikpsychologie (Hallraum u. reflexionsarmer Raum)
BM	Büchermagazin
C	SIM-Café
H	Holzlager
J	Juniormuseum
MM	Musikinstrumentenmagazin
O	Objektschutz
R	Rechenzentrum
RW	Restaurierungswerkstätten
00	Toiletten

Die Wurlitzer-Orgel 'The Mighty', 1929 gebaut, ist das Prunkstück des Musikinstrumenten-Museums.

Musikinstrumenten-Museum (Fortsetzung)

zertorgel von 1929 (Vorführung Sa. 12.00 Uhr). Außerhalb der Führungen hört man die Exponate von Tonsäulen; Schrifttafeln vermitteln einen ersten Überblick, den Handblätter und die Museumspublikationen vertiefen.

Bibliothek

Eine Fachbibliothek mit 40 000 Bänden – ein Schwerpunkt ist die Musikinstrumentenkunde – sowie ein Bildarchiv mit mehr als 55 000 Dokumenten, dazu Patentschriften, Grafik u.a.m. sind öffentlich zugänglich. Außerdem gibt es einen Konzertsaal für knapp 200 Personen, Restaurierungswerkstätten, einen Jazz- und Folklore-Raum sowie das SIM-Café.

*Neue Nationalgalerie

Öffnungszeiten
Di. – Fr.
10.00 – 18.00,
Do. bis 22.00
Sa. u. So.
11.00 – 18.00

Führungen
tgl. 15.00

Die Neue Nationalgalerie wurde in den Jahren 1965 bis 1968 nach Plänen des Architekten Ludwig Mies van der Rohe erbaut. Die Stahl-Glas-Konstruktion ist in eine quadratische Halle und den Sockelbau gegliedert. Dem Gebäude westlich vorgelagert ist der Skulpturenhof, südlich und nördlich führen zwei Freitreppen zur Plattform des Sockelbaues, eine Treppe an der Front zum Haupteingang. Die Terrasse schmücken Plastiken von Alexander Calder, Henry Moore, Joannis Avramidis und George Rickey.
Nach der Neuordnung der Bestände von Alter und Neuer Nationalgalerie zeigt das Haus auf dem Kulturforum rund 300 Gemälde, Plastiken und Handzeichnungen des 20. Jahrhunderts. Vertreten sind die Kunstrichtungen Expressionismus, Bauhaus, Surrealismus und Kunst der Gegenwart, hier wiederum ein guter Bestand amerikanischer Malerei. Zu den bedeutendsten der hier vertretenen Künstler zählen Edvard Munch ("Der Lebensfries"), George Grosz ("Stützen der Gesellschaft"), Max Beckmann ("Familienbild George"), Max Ernst ("Capricorne"), Penck und Baselitz. Darüberhinaus werden sehr erfolgreiche wechselnde Ausstellungen gezeigt.

Zwischen Alexander Calders Plastik und Mies van der Rohes Gebäude der Neuen Nationalgalerie geht der Blick zur St.-Matthäus-Kirche.

Alte Nationalgalerie

Die Kunst des 19. Jh.s hat ihren Standort in der Alten Nationalgalerie auf der → Museumsinsel.

Nebenstellen

Auf das Stadtgebiet von Berlin verteilen sich noch weitere Bestände der Nationalgalerie: Die Bilder der deutschen Romantiker und des Biedermeier befinden sich im Knobelsdorff-Flügel von Schloß → Charlottenburg, Skulpturen der 1. Hälfte des 19. Jh.s in der Friedrichswerderschen Kirche (→ Schinkelmuseum); zeitgenössische Kunst ist im jüngst umgebauten → Hamburger Bahnhof zu sehen.

*Philharmonie

Lange Zeit hat es nach dem Zweiten Weltkrieg gedauert, ehe Berlin wieder einen repräsentativen Konzertbau und die Berliner Philharmoniker wieder ein Stammhaus erhielten. Das Ausweichquartier, die Hochschule für Musik, war schon etliche Jahre zuvor zu klein geworden.
Mit Hans Scharoun konnte ein Architekt gewonnen werden, der am Rande des Tiergartens einen asymmetrischen, von einem zeltartigen Betondach überdeckten Baukörper errichtete (1960 – 1963), dessen Äußeres ganz auf die Funktion der Innenräume ausgerichtet ist. Anspielend auf diese außergewöhnliche Form und auf den inzwischen verstorbenen Dirigenten der Philharmoniker wurde die Philharmonie im Volksmund 'Zirkus Karajani' getauft. Der Konzertsaal selbst, pentagonal mit amphitheatralisch ansteigenden Sitzgruppen (rund 2200 Plätze) faßt eine zentrale Bühne ein – eine damals neue und befremdliche Idee, die sich jedoch besonders wegen der hervorragenden Akustik durchgesetzt hat.

Kammermusiksaal

Südlich schließt der Kammermusiksaal (1984 – 1987) an, genannt 'Kleine Philharmonie' (1000 Plätze).

Eine ungewöhnliche Architektur schafft eine optimale Akustik in der Philharmonie.

Staatsbibliothek zu Berlin

Lage
Potsdamer Str. 33

Öffnungszeiten
Mo. – Fr.
9.00 – 21.00
Sa. 10.00 – 17.00

Grundstock der Bibliothek waren die im Zweiten Weltkrieg zumeist nach Westdeutschland ausgelagerten Bestände der Preußischen Staatsbibliothek, von denen etwa 1,7 Mio. Bände dann in Marburg wieder zusammengeführt wurden. Teile der Handschriften und Drucke befanden sich in der Universitätsbibliothek Tübingen, wurden aber nach Westberlin zurückgegeben. Andere Teile der Preußischen Staatsbibliothek bildeten den Grundstock für die 'Deutsche Staatsbibliothek' in Ostberlin, die im alten Bibliotheksgebäude am Opernplatz bzw. heutigen Bebelplatz (→ Unter den Linden) eröffnet wurde. Nach dem Fall der Mauer sind beide Bibliotheken nun wieder als 'Staatsbibliothek zu Berlin – Preußischer Kulturbesitz' vereint; die räumliche Trennung ist jedoch geblieben.
Der Neubau der Bibliothek in Westberlin wurde in den Jahren 1967 bis 1978 nach Plänen von Hans Scharoun errichtet. Es ist einer der größten und anspruchsvollsten Bibliotheksneubauten Europas nach dem Zweiten Weltkrieg. Die Bibliothek kann bis zu acht Mio. Bände aufnehmen. Zur Zeit belaufen sich die Bestände auf etwa vier Mio. Bücher und Druckschriften aus allen Fachgebieten und Ländern. Rund 31 000 Zeitschriften und Zeitungen werden laufend bezogen und stehen zur Verfügung.

Sonderabteilungen

Ferner stehen Sammlungen der Sonderabteilungen zur Verfügung: Handschriftenabteilung (u.a. Psalter Ludwigs des Deutschen, 9. Jh.; Stundenbuch des Nicolas Firmian, Flandern um 1500), Musikabteilung (eine Sammlung von rund 20 000 Musikhandschriften), eine Spezialsammlung über die Familie Mendelssohn, eine Kartenabteilung, die Osteuropaabteilung sowie die Orientabteilung (eine der größten orientalischen Handschriftensammlungen überhaupt) und die Ostasienabteilung. Das Bildarchiv umfaßt rund fünf Mio. Fotos von Bildwerken aller Art.

Staatsbibliothek (Fortsetzung) Ibero-amerikanisches Institut

Der südwestlich vorgelagerte Baukomplex beherbergt das Ibero-amerikanische Institut mit einer Spezialbibliothek sowie einen Vortragssaal mit rund 500 Plätzen und einen kleineren Saal mit 100 Plätzen.

Kunstbibliothek

→ Kulturforum

Kunstgewerbemuseum

→ Kulturforum

Kupferstichkabinett

→ Kulturforum

*Kurfürstendamm L–N 11/12 · a–e 2

Lage
Charlottenburg, Wilmersdorf

Verlauf
zwischen Rathenauplatz und Breitscheidplatz

S-Bahn
Zoologischer Garten (S 3, S 5, S 7, S 75, S 9)

U-Bahn
Kurfürstendamm (U 9, U 15), Uhlandstraße (U 15), Adenauerplatz (U 7), Zoologischer Garten (U 2, U 9, U 12)

Der weltbekannte Kurfürstendamm, von den Berlinern salopp ‘Ku’damm’ genannt, ist Berlins beliebteste Flanier- und Einkaufsstraße mit Warenhäusern, Fachgeschäften und eleganten Boutiquen. Zahlreiche Hotels, Restaurants (z.T. mit Terrassen und Wintergärten), Cafés, Bars sowie etliche Kinos und Theater machen ihn und seine Seitenstraßen außerdem zu einem Vergnügungsboulevard, auf dem Straßenverkehr und Besucherstrom meist erst nach Mitternacht abflauen.
Der Kurfürstendamm wird von einer Vielzahl von Haupt- und Nebenstraßen gequert; mehrere der Kreuzungsbereiche sind zu Plätzen ausgestaltet – Joachimstaler Platz, Olivaer Platz, Adenauerplatz, Lehniner Platz –, wo sich ebenfalls Kneipen, Restaurants und Geschäfte angesiedelt haben. Der Bereich Kurfürstendamm/Budapester Straße/Tauentzien ist zudem der wichtigste urbane und verkehrstechnische Knotenpunkt Berlins neben dem → Alexanderplatz.
Die insgesamt 3,5 km lange und über 53 m breite Straßenflucht, die heute vom Rathenauplatz unweit vom Halensee in Wilmersdorf bis zum Breitscheidplatz in Charlottenburg verläuft, war schon im 16. Jh. als Reitweg des Kurfürsten Joachim II. zum Jagdschloß → Grunewald bekannt. Sie wurde aber erst gegen Ende des 19. Jh.s auf Veranlassung Bismarcks und mit Billigung Kaiser Wilhelms I. als große Verbindungsstraße zum Grunewald ausgebaut. Annähernd die Hälfte der Bebauung mit vielfach prächtigen Häuserfassaden zu beiden Seiten des Boulevards war am Ende des Zweiten Weltkrieges gänzlich zerstört, der Rest mehr oder weniger stark beschädigt. Letzte Zeugen des ursprünglichen Straßenbildes sind u.a. das sogenannte Iduna-Haus (Nr. 59/69, 1905) und die Gebäude Nr. 201, 213 bis 216 und 218 (1896); die übergroßen Straßenlaternen sind den historischen Vorbildern nachgebaut und wieder aufgestellt worden. Der Wiederaufbau der Nachkriegszeit hat dem Kurfürstendamm den weltstädtischen Glanz von einst nur unvollkommen zurückgeben können. Seine Architektur prägen heute in erster Linie weniger markante Neubauten.

Gedenktafeln

Berühmte Anwohner des Kurfürstendamms sind an einigen Häusern durch Gedenktafeln geehrt, so die Dichter Max Hermann-Neiße (Nr. 215) und Robert Musil (Nr. 217) und der Komponist und Kabarettist Rudolf Nelson (Nr. 186); am Gebäude Nr. 68, den früheren ‘Alhambra-Lichtspielen’, erinnert eine Tafel an den hier 1922 uraufgeführten ersten Tonfilm der Welt.

Skulpturenboulevard Kurfürstendamm/ Tauentzien

Anläßlich des Berliner Stadtjubiläums 1987 präsentierte der Neue Berliner Kunstverein unter dem Motto 'Skulpturenboulevard Kurfürstendamm / Tauentzien' eine Reihe moderner Plastiken, die an mehreren Kreuzungsbereichen von Kurfürstendamm und Tauentzienstraße installiert wurden:
Tauentzien (Mittelstreifen zwischen Marburger und Nürnberger Straße): "Berlin", Großskulptur von Brigitte und Martin Matschinsky-Denninghoff
Breitscheidplatz: "Two Lines Excentric Joined With Six Angles", kinetische Skulptur von George Rickey
Joachimstaler Straße: "13. 4. 1981" (seinerzeit abendliche Straßenkrawalle), Skulptur aus übergroßen Polizeisperrgittern von Olaf Metzel
Kreuzungsbereich Kurfürstendamm/Bleibtreustraße: "Pyramide", Stahlplastik von Josef Erben
Kreuzungsbereich Kurfürstendamm / Schlüterstraße bzw. Wielandstraße: "Großer Schatten mit Sockel", Plastik von Frank Dornseif
Mündungsbereich der Albrecht-Achilles-Straße: "Große Frauenfigur Berlin", zweifigurige Skulptur von Rolf Szymanski
Rathenauplatz: "Beton-Cadillac", Betonskulptur von Wolf Vostell

Bummel über den Kurfürstendamm

Ein Bummel über den Kurfürstendamm beginnt am besten am zentral gelegenen Breitscheidplatz und sollte zumindest bis zur Kreuzung mit der Leibnizstraße (Olivaer Platz) dauern. Dort kann man rechts hinauf zur Kantstraße und über den Savignyplatz zum Ausgangspunkt zurückgehen.

*Kaiser-Wilhelm-Gedächtniskirche N 12 · e 2

S-Bahn Zoologischer Garten (S 3, S 5, S 7, S 9)

U-Bahn Kurfürstendamm, Zoologischer Garten (U 2, U 9, U 12)

Am Breitscheidplatz, wo der Kurfürstendamm auf Budapester, Kant- und Tauentzienstraße trifft, steht die 63 m hohe Turmruine der alten neoromanischen Kaiser-Wilhelm-Kirche, die 1891 – 1895 zu Ehren Kaiser Wilhelms I. nach Entwürfen von Franz Schwechten erbaut wurde und am 23. November 1943 einem Bombenangriff zum Opfer fiel. Jahre nach dem Zweiten Weltkrieg stellte sich das Problem, den alten Turmstumpf abzureißen und statt dessen eine neue Kirche zu errichten. Doch die Bevölkerung wollte die Kirche, oder vielmehr das, was von ihr übriggeblieben war, behalten, und so bezog der Architekt Egon Eiermann den stehengebliebenen Turmrest in den neuen Baukomplex ein, ein blauverglastes Oktogon mit Flachdach und einem sechseckigen Turm (1959 – 1961). Seither gilt die Gedächtniskirche als eines der Wahrzeichen Berlins und Kriegsmahnmal zugleich.
In der inzwischen mehrfach sanierten Turmruine wurde Anfang 1987 eine Gedenkhalle als Ort der Mahnung gegen Krieg und Zerstörung, verbunden mit dem Ruf nach Versöhnung, eingerichtet (Mosaikenreste, Architekturteile, Fotos); im Mittelpunkt eine Christusfigur aus der einstigen Kirche und ein Nagelkreuz aus der Kathedrale von Coventry, die im Zweiten Weltkrieg von deutschen Bomben zerstört wurde.

Europa-Center N 12 · e 2

S-Bahn Zoologischer Garten (S 3, S 7, S 5, S 9)

U-Bahn Kurfürstendamm, Zoologischer Garten (U 2, U 9, U 12)

Ebenfalls am Breitscheidplatz wurde in den Jahren 1963 bis 1965 anstelle des ehemaligen 'Romanischen Cafés' das 86 m hohe Europa-Center (22 Stockwerke, Gesamthöhe mit Mercedes-Stern 103 m) von K. H. Pepper errichtet. Das Einkaufszentrum – von den Berlinern auf den Spitznamen 'Pepper's Manhattan' getauft – beherbergt auf über 90 000 m² Nutzfläche u.a. etwa 100 Läden, Boutiquen und Restaurants, das Hotel Palace, Kinos, das Kabarett 'Die Stachelschweine', das Revuetheater 'La vie en rose', Galerien, eine 13 m hohe, von dem Franzosen Gitton entworfene 'Wasseruhr', Dienstleistungsbetriebe und ein Büro der Berlin-Touristeninformation (Eingang Budapester Straße). Die Spielbank Berlin ist an den → Potsdamer Platz umgezogen.
Auf dem Breitscheidplatz steht seit 1983 der von den Berlinern 'Wasserklops' genannte große Weltkugelbrunnen mit Figurenschmuck aus Bronze und Granit.

CINZAN
Joachimstaler

Den Kurfürstendamm entlang

Café Kranzler

Vom Breitscheidplatz geht es auf dem Ku'damm westwärts. Auf der rechten Straßenseite sieht man bald das einst legendäre Café Kranzler (allerdings ist dies nur die Filiale des Unter den Linden gegründeten Stammhauses), mittlerweile zur zeitgeistigen Bar geworden; dahinter erstreckt sich 50 m hoch bis zur Kantstraße ein gläserner Neubau von Helmut Jahn. Links geht kurz darauf die ihrer Restaurants wegen attraktive Meinekestraße ab.

Fasanenstraße

Danach kreuzt die Fasanenstraße. Hier lohnt sich ein kurzer Gang einmal hinauf und einmal hinab.

Literaturhaus

Im Abschnitt südlich des Ku'damms begegnet zunächst Haus Nr. 23, ein 1873 erbautes Wohnhaus vom Beginn der Gründerzeit, seit 1986 das 'Literaturhaus Berlin' (Ausstellungen, Veranstaltungen) mit einem Restaurant auf der Beletage und einer Buchhandlung im Souterrain.

Käthe-Kollwitz-Museum

Haus Nr. 24 ist das älteste Wohnhaus an der Fasanenstraße und Sitz des privaten Käthe-Kollwitz-Museums, dessen Grundstock die Sammlung des Malers und Kunsthändlers Hans Pels-Leusden bildet (geöffnet: Mo., Mi.– So. 11.00 bis 18.00 Uhr); seitlich und im Garten hinter dem Gebäude sind Skulpturen (u.a. "Schreitende" von Waldemar Grzimek) aufgestellt.

Villa Grisebach

Haus Nr. 25 schließlich ist die 1891 / 1892 erbaute Villa Grisebach, einst Stadtvilla des Architekten Hans Grisebach, die im Zweiten Weltkrieg teilweise zerstört wurde. Hier logiert jetzt die Kunstgalerie Pels-Leusden.

Jüdisches Gemeindehaus

Nördlich vom Ku'damm – an der Ecke das Hotel Kempinski – sollte man bis hinauf zum Jüdischen Gemeindehaus (Nr. 79 / 80) gehen. Es entstand unter der Leitung der Architekten Dieter Knoblauch und Hans Heise 1959 neu an der Stelle der 1912 erbauten Synagoge, die in der Pogromnacht vom 9. zum 10. November 1938 von den Nationalsozialisten niedergebrannt worden war. An der Fassade sind erhaltengebliebene Teile des alten Bauwerks zu sehen, die an das Unrecht der Nazizeit erinnern sollen; 1986 wurde auf dem Vorplatz die Skulptur einer zerstörten Thorarolle enthüllt.

Neben Räumen für den Gottesdienst sind in dem Gebäude Versammlungsräume, eine Bibliothek und ein koscheres Restaurant eingerichtet. An einer unverputzten grauen Betonmauer steht ein Ehrenmal mit dem Davidstern und bronzenen Lettern. In der Säulenhalle sind die Namen von Konzentrationslagern und Ghettos zu lesen.

Ludwig-Erhard-Haus

An moderner Architektur fällt in der Fasanenstraße das Ludwig-Erhard-Haus (Service- und Kommunikationszentrum für die Unternehmen der Region Berlin) auf, eines der interessantesten neuen Projekte in der westlichen Innenstadt. Ähnlich einem riesigen Reptil wölben sich die stählernen Rippenbögen des Gebäudes in den Himmel und geben diesem damit einen expressiven, organischen Charakter.

Kurfürstendamm-Karree

Zwischen den der Fasanenstraße westwärts nächsten Querstraßen – Uhlandstraße und Knesebeckstraße – liegt der große Gebäudekomplex 'Kurfürstendamm-Karree'. Er erstreckt sich südlich bis zur Lietzenburger Straße und beherbergt neben Läden und Geschäften das 'Theater am Kurfürstendamm', in dem vornehmlich Boulevardstücke gezeigt werden, die 'Komödie', ebenfalls Boulevardtheater.

The Story of Berlin

Des weiteren befindet sich hier die Multimedia-Show The Story of Berlin, die die Geschichte der Stadt erzählt (geöffnet: tgl. 10.00 – 20.00, Sa. bis 22.00 Uhr).

◀ *Die gemütlichste Art, den Ku'damm kennenzulernen: vor dem Kranzler sitzen und gucken.*

Kurfürstendamm (Fortsetzung)
Savignyplatz

An Geschäften, Restaurants, Kinos und Cafés vorbei schlendert man immer weiter bis zur Leibnizstraße, diese dann rechts hinauf bis zur Kantstraße und wieder nach rechts zum Savignyplatz (die schönere Alternative ist bereits vor der Leibniz- die Knesebeckstraße hinauf und unter den S-Bahn-Bögen – Drehort des Films Cabaret – direkt auf den Platz). Dieser – so nahe am brummenden Ku'damm und trotz des Verkehrs auf der Kantstraße – atmet noch etwas vom urbanen Geist des alten Berlin. Ringsum nur Kneipen, und darunter manch traditionelle, um nicht zu sagen legendäre: der "Zwiebelfisch", die "Dicke Wirtin" oder der "Diener", in dem sich George Grosz zu Tode gesoffen hat.

Kantstraße

Nun geht es auf der Kantstraße – auch hier: ausgefallene Läden, Kneipen, Restaurants – zurück zum Bleibtreuplatz (auch hier eine Alternative: auf der Mommsenstraße wieder zum Ku'damm). Auf Höhe Fasanenstraße passiert man das Theater des Westens, heute Musical-Bühne, 1895 / 1896 als Haus für die klassische Operette erbaut und ein bißchen an Cinderellas Zuckerschloß erinnernd. Tip: einen Blick ins glitzernde Foyer werfen.

Theater des Westens

Kantdreieck

Das Bürohochhaus an der Kantstraße / Ecke Fasanenstraße fällt vor allem durch seine gigantische silberne Wetterfahne auf, die der Architekt J. P. Kleihues als Hommage an Joséphine Baker verstanden wissen möchte, die im Jahr 1926 im gegenüberliegenden Theater des Westens aufgetreten ist (→ Abb. S. 207).

Leipziger Straße — P–R 12 / 13 · k–n 2

Lage
Mitte

Verlauf
zwischen Spittelmarkt und Leipziger Platz

U-Bahn
Stadtmitte (U 2, U 6), Spittelmarkt (U 2)

Die vom Spittelmarkt westwärts zum Leipziger Platz führende, über 1,5 km lange Leipziger Straße war vor dem Zweiten Weltkrieg eine lebhafte Geschäftsstraße, an der sich vor allem Warenhäuser und Modegeschäfte konzentrierten. Sie zeigt heute mit ihren in den siebziger Jahren hochgezogenen Wohnblöcken, Geschäften und Gaststätten ein völlig verändertes Gesicht. Zudem ist sie nach dem Fall der Mauer eine der Hauptverbindungsstrecken zwischen den beiden Teilen der Stadt geworden und erstickt nahezu am Verkehr.

Am neu gestalteten Spittelmarkt, der seinen Namen dem ursprünglich hier stehenden Spital der hl. Gertraudt verdankt, steht seit 1980 wieder der 1891 von der Firma Spindler gestiftete Spindlerbrunnen aus rotem und grauem Granit. Westlich vom Spittelmarkt wurde ein Teil der alten Leipziger Kolonnaden (1776 von Gontard errichtet) mit Originalteilen rekonstruiert. An der Einmündung der Jerusalemer Straße (Leipziger Str. Nr. 60) befand sich einst das Warenhaus Hermann Tietz. Jenseits der Kreuzung liegt links, Leipziger Straße Nr. 26, die Internationale Musikbibliothek, an der gegenüberliegenden Straßenecke (Kreuzung Mauerstraße) das ehemalige Ministerium für Post- und Fernmeldewesen. An der Westseite der von Norden kommenden Wilhelmstraße und Richtung Leipziger Platz erstreckt sich das 1934 bis 1936 errichtete einstige Reichsluftfahrtministerium, das die DDR als 'Haus der Ministerien' nutzte und zukünftig das Bundesministerium für Finanzen aufnehmen wird. Ein in den Boden eingelassenes, glasbedecktes Denkmal erinnert an den Aufstand vom 17. Juni 1953. An das Ministeriengebäude schließt sich das 1904 vollendete ehemalige preußische Herrenhaus an, nun frisch renoviert der Sitz des Bundesrats. Auf der gegenüberliegenden Straßenseite zog sich auf beinahe der gesamten Länge des Straßenabschnittes das Kaufhaus Wertheim hin, das damals größte Kaufhaus Europas.

Ehem. Reichsluftfahrtministerium

Leipziger Platz

Die Leipziger Straße mündet in den ursprünglich von großen Stadthäusern umgebenen Leipziger Platz, der zusammen mit dem → Potsdamer Platz den wichtigsten Straßenverkehrsknotenpunkt Berlins bildete. Er soll nun wieder, dem historischen Stadtgrundriß folgend, die ursprüngliche barocke Form des Oktogons zurückerhalten.

Lübars

nördlich O 19

Das alte Rundlingsdorf Lübars, das lange zum Nonnenkloster Spandau gehörte, wurde 1247 zum ersten Mal urkundlich erwähnt. Es ist das letzte noch nahezu vollständig erhaltene Dorf Berlins und hat sich seinen ländlichen Charakter bewahrt; es steht heute unter Denkmalschutz. Umgeben von Feldern, Wiesen und Pferdekoppeln lag Lübars einst so versteckt, daß es nicht einmal die Soldaten des Dreißigjährigen Krieges entdecken konnten. Im Winter wird das Dorf zu einem Kälteloch mit den tiefsten Temperaturen Berlins. Mittelpunkt von Lübars ist der Dorfanger mit der Dorfkirche von 1793, der Dorfschule und dem Spritzenhaus; um den Platz stehen einstöckige Bauernhäuser und einige Villen sowie die Gasthäuser "Zum lustigen Finken" und der "Alte Dorfkrug" (→ Abb. S. 306).

Lage
Reinickendorf

S-Bahn
Waidmannslust (S 2), dann Bus 222

Lübars ist Ausgangspunkt für herrliche Spaziergänge. Wanderwege führen vom Dorfkern durch die charakteristische märkische Landschaft mit reicher Flora und Fauna zum Tegeler Fließtal.

Wandergebiet

Naturidyll nahe der Großstadt: das Tegeler Fließtal bei Lübars

Lustgarten

→ Unter den Linden

Maria Regina Martyrum

→ Gedenkstätte Plötzensee

*Marienkirche R 14 · o 3

Lage
Karl-Liebknecht-Str. 8, Mitte

S- und U-Bahn
Alexanderplatz (S 3, S 5, S 7, S 75, S 9; U 2, U 5, U 8)

Öffnungszeiten
Mo.–Do. 10.00–12.00 und 13.00–17.00, Sa. 12.00–16.30; Führungen Mo.–Do. 13.00, So. 11.45; Orgelvesper Sa. 17.00

Die Marienkirche ist nach der Nikolaikirche (→ Nikolaiviertel) die zweitälteste Pfarrkirche Berlins und die Predigtkirche des Bischofs der evangelischen Landeskirche von Berlin-Brandenburg. Im Jahre 1294 wird die Kirche zum ersten Mal urkundlich erwähnt. Bis 1340 war sie zu einer dreischiffigen gotischen Hallenkirche mit fünfseitigem Ostchor ausgebaut. Im Jahr 1380 wurde sie ein Opfer der Flammen, aber schon ein paar Jahre später erfolgte der Wiederaufbau. Der 1790 bis 1792 von Carl Gotthard Langhans aufgeführte Turmhelm ist eine ansprechende Stilmischung aus Gotik und Klassizismus.

Von der Ausstattung der äußerlich schlichten Kirche ist zuallererst das 2 m hohe und 22,60 m lange Fresko "Totentanz" in der Turmhalle zu nennen. Es ist wahrscheinlich nach der Pestepidemie von 1484 entstanden und stellt in vierzehn Gruppen mit jeweils dazugehörigen mittelniederdeutschen Versen den Tod dar, wie er die Angehörigen aller Stände in sein Reich holt. Das Fresko wurde 1730 übertüncht und 1860 von August Stüler wiederentdeckt.
Das bronzene Taufbecken stammt aus dem Jahre 1437 und trägt eine plattdeutsche Inschrift. Die 1703 geschaffene Kanzel im Hauptschiff ist ein Barockwerk von Andreas Schlüter; der Orgelprospekt stammt aus dem Jahre 1722 (Konzerte von Mai bis Oktober Sa. 16.00 Uhr). Neben den protestantischen Grabmälern verdienen das Schnitzbild des hl. Bernhardin von Siena (15. Jh.) und das Lucas Cranach d. Ä. zugeschriebene Relief "Heilige Familie" Beachtung.
Vor dem Kirchenportal mahnt ein steinernes Sühnekreuz, das 1726 an dieser Stelle errichtet wurde, an die Ermordung des Propstes Nikolaus von Bernau im Jahr 1325.

Vom Roten Rathaus blickt man am Neptunbrunnen vorbei auf die Marienkirche.

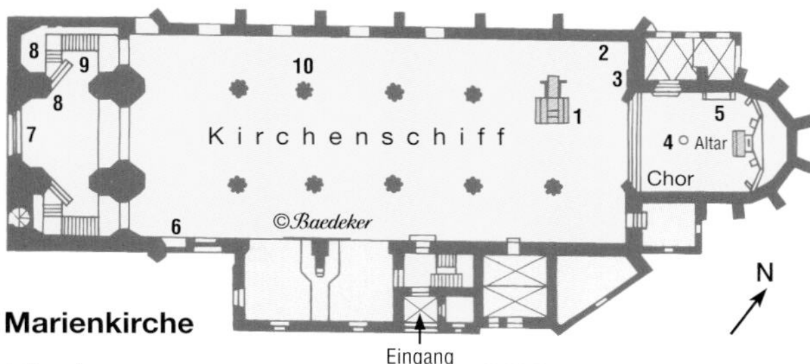

Marienkirche

1 Kanzel
2 Denkmal für Prediger Roloff
3 Epitaph der Familie Röbel
4 Taufstein
5 Epitaph für Feldmarschall Sparr
6 Hl. Bernhardin von Siena
7 Orgel
8 "Totentanz"
9 "Heilige Familie"
10 Ursprünglicher Standort der Kanzel

Marienkirche (Fortsetzung)
Lutherstandbild

Das Lutherstandbild bei der Kirche ist der Rest eines großen, 1895 auf dem Neuen Markt aufgestellten und im Zweiten Weltkrieg beschädigten Denkmals für die Reformation, das außer Martin Luther noch weitere Reformatoren wie Johannes Reuchlin, Philipp Melanchthon und Ulrich von Hutten zeigte.

*Märkisches Museum S 13 · o 2

Anschrift
Am Köllnischen Park 5, Mitte

S-Bahn
Jannowitzbrücke (S 3, S 5, S 7, S 75, S 9)

U-Bahn
Märkisches Museum (U 2)

Seit 1874 bestand in Berlin das Märkische Provinzialmuseum, das sich der Geschichte und Kultur Berlins und der Mark Brandenburg widmete. Aus ihm ging das Märkische Museum hervor, das 1908 das markante Gebäude am Köllnischen Park bezog. Der Architekt Ludwig Hoffmann verwandte Motive der märkischen Backsteinarchitektur; der Turm lehnt sich an die Wittstocker Bischofsburg im Kreis Potsdam an, die südlichen Maßwerkgiebel erinnern an St. Katharinen in Brandenburg. Vor dem Eingang an der Wallstraße steht eine 1905 geschaffene Kopie des aus dem Jahr 1474 stammenden Rolands vom Neustädtischen Rathaus in Brandenburg.
Auch das Märkische Museum hat im Zweiten Weltkrieg schwer gelitten. Etwa 80% des Gebäudes und 20% seiner Bestände gingen verloren, darunter die naturgeschichtliche Abteilung. Nach dem schrittweisen Wiederaufbau dokumentiert das Museum heute die geschichtliche und kulturelle Entwicklung Berlins über einen Zeitraum von 10 000 Jahren. Das Märkische Museum ist als → 'Stadtmuseum Berlin' organisatorisch mit weiteren stadtgeschichtlichen Sammlungen verknüpft.

Öffnungszeiten

Das Märkische Museum ist Di. – So. 10.00 – 18.00 Uhr geöffnet.

Ur- und Frühgeschichte

Die Abteilung Ur- und Frühgeschichte gibt einen Überblick über die ersten menschlichen Ansiedlungen im Berliner Gebiet. Zu den ältesten Funden gehören Pfeilspitzen aus Biesdorf (9. Jh. v. Chr.); am selben Ort fand man auch Reste einer urzeitlichen Jägerhütte (7. / 6. Jh. v. Chr.), die im Museum rekonstruiert wurde. Des weiteren sind zu sehen Bronzeschmuck aus Marzahn (5. Jh. v. Chr.), Silber- und Goldschmuck aus dem 6. Jh. n. Chr. und das Modell einer mittelalterlichen slawischen Burg.

Stadtgeschichte

Die stadtgeschichtliche Abteilung behandelt den Zeitraum vom Dreißigjährigen Krieg bis zur Gegenwart (Zeitabschnitt vor dem Dreißigjährigen Krieg in der Nikolaikirche im → Nikolaiviertel).
Gezeigt werden unterschiedliche Aspekte der Stadtgeschichte wie 'Berlin im Dreißigjährigen Krieg', die verkehrstechnische Entwicklung und die Ent-

Stadtgeschichte (Fortsetzung)

stehung der Kanäle, Handwerksgeschichte, Adel und Bürgertum, Wissenschaft und Aufklärung, bürgerliche Revolution, Lebensverhältnisse der Arbeiter. Zu den Ausstellungsstücken gehören das 15 m² große Stadtmodell 'Berlin um 1750', der einzige erhaltene originale Pferdekopf von Schadows Quadriga auf dem → Brandenburger Tor, Schiffsmodelle, das Modell einer 1816 in Berlin gebauten Dampflokomotive, Geräte, Stadtpläne, Dokumente und ein Stadtbanner von 1839. Auch die Ereignisse vom Herbst 1989 werden gewürdigt. Das Heinrich-Zille-Kabinett zeigt Studien und Skizzen des volkstümlichen und engagierten Schilderers des Berliner 'Milljöh'.

In der stadtgeschichtlichen Abteilung des Märkischen Museums. Im Vordergrund sieht man einen Teil des großen Stadtmodells.

Berliner Theater von 1740 bis 1933

Die Ausstellung 'Berliner Theater von 1740 bis 1933' widmet sich der großen Tradition Berlins als Theaterstadt. Neben Porträts und Erinnerungen an bedeutende Theaterleute wie Max Reinhardt sieht man hier Modelle der Berliner Theater und Bühnenbildermodelle bedeutender Aufführungen, Fotos, Theaterzettel und Plakate.

Kunst und Kunsthandwerk

Die vom Umfang her größte Abteilung zeigt Berliner Kunst und Kunsthandwerk. Eine Besonderheit ist die Sammlung Berliner Grabdenkmalskunst. Hinzu kommen Berliner Eisenguß, Kunstgewerbe, Porzellan aus der → Königlichen Porzellan-Manufaktur, Märkische Gläser, das Nicolai-Zimmer, Gemälde und Plastiken vom Barock bis zur Gegenwart, mittelalterliche Textilien und sakrale Geräte.

Musikautomaten

Die Musikautomaten ('Automatophone') werden jeweils Mi. 15.00 – 16.00 und So. 11.00 – 12.00 Uhr vorgeführt.

Köllnischer Park und Bärenzwinger

Südlich vom Märkischen Museum liegt der kleine Köllnische Park mit einem zum Museum gehörenden Lapidarium und einem Bronzedenkmal für Heinrich Zille (von H. Drake, 1965). Ein Kuriosum ist der am Südrand des Parks liegende Bärenzwinger von 1939.

Märkisches Ufer

R/S 13 · o/p 2

Die Straße Märkisches Ufer verläuft am Südufer der Spree, das Ende des 17. Jh.s für Wohnzwecke erschlossen wurde. Man blickt von hier auf die Fischerinsel, die das älteste Wohngebiet des mittelalterlichen Cölln war und heute mit Wohnblöcken bebaut ist. Am Märkischen Ufer stehen noch einige historisch wertvolle oder zumindest interessante Gebäude:
Märkisches Ufer Nr. 10–12 ist das 1966 von der Breiten Straße Nr. 11 hierher versetzte Ermeler-Haus, ein bürgerliches Stadtpalais vom Ende des 17. Jahrhunderts. Das 1724 restaurierte und 1760–1762 im Rokokostil umgebaute Haus mit seiner schönen klassizistischen Fassade gehörte von 1824 bis 1918 der Familie des Tabakhändlers Wilhelm Ferdinand Ermeler, der es kunstvoll ausstatten ließ. Heute hat es ein Café und ein Restaurant – teilweise noch mit der historischen Einrichtung – aufgenommen.
Im Gebäude Märkisches Ufer Nr. 48 bei der Jannowitzbrücke hatte Anfang 1919 der Stab der Volksmarinedivision seinen Sitz, bei den Revolutionskämpfen 1918/1919 bewaffneter Zweig des Arbeiter- und Soldatenrates.
Ecke Wall- und Inselstraße steht das 1922/1923 errichtete Haus des Allgemeinen Deutschen Gewerkschaftsbunds.

Verlauf
am Südufer der Spree zwischen Insel- und Jannowitzbrücke in Mitte

S-Bahn
Jannowitzbrücke (S 3, S 5, S 7, S 75, S 9)

U-Bahn
Märkisches Museum (U 2)

Berliner Binnenschiffahrtsgeschichte präsentiert der Historische Hafen Berlin. Am Märkischen Ufer bei der Inselbrücke und am Ufer der Fischerinsel liegen 21 historische Binnenschiffe vor Anker, darunter ein Lastkahn von 1890 und ein Motorschlepper von 1905. Im Maßkahn "Renate-Angelika" von 1910 ist eine Ausstellung eingerichtet (geöffnet: Di.–Fr. 14.00–18.00, Sa. und So. 11.00–18.00 Uhr).

Historischer Hafen Berlin

Martin-Gropius-Bau

Q 12 · k 1

Der 1877 bis 1881 von Martin Gropius, Großonkel von Walter Gropius, und Heino Schmieden in hellenischer Renaissance errichtete monumentale Ziegelbau, der bis 1921 das preußische Kunstgewerbemuseum beherbergte, wurde im Zweiten Weltkrieg schwer beschädigt. Das Gebäude ist nach dem Krieg restauriert worden, wobei man die reich verzierten Fassaden der West-, Süd- und Ostseite originalgetreu wiederhergestellt hat. Von Westberliner Seite mußte man den Bau quasi durch den Hintereingang betreten, denn unmittelbar vor dem alten, zur Niederkirchnerstraße hin liegenden Haupteingang verlief die Mauer, von der heute noch einige Reste stehen. Die jüngst abgeschlossene Restaurierung hat den Säulenbaldachin des Haupteingangs gegenüber vom ehemaligen Preußischen Landtag und jetzigen Berliner Abgeordentenhaus wiederhergestellt, die rußgeschwärzten und beschädigten Portalfiguren wurden jedoch als Mahnung an den Krieg belassen.
Auch innen wurde der Martin-Gropius-Bau grundlegend renoviert. Dabei sind die alten Raumproportionen in ihrer eindrucksvollen Größe wieder zum Leben erweckt worden. Im Herbst 1999 ist das Gebäude als Ausstellungszentrum wiedereröffnet worden und präsentiert zukünftig vor allem historische, technische und kulturgeschichtliche Ausstellungen. Fest untergekommen ist im zweiten Obergeschoß das Museum der Dinge, ehemals Werkbundarchiv, das Ausstellungen zur Alltagskultur veranstaltet (geöffnet: Di.–So. 10.00–20.00 Uhr).

Anschrift
Stresemannstr. 110, Kreuzberg

S-Bahn
Anhalter Bahnhof, Potsdamer Platz (S 2, S 3)

U-Bahn
Potsdamer Platz (U 2)

Bus
129, 248, 341

Museum der Dinge

Umgebung des Martin-Gropius-Baus

Auf dem Ruinenfeld östlich vom Martin-Gropius-Bau dokumentiert eine Ausstellung ('Topographie des Terrors') die grausame Vergangenheit des sog. → Prinz-Albrecht-Geländes, auf dem sich die Zentralen von SS und Gestapo konzentrierten.

Prinz-Albrecht-Gelände

Mittendurch lief bis vor wenigen Jahren die Mauer: Heute trennt das jetzige Berliner Abgeordnetenhaus (links) und den Martin-Gropius-Bau nichts mehr.

Ehem. Preußischer Landtag beim Martin-Gropius-Bau

An der Niederkirchnerstraße direkt gegenüber dem Martin-Gropius-Bau steht das Gebäude des ehemaligen Preußischen Landtages, 1892–1897 erbaut. Nach Renovierung tagt hier nun das Berliner Abgeordnetenhaus.

Marzahn

Lage
nordöstlich vom Zentrum

S-Bahn
Marzahn (S 7) dann Tram 6, 7, 17 nach Alt-Marzahn

Als 19. Berliner Stadtbezirk wurde seit 1979 Marzahn gleichsam aus dem märkischen Sandboden um das Dörfchen Alt-Marzahn gestampft. Eine Fahrt durch Marzahn führt kilometerweit durch ein Spalier sog. 'Elfgeschosser', in der typischen DDR-'Plattenbauweise' errichtete Hochhäuser mit 57 000 Wohnungen. Marzahn war ein Paradeobjekt der DDR und sollte 'sozialistische Wohnbedingungen' verwirklichen. Tatsächlich fehlt aber eine angemessene Infrastruktur, und mit der Anpassung an marktwirtschaftliche Verhältnisse mußten zudem viele der ohnehin schon wenigen Kommunikationsstätten, insbesondere Restaurants und Kneipen, schließen, so daß die Menschen kaum Gelegenheit zum Zusammenkommen haben.

Chinesischer Garten

Das soll sich ändern, denn mit dem im Oktober 2000 eröffneten Chinesischen Garten, dem größten in Europa, besitzt Marzahn nun eine vor allem auch als Ort der Begegnung für die Einwohner gedachte Einrichtung.

Alt-Marzahn

Inmitten der baulichen Einöde wirkt das putzige Dorf Alt-Marzahn mit seiner Backsteinkirche und einem schönen Dorfkrug zwar reichlich verloren, doch hier findet man drei bemerkenswerte, gar originelle Museen.

Dorfmuseum Marzahn

In einem typischen märkischen Bauernhof (Alt-Marzahn 31) zeigt das Dorfmuseum Alt-Marzahn einige landwirtschaftliche Geräte, Kleidung, Maschinen etc., wie sie überwiegend in unserem Jahrhundert in der ländlichen Umgebung Berlins benutzt wurden. Schwerpunkte aber sind das aus

Prenzlauer Berg hierhergekommene Friseurmuseum und das aus Berlin-Mitte übernommene Handwerksmuseum. Das Friseurmuseum zeigt eine außerordentliche Sammlung des Bader- und Friseurhandwerks, eine mittelalterliche Badestube, Haarschmuck von der Allongeperücke bis zum Zopf und auch ein pedalgetriebenes Zahnbohrgerät; das Handwerksmuseum widmet sich der Geschichte des Berliner Handwerks vom 13. bis zum 19. Jahrhundert (geöffnet: jeweils Di. – So. 10.00 – 18.00 Uhr).

Friseurmuseum

Handwerksmuseum

Zur 750-Jahr-Feier Berlins wurde 1987 am Blumberger Damm und an der Eisenacher Straße (dort jeweils die Eingänge) dieses Gartenschaugelände eröffnet (geöffnet: im Sommer tgl. 9.00 – 17.00, im Winter bis 16.00 Uhr).

Berliner Gartenschau in Marzahn

Im östlich angrenzenden Hellersdorf hat im Gründerzeitmuseum die berühmte Charlotte von Mahlsdorf Möbel und Hausrat des Historismus zusammengetragen. Prunkstück ist die Einrichtung der "Mulack-Ritze", einer Kneipe von 1890 (geöffnet: Mi. und So. 10.00 – 18.00 Uhr).

Gründerzeitmuseum Mahlsdorf

Mauer

→ *Baedeker Special* S. 102ff.

* Müggelsee

südöstlich U 10

Im Südosten Berlins liegt der rund 7,5 km² große und bis zu 8 m tiefe Müggelsee, der größte See im Stadtgebiet. Seit 1926 unterquert ihn der 120 m lange Spreetunnel, der den Ortsteil Friedrichshagen mit den südlichen Müggelbergen verbindet. Um den See gibt es insgesamt 160 km Wander-

Lage
Köpenick

S-Bahn
Friedrichshagen (S 3), dann Tram 60

Was den Wessis der Wannsee, ist den Ossis der Müggelsee.

Müggelsee (Fortsetzung)

wege. Es empfiehlt sich, eine Wanderkarte zu kaufen und danach Wanderroute und Anfahrt zu planen. Von Friedrichshagen kann man den See mit einem Schiff der Weißen Flotte (→ Praktische Informationen, Stadtbesichtigung) überqueren und entweder an der Anlegestelle 'Rübezahl' oder an der 'Müggelseeperle' aussteigen (oder mit Bus oder Auto in die Müggelberge). Nicht weit von der 'Müggelseeperle' lag von 1928 bis 1933 das durch den gleichnamigen Film bekannt gewordene Arbeiterzeltlager 'Kuhle Wampe'. Von den Anlegestellen führen Wanderwege in die bis zu 115 m hohen Müggelberge. Man gelangt an den Teufelssee, wo ein Wanderlehrpfad durch ein Hochmoor auf die Gipfelhöhen der Müggelberge führt; Informationstafeln geben Hinweise über Tier- und Pflanzenwelt entlang des 3 km langen Weges. Er endet beim Müggelturm (der auch direkt zu erreichen ist), einem traditionsreichen Ausflugsziel der Berliner. Hier stand bis zu einem Brand im Jahr 1958 ein 1899 errichteter Holzturm, der dann durch einen modernen Bau ersetzt wurde. Von dessen Aussichtsplattform hat man einen weiten Blick über den See und die Stadt.

Müggelberge Teufelssee

Wasserwerk Friedrichshagen

Am Müggelseedamm 307 zeigt das Wasserwerk Friedrichshagen eine Ausstellung über die Wasserversorgung Berlins vom Mittelalter bis zur Gründung der DDR. Geöffnet ist das sog. Museum im Wasserwerk von April bis Oktober Mi. – Fr. 10.00 – 16.00, Sa., So., Fei. 10.00 – 17.00 Uhr; Führungen nur nach Anmeldung Tel. 0 30 / 86 44 76 95.

Neu-Venedig

Ein sehr malerischer Flecken östlich des Müggelsees ist der Ortsteil Neu-Venedig. Er entstand in den zwanziger Jahren bei der Neuanlage des Schiffahrtsweges Müggelsee – Dämeritzsee als eine von Entwässerungskanälen durchzogene Laubenkolonie, in der sich viele Berliner ein Wochenenddomizil geschaffen haben.

Museum für Kommunikation Berlin Q 12 · I 2

Anschrift
Leipziger Str. 16, Mitte

U-Bahn
Mohrenstr. (U 2), Stadtmitte (U 6)

Öffnungszeiten
Di. – Fr. 9.00 – 17.00, Sa. und So. 11.00 – 19.00

Hinter diesem Namen verbirgt sich die Wiedergeburt des ehemaligen Reichspostmuseums, das im Frühjahr 2000 an alter Stelle eröffnet hat. Generalpostmeister Heinrich von Stephan (1831 – 1897) initiierte die Gründung des Reichspostmuseums, das 1875 bescheiden begann, 1898 in großem Stil im jetzigen Gebäude an der Leipziger Straße eröffnet wurde und somit ältestes Postmuseum der Welt ist. Nach dem Zweiten Weltkrieg wurden in Ost- und Westberlin getrennte Postmuseen eingerichtet.
Nach der Generalüberholung zeigt sich das Museumsgebäude nun wieder im alten Glanz, gekrönt von einer Gigantengruppe mit flankierenden Allegorien auf die Wissenschaft (links) und den Verkehr (rechts). Das neukonzipierte Museum hat die Kommunikation zum Thema. Im prächtigen Innenhof informieren drei Roboter über die Geschichte des Hauses und geben aktuelle Informationen. Die sich auf vier Etagen ausbreitende Ausstellung ist thematisch orientiert: Post- und Kommunikationsgeschichte, "Kommunikation als Waffe" (u. a. zu Kriegspropaganda und Nachrichtensperre) und "Massen vor dem Medium" (u. a. zum Brief- und Fernmeldegeheimnis). Unter dem Lichthof ist quasi die Schatzkammer eingerichtet, in der die wertvollsten Stücke der Sammlung präsentiert werden, darunter die legendäre "Blaue Mauritius".

*Museum für Naturkunde P / Q 15

Anschrift
Invalidenstr. 43, Mitte

Die umfangreichen Sammlungen des Museums für Naturkunde der Humboldt-Universität – heute mehr als 50 Mio. Objekte – gehen zurück auf das Mineralogische, Paläontologische und Zoologische Museum. Diese Museen wiederum gründeten auf der im 18. Jh. begonnenen Lehrsammlung der Berliner Bergakademie und waren ab 1810 im Universitätshauptgebäude Unter den Linden untergebracht. Durch Expeditionen und Schenkungen, u.a. von Alexander von Humboldt und Adelbert von Chamisso, der 1815–1818 an einer russischen Pazifikexpedition teilnahm, wuchs die Sammlung immens an, so daß von 1875 an ein neues Museum projektiert wurde, das 1889 seine Pforten in der Invalidenstraße öffnen konnte. Der Direktor des British Museum in London lobte es 1893 als "bemerkenswerte Illustration für die vollständige Revolution der Ideen der Museumsgestaltung". Dem kontinuierlichen Ausbau setzte der Zweite Weltkrieg ein Ende. Ab 1941 wurden Teile der Sammlungen ausgelagert oder im Keller untergebracht. Schwere Bombenangriffe, vor allem im November 1943 und im Februar 1945, zerstörten große Teile des Gebäudes und vernichteten wertvollste Stücke. So wurde der Anatomische Saal mit sämtlichen Skeletten zerstört, ebenso die Walhalle mit den Skeletten großer Wale und Meeressäuger sowie bis auf drei alle Großdioramen der einheimischen Tierwelt. Bald nach Kriegsende wurden die Sammlungen provisorisch der Öffentlichkeit wieder zugänglich gemacht und der Wiederaufbau begonnen, der das Museum, das heute eine Sektion der Humboldt-Universität ist, zu einem der fünf größten naturhistorischen Museen der Welt machte. Zum Museum gehören eine Präparationswerkstatt, das Arboretum in Berlin-Baumschulenweg (Späthstr. 80/81) und eine Bibliothek, dessen wohl wertvollste Stücke 545 Blätter mit Tieraquarellen des Nürnberger Arztes Lazarus Röting (1549–1614) sind.

U-Bahn
Zinnowitzer Str. (U 6)

Tram
6, 8, 13, 50

Bus
157, 245, 340

Öffnungszeiten
Di.–So.
9.30–17.00

Paläontologische Sammlungen

Die Paläontologischen Sammlungen in den Sälen 1 bis 3 bieten einen Überblick über die Entwicklung des Tier- und Pflanzenreichs in einem Zeitraum von 500 Millionen Jahren. Im Mittelpunkt stehen die berühmten Saurierskelette im Lichthof. Von den fünf Originalskeletten aus dem Oberen Jura von Tansania (ca. 140 Mio. Jahre alt) ist das berühmteste dasjenige des 'Brachiosaurus brancai', mit 23 m Länge und 12 m Höhe das größte in einem Museum zu sehende echte Saurierskelett. Zu den weiteren interessanten Skeletten zählen das eines Plateosaurus aus Halberstadt und der Abguß eines 25 m langen Diplodocusskeletts. In dieser Abteilung ist auch das Fossil des Urvogels 'Archeopteryx' aus Sonthofen ausgestellt, der besterhaltene von bisher fünf Funden.

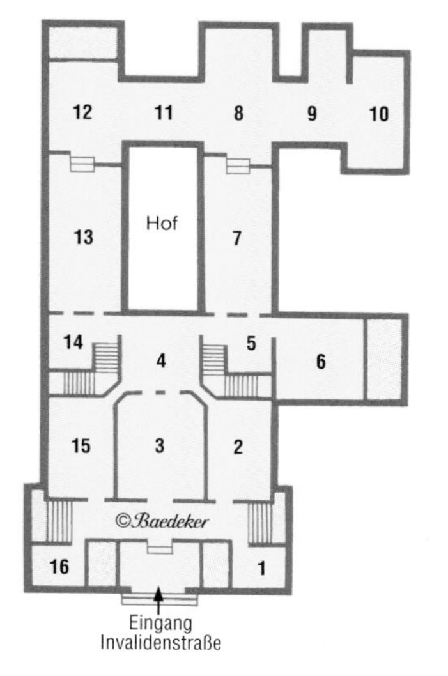

Museum für Naturkunde

1 Erdgeschichte
2 Stammesgeschichte von Pflanzen und Tieren
3 Saurier und Urvögel
4 Stammesgeschichte der Wirbeltiere
5 Stammesgeschichte der Säugetiere; Beuteltiere
6 Primaten
7 Huftiere
8 Einheimische Vögel
9 Dioramen einheimischer Säugetiere
10 Einheimische Fische
11 Sonderausstellung
12 Tierpräparation
13 Wirbellose Tiere
14 Korallenriff
15 Minerale und Meteorite
16 Einheimische Minerale

Museum für Naturkunde (Fortsetzung)
Zoologische Sammlungen

Die Zoologischen Sammlungen geben anhand von Dioramen und präparierten Tieren (Dermoplastiken) einen Einblick in die einheimische und exotische Tierwelt. Besonders interessant sind die Raubtiere und die Dermoplastik des Gorillas "Bobby", der von 1928 bis 1935 Publikumsliebling im → Zoologischen Garten war. Hervorgehoben seien auch die einmaligen großen Insektenmodelle des Präparators A. Keller.

Mineralogische Sammlungen

Die Mineralogischen Sammlungen umfassen mehrere tausend systematisch geordnete Minerale und geben auch einen Überblick über die drei wichtigsten mineralogischen Arbeitsweisen. Besonders sehenswert sind die Meteoriten.

Museum für Spätantike und Byzantinische Kunst

→ Museumsinsel, Bodemuseum

*Museum für Verkehr und Technik · Deutsches Technikmuseum

P 11

Anschrift
Trebbiner Str. 9, Kreuzberg

S-Bahn
Anhalter Bahnhof (S 1, S 2)

U-Bahn
Gleisdreieck (U 1, U 2), Möckernbrücke (U 7)

Bus
129, 248

Im Jahre 1980 beschloß der Westberliner Senat die Errichtung eines staatlichen Museums für Verkehr und Technik, zu dessen Gründung es 1982 kam und das 1983 die ersten Ausstellungsbereiche eröffnete. Diese befinden sich in dem 1908 erbauten Wohn-, Fabrik- und Pferdestallgebäude der Markt- und Kühlhallengesellschaft an der Trebbiner Straße (1700 m² Ausstellungsfläche auf vier Ebenen; Pferdetreppe); 1985 ist die anschließende Eingangshalle dem Publikum zugänglich gemacht worden. 1987 wurden das Freigelände für die Abteilung Eisenbahnwesen, Wasserbau und Schifffahrt sowie ein erster Lokomotivschuppen eröffnet, 1988 wurde ein zweiter Lokomotivschuppen fertiggestellt, so daß die Eisenbahnausstellung sich auf nunmehr 6000 m² Fläche darbietet.
Der weitere Ausbau geschah stufenweise auf dem Gelände des ehemaligen Bahnbetriebswerks Anhalter Bahnhof östlich vom Gleisdreieck mit Ringlokschuppen, Beamtenwohnhaus, Wasserturm und anderen Gebäuden, die wiederhergerichtet worden sind. Daran schließt der ehemalige Anhalter Güterbahnhof an, dessen ca. 350 m lange Ladestraße von zwei Güterschuppen flankiert wird. Geplant ist der Wiederaufbau dieses gesamten Ensembles als zukünftiges Hauptgebäude des Museums. Derzeit entsteht an der Trebbiner Straße (Tempelhofer Ufer) ein Neubau für die Abteilungen Luft- und Schiffahrt. Einen Eindruck der geplanten Gesamtanlage vermittelt das große Wandbild von Klaus Büscher (1982).
Das MVT hat in den vergangenen Jahren bedeutende und wertvolle Exponate aus dem 1906 eröffneten Verkehrs- und Baumuseum im einstigen Hamburger Bahnhof an der Invalidenstraße (→ Bahnhöfe) übernommen, das über 40 Jahre unzugänglich war und 1984 von der DDR an den Westberliner Senat übergeben wurde.

Öffnungszeiten

Das Museum für Verkehr und Technik ist Di.–Fr. 9.00–17.30, Sa., So. 10.00–18.00 Uhr geöffnet; die Bibliothek kann Di. und Do. 13.00–17.30 Uhr benutzt werden. Kostenpflichtige Führungen finden nur nach Voranmeldung (Tel. 25 48 40) statt.

Ausstellungsbereiche

Das Museum präsentiert die ganze Bandbreite der technischen Entwicklung. Zum Thema 'Industrielle Revolution' wird eine historische Werkstatt mit Dampfmaschine und transmissionsbetriebenen Werkzeugmaschinen vorgeführt. Die Abteilung Straßenverkehr präsentiert Pferdewagen, Motor-

◂ *Vor 140 Millionen Jahren stapfte der Brachiosaurus durch das heutige Tansania - seine Knochen haben es bis Berlin geschafft.*

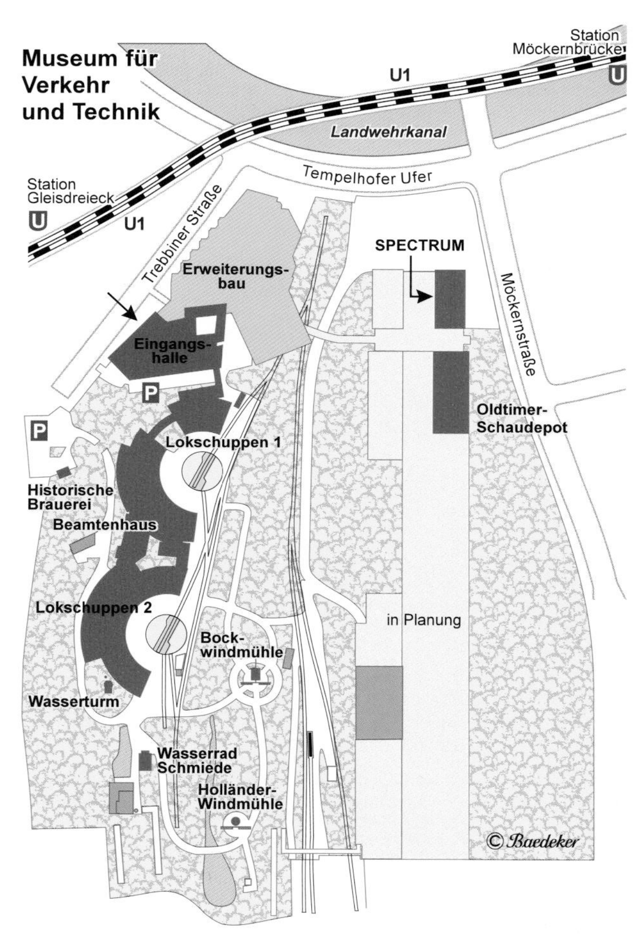

ERWEITERUNGSBAU

zukünftig Schiffahrt,
Luft- und Raumfahrt

EINGANGSGEBÄUDE

Luft-, Raumfahrt,
Produktions- und
Haushaltstechnik
Nachrichtentechnik
Rechen- und
Automatisierungstechnik
Textilarbeit
Papier- und Drucktechnik

LOKSCHUPPEN 1

Schienenverkehr

BEAMTENHAUS

Wasserbau
Schiffahrt
Wissenschaftliche Instrumente
Film- und Fototechnik

LOKSCHUPPEN 2

Schienenverkehr
Energietechnik

Ausstellungsbereiche (Fortsetzung)

räder und – im neueröffneten Schaudepot – Automobile; in der Abteilung Schienenverkehr gibt es u.a. Lokomotiven und Waggons als Originale und Modelle zu sehen, darunter 40 Originalwagen ab 1843 und auch das Fürstenportal aus dem Anhalter Bahnhof. Die Schaustücke der Luftfahrtabteilung sind bis zur Eröffnung des Neubaus im Jahr 2000 größtenteils magaziniert, dennoch werden einige Flugzeuge – darunter eine Fokker Dr. I – ausgestellt. Das interessanteste Stück in der Abteilung Automations- und Rechentechnik ist wohl ein Nachbau des 'Z 1', des ersten Computers der Welt, 1936 vom Berliner Konrad Zuse konstruiert; daneben gibt es walzen-, platten- und lochkartengesteuerte Musik- und Produktionsgeräte und Computertechnik zu sehen. In der Abteilung Schreiben und Drucken werden u.a. Satz und Druck und Papierschöpfen vorgeführt; bei Wasserbau und Schiffahrt wird die Churbrandenburgische Flotte mitsamt einem Diorama 'Die Kurfürstliche Werft in Havelberg' vorgestellt, dazu Schnittmodelle von Holzschiffen, Knochenschiffsmodelle und Navigationsinstrumente. Weitere Abteilungen beschäftigen sich mit Fotografie, Haushalts-, Produktions-, Textil- und Energietechnik und Zeitmessung, auch eine museumseigene Kofferproduktion und Schmuckherstellung gibt es. Im Museumspark sind Windmühlen und -räder, eine Solarstromanlage und die Museumsbrauerei mit einem Sudwerk von 1909 aufgestellt.

Diese Dampfmaschine ist 1859 bei Borsig für eine Mühle gebaut worden. Nun ist sie eines der Schmuckstücke des Museums.

SPECTRUM

Auf welchen Prinzipien viele der ausgestellten Geräte und Maschinen basieren, wird anhand von 225 Experimenten zu naturwissenschaftlichen Grundprinzipien im interaktiven Versuchsfeld SPECTRUM gezeigt. Natürlich kann man vieles selbst ausprobieren.

Weitere Aktivitäten

Außer den ständigen Ausstellungen gibt es laufend Sonderausstellungen und Vorträge. Das wissenschaftliche Archiv umfaßt Firmen- und Privatbestände aus den verschiedensten Bereichen der Technik- bzw. Verkehrsgeschichte; die Fachbibliothek verfügt über mehr als 50 000 Bände.

Museum für Völkerkunde

→ Dahlem, Dahlem-Museen

Museum für Vor- und Frühgeschichte

Schloß → Charlottenburg

Museumsdorf Düppel (Freilichtmuseum) H 5/6

Anschrift
Clauertstr. 11,
Zehlendorf

S-Bahn
Zehlendorf (S 1),
dann Bus 115

Das Freilichtmuseum 'Museumsdorf Düppel' liegt im Südwestteil von Zehlendorf, etwas abseits südlich der Clauertstraße.
Hier wurde über dem originalen Ausgrabungsort am Machnower Fenn eine mittelalterliche Siedlung vom Beginn des 13. Jh.s mit Häusern, Vorratsschuppen und Werkstätten (Schmiede, Schuhmacherei, Töpferei) rekonstruiert. Es finden regelmäßig Vorführungen verschiedener Handwerksarten statt, so zum Beispiel Brotbacken, Töpfern, Weben oder Schnitzen.
Das Museumsdorf ist von Mai bis Mitte Oktober jeweils Do. 15.00 – 19.00 sowie So. und Fei. 10.00 – 17.00 Uhr geöffnet.

**Museumsinsel Q/R 14 · m/n 3

Lage
Mitte

S- und U-Bahn
Friedrichstraße
(S 1, S 2, S 3, S 5, S 7, S 75, S 9, U 6)

Tram
1, 13

Die weltberühmte, zwischen Spree und Kupfergraben gelegene Museumsinsel ist das älteste Berliner Ausstellungszentrum. Hier befinden sich bedeutende Museen, die auf jeden Fall einen Besuch verdienen – auch wenn in den nächsten Jahren hier noch kräftig umorganisiert wird.
Den Kern der Museumsinsel bildet das 1824 – 1830 auf einem zugeschütteten Graben an der Nordseite des Lustgartens (→ Unter den Linden) errichtete Alte Museum. Es entstand durch einen Erlaß König Friedrich Wilhelms III., der die in den Schlössern der Krone verwahrten Kunstschätze der Öffentlichkeit zugänglich machen wollte. Friedrich Wilhelm IV. bestimmte 1841 durch Kabinettsordre das gesamte Gelände hinter dem Museum zu einem der "Kunst und der Altertums-Wissenschaft geweihten Bezirk". Der König hatte an diesem Ort auch sein Mausoleum geplant, für das schon das Baumaterial bereit lag. In den Jahren 1843 – 1855 entstand hinter dem Alten Museum jenseits der Bodestraße das Neue Museum. Der rechts etwas zurückgesetzt liegende Bau der Nationalgalerie wurde 1876 eingeweiht, und 1904 folgte jenseits der Stadtbahn das Kaiser-Friedrich-Museum, das heutige Bodemuseum. Im Jahr 1912 begann der Bau des Pergamonmuseums, das infolge des Ersten Weltkrieges jedoch erst 1930 fertiggestellt wurde.

Museumslandschaft von Weltruf

Unter der Leitung von Wilhelm von Bode (1845 – 1929), der von 1872 bis 1920 – seit 1905 als Generaldirektor der Museen – im Amt war, gelangten die Sammlungen auf der Museumsinsel zu Weltgeltung, vergleichbar mit dem Pariser Louvre, den Florentiner Uffizien, der St. Petersburger Eremitage, dem British Museum und dem Victoria and Albert Museum in London, Madrider und Wiener Museen. Im Zweiten Weltkrieg wurden die Gebäude auf der Insel zu etwa 70% zerstört. Die vorher ausgelagerten Kunstgegenstände hatten den Krieg zum Großteil überstanden, jedoch um den Preis, daß sie im geteilten Berlin verstreut waren. Der Gedanke, die Museumsinsel wieder entsprechend der Anordnung der Vorkriegszeit als übergreifende Darstellung der Hochkulturen der Welt von den Sumerern bis zur Malerei des Expressionismus zu reorganisieren, wurde zunächst verworfen, nun aber z. T. wieder aufgenommen, so daß auf bzw. bei der Museumsinsel

Museumslandschaft von Weltruf (Fortsetzung)

neben Archäologie und Antike möglicherweise auch die Gemäldegalerie wieder präsentiert wird. Doch werden noch Jahre vergehen, bis alle Vorhaben verwirklicht sind. Ansporn dazu gibt sicher auch die Erhebung der Museumsinsel zum Weltkulturerbe im Jahr 2000.

Neugestaltung

Auch architektonisch soll sich die Museumsinsel verändern. Ein 1999 verabschiedeter Masterplan sieht – neben dem Umbau der Einzelmuseen – weitere große Baumaßnahmen für die kommenden zehn Jahre vor. So soll durch die Auslagerung der meisten Nebenfunktionen weitere Ausstellungsfläche geschaffen werden. Der Ehrenhof des Pergamonmuseums wird überbaut, um den Sahure-Tempel aufzunehmen, der bislang zum → Ägyptischen Museum in Charlottenburg gehört. Am Kupfergraben ist ein zentrales Eingangsgebäude vorgesehen; schließlich sollen die vier der Archäologie gewidmeten Museen unterirdisch durch eine 'Promenade der Archäologie' verbunden werden, um einen raschen Rundgang zu den wichtigsten Exponaten der Museen zu gewährleisten.

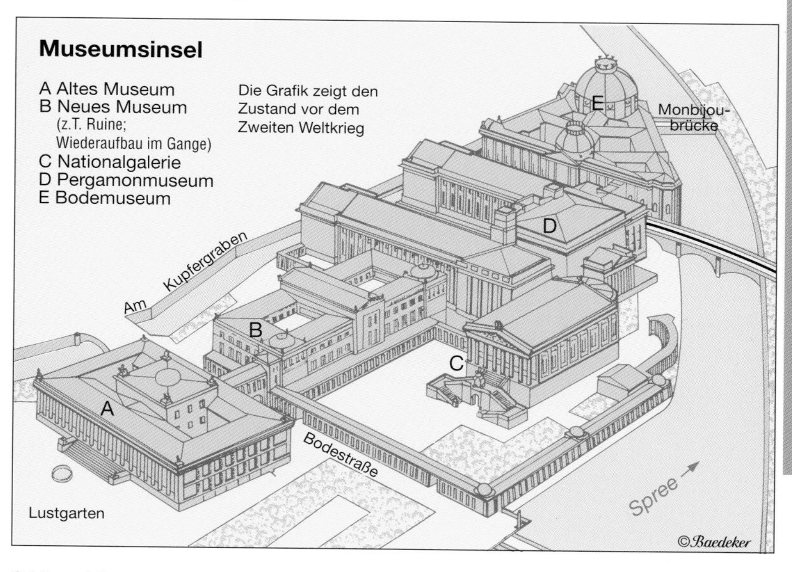

*Altes Museum

Das Alte Museum, jenseits der Bodestraße zum Lustgarten hin gelegen, ist neben dem Fridericianum in Kassel (1779) und Klenzes Glyptothek in München (1816–1830) der älteste Museumsbau Deutschlands und somit das älteste Museum in Berlin. In den Jahren 1824 bis 1830 wurde es nach Entwürfen von Karl Friedrich Schinkel im Stil eines griechischen Tempels als 'Königliches Museum' errichtet. Die Vorhalle zum Lustgarten wird von 18 ionischen Säulen getragen. Herzstück des Museums ist eine dem römischen Pantheon nachempfundene Rotunde, deren umlaufende Galerie 20 korinthische Säulen zieren. Im Zweiten Weltkrieg zerstört, wurde das Gebäude ab 1960 neu aufgebaut und 1966 wiedereröffnet. Das Eingangsportal trägt in lateinischer Sprache die Inschrift: "Dem Studium des Altertums und der Schönen Künste". Vor der breiten Freitreppe steht eine 1827–1830 aus einem märkischen Findling von Christian Gottlieb Cantian geschliffene große Granitschale (Durchmesser 6,90 m; Gewicht 76 t), die den

S-Bahn
Hackescher Markt (S 3, S 5, S 7, S 75, S 9)

Tram
1

Bus
100, 157, 348

Öffnungszeiten
Di. – So.
10.00 – 18.00

Altes Museum (Fortsetzung)

Spitznamen 'die größte Suppenschüssel Berlins' trägt. Zwei Skulpturen flankieren den Eingang zum Museum. Links bezwingt Albert Wolffs "Jüngling zu Pferde" einen Löwen, rechts kämpft die "Berittene Amazone" von August Kiß mit einem Tiger.

***Antikensammlung**

Im Mai 1998 ist im Alten Museum eine Dauerausstellung mit Stücken der Antikensammlung eröffnet worden – die der → Sammlung Berggruen hat weichen müssen –, ergänzt um Objekte aus dem Pergamonmuseum und Leihgaben. Wenn die provisorische Ausstellung der Alten Nationalgalerie wieder ausziehen wird, wird die Antikensammlung auf das ganze Alte Museum ausgedehnt und ist dann endgültig an ihren angestammten Ort zurückgekehrt. Die Antikensammlung geht zum großen Teil auf Bestände des 1830 gegründeten Antiquariums zurück. Die Ausstellung im Alten Museum beginnt mit Kykladenidolen aus dem 3. Jt. v. Chr.; die archaische Zeit ist mit Stücken aus Olympia und den Stadtstaaten wie Athen, Sparta und Korinth vertreten. Aus klassischer Zeit stammen Helden- und Götterbilder wie die attische Schale des Sosias-Malers mit dem Bildnis Achills, der Patroklos verbindet. Es folgen u. a. Funde aus Priene und Pergamon und die Kunst der römischen Kaiserzeit. Eine eigene Abteilung widmet sich den Grabungen der Berliner Museen im 19. und frühen 20. Jh.; hier werden u. a. Bronzen aus dem Heiligtum der Hera auf Samos, Marmorskulpturen aus dem Heiligtum der Athena von Milet und Alltagsgegenstände aus Priene sowie Werke des Töpfers Exekias und des sog. Kadmos-Malers gezeigt. Die Schatzkammer präsentiert Gold- und Silberarbeiten.

Ausstellung der Alten Nationalgalerie

Im Obergeschoß des Alten Museums werden derzeit die bedeutendsten Werke aus der Alten Nationalgalerie (s. u.) ausgestellt. Diese Räume sollen in einigen Jahren ebenfalls der Antikensammlung zugute kommen.

Neues Museum

Im Wiederaufbau

Der 1843 bis 1847 nach Plänen von Friedrich August Stüler errichtete Bau, dessen Innenräume, unter denen ein pompöses Treppenhaus herausragt, aber erst 1855 fertiggestellt wurden, erlitt im Zweiten Weltkrieg schwere Schäden, mit deren Beseitigung man erst 1986 begonnen hat. Hier waren die ägyptologischen Sammlungen untergebracht. Das Museum wird vollständig restauriert, was allerdings noch einige Jahre in Anspruch nehmen wird. Nach der Fertigstellung soll der Bau die Sammlungen aus dem → Ägyptischen Museum in Charlottenburg und aus dem Ägyptischen Museum im Bodemuseum aufnehmen, womit die Stücke, darunter auch die Büste der Nofretete, an ihren angestammten Ort zurückkehren.

*Alte Nationalgalerie

Anschrift
Bodestr. 1-3

S-Bahn
Hackescher Markt (S 3, S 5, S 7, S 75, S 9)

Tram
1, 13

Das Gebäude der Alten Nationalgalerie wurde 1866 bis 1876 nach Plänen von Friedrich August Stüler und Johann Heinrich Strack erbaut. Das ursprünglich als Festsaalbau gedachte Museum hat die Form eines korinthischen Tempels, der über einem hohen Unterbau steht; eine weitläufige Freitreppe führt zum Eingang. Über dem Eingangsportal thront ein bronzenes Reiterstandbild des preußischen Königs Friedrich Wilhelm IV. von Alexander Calandrelli aus dem Jahre 1886. Im Vorgarten steht die "Amazone" von Louis Touaillon.
Auch die Nationalgalerie hat unter dem Naziregime und den Folgen des Zweiten Weltkriegs gelitten. Ein guter Teil der bedeutenden Sammlung deutscher Expressionisten wurde zunächst zur ominösen Ausstellung 'Entartete Kunst' nach München gebracht und anschließend zu Schleuderpreisen in alle Welt verkauft, ein weiterer Teil ging während der Auslagerung in den Friedrichshainbunker durch Feuer verloren. Heute präsentiert sie Kunst des 19. Jh.s, die Moderne ist in der Neuen Nationalgalerie auf dem → Kulturforum zu finden.

Generalinstandsetzung

Die Alte Nationalgalerie ist derzeit wegen Generalinstandsetzung geschlossen. Bis zur voraussichtlichen Wiedereröffnung 2001 oder 2002 werden die Hauptwerke im Alten Museum (s.o.) gezeigt.

Herausragende Werke

Goethezeit und Vormärz: Wandfresken der Nazarener (1816 / 1817), Bildnisbüsten von Schadow und Tieck, das "Gastmahl" von Feuerbach, Kartons zu Fresken im Göttersaal der Münchner Glyptothek von Peter Cornelius, Bildnisse Berliner Persönlichkeiten, italienische Landschaften von Carl Blechen, Waldmüllers "Heimkehr zum Kirchweihfest".
Kunst zwischen Idealismus und Impressionismus: Arnold Böcklin ("Toteninsel"), Anselm Feuerbach, Hans von Marées und Adolph von Hildebrand, französische Impressionisten (u. a. Manets "Wintergarten", Stilleben von Cézanne), Wilhelm Leibl und sein Kreis, Hans Thoma, Weimarer Malerschule, Max Liebermann, Münchner und Wiener Schule nach 1850.
Realistische Strömungen des 19. Jh.s: Skulpturen von Schadow (Marmorsarkophag des Grafen von der Mark, Gruppenbild der Schwestern Kronprinzessin Luise und Prinzessin Friederike, → Abb. S. 23), Christian Rauch (Denkmal von Friedrich d. Gr.), Tieck, Dannecker, Schwanthaler und Canova, Schule von Barbizon, frühe Berliner Porträts von Lovis Corinth, Constable, Courbet, Adolph von Menzel ("Flötenkonzert", → Abb. S. 24; "Eisenwalzwerk" von 1875) Fin de siècle zwischen Symbolismus und Frühexpressionismus (u.a. Leistikow "Grunewaldsee"; Franz von Stuck "Die Sünde" und "Tilla Durieux als Circe"; Max Beckmann "Sterbezimmer").

**Pergamonmuseum

Eingang
Kupfergraben

Das Pergamonmuseum gehört zu den ältesten Museen seiner Art überhaupt und wurde nach Plänen von A. Wessel und Ludwig Hoffmann in den Jahren 1909 bis 1930 erbaut; die Bauarbeiten waren durch den Ersten Weltkrieg längere Zeit unterbrochen worden.

Der Pergamonaltar ist das Herzstück des Museums.

Das Ischtar-Tor von Babylon, ein weiterer Glanzpunkt im Pergamonmuseum, wurde um 580 v. Chr. erbaut.

Pergamonmuseum (Fortsetzung)

S- und U-Bahn
Friedrichstraße
(S 1, S 2, S 3, S 5, S 7, S 75, S 9, U 6)

Tram
1, 13

Öffnungszeiten
Di.–So.
9.00–18.00

In dem Gebäudekomplex sind die Antikensammlung mit dem vielgepriesenen Pergamonaltar und dem Markttor von Milet, das Vorderasiatische Museum mit der großartigen Prozessionstraße von Babylon und dem Ischtartor, das Museum für Islamische Kunst und die Dauerausstellung 'Antikes Münzwesen' des Münzkabinetts aus dem Bodemuseum untergebracht. Für einen kursorischen Besuch des gesamten Pergamonmuseums muß man mindestens einen halben Tag ansetzen.
Am Eingang zur Antikensammlung erhält jeder Besucher auf Wunsch einen tragbaren Kassettenrekorder mit Kopfhörer. Erläutert werden die Säle der Antikensammlung und des Vorderasiatischen Museums.

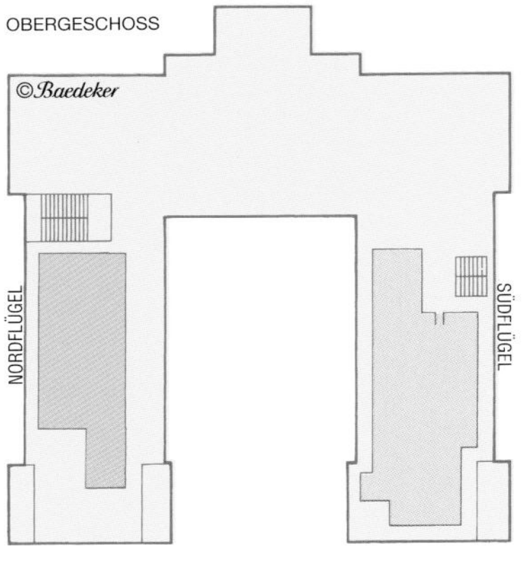

OBERGESCHOSS

Museum für Islamische Kunst
Prunkfassade des Wüstenschlosses Mschatta (Jordanien; 8.Jh.)
Funde aus Ktesiphon und Samarra
Gebetsnische aus der Maidan-Moschee in Kaschan (1226)
Aleppo-Zimmer
Teppiche, Miniaturen, Schnitzereien

Antikensammlung
Geometr. und archaische Kleinkunst, zyprische Werke, klassische und hellenistische Kleinplastik, griechische Terrakotten und Vasen, römische Porträts und Kleinkunst

Antikensammlung
Museum für Islamische Kunst
Vorderasiatisches Museum

Pergamonmuseum

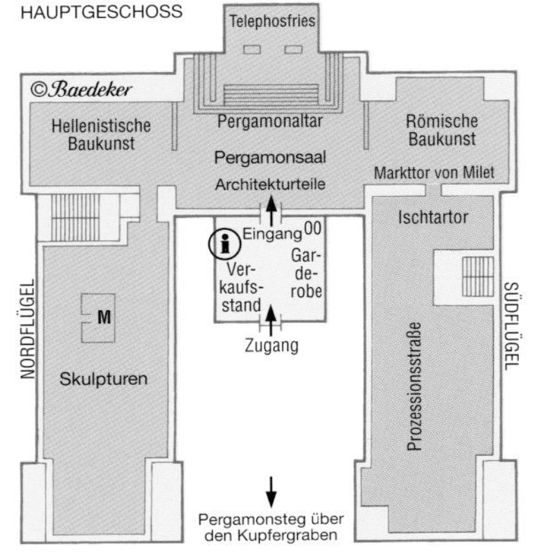

HAUPTGESCHOSS

Antikensammlung
Skulpturen: Griechische Plastik des 6.-4.Jh.s v. Chr., hellenistische und römische Kopien griechischer Werke des 5.-4.Jh.s.v. Chr., griechische Plastik der hellenistischen Zeit und römische Kopien griechischer Originale; römische Kunst
M Münzausstellung

Vorderasiatisches Museum
Abgüsse hethitischer Reliefs
Altertümer der Hethiter, Churriter und Aramäer
Funde aus Sumer, Akkad, Uruk, Babylon, Persien (Susa, Persepolis)
Ischtartor und Prozessionsstraße aus Babylon (erbaut unter Nebukadnezar II., 604-562 v. Chr.)
Funde aus Assur (Wandreliefs aus dem Palast Assurnasipals II., 9.Jh. v. Chr.; Wasserbecken)
Keilschrifturkunden; Urartäische Funde; Stelensammlung

**Antikensammlung

Die Skulpturensammlung im Hauptgeschoß beherbergt wertvolle Stücke der Antike, griechische und römische Plastiken. Größte Beachtung verdient der rekonstruierte Zeusaltar von Pergamon. Er wurde als ein Weihegeschenk an Zeus und Athene (sie war die Schutzgöttin der Stadt Pergamon in Kleinasien; heute das türkische Bergama) um 180 bis 160 v. Chr. geschaffen und im Jahre 1902 nach Berlin gebracht. Von einzigartiger Kunstfertigkeit zeugt der einst den gesamten Altar umlaufende Fries mit der Darstellung des Kampfes der Götter gegen die Giganten. Des weiteren verdienen große Beachtung die wertvollen Stücke frühhellenistischer Baukunst aus Priene, Magnesia und Milet sowie die Skulpturen aus Milet, Samos, Naxos und Attika (alle aus frühgriechischer Zeit). Aus römischer Zeit stammen das großartige Markttor von Milet (165 v. Chr.) sowie ein restauriertes Fußbodenmosaik (3. Jh. n. Chr).
Eine gute Ergänzung zu den Stücken im Pergamonmuseum sind die nun im Alten Museum (s. o.) ausgestellten römisch-hellenistischen Kleinkunstwerke der Antikensammlung.

**Vorderasiatisches Museum

Babylonischer Urkundenstein aus dem Jahr 715 v. Chr.

Auch das Vorderasiatische Museum ist im Hauptgeschoß untergebracht. Vierzehn Räume bieten dem Besucher ein umfassendes Bild über 4000 Jahre Geschichte, Kunst und Kultur Vorderasiens. Die Funde stammen zum größten Teil aus zwischen 1898 und 1917 durchgeführten Grabungen der Deutschen Orientgesellschaft. Das Museum zeigt bedeutende Denkmäler der neubabylonischen Baukunst und ist die drittgrößte Sammlung ihrer Art in Europa mit Objekten aus der Zeit Nebukadnezars II. (603 bis 562 v. Chr.): monumental das Ischtar-Tor, die Prozessionsstraße und Teile der Kronsaalfassade aus Babylon. Altvorderasiatische Monumentalarchitekturen sind auch die Stiftmosaikwand um 3000 v. Chr. und die Backsteinfassade (etwa 1415 v. Chr .) aus dem Eanna-Heiligtum in Uruk; einzigartig das Riesenvogelstandbild vom Tell Halaf (um 900 v. Chr.), die Siegesstele des Asarhaddon von Assyrien (680–669 v. Chr.) und das große Löwentor der Burg von Sendschirli. In Vitrinen sind zahlreiche Kunstwerke und Kleinkunst ausgestellt, z.B. Tontafeln mit Keilschrift.

*Museum für Islamische Kunst

Das Museum für Islamische Kunst im Obergeschoß ist eine Gründung Wilhelm von Bodes (1904). Anlaß war die Schenkung des heute noch wertvollsten Stücks, die Fassade des Wüstenschlosses Mschatta in Jordanien (8. Jh.), die der türkische Sultan Kaiser Wilhelm II. vermachte. Außerdem werden das Aleppo-Zimmer vom Beginn des 17. Jh.s, eine Gebetsnische aus der Maidan-Moschee in Kaschan, persische und indische Miniaturen, Teppiche und Schnitzereien gezeigt. Im Zweiten Weltkrieg hat dieser Teil des Museums große Verluste erlitten. Vieles mußte rekonstruiert werden, so z.B. bis 1963 der linke Turm des Wüstenschlosses.
Mittlerweile sind auch die Bestände des bislang in → Dahlem beheimateten Museumszweigs auf die Museumsinsel gekommen. Zu ihnen gehören u. a. ein osmanischer Lotto- und Holbein-Teppich aus dem 16. Jh., ein Prachtkoran und eine Gebetsnische der Safawiden aus dem 16. Jh., iranische Steinwangen aus dem 14. Jh. und ein im Jahr 1846 angefertigtes persisches Deckengemälde.

NEC SOLI CEDIT
SUUM CUIQUE

✻Bodemuseum auf der Museumsinsel

Das Bodemuseum liegt am Nordende der Museumsinsel und ist aus dem 1904 eröffneten ehemaligen Kaiser-Friedrich-Museum hervorgegangen. 1956 wurde es zu Ehren seines Begründers Wilhelm von Bode (1845 bis 1929) umbenannt, der von 1872 bis 1929 Leiter dieser Sammlung war und sich in den Jahren 1905 bis 1920 als Generaldirektor der Berliner Museen große Verdienste bei ihrem Auf- und Ausbau erworben hatte.
Der neobarocke Museumsbau entstand 1897 – 1904 und ist ein Werk des Baumeisters Ernst von Ihne. Im kuppelüberwölbten großen Treppenhaus steht auf dem Originalsockel ein Bronzeabguß von Schlüters Reiterdenkmal des Großen Kurfürsten, das sich früher auf der Langen Brücke (heute Rathausbrücke am → Nikolaiviertel) befand und heute im Ehrenhof von Schloß → Charlottenburg steht

Eingang
Kupfergraben/
Monbijoubrücke

S- und U-Bahn
Friedrichstraße
(S 1, S 2, S 3, S 5, S 7, S 75, S 9, U 6)

Tram
1, 13

Das Bodemuseum sieht einem jahrelangen Umbau entgegen, der voraussichtlich erst 2005 beendet sein wird. Deswegen sind bereits das Ägyptische Museum, das Museum für Spätantike und Byzantinische Kunst und das Münzkabinett geschlossen. Teile der ägyptischen Kunst sind nun im → Ägyptischen Museum in Charlottenburg zu sehen; das Münzkabinett stellt seine schönsten Stücke im Pergamonmuseum und im Rahmen der Antikensammlung im Alten Museum aus. Das Museum für Spätantike und Byzantinische Kunst geht nach dem Umbau mit der Skulpturensammlung zusammen, wobei der Schwerpunkt dieser zukünftigen Präsentation bei den Skulpturen gesetzt wird.

Umbau

Musikinstrumenten-Museum

→ Kulturforum

Neue Nationalgalerie

→ Kulturforum

✻Neue Synagoge · Centrum Judaicum

Q 14 · m 4

Am 7. Mai 1995 konnte nach über fünfjährigen Bauarbeiten das Centrum Judaicum eröffnet werden, das als Gebets- und Gedenkstätte, Museum, jüdisches Gemeindehaus, wissenschaftliches Zentrum zur Koordinierung, Forschung und Publizierung wissenschaftlicher und kultureller Leistungen Berliner Juden sowie als Bibliothek und Archiv der Jüdischen Gemeinde dient. Das Zentrum ist untergebracht in den wiederaufgebauten Teilen der Neuen Synagoge, deren 50 m hohe goldglänzende Kuppel wieder einen Akzent im Stadtbild Berlins setzt.
Der in maurisch-byzantinischem Stil ausgeführte Bau der Neuen Synagoge, 1857 – 1859 von Eduard Knoblauch entworfen und 1866 von Friedrich August Stüler vollendet, war das Gotteshaus der größten jüdischen Gemeinde in Deutschland. Zur Einweihung am 5. September 1866 fand sich auch der preußische König im 3000 Menschen Platz bietenden Hauptgebetsraum ein. Die Synagoge wurde in der Pogromnacht vom 9. November 1938 von den Nationalsozialisten zwar geplündert und geschändet, doch verhinderte das mutige Eingreifen des Polizisten Wilhelm Krützfeld, daß die SA sie auch noch anzündete. Vier Jahre später allerdings brannte

Anschrift
Oranienburger
Str. 30, Mitte

S-Bahn
Oranienburger Str.
(S 1, S 2)

U-Bahn
Oranienburger Tor
(U 6)

Tram
1, 13

◀ *Auf Jahre hinaus leider nicht mehr zu sehen:*
Andreas Schlüters "Großer Kurfürst" im Treppenhaus des Bodemuseums.

Öffnungszeiten
So. – Do.
10.00 – 17.30,
Fr. bis 13.30

Führungen
So. 14.00 u. 16.00,
Mi. 16.00

das Gebäude nach einem Bombenangriff aus; 1958 wurde der Gebetsraum wegen Einsturzgefahr gesprengt. 1988 begann der Wiederaufbau, und am 125. Jahrestag der Einweihung, am 5. September 1991, wurde die Fertigstellung der Fassade gefeiert. Seitdem sind auch die Räume des Centrum Judaicum vollendet worden: Vorhalle, Männervestibül, Haupttreppenhaus, Repräsentantensaal (mit der Fotoausstellung Bilder jüdischer Stätten in Berlin) und oberste Frauenempore, jetzt Vortragssaal. Die Dauerausstellung 'Tuet auf die Pforte' dokumentiert die Geschichte der Neuen Synagoge und der Jüdischen Gemeinde in Berlin. Vom Ausstellungsraum öffnet sich eine Glasfront zum jetzigen Hof, wo der Grundriß des einstigen Hauptgebetssaales nachgezeichnet ist. Zum Centrum Judaicum gehört auch das Restaurant Oren, das jüdische Küche bietet.

Über der Oranienburger Straße strahlt die Kuppel der Neuen Synagoge, die das Centrum Judaicum beherbergt.

Umgebung der Neuen Synagoge

Die Gegend um die Oranienburger Straße bis hinunter zum Scheunenviertel hinter dem → Alexanderplatz, heute für Nachtschwärmer eine bekannte Adresse, war das Zentrum der jüdischen Gemeinde Berlins. In der Ausstellung in der Neuen Synagoge gibt ein großer Plan des Viertels den Standort vieler Institutionen an.

Kulturzentrum Tacheles

Zunächst fällt aber, von der U-Bahn-Station kommend, am Beginn der Oranienburger Straße rechts ein sehr großes, halb in Ruinen liegendes Haus auf. Es wurde zwischen 1907 und 1909 als Kaufhauspassage erbaut. Heute ist hier das alternative Kunst- und Kulturzentrum Tacheles mit Kneipe, Theater und Ateliers zu Hause. Ehemals von Hausbesetzern gegründet, ist es mittlerweile zur Touristenattraktion geworden – gegen Entgelt darf man gar den Künstlern zuschauen, und auch Ansichtskarten gibt es bereits.

Noch vor der Neuen Synagoge passiert man die Tucholskystraße (früher Artilleriestraße). Am Haus Nr. 9 sieht man noch zwei Füllhörner und den Kopf des Löwen von Juda. Hier befand sich die Hochschule für die Wissenschaft des Judentums, an der als letzter Lehrer bis 1942 Leo Baeck unterrichtete. Haus Nr. 40 ist das Gemeindezentrum der Israelitischen Synagogengemeinde 'Adass Jisroel'.

Umgebung der Neuen Synagoge (Fortsetzung) Tucholskystraße

Es folgt nach der Synagoge die Krausnickstraße, auf der man zur Großen Hamburger Straße kommt. Rechter Hand öffnet sich ein baumbestandenes Grundstück. Es ist der erste jüdische Friedhof Berlins (→ Friedhöfe), auf dem auch Moses Mendelssohn begraben ist.

Große Hamburger Straße

Beim Friedhof erinnern eine Gedenktafel und eine Bronzeskulptur an die Verfolgung und Ermordung der Juden. An dieser Stelle stand das jüdische Altersheim, das die Nationalsozialisten ab 1941 zum Sammellager für die jüdischen Einwohner Berlins vor dem Abtransport in die Vernichtungslager machten. Im folgenden Haus Große Hamburger Straße Nr. 27 war die Jüdische Knabenschule eingerichtet, an deren Gründung Moses Mendelssohn mitwirkte (Gedenktafel). Schräg gegenüber das St.-Hedwig-Krankenhaus, 1844 als erstes katholisches Krankenhaus Berlins gegründet.

Kurz darauf führt eine Einfahrt nach rechts zur 1712 von Königin Sophie gestifteten Sophienkirche, die wohl den schönsten barocken Kirchturm Berlins besitzt, der jedoch erst 1734 vollendet war. Auf dem Kirchhof, sind u.a. der Baumeister und Komponist Carl Friedrich Zelter (†1832; im Teil links der Kirche) und der Historiker Leopold von Ranke (†1886; Grabplatte rechts in der Umfassungsmauer) begraben.

*Sophienkirche

Von der Großen Hamburger Straße geht die Sophienstraße ab, die im Stile einer Straße um die Jahrhundertwende rekonstruiert wurde. Haus Sophienstraße Nr. 15 war von 1864 bis 1905 das Vereinshaus des 1844 gegründeten Handwerkervereines; nach 1905 bezog der Verein neue Räume in der Sophienstraße Nr. 17/18. Im ehemaligen Fabrikgebäude Haus Nr. 21 zeigt die Sammlung Hoffmann zeitgenössische westeuropäische und nordamerikanische Kunst (geöffnet: Sa. 11.00 – 17.00 Uhr).

Sophienstraße

Sammlung Hoffmann

Die Sophienstraße mündet in die Rosenthaler Straße. Gleich an der Ecke geht es links in die Hackeschen Höfen hinein, ehemals größter zusammenhängender Arbeits- und Wohnkomplex Europas. Die 1908 vollendete Anlage von August Endell aus insgesamt acht Höfen ist grundlegend saniert worden; in besonderem Glanz erstrahlt nun der in reinem Jugendstil gehaltene erste Hof, der mit seinem Kneipen- und Kulturangebot mittlerweile zu einem Nachtschwärmertreff allererster Güte geworden ist.

*Hackesche Höfe

Nicolaihaus

R 13 · n 2

Anschrift
Brüderstr. 13, Mitte

U-Bahn
Spittelmarkt (U 2)

Das 1709 erbaute Haus wurde nach 1787 von Carl Friedrich Zelter für die Bedürfnisse des Schriftstellers, Kritikers und Verlegers Christoph Friedrich Nicolai umgebaut, der hier auch seine Buchhandlung hatte. Fortan war es ein Treffpunkt der geistigen Elite jener Zeit und ein Brennpunkt der Aufklärung, in dem außer dem Maurermeister, Musiker und Goethefreund Zelter (Gedenktafel) u.a. Moses Mendelssohn, Gottfried Schadow, Anna Luise Karsch und Daniel Chodowiecki verkehrten. Nach Nicolais Tod im Jahre 1811 ging die Buchhandlung in den Besitz seines Schwiegersohnes Hofrat Gustav Parthey über. Von Ostern bis Mai 1811 wohnte auch Theodor Körner hier, 1814 zog die Schriftstellerin Elise von der Recke, geb. Gräfin Meden, ein, eine Schwester der regierenden Herzogin von Kurland. Seit 1892 befand sich die Buchhandlung allerdings an der Dorotheenstraße.

Im Hause Brüderstraße Nr. 33 wohnte der Baumeister Andreas Schlüter; Nr. 10 ist das sogenannte Galgenhaus (1680), vor dem einst eine unschuldige Magd gehängt worden sein soll.

Weitere Häuser an der Brüderstraße

Niederschönhausen / Schloß Niederschönhausen R 19

Lage
Ossietzkystraße, Pankow

S-Bahn
Pankow (S 8, S 10), dann Tram 52

Das von einem Park umgebene Schloß Niederschönhausen wurde 1664 als Landsitz der Gräfin von Dohna angelegt. Johann Arnold Nering (von 1691 an) und Eosander von Göthe (von 1704 an) bauten es auf Veranlassung des Kurfürsten Friedrich III. um. Von 1740 bis 1797 lebte Elisabeth Christine, Gemahlin Friedrichs II., auf Geheiß ihres königlichen Gatten im Schloß, das 1760 von russischen Truppen verwüstet und anschließend durch Johann Boumann d. Ä. wiederhergestellt wurde. Peter Joseph Lenné gestaltete 1829–1831 den Park. Nach dem Tode Friedrich Wilhelms III. zog die Fürstin Liegnitz in Schloß Niederschönhausen ein. Nach der Gründung der DDR im Jahre 1949 war das Schloß bis 1960 Amtssitz des ersten Staatspräsidenten der DDR, Wilhelm Pieck, danach Gästehaus der Regierung. Am Ende der DDR trafen sich Staat und Volk hier am Runden Tisch, und hier fanden auch die entscheidenden Gespräche der Zwei + Vier-Verhandlungen statt.
Im Schloß ist heute ein Restaurant der gehobenen Kategorie eingerichtet; zum Spaziergang lädt der Schloßpark ein.

*Nikolaiviertel R 14 · n / 4o 2 / 3

Lage
Mitte, südwestlich vom Roten Rathaus

S-Bahn
Alexanderplatz (S 3, S 5, S 7, S 75, S 9)

U-Bahn
Klosterstraße (U 2)

In dem sich südwestlich vom Roten Rathaus (→ Rathäuser) ausdehnenden innerstädtischen Bereich, der von Spandauer Straße, Molkenmarkt, Mühlendamm, Spreeufer und Rathausstraße umgrenzt wird, ist das Nikolaiviertel entstanden. Es handelt sich hierbei um den Kern des alten Berlin, genauer gesagt den der östlichen Hälfte der Doppelstadt Cölln-Berlin an der Stelle der ältesten Siedlungsstätte, einer Furtsiedlung rings um die Nikolaikirche. Das Nikolaiviertel steht in krassem Gegensatz zu den nördlich anschließenden weitläufigen Freiflächen zwischen dem Palast der Republik und dem → Fernsehturm. Beim Aufbau dieses Viertels (seit 1981) hat man nach den Vorstellungen des leitenden Architekten Günter Stahn auf Geschlossenheit, Kleinteiligkeit, winklige Enge und intime Beschaulichkeit gesetzt. Hier ist jedoch nur wenig alte gewachsene Bausubstanz wiedererstanden, sondern eine auf dem Reißbrett entworfene, nicht unkritisiert gebliebene 'Alt-Berliner Milieu-Insel' auf neuen Grundstücksschnitten mit etlichen historischen Bauteilen verwirklicht worden, die früher z.T. andernorts gestanden haben.
Einen wichtigen Bestandteil machen mehrere hundert neu gebaute Wohnungen aus. Zahlreiche Gaststätten, Cafés, Weinstuben, ein Biergarten sowie Läden, Tee- und Gewürzstuben, Werk- und Verkaufsstätten für Korbflechtarbeiten und Holzkunstgewerbe, Geschenkartikel und Andenken beleben das autofreie Quartier. Die zur Rathausstraße hin liegende Front ist mit Arkadengängen gestaltet. Geschlossen neu bebaut sind auch die Fronten entlang der Spandauer Straße, dem Mühlendamm und dem Spreeufer, wobei mehrstöckige Stadthäuser mit Walmdächern und schmalere Giebelhäuser sich abwechseln.

*Nikolaikirche

Öffnungszeiten
Di.–So. 10.00–18.00

Mittelpunkt des Nikolaiviertels ist die Nikolaikirche, der älteste Sakralbau auf Berliner Boden; ihr Grundriß ist in Ost-West-Richtung diagonal gegen das Raster der Stadtgründung versetzt.
Der Ursprungsbau, eine romanische Feldsteinbasilika, entstand um das Jahr 1230 und wurde St. Nikolaus, dem Heiligen der Schiffer und Kaufleute, geweiht. Bei archäologischen Untersuchungen sind 1956 / 1957 Fundamentteile dieses ersten Baus und Reste eines Friedhofs mit rund 100 Skeletten zutage gekommen (Sichtgrube im Inneren; Markierung des Grundrisses durch Fliesen). Der zweite Kirchenbau an dieser Stelle, eine 1470

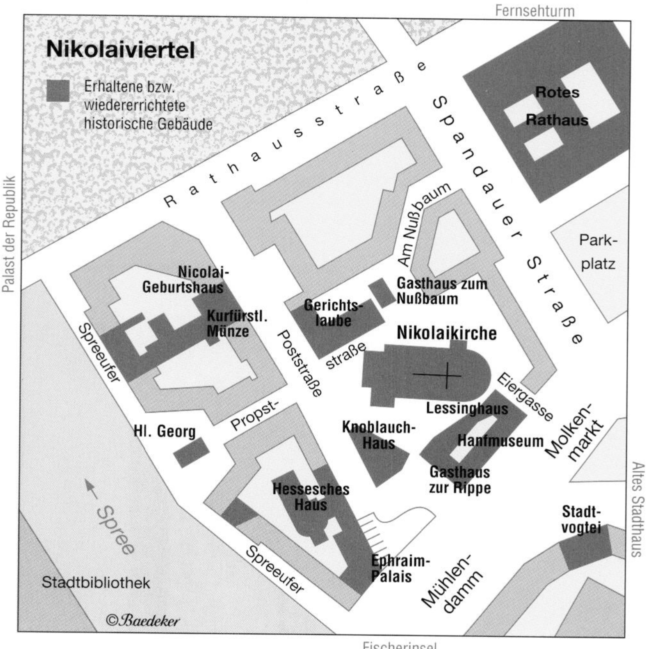

Nikolaikirche (Fortsetzung)

vollendete spätgotische Backsteinhalle mit drei Schiffen, übergreifendem Satteldach und eng beieinanderstehenden Zwillingstürmen, war 1817 von F. W. Langhans im Inneren erneuert und 1877–1880 abermals renoviert worden. Dieser Bau wiederum erlitt im Zweiten Weltkrieg schwere Schäden. Die rechts an der Turmfront stehende Liebfrauenkapelle mit schönem Stufengiebel stammt von 1452.

Innenraum

Den Bombenangriffen des Zweiten Weltkrieges fiel auch die reiche Innenausstattung zum Opfer; im Chor sind jedoch Reste spätmittelalterlicher Wandmalereien freigelegt worden. Die heute zu sehenden Ausstattungsstücke, überwiegend nach der Reformation eingerichtete Epitaphien, sind teilweise Rekonstruktionen, so die Kötteritzkapelle, ein Meisterwerk der Spätrenaissance (nur reduziert wiederhergestellt), oder das Krauthsche Grabdenkmal, eines der schönsten Grabmäler des 18. Jh.s in Berlin. Sehenswert sind noch das Grabmal für Daniel Männlich, geschaffen von Andreas Schlüter, sowie die Epitaphien für Paul Schultheiß und Johann Zeideler, beides Werke der Renaissance. In der Nikolaikirche begraben sind auch der Naturrechtslehrer Samuel Pufendorf (1632–1694; Grab außen am Chor) und der Pietist Philipp Jakob Spener (1635–1705). Von 1657 bis 1666 wirkte Paul Gerhardt (1607–1676), der Verfasser zahlreicher lutherischer Kirchenlieder, als Geistlicher an der Nikolaikirche. Eine Bronzetafel weist darauf hin, daß in der Kirche 1805 die erste Berliner Stadtverordnetenversammlung tagte.
Seit dem Wiederaufbau dient der Kirchenraum in erster Linie als Konzertstätte und zu Ausstellungszwecken. Eine hier eingerichtete Abteilung des → Stadtmuseums Berlin zeigt die Geschichte Berlins vom Mittelalter bis zum Dreißigjährigen Krieg. Zu sehen sind u.a. das älteste erhaltene Berli-

Innenraum der Nikolaikirche (Fortsetzung)

ner Stadtsiegel (1280), ein Trinkgefäß in Bärenform (einziges erhaltenes Stück des Ratssilbers), Dokumente zum Gerichtswesen, sakrale Plastik, darunter die “Spandauer Madonna” (um 1290) und Goldschmuck aus dem 16. / 17. Jahrhundert.

Glockenspiel

Das Glockenspiel der Kirche wird jeden zweiten Samstag um 11.00 Uhr von Hand gespielt; Automatikspiel findet täglich um 10.00, 12.00 und 16.00 Uhr statt.

Lessinghaus

Am Nikolaikirchplatz wohnte im Hause Nr. 10 (heute Nr. 7) von 1752 bis 1755 Gotthold Ephraim Lessing. Hier schrieb er das Lustspiel “Minna von Barnhelm”. Das ursprüngliche Gebäude fiel 1870 einem Neubau zum Opfer und ist nunmehr rekonstruiert.

In der abendlichen Ruhe am Nikolaikirchplatz fand sicherlich auch Lessing Inspiration für seine “Minna von Barnhelm”.

Gerichtslaube

Schräg gegenüber dem Kirchenportal steht an einem hofartigen Platz an der Poststraße eine Kopie der Gerichtslaube des mittelalterlichen Rathauses. Sie lag einst 200 m nordöstlich, wurde 1870 abgerissen und hernach im Schloßpark von Babelsberg rekonstruiert (wo sie heute noch steht).

“Zum Nußbaum”

Besondere Beachtung verdient auch ein Giebelhaus mit dem Restaurant “Zum Nußbaum”, das früher auf der nahen Fischerinsel (→ Märkisches Ufer) stand, wo Heinrich Zille und Otto Nagel es bekannt machten.

*Knoblauchhaus

Öffnungszeiten
Di.–So.
10.00–18.00

An der Ecke Nikolaikirchplatz und Poststraße steht das Knoblauchhaus (Poststr. Nr. 23; 1989 wiederhergestellt), ein von dem jüdischen Nadlermeister Johann Christian Knoblauch 1754 – 1760 erbautes Rokokogebäude, das sich an seinem ursprünglichen Standort erhalten konnte. Im Hause der wohlhabenden Familie, zu deren Nachfahren auch Eduard Knoblauch, der Architekt der Neuen Synagoge an der Oranienburger Straße gehörte, empfing man einst Besucher von Rang und Namen wie Lessing, Mendelssohn, Wilhelm von Humboldt, Scharnhorst und den Freiherrn vom Stein. Eine zum Stadtmuseum Berlin gehörige Ausstellung konzentriert sich auf die Geschichte der Familie Knoblauch im 19. Jh. in original ausgestatteten Räumen der Zeit.

Knoblauchhaus (Fortsetzung)

Zur Spree hin schirmen moderne, der alten Bebauung nachempfundene Gebäude das Nikolaiviertel ab.

*Ephraim-Palais

Weiter südwestlich, nahe der Mühlendammbrücke, wurde das 1935 aus verkehrstechnischen Gründen abgetragene Ephraim-Palais 16 m von seinem ursprünglichen Standort wiederaufgebaut. Im Jahr 1983 wurden zu diesem Zweck 2493 bis dahin in Westberlin gelagerte numerierte Quader und Säulen dem Ostberliner Magistrat übergeben; 1987 schließlich konnte das Palais feierlich eröffnet werden.

Öffnungszeiten
Di.–So.
10.00 – 18.00

Das ehemalige Tonnenbindersche Haus war nach Plänen des bedeutenden Architekten Friedrich Wilhelm Diterichs 1763/1764 für den damaligen Besitzer Veitel Heine Ephraim, den Münzpächter Friedrichs des Großen, zu einem vierstöckigen Bürgerpalais in feinem Rokokostil mit abgerundeter Eckfassade und prächtigen Balkonen erweitert worden und wurde die 'schönste Ecke Berlins' genannt. Im Inneren des Gebäudes, wo das Treppenhaus besonders auffällt, stehen dem Stadtmuseum Berlin Räume für Ausstellungen zur Berliner Kunst vom 17. bis zum beginnenden 19. Jh. zur Verfügung. Im Erdgeschoß ist ein Café eingerichtet.

Auf dem vor dem Ephraimpalais entlangführenden Mühlendamm kommt man zu einem rekonstruierten Bürgerhaus (Nr. 5). In seinem Erdgeschoß ist

Hanfmuseum

Hanfmuseum (Fortsetzung)

das Hanfmuseum eingerichtet, das allerlei Wissenswertes über diese nützliche und oft verkannte Pflanze weiß (geöffnet: Di. – Fr. 10.00 – 20.00, Sa. und So. 12. – 20.00 Uhr).

'Drachentöter'

Um das Ephraimpalais herum und am Spreeufer entlang gelangt man zu einem kleinen Platz, auf dem nun der bronzene 'Drachentöter' ("St. Georg mit dem Drachen kämpfend"; 1856) von August Kiß steht, der seit 1865 im Ersten Hof des Berliner Stadtschlosses aufgestellt war und nach dem Zweiten Weltkrieg in den → Volkspark Friedrichshain kam. Für eine Pause bietet sich hier die Georgs-Brauerei an.

Molkenmarkt am Nikolaiviertel

Lage
südöstlich vom Nikolaiviertel

Vom Molkenmarkt, einst 'Alter Markt' genannt, nahm Berlin seinen Ursprung. Sein Name kam von den 'Mollen' (ndt. Mühlen) am Mühlendamm. Hier entstanden die ersten Ansiedlungen und das erste Rathaus. Von ihm führte der älteste Flußübergang, der Mühlendamm, über die Spree und verband so die beiden Städte Berlin und Cölln.

Altes Stadthaus

Der Molkenmarkt wird beherrscht vom 80 m hohen Turm des Alten Stadthauses. Dieses wurde 1902 – 1911 nach Plänen von Ludwig Hoffmann erbaut, um städtische Dienststellen aufzunehmen.

Reichsmünze

Am Molkenmarkt standen einst auch das Haus Alter Krögel und die Stadtvogtei, die 1935 dem Neubau der Reichsmünze weichen mußte, welche wiederum zum Sitz des Ministeriums für Kultur der DDR wurde. An der Frontseite des Gebäudes ist die Kopie eines Frieses von Gottfried von Schadow angebracht, den dieser – nach Skizzen Friedrich Gillys – für das erste Münzgebäude am Werderschen Markt (→ Schinkelmuseum) modellierte. Das Original ist heute in Charlottenburg am Gebäude Spandauer Damm 42 – 44 zu sehen. In die Münze miteinbezogen wurde das ehemalige Palais Schwerin (1704 von de Bodt entworfen).

Parochialkirche und Umgebung

Lage
östlich hinter dem Molkenmarkt

Auf der zwischen Altem und Neuem Stadthaus hindurchführenden Parochialstraße kommt man zur Parochialkirche. Dieser 1695 nach Johann Arnold Nerings Entwurf von Hofbaumeister Grünberg begonnene und von Philipp Gerlach 1714 vollendete erste barocke Sakralbau Berlins wurde im Zweiten Weltkrieg stark beschädigt, doch blieb der Turm, von Jean de Bodt entworfen und von Philipp Gerlach ausgeführt, erhalten. Friedrich Wilhelm I. ließ darin ein holländisches Glockenspiel mit 37 Glocken einbauen; 1715 ertönte es zum erstenmal, 1944 zum letztenmal. Nachdem die Kirche zuletzt als Lagerraum benutzt wurde, ist nun die Restaurierung in Gang gekommen. Auf dem Kirchhof ist Kaspar Wegely (†1764), der Gründer der → Königlichen Porzellan-Manufaktur, begraben.

Stadtmauerrest

"Zur letzten Instanz"

Hinter der Kirche ist an der Waisenstraße ein Rest der mittelalterlichen Berliner Stadtmauer aus dem 13. / 14. Jh. zu sehen. Im Hause Waisenhausstraße Nr. 16 befindet sich das angeblich älteste Wirtshaus Berlins, "Zur letzten Instanz".

Franziskanerklosterkirche

Unweit nördlich steht in der Klosterstraße die Ruine der Klosterkirche (13. Jh.). Sie gehörte zu dem 1254 gegründeten Franziskanerkloster, das auf dem Gelände der benachbarten Grünanlage stand und 1574 zum 'Gymnasium im Grauen Kloster' umgewandelt wurde. Zu seinen Schülern zählten Schadow, Schleiermacher, Schinkel und Bismarck; Friedrich Ludwig Jahn war hier sowohl Schüler als auch Lehrer. In der Ruine, heute Mahnmal gegen den Krieg, sind Skulpturen Berliner Künstler ausgestellt.

*Olympiastadion westlich J 13

Zwischen 1934 und 1936 wurde das Olympiastadion von dem Architekten Werner March für die XI. Olympischen Sommerspiele 1936 erbaut, die den Nazis eine willkommene Gelegenheit waren, sich vor aller Welt als friedlich und demokratisch zu präsentieren. Hitler persönlich nahm wesentlichen Einfluß auf die Architektur. Die Bauten ersetzten das 'Deutsche Stadion', das 1913 von Otto March (Vater) an dieser Stelle angelegt worden war. Das Stadion ist der Mittelpunkt des 'Reichssportfeldes', zu dem noch zahlreiche andere Anlagen gehören. Die vom Zahn der Zeit angenagte Anlage strahlt in ihrer Gesamtheit den typischen monumentalen Charakter von Kunst und Architektur des Dritten Reiches aus, sei es durch die von namhaften Nazi-Künstlern gestalteten Plastiken oder durch die sog. Langemarck-Halle, die allesamt bis heute unverändert geblieben sind.

Lage
Olympischer Platz, Charlottenburg

U-Bahn
Olympiastadion (Ost; U 2, U 12)

Besichtigung
tgl. 8.00 bis Einbruch der Dunkelheit (außer bei Veranstaltungen)

Das Olympia-Stadion bietet rund 76 000 Zuschauern auf insgesamt 41 km Bankreihen Platz, 30 000 Zuschauerplätze sind überdacht. Das Stadionoval selbst ist nur 16,5 m hoch; das Spielfeld jedoch ist um 12 m abgesenkt. Hauptzugang ist das Olympiator im Osten; an der Westseite befindet sich das Marathontor mit den Namen der Olympiasieger von 1936. Als Sportstätte hat das Olympiastadion heute keine überragende Bedeutung mehr, sieht man vom Endspiel um den DFB-Pokal alljährlich im Mai und von einigen Leichtathletik-Wettkämpfen ab.

Zum Stadionbereich gehören noch die Harbig-Sporthalle, das 1926 – 1928 erbaute Sportforum mit dem 'Haus des Deutschen Sports' (1932), das nördlich gelegene Schwimmstadion (7600 Zuschauerplätze), ein Hockeystadion und das Reiterstadion im Süden.

Glockenturm

An der Westseite des Maifeldes erhebt sich der 77 m hohe Glockenturm, der 1962 nach Kriegszerstörungen wiedererrichtet wurde. Er trägt eine

Der architektonische Trick am Olympiastadion: Das Spielfeld liegt unter dem Niveau der Umgebung.

Olympiastadion, Glockenturm (Fortsetzung)

Glocke neueren Datums mit der Inschrift "Ich rufe die Jugend der Welt". Die alte, zersprungene Glocke liegt vor dem Südtor des Stadions. Von der Plattform bietet sich ein prächtiger Rundblick auf Stadion, Stadt und Havellandschaft mit Fernsicht bis nach Potsdam und zu den Müggelbergen. Der Turm kann von April bis Oktober täglich zwischen 10.00 und 18.00 Uhr bestiegen werden.

Waldbühne beim Olympiastadion

Nördlich vom Glockenturm liegt in den Murellenbergen die Waldbühne, eine ebenfalls von Werner March entworfene amphitheatralische Freilichtbühne mit 20 000 Plätzen. Sie wurde 1936 vollendet und war von den Nazis für 'Thingspiele' vorgesehen; heute ist sie ein beliebter Veranstaltungsort für Freiluftkonzerte – auch Bob Dylan und die Rolling Stones haben mit ihren Auftritten dafür gesorgt, daß der Ungeist der Erbauer heute verflogen ist.

*Pfaueninsel — südwestlich G 5

Lage
im Südwestzipfel des Stadtgebiets in Zehlendorf

Die 'Perle im Havelmeer', wie die unter Naturschutz gestellte und zum Weltkulturerbe gehörende romantische Pfaueninsel mit jahrhundertealten Bäumen und einem artenreichen Vogelbestand auch gerne genannt wird, ist eine ca. 1,5 km lange und 500 m breite Insel in der → Havel und zählt zu den beliebtesten Ausflugszielen Berlins. Ehe die 98 ha große Insel im 17. Jh. zum 'Pfauenwerder' wurde, bevölkerten zahlreiche Kaninchen die Insel, weswegen sie zuvor den Namen 'Kaninchenwerder' trug.

Anfahrt und Öffnungszeiten

Vom Stadtzentrum aus mit den S-Bahnlinien S 1 und S 7 bis Bahnhof Wannsee, von dort weiter mit dem Bus Nr. A 16 oder 316 bis zur Haltestelle Pfaueninsel; dort wird mit der Fähre übergesetzt. Schloß und Park sind von Mai bis August täglich 8.00 bis 20.00 Uhr geöffnet.

Johann Kunckel

Unter dem Großen Kurfürsten wirkte hier am Ende des 17. Jh.s der Alchimist Johann Kunckel von Löwenstern, der auf der Ostseite der Pfaueninsel eine Fabrikation für das heißbegehrte Rubinglas betrieb. Ein Jahr nach dem Tode seines Gönners im Jahr 1688 wanderte Kunckel nach Schweden aus. Reste seines Laboratoriums wurden 1974 bei Ausgrabungen aufgefunden.

Lustschloß

Im Jahre 1793 entdeckte Friedrich Wilhelm II. die Insel aufs neue und ließ für sich und Wilhelmine Encke, spätere Gräfin Lichtenau, vom Zimmermeister Brendel ein Schloß errichten; es wurde 1794 – 1797 erbaut, angeblich nach einer Skizze der Gräfin Lichtenau. Auch Friedrich Wilhelm III. und seine Gemahlin, Königin Luise, liebten den Bau und benutzten ihn gern als Sommerresidenz. Zu dieser Zeit kamen auch die Pfauen auf die Insel, derer es heute etwa 60 hier gibt.
Das Lustschloß ist in romantischem Ruinenstil ausgeführt. Zwei Türme sind durch eine Wandelbrücke verbunden, die ursprünglich aus Holz bestand, aber 1807 durch eine Eisenbrücke ersetzt wurde, ein frühes Erzeugnis der Berliner Eisengießerei. Das Schloß wurde 1909 – 1911 mit einer Betonschale versehen und beherbergt heute ein Museum. Die kostbare Innenausstattung legt Zeugnis ab von der alten Berliner und Potsdamer Handwerkskunst am Übergang vom 18. zum 19. Jahrhundert. Besonders hervorzuheben sind der klassizistische Große Saal im Obergeschoß sowie die eherne Wendeltreppe.

Wie bestellt: Einer der Namenspatrone der Pfaueninsel zeigt sich vor dem Lustschloß von seiner schönsten Seite. Noch etwa 60 seiner Artgenossen bevölkern die Insel. ▸

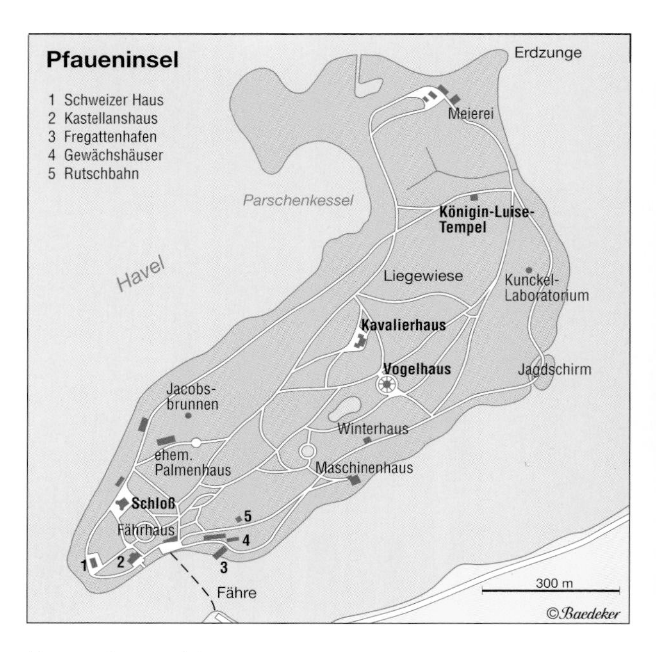

Naturschutzgebiet

Die ursprünglich verwilderte Inselvegetation wurde durch den Gartenbaumeister Peter Joseph Lenné zum Teil nach englischem Muster neu gestaltet. Heute finden sich auf der Insel unzählige seltene Gewächse. Die von Friedrich Wilhelm III. angelegte Menagerie ist Grundstock des Berliner Zoologischen Gartens geworden; das Palmenhaus von Schinkel brannte Ende des vergangenen Jahrhunderts nieder, und eine Rosengartenanlage wurde in den Park von Sanssouci nach Potsdam verlegt. Was blieb, waren die Pflanzen wie Weymouth- und Zirbelkiefer, Mammutbaum, Ginkgos und Zedern sowie der Artenreichtum einheimischer Hölzer. Die Pfaueninsel ist ein ideales Erholungsgelände.

Anlagen und Bauten im Nordteil

Auf der ganzen Pfaueninsel liegen kleinere und größere Anlagen und Bauten verstreut. So z.B. im Nordteil der Gedächtnistempel für Königin Luise mit dem ursprünglichen Sandsteinportikus des Mausoleums im Park des Schlosses → Charlottenburg (1829) und nördlich davon die Meierei, die 1795 von Brendel in gleicher romantischer Ruinenform wie das Lustschloß erbaut wurde.

Anlagen und Bauten im Südteil

Im Zentrum der Insel liegt das Kavaliershaus von Schinkel, das 1824 – 1826 unter Verwendung der Fassade eines gotischen Patrizierhauses aus Danzig umgebaut wurde; nahebei eine Volière aus dem Jahre 1834, unter dichtem Baumbestand, die heute noch von zahlreichen Vogelarten belebt ist. Im Südteil liegen das Schweizerhaus, ebenfalls ein Werk Schinkels (1830), die Russische Rutschbahn und der Fregattenhafen.

Hinweis

Für einen Besuch der Insel sollte man zwei Stunden einplanen und sich vorher nach der Abfahrt der letzten Fähre erkundigen.

Philharmonie

→ Kulturforum

Potsdamer Platz

P 12 · j / k 2

Der Potsdamer Platz, im Herzen Berlins gelegen, wurde im 18. Jh. als 'Platz vor dem Potsdamer Thor' angelegt und erhielt im Juli 1831 seinen heutigen Namen. Er war vor dem Zweiten Weltkrieg der verkehrsreichste Platz Europas, an dem sich fünf der belebtesten Straßen Berlins kreuzten. Mit dem östlich angrenzenden Leipziger Platz (→ Leipziger Straße) bildete er das verkehrstechnische Scharnier zwischen dem Osten und dem Westen der Stadt. 1925 überquerten stündlich 600 Straßenbahnen den Platz. Sein Wahrzeichen war der in der Platzmitte stehende Verkehrsturm mit Normalzeituhr, von dessen Höhe ein Schutzmann und eine schon 1924 installierte Ampelanlage – die erste in Deutschland – die Verkehrsströme regelten. Rundum lockten viele Hotels und Restaurants die Menschen an – darunter das 'Haus Vaterland' (auch Varieté), mit über 2000 Plätzen Europas größtes Restaurant und ein Touristenmagnet ersten Ranges, oder das Hotel Esplanade, in dem damals Greta Garbo und Charlie Chaplin abstiegen und in dessen Kaisersaal Wilhelm II. seine Herrenabende veranstaltete. Neben dem Hotel hatte in der Nazizeit der berüchtigte Volksgerichtshof seinen Sitz.
Die Bomben des Zweiten Weltkriegs vernichteten den Platz. Mit dem Bau der Berliner Mauer 1961 wurde die Fläche zum Niemandsland zwischen zwei vom Brandenburger Tor nach Süden verlaufenden Mauerlinien. Panzersperren, Stacheldraht, Wachtürme und Todesstreifen prägten das Bild des völlig verödeten Geländes.

Lage
Mitte

S- und U-Bahn
Potsdamer Platz (S 1, S 2, U 2)

Der Potsdamer Platz um 1933

Baedeker Special

Das neue Berlin

Wer heutzutage nach Berlin kommt, wird neben friderizianischer Pracht und Ku'damm-Flair immer noch eines bemerken: Großbaustellen und himmelragende Kräne. Berlin ist vom Hauptstadtboom ergriffen worden, und der schlug sich in einer fast hemmungslos zu nennenden Bauwut nieder. Allerorten wurde und wird konstruiert; die wichtigsten Projekte, die mittlerweile jedenfalls zumTeil schon abgeschlossen sind, werden in diesem Special vorgestellt.

Das spektakulärste Projekt ist sicher die Bebauung des **Potsdamer Platzes**. Aus einem internationalen städtebaulichen Wettbewerb gingen die Münchner Architekten Hilmer & Sattler als Sieger hervor. Diese hatten sich mit ihrem am traditionellen Berliner Blockschema orientierten Entwurf, der nur direkt am Platz einige Hochhäuser vorsieht, durchgesetzt. Auf der Grundlage dieses Masterplanes beauftragten die Hauptinvestoren – Daimler Chrysler, Sony, Hertie, ABB und Haus Vaterland AG – international renommierte Architekten mit der Ausführung ihrer eigenen Gebäude (Daimler-Benz: Renzo Piano, Richard Rogers, Arata Isozaki; Sony: Helmut Jahn; ABB: Giorgio Grassi).
Auf dem rund 120 000 m² großen Gelände entstand auf Europas zwischenzeitlich größter Baustelle ein vollständig neues Stadtviertel, in dem neben der vorherrschenden gewerblichen Nutzung auch 20 % Wohnungen realisiert worden sind – in der Luxuskategorie.
Das Zentrum des von Daimler Chrysler gebauten Quartiers ist der Marlene-Diet-

Berlins neue Mitte: Zwischen Kulturforum im Vordergrund und

rich-Platz, auf den die alte Potsdamer Straße mündet. Hier konzentrieren sich die publikumsintensiven Einrichtungen wie das neue Luxushotel Hyatt-Regency (Architekt: Rafael Moneo), ein 360°-Kino in einem kugelförmigen Gebäude, ein Musical-Theater (Architekt: Renzo Piano) und die Einkaufs-Arkaden. Der längliche, mehrfach geknickte Baukörper des Musical-Theaters lagert sich an die Rückseite der Staatsbibliothek von Hans Scharoun an und orientiert sich an dessen expressiver Formensprache. Auf diese Weise wird die Struktur des neuen Stadtviertels mit der des westlich daran anschließenden Kulturforums verknüpft.

Im Gegensatz zu dieser sich bewußt auf den traditionellen Städtebau beziehenden Konzeption steht das von Sony geplante Gebiet. Dort entstand nach dem Entwurf des Architekten Helmut Jahn ein gigantischer zusammenhängender Komplex, der sich um eine gemeinsame 'Plaza' herum entwickelt. Dieser 4000 m² große Innenbereich wird von einem zeltförmigen Segel überspannt und ist durch vielfältige Aktivitäten als Zentrum des städtischen Lebens gedacht. Auf einem riesigen Bildschirm, an einer der Innenfassaden angebracht, sind laufend aktuelle Nachrichten und Unterhaltung aus der ganzen Welt zu sehen. Weiterhin ist in das Sony-Center – nach einer technisch äußerst aufwendigen 'Verschiebeaktion' im März 1996 – der von den Bomben des Weltkriegs verschonte Teil des Hotels Esplanade mit dem berühmten Kaisersaal sowie das Filmmuseum mit Exponaten u.a. von Emil Jannings, Heinz Rühmann und Marlene Dietrich integriert.

Fernsehturm am Alex ragt der Potsdamer Platz auf.

Der nördlich an den Leipziger Platz anschließende Geländestreifen zwischen Ebertstraße und Wilhelmstraße ist der Bereich der **Ministergärten**, quasi die Rückfront der vor dem Zweiten Weltkrieg entlang der Wilhelmstraße gelegenen Regierungsgebäude (→ *Baedeker Special* S. 48/49). Nunmehr ist dieser Bereich als Bauplatz für die Vertretungen der Bundesländer reserviert. Der direkt südlich des Brandenburger Tores gelegene Abschnitt der Ministergärten ist jedoch für die zukünftige zentrale Holocaust-Gedenkstätte vorgesehen.

Den Wettbewerb für den **Alexanderplatz** gewann der Entwurf des Berliner Architekten Hans Kollhoff. ▸

Baedeker Special

Er sieht eine weitgehende Rekonstruktion der typischen Berliner Baublöcke vor, aus denen jedoch bis zu 150 m hohe Bürotürme aufwachsen sollen. Diese Vision einer Hochhaus-City wird zur Zeit in Berlin kontrovers diskutiert. Aufgrund der ungeklärten Eigentumsverhältnisse sowie zu erwartenden Investitionskosten wird am Alexanderplatz jedoch erst mittelfristig mit einer verstärkten Bautätigkeit gerechnet.

Im Spreebogen nördlich des Reichstagsgebäudes entsteht auf Grundlage des städtebaulichen Entwurfes der Architekten Axel Schultes und Charlotte Frank das neue **Regierungsviertel**. Dieses Gelände nahm bis zum Krieg das sogenannte Alsenviertel ein, von dem als einziges Gebäude die Schweizer Botschaft erhalten ist. Während der Nazi-Diktatur hatte Hitlers Architekt Albert Speer hier die 'Große Volkshalle' geplant, einen gigantischen Kuppelbau von 290 m Höhe, seit Kriegsende wird das Gelände als Grünfläche genutzt. Hier im Spreebogen sind nun – integriert in ein städtebauliches Band, das in ost-westlicher Richtung den Spreebogen überlagert – das neue Kanzleramt und Bürokomplexe für die Bundestagsabgeordneten angesiedelt.

Im Tiergarten wird das alte Diplomatenviertel – von dem u. a. die japanische und die italienische Botschaft geblieben sind – durch zahlreiche Neubauten wiederbelebt. Die Japaner nehmen ihrem Gebäude durch Um- und Anbauten die faschistische Ästhetik. Für Österreich baute Hans Hollein ein tropfenförmiges Gebäude, und die neue indische Botschaft wurde bereits eröffnet (dazwischen übrigens die keineswegs bescheiden ausgefallene Landesvertretung von Baden-Württemberg). Viel Lob heimste die gemeinsame Vertretung der skandinavischen Länder ein, für die u. a. charakteristisches Baumaterial aus Dänemark, Schweden, Norwegen, Finnland und Island herangeschafft worden

Auch abseits vom Zentrum entsteht wegweisende Architektur: das Spreebogen-Center

ist. Auch die mexikanische Botschaft von Teodoro González de León und Francisco Serrano wurde sehr gelobt. Nicht nur im Tiergarten, auch anderenorts in Berlin werden Botschaften errichtet. So hat Großbritannien seine Vertretung in unmittelbarer Nähe des Vorkriegsstandorts in der Wilhelmstraße eröffnet, ein witzig-spektakulärer Bau von Michael Wildford.

In unmittelbarer Nähe des Regierungsviertels entsteht nördlich des Spreebogens der neue **Lehrter Bahnhof** nach einem Entwurf des Architekten Meinhard von Gerkan, Hamburg. Als einziger Kreuzungspunkt zweier ICE-Linien in Deutschland sowie als Haltepunkt von U- und S-Bahn wird er von voraussichtlich 75 Mio. Reisenden jährlich genutzt werden.
Das Gebäude besteht aus einer langgestreckten gläsernen Bahnsteighalle, die von zwei bügelförmigen Riegeln überspannt wird, in denen Geschäfte und Büroflächen untergebracht sind. Durch diese Form wird die Überlagerung der oberirdischen Ost-West-Trasse mit der im Tunnel darunter verlaufenden Nord-Süd-Trasse zum Ausdruck gebracht (Abb. S. 19).
Das städtebauliche Umfeld des Bahnhofes wird nach dem Entwurf von O.M. Ungers neugestaltet werden. Dieser sieht neben zwei markanten Bürohochhäusern in unmittelbarer Nähe des Bahnhofes unter anderem die Umbauung des Humboldthafens durch eine kolonnadenartige Wohnbebauung vor.

Ein etwas weniger im öffentlichen Interesse stehendes neues Projekt ist **Focus Teleport / Spreebogen-Center**, doch gilt es als richtungsweisend für die neue Berliner Architektur. Es entstand bereits in den letzten Jahren am Moabiter Spreeufer auf dem ehemaligen Gelände der traditionsreichen Meierei Bolle und umfaßt hauptsächlich Büros und Hotels sowie einen leider sehr geringen Anteil an Wohnungen. Dieses Projekt ist jedoch deshalb erwähnenswert, weil es eine stärkere Öffnung der Stadt zur Spree als bisher propagiert. Wenn man sich am südlichen Spreeufer vom S-Bahnhof Bellevue aus nähert, bietet sich ein interessanter Blick auf die repräsentative Wasserseite des Quartiers, in das teilweise die alten Gebäude der Meierei integriert sind. Besonders markant ist das sich zum Fluß hin öffnende U-förmige Gebäude mit den zwei verspiegelten Rundtürmen, in dessen Innenhof ein attraktiver Aufenthaltsbereich geschaffen wurde. Das Gebäude ist zum größten Teil vom Innenministerium angemietet, das damit auf einen Neubau oder die teure Sanierung eines Altbaus verzichtet hat.

Neubau Kantdreieck

Dieser kurze Abriß ist natürlich nicht vollständig. Nicht aufgeführt wurden u.a. die Neubebauung der Friedrichstraße, des Pariser Platzes, die Umbaupläne auf der Museumsinsel und manches Einzelgebäude wie etwa das Haus Kantdreieck an der Kantstraße. Mehr über sie erfährt man in diesem Band bei den entsprechenden Stichworten im Abschnitt "Sehenswürdigkeiten von A bis Z".

An mehreren Stellen kann man sich über die Bautätigkeit in Berlin informieren.
Die aktuelle städtebauliche und architektonische Entwicklung Berlins dokumentiert auch die Ausstellung im Berlin-Pavillon an der Straße des 17. Juni, direkt an der S-Bahn-Brücke.
Auch seien die beiden Aedes-Galerien in der Stadt empfohlen, in denen ständig wechselnde Ausstellungen zum Thema moderne Architektur gezeigt werden (Aedes West: Savignyplatz, Charlottenburg, unter den S-Bahnbögen, Aedes East: Hackesche Höfe, Mitte).

Geschichte (Fortsetzung)

Der Potsdamer Platz war bis vor kurzem mit Gängen und unterirdischen Räumen unterhöhlt: Hier erstreckte sich der 'Führerbunker', aus dem Hitler im April 1945 den Wahnwitz des Krieges verlängerte, bis er schließlich Selbstmord beging. Dieses unterirdische Labyrinth war auch der Grund, weshalb an dieser Stelle zwei weit auseinanderliegende Mauerlinien gezogen wurden: Niemand sollte durch die Gänge in den Westen entkommen. Aus demselben Grund wurden im August 1961 von einem Tag auf den anderen der Zugverkehr im S-Bahnhof Potsdamer Platz eingestellt und die Eingänge zugemauert.

Von der einstigen Bebauung, darunter der 1872 erbaute und nach dem Krieg abgerissene Potsdamer Bahnhof (→ Bahnhöfe) ist so gut wie nichts mehr vorhanden. Lediglich das Weinhaus Huth an der alten Potsdamer Straße – heute reichlich verloren zwischen den Baublöcken eingeklemmt – und der Kaisersaal des Esplanade erinnern an das alte Berlin. Der Saal wurde im Frühjahr 1996 in einer aufwendigen Aktion von seinem ursprünglichen Standpunkt versetzt, um ihn in das Sony Center zu integrieren.

Weinhaus Huth

Esplanade

Das Zentrum von Daimler City am Potsdamer Platz ist der Marlene-Dietrich-Platz mit Marc di Suveros Skulptur "Galileo".

Neues Leben

Um den Platz möglichst rasch wiederzubeleben, suchte der Berliner Senat nach potenten Investoren. Kritisiert wurde dabei die nach Ansicht vieler zu schnelle Vorgehensweise beim Verkauf der Grundstücke in dieser überaus begehrten Lage und die Tatsache, daß den Investoren kaum Auflagen gemacht wurden. Aus einem internationalen Wettbewerb ging der Entwurf der Münchener Architekten Himer und Sattler als Sieger hervor. Den Hauptinvestoren Daimler Chrysler, Sony, Hertie, ABB und Haus Vaterland AG waren diese Vorstellungen allerdings zu provinziell und grobschlächtig. Sie wählten für ihre eigenen Gebäude andere namhafte Architekten: u.a. für Sony Helmut Jahn und für Daimler Chrysler Renzo Piano (→ *Baedeker Special* S. 204 ff.). Jahrelang war die Großbaustelle am Potsdamer Platz eine Publikumsattraktion ersten Ranges; es wurden Führungen und allerlei Events veranstaltet, sogar ein "Ballett der Kräne". In einem auf Stelzen

Potsdamer Platz (Fortsetzung)

thronenden, dreigeschossigen Container, der "Info-Box", konnte man sich über das gigantische Projekt informieren. Im Oktober 1998 ist Daimler City eröffnet worden, Anfang 2000 war auch das Sony Center fertig. Pianos Daimler City fällt allenfalls durch die Klotzigkeit seiner Baukörper auf; sie bietet neben der passagenüblichen Ansammlung edler Modegeschäfte und Juweliere u. a. die Spielbank Berlin und den "Panorama-Punkt" in 96 m Höhe im Daimler-Chrysler-Hochhaus (Di.–So. 11.00–20.00 Uhr). Jahns Sony Center setzt mit seinem transparenten Zeltdach durchaus einen positiven städtebaulichen Akzent. Unter dieser filigranen Konstruktion versammelt sich – neben Büros, Geschäften und Luxuswohnungen – eine amerikanische Vergnügungswelt: das 3D-Imax-Kino (und viele andere 'normale' Kinos), die "Music Box", wo man computeranimiert die Berliner Philharmoniker dirigieren und Beethoven als Hologramm begegnen kann; dazu kommt das "Yelllow Submarine" für die psychedelische Unterwasserreise mit den Beatles.

*Filmmuseum Berlin

Im September 2000 eröffnete bei Sony das Filmmuseum Berlin. Es präsentiert die Entwicklung des deutschen Films mit allerneuester Computer- und Videotechnik – die doch verblaßt gegenüber den Devotionalien des ausgestellten Nachlasses von Marlene Dietrich: Filmkostüme, die berühmte Federboa, die Zigarettenspitze, Liebesbriefe von Jean Gabin, Erich Maria Remarque und Ernest Hemingway. Darüber vergißt man fast schon, daß das Museum auch die Nachlässe von Fritz Lang und Heinz Rühmann besitzt und einen Ausstellungssschwerpunkt beim phantastischen Film setzt (Öffnungszeiten: Di.–So. 10.00–18.00, Do. bis 20.00 Uhr)

Prenzlauer Berg — R–U 15–18

Lage
nordöstlich vom Zentrum

U-Bahn
Senefelderplatz, Eberswalder Straße, Schönhauser Allee (U 2)

Tram
mehrere Haltestellen der Linie 1

Der Stadtbezirk Prenzlauer Berg ist einer der am dichtesten besiedelten Berlins. Fünfgeschossige Mietskasernen vom Ende des 19. Jh.s prägen das Gesicht dieses traditionellen Arbeiterbezirkes, der in der zweiten Hälfte des 19. Jh.s entstand und 1920 nach Berlin eingemeindet wurde. Im Zweiten Weltkrieg hat der Bezirk bis auf seinen östlichen Teil zwar nur wenig gelitten, doch was Bomben und Granaten nicht schafften, 'gelang' dem Ost-Berliner Magistrat: Bis auf wenige herausgeputzte Prestigeobjekte wie die Husemannstraße wurde nichts für den Erhalt der Gebäudesubstanz getan, und so befinden sich viele Häuser nach wie vor in einem teilweise erbärmlichen Zustand: verfallen, mit abbröckelndem Putz und hier und da auch noch mit den Einschußlöchern des Krieges. Einige Tausend Wohnungen in Prenzlauer Berg stehen leer, und noch viel mehr müßten dringendst renoviert werden.
Es wundert daher nicht, daß viele Häuser schon in der Endphase der DDR und erst recht nach deren Untergang von jungen Leuten besetzt wurden, die endlich eine eigene Bleibe in Wohngemeinschaften zu finden hoffen. Diese Lebensform und auch jede Art von Alternativkultur war zu Zeiten des Honecker-Regimes aufs schärfste verpönt und wurde unterdrückt – besonders im Bezirk Prenzlauer Berg, der ein Zentrum des Widerstandes gegen das DDR-Regime war und in dessen Kirchen im Jahr 1989 zahlreiche Mahngottesdienste und Friedenswachen stattfanden. 'Prenzl. Berg' hat inzwischen, zusammen mit dem benachbarten Bezirk Friedrichshain, → Kreuzberg als autonom-alternatives Zentrum Berlins abgelöst.

Schönhauser Allee

Die Hauptachse in Prenzlauer Berg ist die Schönhauser Allee, ursprünglich Verbindungschaussee zum Schloß Schönhausen und heute Haupteinkaufsmeile. Auf dem Senefelder Platz steht ein Denkmal für Alois Senefelder (1771–1834), den Erfinder der Lithographie. Etwas weiter nördlich liegt rechter Hand der Jüdische Friedhof (→ Friedhöfe), der 1943 von den Nationalsozialisten verwüstet wurde. Gegenüber der nach rechts abzweigenden Wörther Straße erhebt sich die Segenskirche (1905/1906), die vollständig in die Straßenfront integriert ist. Noch weiter nördlich an der Kreuzung Schönhauser Allee / Danziger Straße / Kastanienallee – unter der Hoch-

RESTAURATION
1900
Straße
Husemannstraße

Schönhauser Allee (Fortsetzung)
Kulturbrauerei

bahn Konopke, Berlins berühmteste Imbißbude, seit 1930 in Familienbesitz – kommt man zur 1891 erbauten Schultheiß-Brauerei, als Kulturbrauerei heute vielbesuchter alternativer Veranstaltungsort (Eingang Ecke Knaack-/ Danziger Straße) und Museumsstandort, denn hier hat die Sammlung Industrielle Gestaltung des Stadtmuseums Berlin ihr Domizil gefunden (geöffnet: Mi. – So. 14.00 – 21.00 Uhr).

Prater

In der Kastanienallee 7 – 9 liegt der Berliner Prater, 1837 gegründet und bald sehr beliebtes Ausflugsziel mit Gartenbühne, später auch 'Gesangscafé' und politische Bühne – auch Rosa Luxemburg redete hier schon. Der Prater, immer noch mit großem Biergarten, wird heute von der Volksbühne betrieben, die an die Tradition anknüpfen will.

Kollwitzplatz

Die Wörther Straße führt von der Schönhauser Allee zum Kollwitzplatz. Dort erinert ein 1959 aufgestelltes Denkmal von G. Seitz daran, daß die Künstlerin Käthe Kollwitz von 1891 bis 1943 unweit des Platzes im Hause Kollwitzstraße Nr. 25, der früheren Weißenburger Straße, gelebt und gewirkt hat. Vor diesem Haus steht eine Kopie ihrer Plastik "Die Mutter". Der Kollwitzplatz ist heute einer der Mittelpunkte der Prenzlauer Szene und entsprechend von allerlei Kneipen und Cafés umgeben, von denen die Restauration 1900 zu den besseren und das Pasternak zu den ausgefallensten zählen. Wer ein Faible für Mode-Oldies hat, sollte in der Knaackstraße in 'Falbala 50th Fashion' schauen.

Husemannstraße

Vom Kollwitzplatz geht die Husemannstraße nach Norden ab. Sie wurde noch zu DDR-Zeiten fein herausgeputzt renoviert und gibt so mit ihren alten Läden und Kneipen einen guten, wenn auch frelichtmuseenartigen Eindruck vom Berlin zu Beginn dieses Jahrhunderts. Wie eine Arbeiterfamilie zu dieser Zeit lebte, zeigt das Museum Berliner Arbeiterleben in Nr. 12 (geöffnet: Mo. – Do. 10.00 – 15.00 Uhr).

Museum Berliner Arbeiterleben

Rykestraße

Synagoge

In der parallel zur Husemannstraße laufenden Rykestraße befindet sich im Hause Nr. 53 die einzige Synagoge Deutschlands, die die Nazis in der Pogromnacht im Jahr 1938 nicht zerstörten, doch danach als Wehrmachtslager mißbrauchten. 1976 bis 1978 wurde sie vollständig wiederhergestellt.

Wasserturm

Die Rykestraße führt südlich zu einer Anhöhe, auf der sich inmitten einer Grünanlage das Wahrzeichen von Prenzlauer Berg erhebt, der Turm des 1856 errichteten Wasserwerks. Im Jahre 1873 kam der dicke Rundturm hinzu, der sowohl Wasserspeicher als auch Wohngebäude war. Die SA machte aus seinem Maschinenhaus 1933 eine Folterkammer, in der viele Antifaschisten zu Tode kamen (Gedenkstein). Heute ist im Wasserturm u. a. ein Galerierestaurant eingerichet.

Gethsemane-Kirche

In der 1893 geweihten Gethsemane-Kirche an der Stargarder Straße nahe dem U-Bahnhof Schönhauser Allee versammelten sich in den letzten Jahren der DDR Oppositionelle aus allen Lagern. Sie wurde damit zu einem Zentrum des Widerstands gegen das SED-Regime.

Ernst-Thälmann-Park· Zeiss-Großplanetarium

Lage
Danziger / Greifswalder Str.

Tram
1

An Danziger und Greifswalder Straße erstreckt sich auf dem Gelände der 1981 stillgelegten Städtischen Gasanstalt der 24 ha große Ernst-Thälmann-Park, benannt nach dem 1886 geborenen und 1944 im KZ Buchenwald ermordeten deutschen Kommunistenführer Ernst Thälmann. Sein recht monumental geratenes, markantes Bronze-Denkmal schuf 1986 der sowjetische Bildhauer Lew Kerbel; es hat – im Gegensatz zu manch anderem ideolgisch belasteten Monument im Osten Berlins – bis heute die Wende schadlos überstanden.

◀ *Ecke Wörther Straße und Husemannstraße: Hier hat sich der Prenzlauer Berg herausgeputzt.*

Prenzlauer Berg (Fortsetzung)
Zeiss-Großplanetarium

Am Nordrand des Parks steht der Kugelbau des Zeiss-Großplanetariums. Im Foyer zeigen kreisförmig angeordnete Vitrinen alte optische Geräte wie Fernrohre und andere Instrumente zur Himmelsbeobachtung aus den traditionsreichen Zeiss-Werken in Jena. Im Kino- und Vortragssaal werden mit modernster Technik regelmäßig wechselnde Programme vorgeführt: 'Sterne, Nebel, Feuerräder' (Kinderprogramm), 'Phantastisches Weltall', 'Sterne des Sommerhimmels', 'Metronom – Geschichte eines Alls' und 'Eine Reise durch das Sonnensystem'.

Vorstellungen

Das Planetarium ist Mi. – So. von 14.00 bis 20.00 Uhr geöffnet. Die Vorstellungen finden Mi. 14.00, 15.30, 17.00, 20.00, Fr. 20.00, Sa. 14.00, 15.30, 17.00, 18.30, 20.00 und So. 14.00, 15.30 und 17.00 Uhr statt.

Prinz-Albrecht-Gelände Q 12 · k / l 1

Lage
Kreuzberg, östlich vom Potsdamer Platz

S- und U-Bahn
Potsdamer Platz (S 1, S 2, U 2)

Im von der ehemaligen Prinz-Albrecht-Straße (heute Niederkirchnerstraße), dem südlich davon verlaufenden Teil der Wilhelmstraße, der Anhalter Straße und der einstigen Saarlandstraße (heute Stresemannstraße) begrenzten Gelände konzentrierten sich in der Zeit des Dritten Reiches die leitenden Ämter und Behörden von SS und Geheimer Staatspolizei. Hier lag mithin die Schaltstelle für Überwachung und Verfolgung im nationalsozialistischen Deutschland, das Zentrum des SS-Staates in unmittelbarer Nachbarschaft zum Regierungsviertel (→ *Baedeker Special* S. 48/49). Von der einstigen Bebauung ist bis auf den → Martin-Gropius-Bau (ehem. Kunstgewerbemuseum) nichts mehr erhalten. Im Rahmen einer Dokumentation des Geländes stieß man bei Grabungsarbeiten im Jahre 1986 entlang der Niederkirchnerstraße (Prinz-Albrecht-Straße) auf Kellerwände und legte östlich vom Martin-Gropius-Bau den Zellenboden des ehemaligen Gestapo-'Hausgefängnisses' frei; 1987 fand man die Keller eines Nebengebäudes der Gestapo-Zentrale. Zu den wichtigsten Adressen gehörten:
Prinz-Albrecht-Straße Nr. 8: Das Gebäude der ehemaligen Kunstgewerbeschule (1901 – 1905) war von 1934 an die Zentrale der Gestapo.
Prinz-Albrecht-Straße Nr. 9: Das 1887 / 1888 erbaute 'Hotel Prinz Albrecht' beherbergte als 'SS-Haus' die 'Reichsführung SS'.
Wilhelmstraße Nr. 102: Das Prinz-Albrecht-Palais, 1737 als Palais des Barons Vernezobre erbaut und 1830 von Prinz Albrecht von Preußen, Sohn König Friedrich Wilhelms III., erworben, war zunächst Sitz des Sicherheitsdienstes (SD) der SS und ab 1939 Sitz des Reichssicherheitshauptamtes.

'Topographie des Terrors'

1987 wurden die Kellerräume von Gebäuden der Gestapo-Zentrale freigelegt. In den baulichen Resten entlang der Niederkirchner Straße informiert die Ausstellung 'Topographie des Terrors' eingehend über die Geschichte des Geländes und die Funktionen der hier angesiedelten Institutionen. Ende 2000 soll ein Neubau eröffnet werden (geöffnet: im Sommer tgl. 10.00 – 20.00, im Winter bis 18.00 Uhr).

Rathäuser

Entwicklung

Das älteste Berliner Rathaus soll schon im 13. Jahrhundert am Molkenmarkt (→ Nikolaiviertel) gestanden haben. Von 1307 bis 1442, als die Stadtverwaltungen von Cölln und Berlin vereinigt waren, stand das von beiden Städten gemeinsam genutzte Rathaus neben der Langen Brücke. In späteren Zeiten befand sich das Rathaus von Berlin in der Königstraße (jetzt Rathausstraße) mit Gerichtslaube und einem Uhrturm, der Seiberturm genannt wurde (für Anfang des 15. Jh.s nachgewiesen). Nach einem Brand wurde es 1583 umgebaut und eine Gerichtsstube sowie eine Folterkammer (im Bodengelaß) eingerichtet. Richtstätte war der Platz vor der einstmals offenen Gerichtslaube, bis eine kurfürstliche Kabinettsorder von 1694 die Hinrichtungen verlegte: "wegen der damit verbundenen Verkehrs-

störungen". Verfallserscheinungen und Raummangel machten Mitte des 19. Jh.s einen Neubau notwendig, das heutige Rote Rathaus, in dem der Magistrat von Berlin residierte.
Nach der Teilung der Stadt beanspruchte Ostberlin weiterhin die Titel des Magistrats und des Oberbürgermeisters mit Sitz im Roten Rathaus. Die Regierung von Westberlin, der Senat, bezog das Rathaus Schöneberg. Seit dem 1. Oktober 1991 hat die Regierung für ganz Berlin ihren Sitz wieder im Roten Rathaus, das seitdem offiziell Berliner Rathaus heißt.
Die einzelnen Berliner Stadtbezirke werden nach wie vor von eigenen, teilweise baulich interessanten Rathäusern verwaltet; so besitzt z.B. dasjenige von Charlottenburg den höchsten Turm aller Berliner Rathäuser.

Entwicklung (Fortsetzung)

Nicht die politische Couleur, sondern die Terrakottaverkleidung gab dem Roten Rathaus seinen Namen.

*Rotes Rathaus (Berliner Rathaus) R 13 · o 3

Der Nachfolgebau des Rathauses aus dem 13. Jh., das heutige Rote Rathaus (offiziell: Berliner Rathaus), wurde 1861 – 1869 nach Entwürfen des Architekten Hermann Friedrich Waesemann im Neo-Renaissancestil als Mehrflügelanlage mit drei Innenhöfen und 74 m hohem Turm errichtet. Die Grundsteinlegung erfolgte am 11. Juni 1861 im Beisein König Wilhelms I.; die erste Magistratssitzung wurde schon Ende 1865 abgehalten, obwohl der Bau erst gegen Ende 1869 vollendet war. Die Farbe seiner roten Ziegelfronten gab ihm bald den Spitznamen 'Rotes Rathaus' (weniger wohl der durchaus vorhandene demokratische Geist, der schon in der Kaiserzeit bei Magistrat und Stadtverordneten herrschte). Im März 1945 wurde das Rathaus bei einem Luftangriff schwer getroffen; im November 1955 konnte es wieder seiner Bestimmung übergeben werden.
Wahrzeichen des Roten Rathauses ist der Uhrturm über dem Haupteingang. Um das Gebäude zieht sich in der Höhe des ersten Stockwerkes die sogenannte 'Steinerne Chronik', ein aus 36 Terrakottareliefs bestehender

Lage
Rathausstraße, Mitte

S- und U-Bahn
Alexanderplatz (S 3, S 5, S 7, S 75, S 9, U 2, U 5, U 8)

Rotes Rathaus (Fortsetzung)

Fries mit Darstellungen aus der Geschichte Berlins, geschaffen von L. Brodwolf, O. Geyer, R. Schweinitz und A. Calandrelli. Im Wappensaal des Rathauses werden regelmäßig Konzerte veranstaltet.
Vor dem Rathaus stehen zwei Plastiken von Fritz Cremer: eine "Trümmerfrau" und ein "Aufbauhelfer".

Neptunbrunnen

Vor dem Roten Rathaus erstreckt sich bis zum → Fernsehturm eine 1986 neu gestaltete Parkanlage. In ihrer Mitte steht der Neptunbrunnen von Reinhold Begas aus dem Jahr 1891. Er stand ursprünglich zwischen dem Stadtschloß und dem Marstall. Die Figuren stellen den Meeresgott Neptun und seinen Hofstaat dar. Von den Damen des meeresköniglichen Hofstaates heißt es, sie seien die einzigen Berlinerinnen, die ihren Rand halten könnten.

Marx-Engels-Forum

Jenseits der Spandauer Straße erstreckt sich an der Rückfront des Palasts der Republik (→ Schloßplatz) das Marx-Engels-Forum, ein von Linden, Eichen, Ahorn-, Kastanien- und japanischen Kirschbäumen gesäumtes zentrales Platzgeviert mit einer Denkmalgruppe für die Begründer der kommunistischen Weltanschauung (von Ludwig Engelhardt): Karl Marx (sitzend) und Friedrich Engels (stehend) in Bronze sowie mehrere Metallstelen mit eingeätzten Fotos zur 'Geschichte des Klassenkampfes'. Kurz nach dem Fall der Mauer hat ein Scherzbold den Sockel des Denkmals mit dem sinnigen Spruch "Wir sind unschuldig" versehen.

Rathaus Schöneberg **N 10**

Lage
John-F.-Kennedy-Platz, Schöneberg

U-Bahn
Rathaus Schöneberg (U 4)

Das 1911 – 1914 erbaute Rathaus Schöneberg, ursprünglich für die Schöneberger Stadtverwaltung vorgesehen, war bis 1991 Amtssitz des Regierenden Bürgermeisters von Berlin und bis zur Renovierung des ehemaligen Preußischen Landtags (→ Martin-Gropius-Bau) Sitz des Berliner Abgeordnetenhauses und als solches von großer Symbolkraft für Westberlin. Heute beherbergt es das Verwaltungszentrum des Bezirks Schöneberg. Im Zweiten Weltkrieg schwer beschädigt, war das Rathaus bis 1952 wiederhergestellt. 1985/1986 wurde das Gebäude einer gründlichen Renovierung unterzogen. Links neben dem Haupteingang ist eine Gedenktafel zu Ehren von US-Präsident John F. Kennedy angebracht, der hier 1963 seine berühmt gewordene Rede hielt, in der er sagte, jeder könne stolz sein, der von sich behaupten könne: "Ich bin ein Berliner".

Kennedy-Gedenktafel

Bundeskanzler-Willy-Brandt-Stiftung

Im Dezember 1996 ist im Schöneberger Rathaus die Ausstellung der Bundeskanzler-Willy-Brandt-Stiftung eröffnet worden. Sie zeichnet anhand von Fotografien, Dokumenten und anderen Gegenständen das politische Leben des langjährigen Regierenden Bürgermeisters, Bundeskanzlers und Vorsitzenden der SPD nach. Ausgestellt sind u. a. die Verleihungsurkunde des Friedensnobelpreises und die Taschenuhr des Par-

teigründers August Bebel, die Willy Brandt besaß (Öffnungszeiten: tgl. 10.00–18.00 Uhr).
In der Vorhalle befindet sich eine Porträtbüste des Reichspräsidenten Friedrich Ebert von Karl Trumpf. Jeweils am ersten Sonntag eines Monats wird um 11.00 Uhr im Rahmen einer Führung der 'Goldene Saal' gezeigt.

Rathaus Schöneberg (Fortsetzung)

Im 70 m hohen Rathausturm (Turmbesteigung Mi. und So. 10.00–16.00 Uhr) hängt die Freiheitsglocke, die von den Vereinigten Staaten von Amerika gestiftet wurde. Sie ist der Liberty Bell in Philadelphia nachgebildet und wurde am Tag der Vereinten Nationen (24. Oktober 1950) von General Lucius D. Clay den Berlinern übergeben. Die Kosten der Glocke wurden durch Spenden von ca. 17 Mio. Amerikanern getragen. Sie ist 10 206 kg schwer und 2,25 m hoch. Die Glocke trägt die Inschrift "Möge diese Welt mit Gottes Hilfe die Wiedergeburt der Freiheit erleben"; es ist der letzte Satz der US-amerikanischen Unabhängigkeitserklärung. Eine Urkunde mit den Unterschriften der Spender ist in der Dokumentenkammer im Rathausturm aufbewahrt.

Freiheitsglocke

*Reichstagsgebäude P 13 / 14 · k 3

Mit der Proklamation des Deutschen Kaiserreiches im Spiegelsaal von Versailles am 18. Januar 1871 bekam auch die preußische Hauptstadt Berlin eine neue Funktion: Indem der Reichstag mit einer neuen Verfassung das Kaisertum und die preußische Krone erblich aneinanderband, wurde Berlin zur Hauptstadt des Deutschen Reiches, zur Kaiserstadt.

Lage
Platz der Republik, Tiergarten

S-Bahn
Unter den Linden (S 1, S 2)

U-Bahn
Potsdamer Platz (U 2)

Bus
100

Der Reichstag aber brauchte ein größeres, vor allem ein repräsentativeres Gebäude, nachdem er zunächst ein provisorisches Domizil an der Leipziger Straße Nr. 74 in einem Teil der Königlichen Porzellan-Manufaktur bezogen hatte. Mit dem Auftrag zum Neubau wurde der Architekt Paul Wallot betraut, der 1884–1894 das Reichstagsgebäude im Stil eines wuchtigen, ebenmäßigen Neorenaissancepalastes errichtete. Der Kaiser legte eigenhändig den Grundstein. Für den Bau wurden 30 Mio. Mark aus der französischen Kriegsentschädigung abgezweigt. 1916 erhielt das Gebäude seine noch heute erhaltene Giebelinschrift: "Dem Deutschen Volke."

Am Abend des 27. Februar 1933 brannte der Reichstag. Dieses Ereignis, als 'Reichstagsbrand' in die Geschichte eingegangen, ist bis heute weder kriminalistisch noch historisch restlos aufgeklärt. Die nationalsozialistische These vom Komplott der Kommunistischen Partei Deutschlands (KPD) wurde mit dem Freispruch der Angeklagten Georgij Dimitroff und Ernst Torgler durch das Leipziger Reichsgericht im Dezember 1933 nicht bestätigt. Die vor allem von der KPD propagierte These, die Nationalsozialisten hätten selbst den Brand gelegt, um eine Handhabe gegen ihre politischen Gegner zu bekommen, ist ebenfalls nicht bewiesen. Die Alleintäterschaft des Niederländers Marinus van der Lubbe wurde 1980 gerichtlich abgewiesen. 1981 wurde dieses Urteil allerdings aufgehoben, jüngste Historikermeinungen sehen nun wiederum in van der Lubbe den Täter.
Der Reichstagsbrand – und auch die Frage nach der Täterschaft – wäre wohl nicht von so großer Bedeutung, hätte er nicht so einschneidende politische Folgen nach sich gezogen: Er war Anlaß für die Notverordnung des Reichspräsidenten "zum Schutz von Volk und Staat" vom 28. Februar 1933, die vor allem die wichtigsten Grundrechte der Weimarer Verfassung aufhob und Hitler und den Nationalsozialisten kurz vor der Reichstagswahl am 5. März 1933 die Gelegenheit gab, ihre politischen Gegner innerhalb kurzer Zeit zu verfolgen und zu beseitigen.
Nach dem Brand wurde das Gebäude nicht mehr benutzt und auch nicht renoviert. Der Reichstag zog in die nahegelegene Krolloper im Tiergarten um (am jetzigen Standort der Kongreßhalle) und verlor unter den Nazis jegliche Bedeutung.

Reichstagsbrand

Zerstörung am Kriegsende

Was der Brand vom Reichstagsgebäude noch übriggelassen hatte, zerstörten am Ende des Zweiten Weltkriegs Beschuß und Plünderung. Am 30. April 1945 hißten zum Zeichen des Sieges zwei Rotarmisten die sowjetische Flagge auf der Ruine. Am selben Tag beging nur einige hundert Meter entfernt Hitler im 'Führerbunker' unter dem Potsdamer Platz Selbstmord.

Wiederaufbau

Der Wiederaufbau wurde erst 1970 beendet; auf die Errichtung der 1957 gesprengten Kuppel verzichtete man damals jedoch. Für Arbeitstagungen der Fraktionen, Sitzungen der Ausschüsse des Bundestages sowie des Bundesrates wurden ein Plenarsaal, Sitzungsräume und Büros eingerichtet. Regelmäßig tagte der Bundestag in Berlin, was zu regelmäßigen Protesten der Sowjetunion und der DDR führte. Im Plenarsaal fanden am 4. Oktober 1990 die erste Sitzung des gesamtdeutschen Parlamentes und am 17. Januar 1991 die konstituierende Sitzung des am 2. Dezember 1990 gewählten gesamtdeutschen Bundestags statt. Zu seiner ersten Sitzung nach dem Umbau und damit der offiziellen Einweihung traf sich der Bundestag am 19. April 1999 im Reichstagsgebäude. Um Assoziationen mit der Vergangenheit zu umgehen, heißt das Gebäude heute offiziell – und sperrig – "Plenarbereich Reichstagsgebäude".

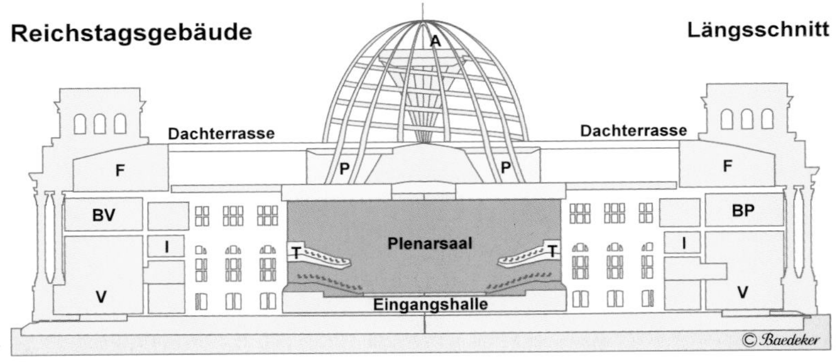

A Aussichtsplattform
F Fraktionssitzungssäle
P Presselobby
BV Bundestagsverwaltung
BP Bundestagspräsidium
I Besucherinformation
T Besuchertribüne
V Versorgung

"Wrapped Reichstag"

Während der Bauarbeiten am neuen Reichstagsgebäude richteten sich im Juni und Juli 1995 die Augen der gesamten Kunstwelt auf Berlin: Zwei Wochen lang war das komplette Gebäude unter einer 100 000 m² großen, silbrig glänzenden Stoffverhüllung verschwunden. Dieses Projekt hatte der amerikanisch-bulgarische Künstler Christo mit seiner Frau Jeanne-Claude seit 1971 beharrlich verfolgt, am 20. Juni 1994 stimmte der Bundestag endlich zu – der überwältigende Erfolg der Aktion gab dem Künstler recht.

Das neue Gebäude

Kuppel
tgl. 8.00 – 22.00

Das Reichstagsgebäude ist nach einem Entwurf des britischen Architekten Norman Foster umgebaut worden. Innerhalb der alten Außenmauern entstand ein hochmodernes Parlamentsgebäude, in dem der ursprüngliche Zustand nur noch an wenigen Stellen ablesbar ist; u. a. sind Graffiti sowjetischer Soldaten an den Wänden konserviert worden. Ansonsten herrscht zeitgenössische Kunst vor, darunter in der Eingangshalle die deutschen Farben in der Bearbeitung von Gerhard Richter, im südlichen Lichthof ein Bodenrelief von Ulrich Rückriem, im Treppenaufgang des Südportals Gemälde von Georg Baselitz und im Andachtsraum Gebotstafeln von Günther Uecker. Eine Vitrine im westlichen Besucherbereich enthält das Original des Grundgesetzes vom 23. Mai 1949. Der größte architektonische Wurf ist die 23,5 m hohe und 40 m durchmessende gläserne Kuppel, durch deren Schacht Licht und Luft in den Plenarsaal geleitet werden. Sie

Das Symbol des neuen Berlin von innen betrachtet: 360 Spiegel lenken durch die Kuppel des Reichstagsgebäudes das Licht in den Plenarsaal.

Reichstagsgebäude (Fortsetzung)

ist, nächtens beleuchtet, nicht nur zum Wahrzeichen des neuen Berlin, sondern auch rasch zu einer der größten Touristenattraktionen geworden: Auf einer spiralförmigen Rampe wandelt man an ihrer Innenseite hinauf zur Aussichtsplattform, von der man die Stadt hervorragend überblickt. Für eine Pause bietet sich das öffentliche Dachgartenrestaurant an.

* Sammlung Berggruen – "Picasso und seine Zeit" L 14

Anschrift
Schloßstr. 1, Charlottenburg

U-Bahn
Richard-Wagner-Platz (U 7), Sophie-Charlotte-Platz (U 2)

Bus
109, 110, 145

Öffnungszeiten
Di. – Fr. 10.00 – 18.00, Sa. u. So. 11.00 – 18.00

Als neuer Stern am Berliner Ausstellungs- und Museumshimmel strahlt seit Herbst 1996 die Sammlung Berggruen, eine der bedeutendsten Privatsammlungen moderner Malerei. Sie wurde zusammengetragen von dem gebürtigen Berliner Heinz Berggruen, der 1936 in die USA emigrierte und nun in Paris lebt. Die Sammlung kam auf ausdrücklichen Wunsch Berggruens von London nach Berlin, zunächst als Leihgabe, doch ist sie nun vom Bund erworben worden. Ausgestellt sind 113 Gemälde, wobei vor allem zwei Künstler herausragen: Allein 70 Werke von Pablo Picasso, mit dem Berggruen persönlich befreundet war, darunter der "Sitzende Harlekin" (1905), "Der Maler und sein Modell" und "Der gelbe Pullover" (1939) sowie 27 Arbeiten von Paul Klee setzen die Schwerpunkte, zu denen sich Werke von Cézanne, van Gogh, Seurat, Braque und Giacometti gesellen. Die Sammlung präsentiert sich im westlichen Trakt des von Friedrich August Stüler (1800 – 1865) errichteten Kavaliersbaus, der bislang die Westberliner Antikensammlung beherbergte, die in Zukunft – wie bereits vor dem Zweiten Weltkrieg – mit den Beständen auf der → Museumsinsel wieder zusammengeführt und ausgestellt werden soll. Unmittelbare Nachbarn der Sammlung Berggruen sind das → Ägyptische Museum im östlichen Stülerbau und Schloß → Charlottenburg.

*Sankt-Hedwigs-Kathedrale Q 13 · m 2

Lage
Bebelplatz, Mitte

U-Bahn
Französische Straße (U 6)

Bus
100, 157, 348

Die barocke Kathedrale Sankt Hedwig ist Sitz des katholischen Bischofs von Berlin. Mit dem Bau nach dem Vorbild des römischen Pantheons wurde 1747 nach Plänen von Georg Wenzeslaus v. Knobelsdorff begonnen.

Das dafür notwendige Geld sammelte der Karmelitermönch Mecenati in katholischen Ländern, den Baugrund schenkte Friedrich der Große. St. Hedwig ist der einzige Berliner Kirchenbau aus der Zeit Friedrichs des Großen. Nach Beendigung des Siebenjährigen Krieges baute man ab 1772 unter Johann Boumann d. Ä. weiter; am 1. November 1773 wurde die Kirche geweiht. Nach der in Schlesien verehrten hl. Hedwig (1174–1243), Gemahlin Herzogs Heinrich von Schlesien, erhielt sie den Namen Sankt-Hedwigs-Kathedrale, denn durch die Eroberung Schlesiens waren zum erstenmal geschlossene katholische Bevölkerungsgebiete an Preußen gefallen.
Das Relief im Giebelfeld führte Nikolaus Geiger 1898 aus. Die Kirche brannte im Zweiten Weltkrieg 1943 aus und wurde erst zwischen 1952 und 1963 wiederaufgebaut. Ihr heute etwas kahl wirkender Innenraum ist modern gestaltet (Architekt Hans Schwippert), die historische Konstruktion der Kuppel blieb erhalten. In der Unterkirche, ursprünglich Krypta, befinden sich einige Bischofsgräber.

*Schloßplatz R 13 · n 2/3

Lage
Mitte

S-Bahn
Hackescher Markt (S 3, S 5, S 7, S 75, S 9)

Bus
100, 157, 348

Überquert man von → Unter den Linden kommend die Schloßbrücke, betritt man den Schloßplatz, zu DDR-Zeiten Marx-Engels-Platz. Hier stand das Berliner Stadtschloß, das auf eine unter Kurfürst Friedrich II. 1443 bis 1451 errichtete Burg zurückging. Das gewaltige Schloßgebäude erstreckte sich mit 200 m Länge, 120 m Breite und einer 70 m hohen Kuppel über das gesamte Areal des heutigen Palasts der Republik und des davorliegenden Platzes. Seine allseits gepriesene barocke Form und die prächtige Innenausstattung verdankte es dem um 1700 vorgenommenen Ausbau durch Andreas Schlüter, der hier sein Meisterwerk schuf. Nach 1945 war das Schloß eine ausgebrannte Ruine, für deren Wiederaufbau sich jedoch viele Experten und auch viele Berliner aussprachen. Doch die damalige DDR-Führung hatte andere Pläne. Sie sah im Schloß ein Symbol für die 'feudalistische und imperialistische' Vergangenheit Deutschlands, mit der es nun vorbei sei, und ordnete die Sprengung der Ruine an, die 1950 erfolgte. Es entstand ein weiter, leerer Platz für Demonstrationen und Aufmärsche, der schließlich mit dem Palast der Republik bebaut wurde.

Palast der Republik

Der Palast der Republik beherrscht nach wie vor den Platz. Er wurde 1973–1976 erbaut und war zur Zeit seiner Fertigstellung ein Prestigeobjekt für die DDR, deshalb in der Bevölkerung auch wenig schmeichelhaft als 'Palazzo Prozzo' oder gar 'Erichs Lampenladen' tituliert. Der außen glasverkleidete Palast hat eine Länge von 180 m und eine Breite von 85 m. Leitender Architekt war Heinz Graffunder. Das Gebäude war Sitz der Volkskammer der DDR und diente repräsentativen Zwecken. An seiner Rückfront erstreckt sich das Marx-Engels-Forum (→ Rathäuser).
Nach dem Fall der Mauer sollte der Palast als kulturelles Zentrum genutzt werden. Wie in vielen Bauten der siebziger Jahre wurde jedoch auch bei der Errichtung dieses Gebäudes asbesthaltiges Material verwendet. Dies hat dazu geführt, daß der Palast der Republik im September 1990 wegen möglicher Gesundheitsgefährdung geschlossen wurde. Viele betrachten

◂ *Der überwiegende Teil der Sammlung Berggruen umfaßt Werke von Pablo Picasso: "Matador und Akt" (1970).*

Palast der Republik (Fortsetzung)

das Gebäude heute als einen an finstere Zeiten erinnernden städtebaulichen Schandfleck im Herzen Berlins; für andere, ebenfalls nicht wenige, ist es jedoch ein Teil der deutschen Geschichte, der als solcher auch angenommen werden sollte. Nun soll er doch abgerissen werden, aber über das Aussehen des Schloßplatzes ist noch nicht entschieden, auch nicht über einen Wiederaufbau des Schlosses. Immerhin schuf von Juni 1993 bis September 1994 ein originalgroßer 'Schloßvorhang' vor der Frontseite des Palasts die Illusion des wiederaufgebauten Schlosses. Es existieren aber auch Pläne, die eine völlig andere Gestaltung des Platzes einschließlich der nahen Fischerinsel vorschlagen. Auf der Fläche vor dem Palast der Republik werden derzeit die Fundamente des Stadtschlosses freigelegt.

Der Palast der Republik hat sich bislang als sehr dauerhaftes Geschenk der DDR an das wiedervereinigte Berlin erwiesen. Nun soll er doch abgerissen werden.

Ehemaliges Staatsratsgebäude / provisorisches Bundeskanzleramt

An der Südseite des Platzes, jenseits der Werderstraße, steht das Gebäude des ehemaligen Staatsrats der DDR. In seine Fassade ist als dessen einziger erhaltener Teil das Portal IV des Berliner Stadtschlosses integriert. Von diesem Portal rief Karl Liebknecht 1918 die sozialistische Republik aus. Das Gebäude ist – bis zur Fertigstellung des neuen Kanzleramts – Amtssitz des Bundeskanzlers.

****Ribbeckhaus**

An der links am ehemaligen Staatsratsgebäude vorbeilaufenden Breiten Straße fällt das viergiebelige Ribbeckhaus auf, das 1624 für die von Theodor Fontane literarisch verewigte märkische Adelsfamilie derer von Ribbeck erbaut wurde. Es ist das einzige erhaltene Renaissancewohnhaus Berlins und beherbergt heute das Zentrum für Berlin-Studien, das eine 350 000 Bände umfassende Bibliothek, Handschriften und Inkunabeln, Zeitungen und Zeitschriften, Adreß- und Telefonbücher sowie eine Postkartensammlung zum Thema Berlin bietet. Das Zentrum ist entstanden aus der Zusammenlegung der Berlin-Sammlungen von Amerika-Gedenkbibliothek und Stadtbibliothek (geöffnet: tgl. 14.00 – 18.00 Uhr).

Zentrum für Berlin-Studien

Rechts vom Ribbeckhaus schließt die Stadtbibliothek an. Die beachtenswerte Eingangstür, von Fritz Kühn gestaltet, zeigt 117 verschiedene Gestalten des Buchstaben 'A'.

Schloßplatz (Fortsetzung) Stadtbibliothek

Das Ribbeckhaus ist mit dem Alten Marstall von 1670 verbunden, dem einzigen erhaltenen Frühbarockbau Berlins. Beide Bauten werden vom Neuen Marstall umfaßt (1896–1901), der heute u. a. als Ausstellungsort der Akademie der Künste dient.

Marstall

Lustgarten

Jenseits der Karl-Liebknecht-Straße öffnet sich der Lustgarten, das Herzstück des alten Berlin. Im Jahre 1573 wurde an dieser Stelle ein Küchen- und Nutzgarten angelegt, der 1643 in einen Ziergarten umgewandelt wurde. Dennoch baute man in ihm 1649 die ersten Kartoffeln in Preußen an. Auch in den Jahren danach wechselte der Garten häufig Gestalt und Funktion: Zuerst war er Exerzierplatz unter Friedrich Wilhelm I., dann folgten ab 1830 die ersten Baumanpflanzungen, und schließlich entstanden erste größere Bauten. Mittlerweile wird darüber nachgedacht, ihm seine alte Gartengestalt wiederzugeben.
Die beherrschenden Gebäude am Lustgarten sind an der Ostseite der → Dom und als Abschluß nach Norden das → Alte Museum am Beginn der → Museumsinsel.

Siegessäule

O 13

In der breiten Flucht der Straße des 17. Juni, etwa auf halbem Wege zwischen → Ernst-Reuter-Platz und → Brandenburger Tor, erhebt sich die Siegessäule in der Mitte des Platzes 'Großer Stern'. Sie wurde zur Erinnerung an die drei siegreich geführten Kriege – 1864 gegen Dänemark, 1866 gegen Österreich und 1870/1871 gegen Frankreich – errichtet (Entwurf H. Strack) und am Sedantag, dem 2. September 1873, in Anwesenheit Kaiser Wilhelms I. und seiner Heerführer mit einer großen Militärparade eingeweiht (in Auftrag gegeben war die Siegessäule bereits 1865). Bis 1938 stand die Siegessäule auf dem Königsplatz, dem heutigen Platz der Republik, vor dem → Reichstagsgebäude.
Im Schaft der Säule ist eine bedeutende Zahl von Geschützrohren aus der Kriegsbeute eingelassen. Die Säule selbst ruht auf einem hohen Granitsockel, der mit Bronzereliefs geschmückt ist. Diese zeigen Szenen aus den drei zuvor genannten Kriegen. In ihrem unteren Teil, der von einer offenen Halle umgeben ist, symbolisiert ein Mosaik (Entwurf Anton von Werner) den Zusammenschluß zum deutschen Kaiserreich 1870/1871.
Bekrönt wird die Säule von einer 1987 neu vergoldeten Figur der Siegesgöttin Viktoria (im Volksmund 'Goldelse'), welche die Siegessymbole in der Hand hält. Die Figur ist über acht Meter hoch und wurde von Friedrich Drake modelliert.

Standort
Großer Stern, Tiergarten

S-Bahn
Bellevue (S 3, S 5, S 7, S 9)

U-Bahn
Hansaplatz (U 9)

Bus
100, 187, 341

Man kann die insgesamt 69 m hohe Säule über eine Wendeltreppe erklimmen (285 Stufen). In 48 m Höhe befindet sich eine Aussichtsplattform, von der man einen umfassenden Rundblick genießt (geöffnet: Mo. 13.00–18.00, Di.–So. 9.00–18.00 Uhr).

Aussichtsplattform

Siegessäule (Fortsetzung)
Denkmäler am Rondell

Am Rondell steht das Nationaldenkmal für den Fürsten Bismarck, 1901 von Reinhold Begas geschaffen. Daneben erkennt man die Denkmäler für Generalfeldmarschall Moltke (von Joseph Uphues, 1905) und Kriegsminister von Roon (von Harro Magnussen, 1904). Auch diese drei Denkmäler standen einst vor dem Reichstagsgebäude.

Skulpturensammlung

→ Museumsinsel, Bodemuseum

Sowjetische Ehrenmale

→ Tiergarten, Treptower Park

Spandau westlich H 14

U-Bahn
Altstadt Spandau, Rathaus Spandau (U 7)

Die alte Festungsstadt Spandau liegt am Zusammenfluß von → Spree und → Havel. Bis zu ihrer Eingemeindung im Jahre 1920 war Spandau eine selbständige Stadt, die ihren Ursprung an dem günstigen Havelübergang der Handelsstraße hatte, die von Westen über Magdeburg und Berlin weiter nach Osten führte. Von 1160 bis etwa 1200 bildete die Havel die Landesgrenze; mit der Verschiebung der Grenze nach Osten wurde das 1197 erstmals urkundlich erwähnte Spandau, das 1232 Stadtrecht erhielt, wirtschaftlich und militärisch rückwärtiger Stützpunkt. Hierbei entstanden zwei bedeutende Ansiedlungen: auf der Altstadtinsel die Stadt und auf der heutigen Zitadelleninsel die Burg. Der rasche Aufstieg des benachbarten Berlin ließ Spandau wenig Entwicklungsmöglichkeiten; bis zum Ende des 19. Jh.s ist es über den Rang einer Mittelstadt nicht hinausgekommen. Auch der im 17. Jh. auferlegte Festungszwang, erst 1903 wieder aufgehoben, wirkte sich hemmend aus. In der Nachkriegszeit war Spandau vor allem bekannt wegen seines Kriegsverbrechergefängnisses, in dem unter Bewachung der vier Siegermächte als letzter Gefangener bis zu seinem Selbstmord 1987 der 'Führerstellvertreter' Rudolf Heß einsaß. Das Gefängnis ist danach abgebrochen worden.

Altstadt

Die Spandauer Altstadt liegt am Westufer der Havel. Bombenangriffe und auch der U-Bahn-Bau haben nicht mehr allzuviel von der alten Bebauung gelassen. Hauptstraßen sind die Carl-Schurz-Straße und die Breite Straße.

St.-Nikolai-Kirche

Im Zentrum der Altstadt steht die St.-Nikolai-Kirche, eine Backsteinhallenkirche aus der ersten Hälfte des 15. Jh.s mit mächtigem Satteldach und wuchtigem Westturm, auf einem Vorgängerbau aus dem 13. Jh. errichtet. In der weiten, dreischiffigen Halle fällt vor allem der 8 m hohe, reich skulptierte und bemalte Altar aus Kalkstein und Stuck ins Auge. Dieses Prunkstück der Spätrenaissance stiftete 1582 der Festungsbaumeister Rochus Graf zu Lynar, der unter dem Altar begraben ist. Des weiteren bemerkenswert sind die Barockkanzel, ursprünglich um 1700 für die Kapelle des Potsdamer Stadtschlosses geschaffen, sowie der Taufkessel von 1398. Im Haus gegenüber zeigt das Museum Spandovia Sacra die Geschichte der Kirchengemeinde (geöffnet: Sa. 13.00 – 18.00, So. 14.00 – 17.00 Uhr).

Im Wasser des Spandauer Zitadellengrabens spiegeln sich Kommandantenhaus und Juliusturm. ▸

Wendenschloß

Beim Marktplatz wird die Carl-Schurz-Straße von der Moritzstraße gekreuzt, die westwärts zum Mühlengraben führt. An der von ihr abgehenden Kinkelstraße lag das sog. Wendenschloß (Nr. 35), ein aufwendiges Ackerbürgerhaus, das um 1700 errichtet wurde. Das Originalgebäude wurde 1966 abgebrochen und durch einen Neubau ersetzt, dessen Fassade nach dem historischen Vorbild gestaltet ist.

Stadtmauer

Der Mühlengraben wird südlich fortgesetzt vom Viktoria-Ufer. Hier ist noch ein 116 m langer Rest der im 14. Jh. erbauten Stadtmauer erhalten.

*Zitadelle

U-Bahn
Zitadelle (U 7)

Bus
133

Öffnungszeiten
Di. – Fr.
9.00 – 17.00,
Sa. u. So.
10.00 – 17.00

Führungen
Sa. und So.
13.30 und 14.45

Die Zitadelle Spandau ist ein eindrucksvolles Zeugnis frühitalienischer Festungsbaukunst. Die Italiener waren die ersten, die ihre Festungen als spitzwinkelige Bastionen mit hochgetürmtem Mauerwerk statt der bis dahin üblichen Rundbasteien bauten.
Ursprünglich stand an diesem Platz eine Wasserburg der Askanier, die einer Grenzfestung Albrechts des Bären gefolgt war (12. Jh.). Kurfürst Joachim II. ließ ab 1560 dann die Zitadelle zum Schutz der Landeshauptstadt Berlin errichten. Baumeister waren Christoph Römer und der Venezianer F. Chiaramella di Gandino, ab 1578 schließlich Rochus Graf zu Lynar, der nach 34 Jahren den Bau zu Ende brachte (1594). Seine Grundform ist seitdem, sieht man von wenigen neuzeitlichen Umbauten ab, unverändert: Einem allseitig durch Wasserläufe geschützten Quadrat von ca. 200 m Seitenlänge sind an den vier Ecken die Bastionen König, Kronprinz, Brandenburg und Königin vorgelagert.
Zur Zeit ihrer Fertigstellung galt die Zitadelle als uneinnehmbar. Später spielte sie in allen Kriegen, in die Brandenburg und Preußen verstrickt waren, eine Rolle; vor allem im 17. und 18. Jh. war sie ein wichtiger Punkt im brandenburgischen Verteidigungssystem. Im Dreißigjährigen Krieg wurde sie nach Verhandlungen des Schwedenkönigs Gustav Adolf mit dem brandenburgischen Minister Adam Graf Schwarzenberg kampflos von schwedischen Truppen besetzt. Im Siebenjährigen Krieg, als 1757 die Österreicher in der Mark standen, diente die Zitadelle der Königin und dem Hofstaat als Zufluchtsort. Im Jahre 1806 wurde die Festung kampflos den Franzosen übergeben, die sie ihrerseits nach heftigen Kämpfen zurückgeben mußten.

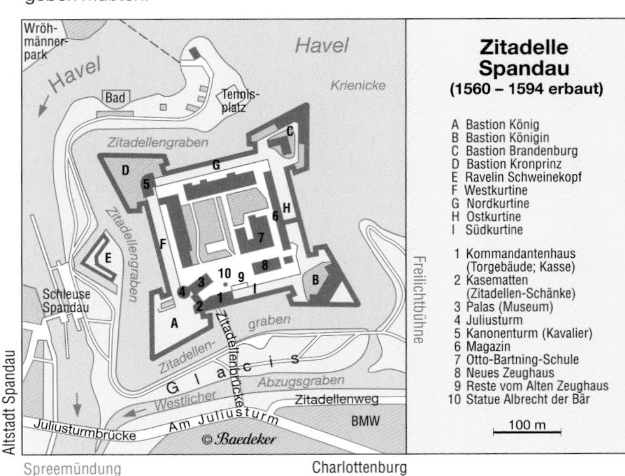

Kommandantenhaus

Über eine schmale Brücke erreicht man das ehemalige Kommandantenhaus (Torgebäude; 16. Jh.), das 1839 eine neue Fassade erhielt. Im Segmentgiebel zeigt ein farbiges Wappenrelief die Symbole der preußischen Landesteile zu Beginn des 18. Jh.s, umschlungen vom Band des britischen Hosenbandordens.
Die Räume des Obergeschosses dienten früher als Kommandantenwohnung. Hier befindet sich das 'Fürstenzimmer', dessen Kassettendecke aus der Ruine des alten Kunstgewerbemuseums stammt. Im Kommandantenhaus ist heute das Stadtgeschichtliche Museum Spandau untergebracht. Es zeigt Funde aus der Geschichte Spandaus von der Frühzeit bis heute und umfaßt Mammutskeletteile ebenso wie Dokumente und Gegenstände aus der Stadtgeschichte (Eingang linker Hand).

Stadtgeschichtliches Museum Spandau

Das Denkmal Albrecht des Bären

Zitadellenhof

Geradeaus vom Eingang liegt der Zitadellenhof. In seinem Boden hinterließ die Heeresgasversuchsanstalt der Wehrmacht ein unangenehmes Erbe, als bei Kriegsende Kampfmittelreste in den Brunnen geworfen wurden. Rechter Hand steht ein Denkmal für den Markgrafen Albrecht der Bär.

Palas

Schräg gegenüber vom Kommandantenhaus erstreckt sich der Palas, das Wohnhaus der Burg, um 1350 erbaut, Anfang des 16. Jh.s sowie 1821 umgebaut, 1936 zu einem Offizierskasino umgestaltet. Im Sockel der Südseite des Gebäudes sieht man jüdische Grabsteine (13./14. Jh.) mit hebräischen Inschriften; sie stammen von dem um 1510 verwüsteten Spandauer Judenfriedhof und wurden als Baumaterial beim Palasumbau verwendet.

Juliusturm

Der hinter dem Palas aufragende Juliusturm ist das älteste erhaltene Bauwerk der Zitadelle. Er wurde zu Anfang des 14. Jh.s als Wachturm und Zufluchtstätte der Burg in Kriegsgefahr erbaut. Sein Name ist wahrscheinlich eine Umbildung des Wortes 'Judenturm', denn 1356 hatte Markgraf Ludwig das einträgliche Turmamt seinem Kammerknecht, dem 'Juden Frizen' verliehen. Vom 36 m hohen Turm bietet sich eine weite Rundsicht. Zum Begriff wurde er als Aufbewahrungsort des Reichskriegsschatzes: Auf Veranlassung von Otto von Bismarck wurde 1874 der Kriegsschatz in Höhe von 120 Mio. Mark in Gold, der aus den französischen Entschädigungszahlungen des Krieges von 1870/1871 stammte, hier gelagert.

Kasematten

Die restaurierten Kasematten der Bastion König können besichtigt werden. In den Magazinräumen befindet sich die Zitadellenschänke 'Küchenmeysterey'; an den Wänden hängen Erinnerungsstücke aus preußischer Zeit.

Bastionen

Die nordwestliche Begrenzung der Zitadelle bildet die Bastion Kronprinz mit dem Kavalier, einem für schweres Geschütz bestimmten massigen

Spandau, Zitadelle (Fortsetzung)

Halbrund. Im Norden befindet sich die Bastion Brandenburg. Hier ist noch die Ruine der Heeresgasversuchsanstalt von 1940 zu sehen. Reizvoll ist der enge Bastionshof mit seinem malerischen Stützbogen (1814 – 1843).

Schleuse Spandau

Von der Zitadelle aus bestehen schöne Wandermöglichkeiten am Bastionsgraben entlang, immer mit Blick auf die Havel. Dabei kommt man an der Schleuse Spandau vorbei, die 1910 in Betrieb genommen wurde. An dieser Stelle war schon 1723 die erste Havelschleuse erbaut worden.

Spree

Flußlauf

Die Spree, mit einer Länge von 382 km der bedeutendste Nebenfluß der → Havel, entspringt im Lausitzer Bergland. Von dort fließt sie über Bautzen, Spremberg und Cottbus und gliedert sich im Spreewald in zahlreiche Arme auf. Nach dem Schwielochsee wendet sich der Fluß gegen Westen, fließt an Fürstenwalde vorbei, durchquert den → Müggelsee und das Stadtgebiet von Berlin und mündet schließlich bei → Spandau in die Havel, die wiederum der Elbe zuströmt.
Der Unterlauf der Spree ist auf ca. 150 km schiffbar. Wenige Kilometer hinter Neubrück zweigt der Oder-Spree-Kanal ab. Im Stadtgebiet von Berlin verbindet der Landwehrkanal (→ Kreuzberg) die Oberspree (Schlesisches Tor) mit der Unterspree (Charlottenburg).
Die Spree ist der wichtigste Trink- und Brauchwasserlieferant Berlins. Ein großer Teil ihres Wassers ist abgepumptes Grubenwasser aus dem Braunkohletagebau um Cottbus, das die Grundwasserzuflüsse ersetzen muß, die eben durch das jahrzehntelange Abpumpen zerschnitten sind. Doch schon im Spreewald verdunsten Unmengen von Wasser, und mit dem Rückgang des Braunkohleabbaus wird nun auch weniger Wasser gefördert, so daß einige Experten Wasserarmut der Spree und gar ein 'Zurückfließen' befürchten.

*Spreefahrt durch Berlin

Bei einer Rundfahrt auf der Spree und dem Landwehrkanal kann man Berlin von einer völlig anderen Seite her kennenlernen. Die etwa drei Stunden dauernde Fahrt (→ Praktische Informationen, Stadtbesichtigung) beginnt bei der Charlottenburger Schloßbrücke, führt auf dem Landwehrkanal durch Kreuzberg und von dort in den Bezirk Friedrichshain wieder zur Spree, auf der man durch Alt-Berlin im Bezirk Mitte nach Charlottenburg zurückkehrt.

*Spreewald

Wer während seines Berlin-Aufenthaltes genügend Zeit hat, kann einen Ausflug in den landschaftlich und kulturell einzigartigen Spreewald unternehmen. Der Spreewald, ca. 100 km südöstlich von Berlin gelegen, ist eine von zahlreichen Wasserläufen, den Fließen, durchzogene feuchte Niederung mit eingeschlossenen Talsandflächen und Dünen. Zahllose Kanäle, auf denen man sich nach wie vor überwiegend mit Kähnen fortbewegt, durchziehen die landwirtschaftlich genutzte Gegend, die weithin einem Park ähnelt. Hier leben die Sorben, die einzige slawischsprachige Minderheit in Deutschland.

Stadtmuseum Berlin

Die Vereinigung Berlins hat es mit sich gebracht, daß auch die bis dato geteilten Museen mit ihren Außenstellen, die sich mit der Stadtgeschichte befassen – Berlin Museum im Westen und Märkisches Museum im Osten – organisatorisch zusammengefaßt sind. Unter dem Begriff 'Stadtmuseum Berlin' ist nun eine erkleckliche Anzahl von Museen und Häusern vereint, die sich über das ganze Stadtgebiet verteilen. Sie werden in diesem Reiseführer unter folgenden Stichworten erwähnt bzw. beschrieben:

Domäne Dahlem (→ Dahlem), Dorfmuseum Alt-Marzahn (→ Marzahn), Ephraim-Palais (→ Nikolaiviertel), → Jüdisches Museum · Berlin Museum, Knoblauchhaus (→ Nikolaiviertel), → Märkisches Museum, → Museumsdorf Düppel, Nikolaikirche (→ Nikolaiviertel), Sammlung industrielle Gestaltung (→ Prenzlauer Berg), Schloß Friedrichsfelde (→ Tierpark Friedrichsfelde).

Unter Praktische Informationen, Stichwort 'Museen': Schulmuseum Berlin, Sportmuseum Berlin, Wassersportmuseum Grünau.

'Stasi-Museum'

→ Forschungs- und Gedenkstätte Normannenstraße

Schloß Tegel (Humboldtschlößchen) — nördlich K 19

Um 1550 diente das Tegeler Schloß Kurfürst Joachim II. als Landsitz, dann dem Großen Kurfürsten als Jagdschloß; 1765 schließlich ging es in den Besitz der Familie von Humboldt über und führt daher auch den Beinamen 'Humboldtschlößchen'. Wilhelm (geb. 1767) und Alexander von Humboldt (geb. 1769) sind hier aufgewachsen; das Gebäude ist heute noch Eigentum der Nachfahren. Wilhelm von Humboldt ließ das Schloß in den Jahren 1822 bis 1824 von dem Baumeister und Maler Karl Friedrich Schinkel in klassizistischem Stil umbauen, von diesem stammt auch die Bemalung im Vestibül, im Antikensaal, im Blauen Salon und in der Bibliothek. Die vier Ecktürme entwarf Christian Daniel Rauch; sie tragen Reliefs der acht antiken Windgötter. Das Schloß ist nach wie vor in Privatbesitz; doch kann die wertvolle zeitgenössische Einrichtung im Rahmen einer Führung besichtigt werden, insbesondere die Sammlung von Originalen und Abgüssen antiker Skulpturen, die Wilhelm von Humboldt als Gesandter in Rom zusammengetragen hat. Ein Teil der Einrichtungsgegenstände ist nach dem Fall der Mauer aus Ostberliner Museen wieder ins Tegeler Schloß zurückgekehrt.

Anschrift
Adelheid-Allee 19–21, Reinickendorf

U-Bahn
Alt-Tegel (U 6), dann Bus 124, 133, 222

Führungen
Mai – Okt.
Mo. 10.00, 11.00, 15.00, 16.00

Schloßpark

Im Jahre 1792 wurde der Park des Schlosses Tegel zunächst als Barockgarten und 32 Jahre später nach Plänen von Schinkel in einen Landschaftspark umgestaltet. Der Park mit altem Baumbestand und Naturdenkmälern umfaßt rund 17,5 ha. Er ist jedoch nicht öffentlich zugänglich.

Grabstätte der Familie von Humboldt

Vom Schloß führt eine Lindenallee an der Humboldteiche vorbei zur Grabstätte der Familie von Humboldt. Wilhelm von Humboldt ließ sie nach dem Tode seiner Frau Caroline († 1829) von Schinkel errichten. In der Mitte der Anlage steht eine ionische Granitsäule mit einer Nachbildung der "Hoffnung" des dänischen Bildhauers Bertel Thorvaldsen.

*Tiergarten — N–P 12/13 · f–k 2–4

Lage zu beiden Seiten der Straße des 17. Juni

Der Tiergarten – nicht zu verwechseln mit dem → Zoologischen Garten oder dem → Tierpark Friedrichsfelde – war einst ein kurfürstliches Wildgehege vor den Toren der Stadt, in dem Hirsche, Wildschweine und andere Tiere für die Jagd gehalten wurden. Kurfürst Friedrich III. begann um 1700 mit der Umwandlung des Waldgeländes in einen kurfürstlichen Park und befahl, eine Straßenverbindung nach Charlottenburg durchzuschlagen. Friedrich der Große ließ seinen Neigungen entsprechend den Park nach französischem Muster gestalten, sein Nachfolger Friedrich Wilhelm II. nach englischem Vorbild. Dennoch behielt der Tiergarten über weite Teile seine Eigenheit als Naturpark. In den Jahren 1833 bis 1838 schließlich gab ihm

S-Bahn
Tiergarten, Bellevue (S 3, S 5, S 7, S 9)

U-Bahn
Hansaplatz (U 9)

Bus
100, 187, 341

der berühmte Landschaftsgestalter Peter Joseph Lenné die Form eines Volksparks im Sinne englischer Gartenkunst. Im Zweiten Weltkrieg verwüstet, danach von den Brennholz suchenden Berlinern vollständig kahlgeschlagen, wurde die Anlage ab 1949 erneuert. Heute bestimmen wieder Bäume und Sträucher, Buschwerk, Grünflächen und Staudenrabatten das Gesicht des Tiergartens. Die 200 ha große Fläche ist ein vielbesuchtes Erholungsgebiet, in dem man ausgedehnte Spaziergänge machen kann (Café am Neuen See, Ruderboote).

Diplomatenviertel

Am Südrand des Tiergartens, jenseits der Tiergartenstraße, wird wieder das Diplomatenviertel entstehen, das jahrzehntelang brach lag. Von der alten Bebauung sind u. a. die italienische Botschaft und die japanische Botschaft geblieben, die nun modernisiert werden. Von den Neubauten sind u. a. das gemeinsame Botschaftsgebäude der skandinavischen Staaten – ein Novum auf diplomatischem Gebiet – und die Vertretungen Mexikos, Indiens und Österreichs eröffnet worden.

Öko-Häuser

Für Architekturfreunde bietet der Tiergarten etwas Besonderes: In seinem südlichen Teil, zwischen Rauchstraße und Landwehrkanal, haben 18 private Bauherren sog. Öko-Häuser gebaut, allesamt ausgehend von einem Konzept des Architekten und Spezialisten für leichte Flächentragwerke Frei Otto und dessen Partner Hermann Kendel.

Was den Londonern der Hyde Park, ist den Berlinern der Tiergarten – Spaziergänger beim Denkmal der Königin Luise.

Denkmäler

Im Tiergarten stehen viele Denkmäler. Einige der älteren wurden im Zweiten Weltkrieg beschädigt und durch Kopien ersetzt. Beachtenswert sind:

Goethe-Denkmal

Das am Ostende des Parks stehende Goethe-Denkmal wurde von F. Schaper aus Marmor gehauen und am 2. Juni 1880 enthüllt. Den Sockel zieren allegorische Frauengestalten, Verkörperungen der lyrischen Dichtung (mit Amor), der dramatischen Dichtung (Genius mit Todessymbol) und der Wissenschaft.

Das Denkmal der Königin Luise wurde von Erdmann Encke in weißem Marmor geschaffen und am 10. März 1880 enthüllt. Die Königin ist in einem hochgegürteten, lang herabwallenden Kleid dargestellt. Das Hochrelief am runden Sockel spielt auf ihren Einsatz bei der Betreuung der im Krieg 1806/1807 verwundeten Soldaten an: Es zeigt Szenen aus dem Soldatenleben und die Versorgung der Verwundeten durch die Frauen.

Denkmal der Königin Luise

Das Denkmal Friedrich Wilhelms III. ist ein Werk von Friedrich Drake, das am 3. August 1849 enthüllt wurde. Die friedliebende Sinnesart des Königs sollen die Hochreliefs am oberen Teil des Rundsockels versinnbildlichen, Darstellungen einer 'heilen' Welt.

Denkmal Friedrich Wilhelms III.

Weiterhin zu nennen sind die Statuen von Kaiser Wilhelm I. als Prinz (A. Brütt, 1904), Gotthold Ephraim Lessing (O. Lessing, 1890), Richard Wagner (G. Eberlein, 1906), Theodor Fontane (M. Klein, 1910) und das Komponistendenkmal für Haydn, Mozart und Beethoven (R. Siemering, 1904). Am Rondell um die → Siegessäule sind die preußischen Staatsmänner und Militärs Bismarck, von Roon und Moltke verewigt.

Ein Kapitel deutscher Geschichte: An dieser Stelle wurde Rosa Luxemburgs Leichnam in den Landwehrkanal geworfen. Karl Liebknecht ist am Neuen See ermordet worden.

Direkt unter der Lichtensteinbrücke erinnert am rechten Ufer des Landwehrkanals eine moderne Gedenktafel an Rosa Luxemburg, zusammen mit Karl Liebknecht die Gründerin der KPD, die nach dem Scheitern des Spartakus-Aufstandes am 15. Januar 1919 von Freikorpssoldaten ermordet und deren Leichnam hier in den Kanal geworfen wurde. Karl Liebknecht wurde am selben Tag am Neuen See im nordwestlichen Teil des Tiergartens erschossen, wo das Gegenstück zum Rosa-Luxemburg-Denkmal an ihn erinnert.

Gedenktafeln für Karl Liebknecht u. Rosa Luxemburg

Beim Carillon südlich der Kongreßhalle (→ Haus der Kulturen der Welt) steht inmitten eines Sees die moderne Bronzeplastik "Zwei Formen" des britischen Künstlers Henry Moore.

"Zwei Formen"

Sowjetisches Ehrenmal

Standort
an der Straße des 17. Juni

Bus
219, 248

Das Denkmal der Sowjetarmee wurde 1945/1946 aus dem Marmor der ehemaligen 'Neuen Reichskanzlei' geschaffen und auf Westberliner Boden nahe dem → Brandenburger Tor errichtet. Es stellt in Bronze gegossen einen Soldaten der Roten Armee in Feldausrüstung mit aufgepflanztem Bajonett dar. Zwei sowjetische Panzer, die 1945 als erste Berlin erreicht haben sollen, flankieren das Mahnmal.
Ein weiteres Sowjetisches Ehrenmal befindet sich im → Treptower Park.

"Der Rufer"

Zwischen dem Brandenburger Tor und dem Sowjetischen Ehrenmal steht seit 1989 auf dem Mittelstreifen der Straße des 17. Juni die 3 m hohe Bronze-Skulptur "Der Rufer" von Gerhard Marcks. Der 2 m hohe Granitsockel trägt eine Inschrift des italienischen Dichters und Humanisten Petrarca (1304 – 1374): "Ich gehe durch die Welt und rufe: 'Friede, Friede, Friede.'"

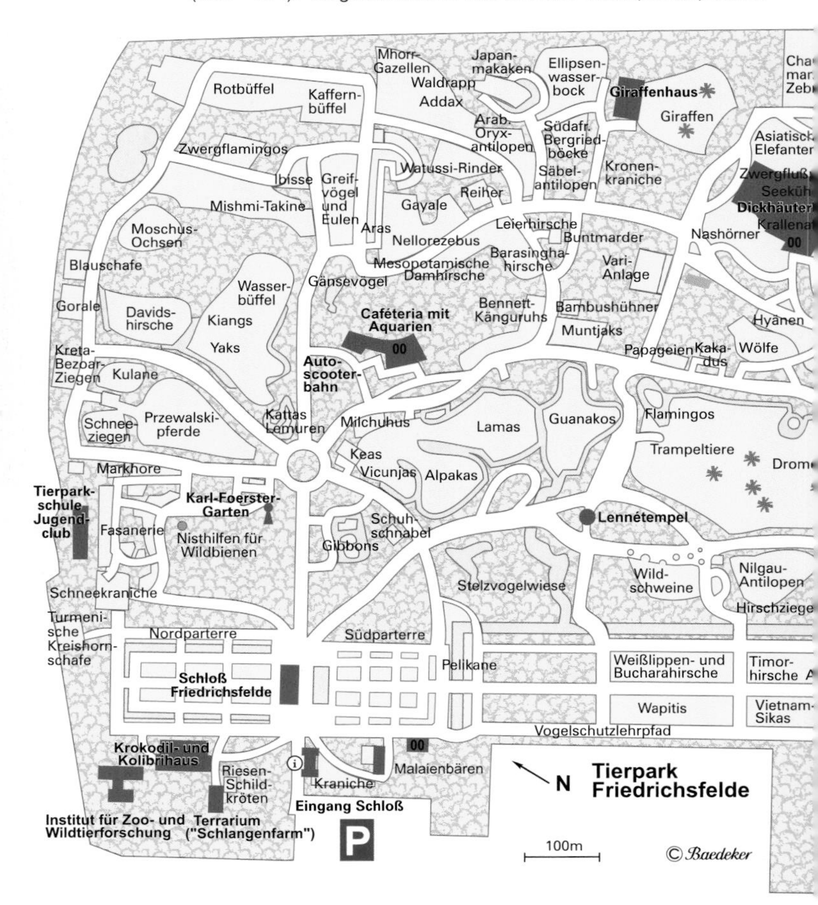

*Tierpark Friedrichsfelde östlich U 13

Der Tierpark wurde am 2. Juli 1955 als Ostberliner Pendant zum → Zoologischen Garten auf dem Gelände des Schloßparks Friedrichsfelde eröffnet. Bauten und Anlagen entwarf Heinrich Dathe. Die Größe der gesamten Anlage beträgt 160 ha, die Weglänge 22,7 km, die Wasserfläche 2,6 ha. Der Tierbestand beläuft sich auf etwa 1000 Arten mit über 8000 Tieren. Im Vergleich zum Zoologischen Garten ist der Tierpark sehr viel großzügiger und weniger gedrängt angelegt. Der Tierpark hat sich besonders bei der Zucht seltener Huftiere hervorgetan. In Europa einmalig ist eine Takinfamilie aus Birma, auch Goldrind oder Gnuziege genannt; für afrikanische Wüstenantilopen und Wildrinder wurden jüngst neue Gehege eröffnet. Eine sehr schöne Bepflanzung mit seltenen Gewächsen, darunter 530 verschiedene Formen von Orchideen, kann man in der Gartenabteilung bewundern.

Lage
Am Tierpark 125,
Lichtenberg

U-Bahn
Tierpark (U 5)

Tram
26, 27

Öffnungszeiten
tgl. 9.00 bis
Einbruch der
Dunkelheit,
spätestens 19.00

Eine besondere Sehenswürdigkeit ist das im Südostteil des Parks gelegene Alfred-Brehm-Haus. Es besteht aus einer großen Flughalle für annähernd hundert Vogelarten und tropischer Vegetation sowie einem außerordentlich großzügigen Raubtierhaus mit in der Halle befindlichen Freilaufanlagen, die mit den Freigehegen in Verbindung stehen. Stolz der Raubtiersammlung ist eine Zucht indischer Löwen und sibirischer Tiger.
Eine weitere nicht alltägliche Besonderheit für einen Zoo sind die Seekühe in der im Jahr 1994 im Elefantenhaus eröffneten Seekuhanlage. Dabei handelt es sich um drei Nagelmanatis aus der Karibik.

Schloß
Friedrichsfelde

Das ausgedehnte Gelände des Tierparks war früher der Ende des 17. Jh.s von B. Raule, dem Marinedirektor des Großen Kurfürsten, angelegte Schloßpark von Friedrichsfelde. Das um 1695 nach Plänen von Johann Arnold Nering erbaute und 1719 erweiterte Schloß, 1966–1981 restauriert, wird heute für Konzerte und andere kulturelle Zwecke genutzt. Darüber hinaus beherbergt es als Abteilung des → Stadtmuseums Berlin die Ausstellung 'Herrschaftliches Wohnen im 18./19. Jh.' (geöffnet: Di. bis So. 10.00–18.00 Uhr).

ВЕЧНА
ПАВШИМ
ГЕРОЯМ
1945

*Treptower Park U 10

Das 85 ha große Naherholungsgebiet am Ufer der Spree hatte bereits – noch bevor es zur heutigen Form umgestaltet wurde – bei den Berlinern Ausflugstradition. Der Treptower Park mit dem östlich anschließenden Plänterwald ist eine Schöpfung des ersten Berliner städtischen Gartendirektors Gustav Meyer, einem Schüler von Peter Joseph Lenné. Meyer schuf diese Anlage in den Jahren 1876 bis 1882 im Stil der englischen Landschaftsgärten. 1896 fand hier die 'Große Berliner Gewerbeausstellung' statt. Aus diesem Anlaß wurde auch die Archenhold-Sternwarte im Südostteil des Parkes am Straßenstück Alt-Treptow eingerichtet. Am Ende der Kaiserzeit und während der Weimarer Republik war der Treptower Park immer wieder Schauplatz großer Arbeiter-Kundgebungen.
Vom S-Bahnhof Treptower Park kommend, befindet sich links der Puschkinallee an der Spree eine Anlegestelle der Weißen Flotte. Sie ist Abfahrt- und Ankunftsort zahlreicher Schiffslinien in die Umgebung Berlins und die Mark Brandenburg. Rechter Hand liegt das Sowjetische Ehrenmal, links zur Spree hin der Rosengarten und unweit der Gaststätte "Zenner" die Archenhold-Sternwarte. Dahinter folgt der Plänterwald.

Lage
Puschkinallee,
Treptow

S-Bahn
Treptower Park,
Plänterwald
(S 4, S 6, S 8, S 9,
S 45, S 46, S 85,
S 86)

Sowjetisches Ehrenmal

Die Hauptsehenswürdigkeit des Treptower Parks ist das große Sowjetische Ehrenmal. Es wurde in den Jahren 1947 bis 1949 nach Plänen der Bildhauer und Architekten Jewgeni V. Wutschetitsch und Jakow B. Belopolski erbaut und ist die zentrale Gedenkstätte für die 1945 bei den Kämpfen um Berlin gefallenen Sowjetsoldaten. Der größte Teil des Baumaterials besteht aus schwedischem Granit, aus dem die Nationalsozialisten in Moskau einen Triumphbogen als Siegeszeichen errichten wollten. Auf den steinernen Portalen der Eingänge zum Ehrenmal an der Straße am Treptower Park und an der Puschkinallee stehen in russischer und deutscher Sprache die Worte: "Ewiger Ruhm den Helden, die für Freiheit und Unabhängigkeit der sozialistischen Heimat gefallen sind."
Die Frauenfigur "Mutter Heimat" auf der Zugangsallee wurde aus einem 50 t schweren Granitblock gemeißelt. Eine breite Promenade, die mit Trauerbirken bepflanzt ist, führt zum Ehrenhain. Zwei rote Granitwände symbolisieren zur Trauer gesenkte Fahnen. An ihren Stirnseiten befinden sich die Bronzefiguren kniender Rotarmisten. Den zentralen Teil des Ehrenhains, der letzten Ruhestätte von 5000 gefallenen sowjetischen Soldaten, bilden fünf eingefaßte Rasenflächen; auf steinernem Sockel liegen fünf gegossene Kranzgebinde. Zu beiden Seiten des Ehrenhains stehen je acht Reliefwände. Mittelpunkt der gesamten Anlage ist ein Ehrenhügel, der das zylindrische Mausoleum mit dem Hauptmonument des Sowjetsoldaten trägt. Es ist den alten Heldengräbern der Donebene nachgestaltet. Eine 11,60 m hohe Soldatenfigur, die auf dem linken Arm ein Kind trägt, hält in der rechten Hand ein gesenktes Schwert, welches das Hakenkreuz zerschlagen hat. Unter dem 70 t schweren Denkmal befindet sich der Kuppelsaal des Mausoleums, das mit Mosaikbildern des Malers Gorpenko ausgestattet ist: "Die Vertreter aller Unionsrepubliken gedenken ihrer Toten". An der Decke ist der Orden des Sieges der UdSSR nachgebildet.
Ein weiteres sowjetisches Ehrenmal befindet sich im → Tiergarten.

Archenhold-Sternwarte

Im Südostteil des Parks liegt am Straßenstück Alt-Treptow die Archenhold-Sternwarte. Sie wurde von dem Astronomen Friedrich Simon Archenhold gegründet und 1896 anläßlich der im Treptower Park veranstalteten Berli-

Öffnungszeiten
Mi. – So.
14.00 – 16.30

◂ *Altrussisches Heldengrab an der Spree: das Sowjetische Ehrenmal in Treptow*

Treptower Park, Archenhold-Sternwarte (Fortsetzung)

ner Gewerbeausstellung erbaut. 1908/1909 wurde sie nach Plänen der Baumeister Konrad Reimer und Friedrich Körte erneuert.
Hauptattraktion der Sternwarte bildet das 21 m lange und 130 t schwere Riesenfernrohr – das größte Linsenfernrohr der Welt (Linsendurchmesser 68 cm). Seit 1970 ist hier eine Forschungsabteilung für die Geschichte der Astronomie und ein Zeiss-Planetarium (zahlreiche Sondervorträge) eingerichtet. Während der Führungen werden das Planetarium demonstriert und Beobachtungen mit dem Fernrohr gemacht.

Führungen
Mi. 18.00,
So. 16.00

Hain der Kosmonauten

Neben der Sternwarte befindet sich der Hain der Kosmonauten, der den von der Sowjetunion durchgeführten Raumflügen gewidmet ist. Hier stehen die Büsten von Juri Gagarin, des ersten Kosmonauten, und des DDR-Kosmonauten Sigmund Jähn, des ersten Deutschen im Weltraum.

Plänterwald

Der Treptower Park geht in den Plänterwald über. Dieser wurde 1876 angelegt und nur mit Laubbäumen bepflanzt. Am Übergang zwischen den beiden Erholungsgebieten liegt die Ausflugsgaststätte 'Zenner'. Diese ging aus dem schon 1821/1822 von Carl Ferdinand Langhans erbauten 'Neuen Gasthaus an der Spree' hervor. Links an der Spree entlang kommt man zum Freizeitpark 'Spreepark' mit einer der größten Loopingbahnen Europas, Riesenrad und weiteren Fahrgeschäften, zum Café 'Altes Eierhäuschen' und zum Spreeübersetzer, von wo eine Fähre zum anderen Spreeufer mit der Kleingartenanlage Wilhelmstrand fährt. Ein bemooster Baumstumpf in der Nähe des Bootssteges der Kleingartenanlage soll der Lieblingsplatz von Heinrich Zille gewesen sein.

**Unter den Linden — P–R 13 · k–n 3

Lage
Mitte

Die etwa 1400 m lange und 60 m breite berühmte Straße Unter den Linden verläuft zwischen Pariser Platz am → Brandenburger Tor und der Schloßbrücke, die zum → Schloßplatz führt. Bevor die Straße ihr heutiges Aussehen erhielt, lief an dieser Strecke seit 1573 ein kurfürstlicher Reitweg durch den märkischen Sand hinaus zum Jagdrevier. Der Große Kurfürst,

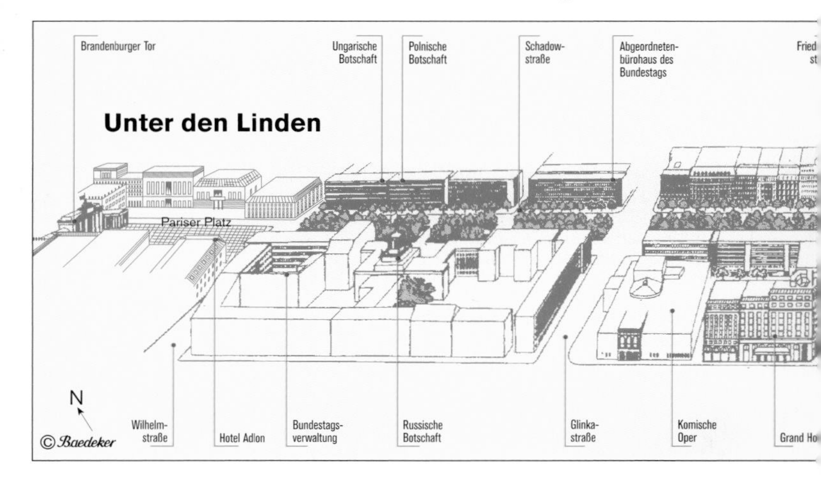

Friedrich Wilhelm, ließ durch seinen Hofgärtner Hanff und die Architekten Dressler und Grünberg den beim Schloß beginnenden und am → Tiergarten endenden Weg 1647 mit sechs Reihen Nußbäumen und Linden bepflanzen; sie wurden bereits 1675 wegen der angelegten Befestigung des Weges wieder beseitigt; erst 1946 wurden wieder junge Linden angepflanzt. In den Stadtchroniken kann man nachlesen, welcher Art die ersten Bauten waren: Wohnhäuser, Wirtschaftsgebäude, öffentliche Amtsgebäude sowie Palais.
Nach 1674 entwickelte sich die Nordseite der Straße Unter den Linden zur wichtigsten Stadterweiterung Berlins, nach einem Vorwerk der Kurfürstin Dorothea als Dorotheenstadt bezeichnet. In den Jahren 1688 bis 1692 entstand nach Entwürfen J. J. Behrs an der Südseite des Boulevards die Friedrichstadt.

Verlauf
zwischen Pariser Platz (Brandenburger Tor) und Lustgarten

S-Bahn
Unter den Linden (S 1, S 2)

Bus
100, 157, 348

Erste Prunkbauten

Erst Anfang des 18. Jh.s begann Friedrich der Große, prunkvolle Bauten an der Straße aufführen zu lassen. Das erste Bauwerk, das Zeughaus (heute Deutsches Historisches Museum), stand allerdings schon. Wenig später wurde südlich der → Gendarmenmarkt angelegt. Bis 1734 reichte die Straße nur bis zur Schadow-Straße. Erst dann wurde sie bis zum Pariser Platz verlängert. Friedrich II. beauftragte Georg Wenzeslaus von Knobelsdorff, eine repräsentative Form der Magistrale als kulturelles Zentrum der Stadt zu finden und zu gestalten. Der Architekt fiel jedoch bald in Ungnade und konnte nur das Opernhaus, die heutige Staatsoper Unter den Linden, vollenden. Andere Meister führten das begonnene Werk fort: 1747 – 1773 wurde südlich die → Sankt-Hedwigs-Kathedrale errichtet. Den Bau der Alten Bibliothek führte Georg Christian Unger aus. 1789 – 1791 erhielt die Straße durch den Bau des → Brandenburger Tores von Langhans ihren architektonischen Abschluß. 1816 – 1818 kam die Neue Wache von Karl Friedrich Schinkel hinzu.

Friedrichstraße

Wichtigste Querstraße ist die etwa auf halber Länge die Linden kreuzende → Friedrichstraße.

Spaziergang

Ein Spaziergang Unter den Linden beginnt am zweckmäßigsten am Brandenburger Tor und dem Pariser Platz, um am Ende im Zentrum Berlins am Schloßplatz anzulangen. Der Abschnitt westlich der Friedrichstraße ist überwiegend mit modernen Verwaltungsgebäuden und ehemaligen Botschaften bebaut.

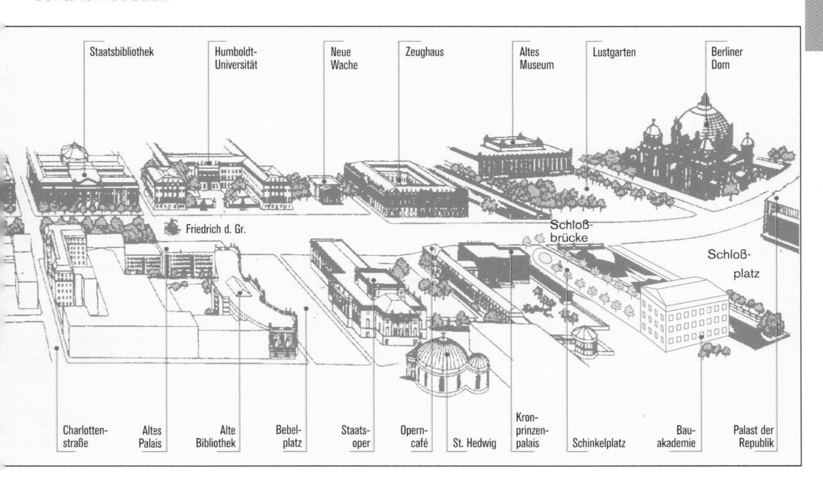

Pariser Platz

Zunächst überquert man den Pariser Platz, der in Anlehnung an seine alte Form wiederaufgebaut wird. So sind bereits rechts und links vom Brandenburger Tor das Haus Liebermann bzw. das Haus Sommer als Bankgebäude neu entstanden. Neben letzterem soll die neue US-Botschaft gebaut werden, und Ecke Wilhelmstraße hat das legendäre Hotel Adlon seine Wiederauferstehung erlebt.

Russische Botschaft

Auf ein historisches Gebäude geht die Russische Botschaft, bald nach dem Brandenburger Tor auf der rechten Straßenseite, zurück (Unter den Linden Nr. 63–65). An dieser Stelle stand einst das Palais der Prinzessin Amalie. Das von 1734 an bebaute Grundstück war seit dem Jahre 1832 Wohnsitz des russischen Gesandten. Zar Nikolaus I. erwarb das Haus und ließ es durch Eduard Knoblauch 1840/1841 umbauen. Nach der Oktoberrevolution zog der sowjetische Botschafter ein, der bis 1941 hier residierte. Im Zweiten Weltkrieg wurde das Gebäude durch Bomben zerstört. Nach 1945 war es das erste Bauwerk, das Unter den Linden wiederaufgebaut wurde (1950–1953) und fungierte fortan als Sitz der Botschaft der Sowjetunion in der DDR.

Bundestags-Souvenirshop

Schräg gegenüber, Ecke Glinkastraße, ist schon der Deutsche Bundestag eingezogen. Hier gibt es auch einen Bundestags-Souvenirshop.

Kreuzungsbereich Friedrichstraße

Die Kreuzung Unter den Linden/Friedrichstraße war vor dem Zweiten Weltkrieg einer der lebhaftesten Plätze Berlins. An der Südostecke befand sich früher das berühmte und traditionsreiche Café Bauer. Nach dem Abriß des danach erbauten 'Linden-Corso' steht hier nun das Französische Kulturzentrum. Auf der Nordostecke standen einst das Hotel und Café 'Victoria' und später das Café 'König'. Das 'Haus der Schweiz' gegenüber ist eines der wenigen Gebäude der Straße, die den Zweiten Weltkrieg fast unbeschädigt überstanden haben. An der Südwestecke der Kreuzung befand sich das weltberühmte Café 'Kranzler-Eck'; es wurde zerstört und durch einen Neubau ersetzt.
Gleich an die Südseite dieses Baus schließen sich das 1987 eröffnete Grand Hotel und das Verwaltungsgebäude der Komischen Oper an.

Deutsche Guggenheim

Dann, auf der linken Straßenseite, Ecke Charlottenstraße, kann man in der Filiale der Deutschen Bank nicht nur Geldgeschäfte abwickeln, sondern auch in der Deutschen Guggenheim Ausstellungen der Klassischen Moderne bis zur Gegenwartskunst genießen (geöffnet: tgl. 11.00 – 20.00 Uhr).

Staatsbibliothek

Öffnungszeiten
Mo.–Fr. 9.00–21.00,
Sa. 9.00–17.00

Führungen jeden 1. So. im Monat 10.30

Weiter östlich und über die Charlottenstraße hinweg kommt man an der links liegenden Staatsbibliothek vorbei. Auch die Bibliothekenlandschaft Berlins ist nach dem Zweiten Weltkrieg geteilt gewesen. Die Bestände der einstigen Preußischen Staatsbibliothek Unter den Linden – 3,8 Mio. Bände – waren während des Krieges auseinandergerissen worden und konnten nach Kriegsende nicht mehr zusammengeführt werden. Im alten Gebäude Unter den Linden wurde in der DDR die 'Deutsche Staatsbibliothek' eröffnet, während im Westen Berlins die 'Staatsbibliothek Preußischer Kulturbesitz' gegründet wurde, die Ende der siebziger Jahre einen Neubau am → Kulturforum bezog. Nach dem Fall der Mauer sind beide Bibliotheken organisatorisch wieder vereint; die räumliche Trennung ist geblieben.

Die erste 'Churfürstliche Bibliothek zu Cölln an der Spree' war ab 1661 im sogenannten Apothekenflügel des Berliner Schlosses untergebracht. Ihre Aufgabe übernahm dann 1780 die Alte Bibliothek, im Volksmund 'Kommode' (s. u.) genannt. Bis 1902 stand am Platz der heutigen Bibliothek der 1687–1700 von Johann Arnold Nering und Martin Grünberg erbaute alte Marstall, in dem sich die Akademie der Wissenschaften und die Akademie der Künste befanden. Im Roten Saal dieses Hauses hielt Johann Gottlieb Fichte 1807 und 1808 seine "Reden an die Deutsche Nation". Das 1903 bis 1914 nach Plänen Ernst von Ihnes in neubarockem Stil errichtete jetzige Haus wurde als 'Königliche Bibliothek' eröffnet und erhielt nach dem Ersten Weltkrieg den Namen 'Preußische Staatsbibliothek'. Die DDR-Führung taufte die Bibliothek schließlich in 'Deutsche Staatsbibliothek' um.

*Reiterdenkmal Friedrichs des Großen

Kurz nach der Bibliothek folgt auf dem Mittelstreifen das samt Sockel 13,50 m hohe Reiterstandbild Friedrichs des Großen von Christian Daniel Rauch aus dem Jahr 1851. Es war 1950 in den Park von Schloß Sanssouci in Potsdam gebracht und Ende 1980 wieder am angestammten Platz Unter den Linden aufgestellt worden.

Das Standbild ist ein Meisterwerk Rauchs und zeigt den Preußenkönig im Krönungsmantel mit Dreispitz, Krückstock und Stulpenstiefeln auf seinem Lieblingspferd "Condé" reitend. Vier große Tafeln am unteren Teil des Sockels führen die Namen von sechzig bedeutenden Zeitgenossen des Königs auf. Im mittleren Teil sind preußische Feldherren in Lebensgröße dargestellt, an der Westseite Männer aus Politik, Kunst und Wissenschaft, an den Ecken Reiterfiguren des Prinzen Heinrich von Preußen, des Herzogs Ferdinand von Braunschweig und der Generäle Friedrich Wilhelm von Seydlitz und Hans Joachim von Ziethen. Den oberen Teil schmücken Flachreliefs mit Szenen aus dem Leben Friedrichs des Großen sowie verschiedene allegorische Gestalten.

Der 'Alte Fritz' im Kreise seiner Getreuen

Humboldt-Universität

Auf die Staatsbibliothek folgt der breite Bau der Humboldt-Universität mit seltenen Ginkgo-Bäumen im Vorgarten und den Marmorstandbildern der Brüder Alexander und Wilhelm von Humboldt vor dem Eingangsportal. König Friedrich Wilhelm III. stiftete das Gebäude der von Wilhelm von Humboldt ins Leben gerufenen Universität. Es war ursprünglich als Palais für Prinz Heinrich, Bruder Friedrichs des Großen, gedacht und 1748

Humboldt-Universität (Fts.)

bis 1766 von J. Boumann nach Plänen von Georg Wenzeslaus von Knobelsdorff erbaut worden.

Bebelplatz

Schräg gegenüber der Universität öffnet sich der Bebelplatz (früher Opernplatz), der Mittelpunkt des von Friedrich d. Großen und v. Knobelsdorff konzipierten 'Forum Fridericianum', von dem jedoch nur die im Zweiten Weltkrieg ausgebrannte und wiederaufgebaute Staatsoper an der Ostseite realisiert wurde. Südlich dahinter liegt in der Südostecke des Platzes die → Sankt-Hedwigs-Kathedrale.

Mahnmal der Bücherverbrennung

In der Mitte des Bebelplatzes erinnert das 1995 eingeweihte Mahnmal des Künstlers Micha Ullmann an die Bücherverbrennung durch die Nazis am 10. Mai 1933. Das durch die Vertreibung der 'entarteten' Schriftsteller aus Deutschland entstandene geistige Vakuum wird durch einen überdimensionalen unterirdischen Bibliotheksraum symbolisiert, dessen weite Regale leer sind. Der Einblick in diesen Raum ist nur durch eine in den Platz eingelassene begehbare Glasscheibe möglich.

Eine Kommode nur für Bücher: die Alte Bibliothek am Bebelplatz

Alte Bibliothek

An der Westseite des Platzes erstreckt sich das schöne Gebäude der Alten Bibliothek. Sie entstand von 1775 bis 1780 als Königliche Bibliothek nach einem Entwurf Fischer von Erlachs für den Michaelertrakt der Wiener Hofburg. Ihrer effektvoll geschweiften Barockfassade wegen wird sie allgemein nur als 'Kommode' bezeichnet. 1945 brannte die Bibliothek aus und wurde dann 1967 bis 1969 wiederaufgebaut.

Altes Palais

An die Alte Bibliothek schließt das wiederaufgebaute Alte Palais an, das heute zur Humboldt-Universität gehört. Hier lebte Wilhelm I. 50 Jahre lang – als Kronprinz, preußischer König und deutscher Kaiser – bis zu seinem Tode im Jahr 1888. Das letzte Fenster links im Erdgeschoß ist das sog.

Altes Palais (Fortsetzung)

'historische Fenster', um das sich eine Legende rankt: Von diesem Fenster soll Wilhelm I. jeden Tag zur Mittagszeit das Aufziehen der Wache beobachtet haben, denn, so seine Begründung: "Die Leute warten auf meinen Gruß – so steht's im Baedeker."

Neues Gouverneurshaus

Neben dem Alten Palais lag früher das Niederländische Palais, das im Zweiten Weltkrieg völlig zerstört wurde. An seiner Stelle steht nun das Neue Gouverneurshaus mit einem Fassadenzierat, der vom alten Kommandantenhaus an der Rathausstraße (Ecke Jüdenstraße) stammt.

Berlins Musentempel: die Staatsoper

*Staatsoper Unter den Linden

S-Bahn
Friedrichstraße (S 1, S 2, S 3, S 5, S 7, S 75, S 9)

U-Bahn
Friedrichstraße, Französische Straße (U 6)

Das Gebäude der Staatsoper wurde 1741 bis 1743 von Georg Wenzeslaus von Knobelsdorff im Stil des norddeutschen Klassizismus erbaut. Es ist der erste deutsche Theaterbau außerhalb eines Fürstenschlosses. In der Nacht vom 18. zum 19. August 1843 fiel das Haus vollständig einem Brand zum Opfer. Ein Jahr später wurde es unter der Leitung von Carl Ferdinand Langhans neu aufgebaut. Mitte der zwanziger Jahre unseres Jahrhunderts wurde die Bühne modernisiert. Im Zweiten Weltkrieg brannte das Haus 1941 aus, wurde wieder aufgebaut, aber im Februar 1945 endgültig zerstört. Im Jahr 1951 begann der Wiederaufbau des Opernhauses durch Richard Paulick und Kurt Hemmerling. Am 4. September 1955 wurde der Bau mit Richard Wagners "Meistersinger von Nürnberg" eröffnet.
1986 wurde die Oper nach 30 Jahren ununterbrochener Spielzeit umfassend restauriert und die technischen Anlagen modernisiert; die Wiedereröffnung fand am 15. November 1986 mit der Oper "Euryanthe" von Carl Maria von Weber statt. Am Giebelportikus wurde die alte Inschrift FRIDERICUS REX APOLLINI ET MUSIS wieder angebracht.
Der Zuschauerraum bietet Platz für 1452 Besucher. Auf dem Spielplan stehen Opern-, Ballett- und Konzertaufführungen (→ Praktische Informationen, Musik).

Blick vom Dach der Staatsoper: im Vordergrund die Terrasse des Operncafés, gegenüber Neue Wache und Zeughaus, im Hintergrund jenseits der Spree der Lustgarten mit dem Berliner Dom

Operncafé (Kronprinzessinnenpalais)

An der Ostseite der Oper lädt das Operncafé zu einem Besuch ein. Es ist in einem originalgetreuen Nachbau des ehemaligen Kronprinzessinnenpalais eingerichtet, das hier 1733 bis 1737 nach Plänen des Baumeisters Friedrich Wilhelm Dietrich als zweigeschossiger Barockbau entstand und 1811 von Baumeister Heinrich Gentz durch einen Torbogen mit dem Kronprinzenpalais verbunden worden war. Im Prinzessinnenpalais wohnten bis zu ihrer Verheiratung die drei Töchter Friedrich Wilhelms III., woher der Name des Gebäudes rührt.
Das im Krieg zerstörte Gebäude wurde zwischen 1961 und 1963 unter Leitung des Architekten Richard Paulick wiederaufgebaut.

Kronprinzenpalais

Es folgt das Kronprinzenpalais, von Johann Arnold Nering 1663/1664 durch die Umwandlung eines stattlichen Bürgerhauses geschaffen. 1732 ging dieses in den Besitz König Friedrich Wilhelms I. über, der es als Wohnsitz für den Kronprinzen vorsah und von Philipp Gerlach in barockem Stil umbauen ließ. In der Folgezeit bewohnte es Prinz August Wilhelm, Bruder Friedrichs des Großen, ab 1793 dann Kronprinz Friedrich Wilhelm mit seiner Gemahlin Luise. Nachdem es nochmals umgebaut und durch Johann Heinrich Strack aufgestockt worden war, zog 1856 der spätere Kaiser Friedrich III. mit seiner Gemahlin Viktoria ein. Hier wurde auch Wilhelm II., der letzte deutsche Kaiser, am 27. Januar 1859 geboren.
Im Zweiten Weltkrieg erlitt das Gebäude, von dem keine Bauunterlagen mehr existierten, schwere Schäden. So rekonstruierte es Richard Paulick 1968/1969 nach alten Stichen, und es entstand ein neues Kultur- und Gästehaus der DDR, nunmehr unter dem Namen ‘Palais Unter den Linden’,

Einst Standort der Königlichen Wache, ist die Neue Wache heute zentrale Gedenkstätte der Bundesrepublik Deutschland.

um Reminiszenzen an die Preußenzeit zu tilgen. Am 31. August 1990 wurde hier der Einigungsvertrag zwischen der Bundesrepublik Deutschland und der Deutschen Demokratischen Republik unterzeichnet. Bis zur Wiedereröffnung des Deutschen Historischen Museums im Zeughaus (s. u.) werden im Kronprinzenpalais Ausstellungen dieses Museums veranstaltet. An der Rückfront des Palais befindet sich die historische Gaststätte 'Schinkelklause'.

Kronprinzenpalais (Fortsetzung)

Schinkelklause

In einer kleinen Anlage neben dem Palais sieht man Standbilder der Generäle Blücher, Gneisenau, Scharnhorst und Yorck, geschaffen von dem Bildhauer Christian Daniel Rauch.

Feldherren-Standbilder

*Neue Wache

Auf der anderen Straßenseite gegenüber der Staatsoper steht das recht kleine Gebäude der Neuen Wache. Das Bauwerk entstand 1816 – 1818 nach den Plänen von Karl Friedrich Schinkel als Wachgebäude an der Stelle der vorherigen Königswache. Dem kastellartigen Backsteinbau setzte der Architekt – in Anlehnung an griechische Tempel – an der Hauptfront einen dorischen Säulenportikus vor. Das Relief im Giebel stammt von August Kiß (1842).
Reichspräsident Paul von Hindenburg wählte den Ort zum Ehrenmal der Gefallenen im Ersten Weltkrieg. Die damit verbundene Umgestaltung erfolgte 1931 nach den Entwürfen von Heinrich Tessenow. Mit Kalksteinplatten verkleidete Hallenwände umschlossen einen hohen schwarzen Granitblock unter einem Oberlicht; auf dem Block lag ein Eichenlaubkranz aus Silber und Gold. Die DDR-Führung ließ das Gebäude 1960 als Mahnmal für die Opfer des Faschismus und Militarismus gestalten mit der Ewigen Flamme über den Urnen eines unbekannten KZ-Häftlings und eines unbekannten Soldaten. Ende 1993 wurde hier die zentrale Gedenkstätte der Bundesrepublik Deutschland eingeweiht, in der nun neben der Granitplatte eine überlebensgroße Bronze-Pietà von Käthe Kollwitz steht, die an die Opfer von Krieg und Gewaltherrschaft erinnert; die Figur wurde von dem Bildhauer Hermann Haacke auf die vierfache Größe gebracht.

Öffnungszeiten
tgl. 10.00 – 18.00

Hinter dem Mahnmal zurückversetzt liegt das Gebäude des Maxim-Gorki-Theaters. Der klassizistische Bau des Schinkelschülers Ottmer von 1827 wurde für die Singakademie errichtet und besaß einen für seine Akustik gerühmten Konzertsaal, in dem Felix Mendelssohn-Bartholdy 1829 die Matthäuspassion von Johann Sebastian Bach erstmals nach dessen Tod (1750) wieder aufführte.

Maxim-Gorki-Theater

*Zeughaus · Deutsches Historisches Museum

Auf die Neue Wache folgt das ehemalige Zeughaus. Mit seinem Bau wurde 1695 nach Entwürfen des Baumeisters Johann Arnold Nering begonnen, dessen Arbeit die Architekten Martin Grünberg, Andreas Schlüter und Jean de Bodt beendeten. Schon 1706 wurde das Gebäude provisorisch seiner Bestimmung übergeben, doch erst 1730 vollendet. Von diesem Zeitpunkt an bis 1877 diente sein Erdgeschoß als Arsenal für schweres Gerät, während das Obergeschoß Infanteriewaffen und Kriegstrophäen aufnahm. Bei der Besetzung Berlins durch die Franzosen im Jahr 1806 erlitt das Zeughaus Beschädigungen, die nach 1814 unter Leitung von Schinkel und Schadow beseitigt wurden. Am 14. Juni 1848 stürmten Berliner Bürger das Zeughaus und bewaffneten sich. Nach einem Umbau des Gebäudeinneren durch Hitzig diente das Haus fortan als Museum für Waffen- und Kriegskunde sowie als Ruhmeshalle für die Taten der brandenburgisch-preußischen Armee. Das Gebäude wurde im Zweiten Weltkrieg schwer beschädigt; der Architekt Otto Haesler leitete von 1948 bis 1961 den Wiederaufbau, der 1965 abgeschlossen wurde.

S-Bahn
Hackescher Markt (S 3, S 5, S 7, S 75, S 9)

Zeughaus (Fortsetzung) Außenansicht

Die 90 m lange Fassade des auf quadratischem Grundriß angelegten Zeughauses, klar gegliedert und durch Vor- und Rücksprünge vor Einförmigkeit bewahrt, gestaltete de Bodt. Gesimse, Balustraden und Bildwerke sind aus Sandstein, das Mauerwerk dagegen ist aus Ziegeln und mit Putz verkleidet. Im Erdgeschoß befinden sich Rundbogenfenster, während bei den schmalen Fenstern des Obergeschosses bogen- und giebelförmige Überdachungen abwechseln.
Der plastische Schmuck stammt größtenteils von Andreas Schlüter, so die antiken Helme an den Schlußsteinen der Außenfenster. Vor allem die 22 Köpfe sterbender Krieger im Innenhof, dem sog. Schlüterhof gelten als ein hervorragendes Zeugnis deutscher Bauskulptur. Die allegorischen Frauengestalten auf hervorspringenden Sockeln am Haupteingang sind Werke von Guillaume Hulot und stellen die Feuerwerkskunst, die Arithmetik, die Geometrie und die Mechanik dar. Hulot schuf auch die Dachtrophäen wie die 'Marsgruppe' nach Entwürfen von Jean de Bodt. Nach der äußeren Renovierung wird nun – voraussichtlich bis zum Jahr 2002 – das Innere des Gebäudes erneuert und auch ein von I. M. Pei entworfener Anbau errichtet. Dann wird sich auch das Deutsche Historische Museum in seiner endgültigen Gestalt präsentieren können.

Deutsches Historisches Museum

Wiedereröffnung 2002

Bis zum September 1990 war im Zeughaus das 1952 gegründete Museum für Deutsche Geschichte eingerichtet, das als führendes historisches Museum der DDR galt. Es ist im Deutschen Historischen Museum aufgegangen, welches bis dato ohne eigene Ausstellungsräume als Provisorium in Charlottenburg residierte. Nach Jahren provisorischer Ausstellungen wird das Museum nach vollendetem Umbau des Zeughauses völlig neu konzipiert. Die zukünftige Präsentation teilt sich in die Dauerausstellung über drei Stockwerke des Zeughauses sowie Wechselausstellungen im Anbau. Bis zur voraussichtlichen Wiedereröffnung im Jahr 2002 werden im gegenüberliegenden Kronprinzenpalais (s. vorher) laufend Wechselausstellungen durchgeführt.

Schinkelplatz

Gegenüber vom Zeughaus ragte bis Ende 1995 das 1964–1967 errichtete Hochhaus des ehemaligen Außenministeriums der DDR auf. Nach dessen Abriß entsteht am wiederhergestellten Schinkelplatz ein Neubau. An der Südseite wird als Abgrenzung zum → Werderschen Markt hin die Bauakademie wiedererrichtet, die Karl Friedrich Schinkel 1832–1836 an eben dieser Stelle erbaut hatte. Ihre Kriegsruine war 1962 eingeebnet worden. Im Sommer 1996 ist das Denkmal für Karl Friedrich Schinkel, das jahrzehntelang eingelagert war, wieder an seinen angestammten Platz zurückgekehrt. Auch die Denkmäler für den Landwirtschaftsreformer Albrecht Thaer (1752–1828) und den Industrieförderer Christian Wilhelm Beuth (1781 bis 1853) werden wieder aufgestellt.

Denkmal des Freiherrn vom Stein

Vor dem zukünftigen Schinkelplatz steht das Denkmal für den Reichsfreiherrn Karl vom und zum Stein, 1870 in der Dönhoffstraße enthüllt und im Zweiten Weltkrieg stark beschädigt. Die Ostberliner Behörden ließen es 1969 von seinem ehemaligen Standort entfernen, restaurieren und im März 1981, zum 150. Todestag des Freiherrn, an seinem neuen Platz aufstellen.
Die 1860–1864 geschaffene Bronzestatue ist das Hauptwerk des Berliner Bildhauers Hermann Schievelbein (1817–1867), der als einer der jüngeren Vertreter der Rauch-Schule gilt. Die 3,30 m hohe Statue zeigt den preußischen Reformer und Staatsmann, der 1757 in Nassau an der Lahn geboren wurde und 1831 auf Schloß Cappenberg (Westfalen) starb, mit der Linken auf einen Stock gestützt, die Rechte beschwörend nach vorn gestreckt. Sein Überrock ist mit dem Stern des Schwarzen Adlerordens geschmückt.
Der Sockel wurde nach Schievelbeins Tod von Hugo Hagen vollendet. Vier lebensgroße Statuen an den Ecken symbolisieren die vier Tugenden Steins: Vaterlandsliebe, Energie, Wahrheit und Frömmigkeit. Eine Figur ver-

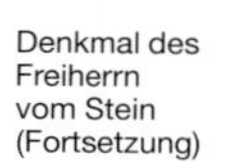

Denkmal des Freiherrn vom Stein (Fortsetzung)

Hinter dem Denkmal des Freiherrn vom Stein ragen die Türme der Friedrichswerderschen Kirche auf.

weist auf die "Monumenta Germaniae Historica", eine Sammlung mittelalterlicher Quellentexte zur deutschen Geschichte, deren Entstehen Freiherr vom Stein initiierte und förderte. Einen weiteren Schmuck bilden die vier großen Bronze-Reliefplatten mit mythologischen Darstellungen: "Die Hoffnung verheißt der bedrängten Borussia eine ruhmreiche Zukunft"; "Die Opferwilligkeit des preußischen Volkes"; "Borussia führt ihre Kinder in den Kampf" sowie "Bekränzung der Siegreichen". Ein schmaler Fries darunter umzieht das Postament. Er zeigt Ereignisse aus dem Leben des Freiherrn: Preußens Verwaltung 1807 bis 1808; Aufhebung der Erbuntertänigkeit; Errichtung der Landwehr; Zar Alexander besucht Stein; Einzug der Verbündeten in Leipzig; Gelöbnis, den Feind bis Paris zu verfolgen; Eröffnung des "ersten westphälischen Landtags"; Ständeordnung von 1808. Am Sockel des Standbildes steht die Inschrift "Dem Minister Freiherr vom Stein. Das dankbare Vaterland".

*Schloßbrücke

Am Ostende der Linden überquert die von Karl Friedrich Schinkel 1822 bis 1824 erbaute Schloßbrücke den westlichen Spreearm, den Kupfergraben. Ihre Vorgängerin war eine seit dem 16. Jh. bezeugte Holzbrücke, die den Namen 'Hundebrücke' trug, da sich hier die Jäger mit ihren Hunden versammelten, um in den vor der Stadt liegenden eingehegten Wildgarten zur Jagd zu ziehen. Die Schloßbrücke trug in DDR-Zeiten den Namen 'Marx-Engels-Brücke'.

*Brückenfiguren

Auf den Sockelpfeilern stehen acht 1981 vom Westberliner Senat an Ostberlin übergebene Skulpturengruppen aus weißem Carrara-Marmor, die 1845 bis 1857 von acht Bildhauern nach Entwürfen Karl Friedrich Schinkels geschaffen wurden. Richtung Schloßplatz gehend, erkennt man folgende Figurengruppen:
Linke Seite: Nike, einen verwundeten Krieger stützend (Ludwig Wichmann, vor 1857); Auszug in den Krieg, Minerva neben dem Krieger (Albert Wolff, 1853); Anstürmender Jüngling, dem Athene schützend zur Seite steht (Gustav Bläser, 1854); Iris, den gefallenen Helden zum Olymp tragend (August Wredow, 1841 – 1857).
Rechte Seite: Nike lehrt den Knaben Heldengeschichte (Emil Wolff, 1847); Pallas Athene unterrichtet den Knaben im Speerwurf (Hermann Schievelbein, 1853); Athene bewaffnet den Krieger zum ersten Kampf (Heinrich Möller, 1846 – 1850); Nike krönt den Sieger (Friedrich Drake, 1857).

Die Schloßbrücke verbindet über die Spree hinweg die Linden mit dem Lustgarten und dem Dom.

Unter den Linden, Schloßbrücke (Fortsetzung)

Beachtung verdient neben den Figuren auch das schöne gußeiserne Geländer (1960 originalgetreu rekonstruiert); die Brückenlaternen sind gemäß alten Vorbildern gestaltet.

Volkspark Friedrichshain S/T 14/15

Lage
Friedenstraße/ Landsberger Allee Hans-Beimler-Straße, Friedrichshain

Bus
100, 157, 257 ab Alexanderplatz

Im Norden des Bezirks Friedrichshain erstreckt sich der vielbesuchte Volkspark Friedrichshain. Schon 1840 beschloß der Magistrat, hier einen städtischen Park zu schaffen, der dann in der zweiten Hälfte des 19. Jh.s angelegt wurde. Die 52 ha große Parkanlage mußte nach dem Zweiten Weltkrieg neu gestaltet werden. Die beiden Hügel wurden aus Trümmerschutt um zwei ehemalige Flakbunker aufgeschüttet (im Volksmund 'Mont Klamott', 78 m; schöner Rundblick). Am westlichen Zugang steht beim Königstor der 1913 aufgeführte Märchenbrunnen mit Figuren aus Märchen der Gebrüder Grimm. In der nördlichen Hälfte des Parks befindet sich ein Freizeitzentrum, im Ostteil ist eine Freilichtbühne mit Plätzen für etwa 3000 Besucher angelegt.

Friedhof der Märzgefallenen

Ferner befinden sich im Park mehrere politische Gedenkstätten, so im Süden an der Landsberger Allee – als die bedeutendste dieser Anlagen – der Friedhof der Märzgefallenen für die Opfer der Barrikadenkämpfe im revolutionären März 1848.

Krankenhaus Friedrichshain

An der Ostseite des Parks liegt das große Städtische Krankenhaus Friedrichshain (1868–1877 als erstes städtisches Krankenhaus errichtet). Dahinter, im sog. Neuen Hain, das Karl-Friedrich-Friesen-Schwimmstadion (Tribüne für 8000 Zuschauer) sowie das Sport- und Erholungszentrum (SEZ, → Praktische Informationen, Sport).

Die Märchenfiguren der Gebrüder Grimm geben sich ein Stelldichein am Märchenbrunnen im Volkspark Friedrichshain. Er zählt zu den ältesten öffentlichen Parkanlagen Berlins.

Volkspark Hasenheide

R / S 9 / 10

Lage
Columbiadamm, Neukölln

U-Bahn
Hermannplatz (U 7, U 8)

Der rund 56 ha große Park, in einem dichtbesiedelten Wohngebiet gelegen, wurde 1838 von Peter Joseph Lenné angelegt. Ab 1878 diente er als Garnisonsschießplatz, erst 1936–1939 wurde er in einen Volkspark umgewandelt. Nach dem Zweiten Weltkrieg erweiterte man die Anlage, bezog auch den Trümmerschuttberg Rixdorfer Höhe (69,50 m) mit ein und schuf einen Naturlehrpfad, Liegewiesen, Kinderspielplätze, Tiergehege, Heide- und Rhododendrongärten sowie ein Naturtheater.

Für die Berliner ist die Hasenheide untrennbar mit dem Namen des 'Turnvaters' Jahn verbunden. 1810 gründete der im sächsischen Freyburg an der Unstrut geborene Friedrich Ludwig Jahn den ersten Turnplatz Deutschlands auf der Hasenheide, wo er die Jugend Preußens durch spartanische Lebensführung und körperliche Schulung abzuhärten versuchte. Da aber seine offen ausgesprochene politische Gesinnung 'oben' Anstoß erregte, wurde er verhaftet, sein Turnplatz 1819 geschlossen und das Turnen selbst als gemeinschädlich untersagt. Jahn durfte sich fortan nur noch auf höchstens zehn Meilen im Umkreis der Stadt nähern. Heute erinnert in der Hasenheide ein Denkmal an ihn, das Erdmann Encke schuf und 1872 hier aufgestellt wurde.

Rixdorfer Höhe

Einem ganz anderen historischen Ereignis ist das zweite Denkmal gewidmet, das auf dem Schuttberg Rixdorfer Höhe steht: Das Werk von Katharina Singer wurde 1955 aufgestellt und gedenkt der Berliner Frauen, die am Wiederaufbau Berlins mitarbeiteten und als 'Trümmerfrauen' in die Geschichte der Stadt eingingen.

Vorderasiatisches Museum

→ Museumsinsel, Pergamonmuseum

*Wannsee — südwestlich G 5

Lage
Zehlendorf
S-Bahn
Wannsee
(S 1, S 7)

Schiffsanleger
Bahnhof Wannsee
(Pendelverkehr)

Unter dem Begriff 'Wannsee' versteht man korrekterweise den Zehlendorfer Ortsteil Wannsee mit prachtvollen alten Villen in großen, gepflegten Gartenanlagen – eine der 'besten Adressen' Berlins; darüber hinaus ist mit diesem Namen auch das Seengebiet mit Großem und Kleinem Wannsee umschrieben. Der Berliner versteht darunter sein nach wie vor beliebtestes Erholungsgebiet, das allerlei bietet: das 1907 eröffnete und 1930 erweiterte Strandbad Wannsee als größtes Freibad Berlins, weitere Badestrände mit Segel-, Ruder- und anderen Wassersportclubs, die Wannseeterrassen als Ausflugslokal, von deren Freiterrasse man einen herrlichen Blick auf den Großen Wannsee hat, viele andere Lokale am Ufer oder in Ufernähe sowie diverse Flanier- und Spazierwege.
"Nischt wie raus nach Wannsee!" sang Conny Froboess in den Fünfzigern und traf damit die Einstellung der lange Jahre vom Umland abgeschnittenen Bevölkerung des Westteils der Stadt zu 'ihrem' See.

Badespaß: Sonnenhungrige im Strandbad Wannsee

Landschaftliche Gliederung

Der Große Wannsee ist Teil eines Eiszeitreliktes und bedeckt eine Fläche von 260 ha. Im Norden geht er in die → Havel über. Im Südwesten – hier befindet sich auch die Glienicker Brücke, über welche die Königstraße von Berlin nach Potsdam führt – verläuft ein weiterer Wasserarm. Er gliedert sich in kleine zusammenhängende Seen: Kleiner Wannsee, Pohlesee, Stölpchensee (mit Strandbad), Prinz-Friedrich-Leopold-Kanal, Griebnitzsee. Am Griebnitzsee beginnt der Teltowkanal.

Siedlungen

Der Ortsteil Wannsee ist eines der ältesten Siedlungsgebiete Berlins. Diese Randsiedlung besteht aus drei im Jahr 1899 vereinten Teilen: der Kolonie am Bahnhof, der 1863 am Westufer des Wannsees von einem gewissen Kommerzienrat Conrad gegründeten Villenkolonie Alsen und des südwestlich gelegenen, schon 1299 in Urkunden erwähnten Dorfes Stolpe am Stölpchensee.

Entsetzen: In der Wannseevilla wurde der Völkermord an den europäischen Juden abschließend besprochen.

Uferstraße

Am Westufer des Großen Wannsees verläuft die Straße Am Großen Wannsee. Im Hause Nr. 42 wohnte zeitweilig der Maler Max Liebermann.

*Gedenkstätte Wannseevilla

Bus
114 ab S-Bahnhof Wannsee

Die 1914/1915 erbaute große Villa Nr. 56–58 war am 20. Januar 1942 Schauplatz der berüchtigten Konferenz über die 'Endlösung der Judenfrage', auf der unter Leitung von Reinhard Heydrich führende Nazis die schon seit Mitte 1941 angelaufene Vernichtung der europäischen Juden besiegelten. 50 Jahre später, am 20. Januar 1992, wurde in der Villa die Gedächtnisausstellung 'Erinnern für die Zukunft' über die Ermordung der Juden eröffnet, die mittlerweile durch die Ausstellung 'Die Wannsee-Konferenz und der Völkermord an den europäischen Juden' abgelöst wurde. In der dazugehörigen Mediathek können u.a. Videos mit Berichten Überlebender betrachtet werden (Öffnungszeiten: Mo.–Fr. 10.00–18.00, Sa. und So. 14.00–18.00 Uhr).

Kleist-Grab

An der Bismarckstraße am Kleinen Wannsee befindet sich das Grab Heinrich von Kleists, der hier am 21. November 1811 zusammen mit Henriette Vogel Selbstmord beging.

Schiffahrt

Neben der Personenschiffahrt durch die BVG-Linie nach Kladow bestehen Verbindungen der Stern- und Kreisschiffahrt mit → Spandau, nach Potsdam und nach → Köpenick. Die Anlegestege liegen unterhalb des S-Bahnhofs Wannsee, wo auch Fahrkarten erhältlich sind (→ Praktische Informationen, Stadtbesichtigung).

Werderscher Markt R 13 · m/n 2

Lage
Mitte

U-Bahn
Hausvogteiplatz (U 2)

Bus
100, 147, 157, 257, 348

Der Werdersche Markt erstreckt sich südlich von → Unter den Linden am Ostufer des Spreekanals. An seiner Südseite liegt das Gebäude des ehemaligen Zentralkomitees der Sozialistischen Einheitspartei Deutschlands (ZK der SED), das nach der Wende in der DDR als 'Haus der Parlamentarier' eine wichtige Rolle bei der Demokratisierung spielte. Der 1934–1938 errichtete Bau war bis 1945 Sitz der Deutschen Reichsbank und und hat nun das Auswärtige Amt aufgenommen.
Von der Südostseite des Gebäudes führt die 1798 erbaute, heute blau gestrichene Jungfernbrücke, die letzte Zugbrücke Berlins, über den Spreekanal hinweg zur Friedrichsgracht auf der Fischerinsel.
In der Nordostecke des Werderschen Marktes entsteht als Abschluß des Schinkelplatzes die Schinkelsche Bauakademie (1832–1836) wieder.

Schinkelmuseum (Friedrichswerdersche Kirche)

Öffnungszeiten
Di.–So.
10.00–18.00

Die neugotische, zweitürmige Friedrichswerdersche Kirche an der Nordwestseite des Markts, 1824–1830 nach Plänen von Karl Friedrich Schinkel erbaut, beherbergt heute als Zweigstelle der Nationalgalerie das Schinkelmuseum. Die Kirche wurde im Zweiten Weltkrieg schwer beschädigt; die Restaurierungsarbeiten dauerten bis 1987.
Im Saalbau mit seinen Sterngewölben wird anhand ausgewählter klassizistischer Skulpturen das Wirken von Karl Friedrich Schinkel in Berlin veranschaulicht und die Baugeschichte der Kirche dokumentiert. Weiterhin sind schöne Neujahrsplaketten der Berliner Eisengießerei zu sehen.

Wilhelm-Foerster-Sternwarte O 8

Anschrift
Munsterdamm 90, Steglitz

S-Bahn
Priesterweg (S 2)

Diese Volkssternwarte ist nach dem Direktor der früheren Berliner Sternwarte benannt. Sie stand ursprünglich am → Zoologischen Garten, wurde im Zweiten Weltkrieg zerstört und auf dem aus Trümmern der Häuser Berlins aufgeschütteten Schuttberg Insulaner neu errichtet.
Die Anlage entwarf und baute Carl Bassen in den Jahren 1962 / 1963. Im Planetarium läßt sich der Sternenhimmel beider Hemisphären darstellen, sogar aus Raumfahrersicht. In der 13 m hohen Kuppel ist ein Bamberg-Refraktor von 1889 mit 31,50 cm Linsendurchmesser installiert, der ursprünglich für die Urania-Sternwarte in Moabit, Berlins erster Volkssternwarte, gebaut worden war.

Führungen

Führungen und Fernrohrbeobachtungen finden statt Di., Do.–Sa. 21.00 Uhr; So. 15.00, 16.00, 17.00, 18.00 und 21.00 Uhr.

Planetarium

Vorführungen im Planetarium finden statt Di., Do.–Sa. 20.00, So. 17.00 und 20.00 Uhr. Regelmäßig werden Sonderprogramme veranstaltet.

**Zoologischer Garten N 12/13 · e/f 2/3

Lage
Tiergarten

Eingänge
Hardenbergplatz 8 (Haupteingang Löwentor), Budapester Str. 34 (Nebeneingang

Der traditionsreiche Zoologische Garten liegt im westlichen Innenstadtbereich, unmittelbar bei dem nach ihm benannten Bahnhof (→ Bahnhöfe). Sein Pendant im Ostteil der Stadt ist der etwas außerhalb im Bezirk Lichtenberg liegende → Tierpark Friedrichsfelde. Seit der Zerstörung der Tiergehege durch Kampfhandlungen im Zweiten Weltkrieg hat es die Zoo-

Auch mitten im Großstadttrubel lassen es die Giraffen im Zoologischen Garten ruhig angehen. ▶

S- und U-Bahn
Zoologischer Garten (S 3, S 5, S 7, S 9, U 2, U 9, U 12)

Bus
100, 109, 119, 129, 145, 146, 149, 245, 249, X 9

direktion verstanden, mit glücklicher Hand einen in seiner Art einmaligen Wiederaufbau von Zoo und Aquarium durchzuführen. Es wurde versucht, die Tiere nach den neuesten Erkenntnissen der Tierhaltung in ihrer natürlichen Umwelt zu zeigen. Zuchterfolge, auch bei seltenen Tierarten, beweisen die Richtigkeit des eingeschlagenen Weges.
Für Berlinbesucher ist daher ein ausgedehnter Besuch im Zoo und im Aquarium, für den mindestens ein halber Tag anzusetzen ist, besonders empfehlenswert und vergnüglich.
Der Aufbau des Zoos begann 1841. In diesem Jahr schenkte König Friedrich Wilhelm IV. seine im Tiergarten gelegene Fasanerie und alle auf der →

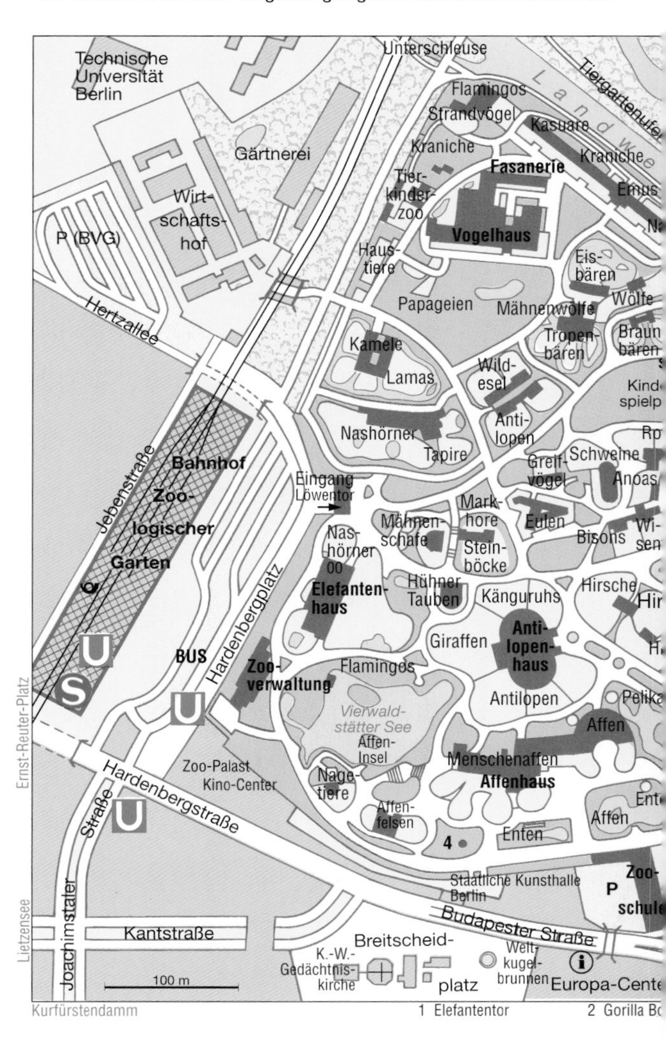

Pfaueninsel gehaltenen Tiere mit ihren Unterkünften den Berlinern. Zweck dieser Schenkung war der Aufbau eines Zoologischen Gartens. Er wurde dann am 1. August 1844 als erster Zoo in Deutschland eröffnet. Erst am 1. Oktober 1869 wurde mit Heinrich Bodinus ein hauptamtlicher wissenschaftlicher Direktor berufen. Mit der Ausgabe von neuen Zoo-Aktien begann eine rege Bautätigkeit. Bodinus starb 1884. Maximilian Schmidt übernahm die Führung, starb allerdings nach vierjähriger Tätigkeit im Jahr 1888. Sein Nachfolger wurde Ludwig Heck. Unter seiner Leitung ging die Bautätigkeit zügig weiter, so entstand u.a. das Elefantenportal an der Budapester Straße. Im Jahre 1913 wurde das Aquarium eröffnet, dessen Planung

Öffnungszeiten
Jan., Feb., Ende Okt. – Dez.
tgl. 9.00 – 17.00,
März – Beginn Winterzeit bis 17.30, Sommerzeit bis 18.00

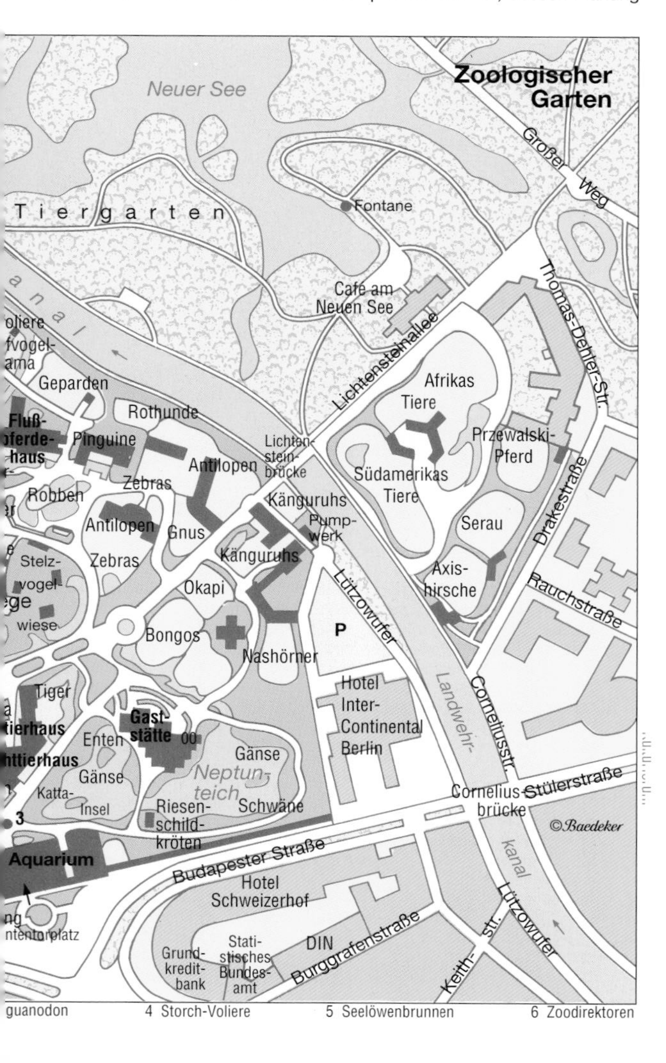

guanodon 4 Storch-Voliere 5 Seelöwenbrunnen 6 Zoodirektoren

auf Oskar Heinroth zurückgeht. Heck sorgte dafür, daß der Tierartenbestand wesentlich vergrößert wurde, er machte den Zoo zu einem der reichhaltigsten der Welt. Nach 44 Jahren übergab er die Leitung dann aus Altersgründen im Jahr 1932 an seinen Sohn Lutz Heck († 1983). Dieser bemühte sich, den Zoo zu modernisieren; es entstanden die ersten größeren Freianlagen ohne Trenngitter zwischen Tier und Besucher. 1939 besaß der Zoo über 4000 Säugetiere und Vögel in etwa 1400 Arten.

Nicht jeder Zoo hat ein solch schönes Eingangstor – auch wenn es nur der Nebeneingang ist: das Elefantentor an der Budapester Straße.

Nach dem Zweiten Weltkrieg begann unter Dr. Katharina Heinroth der Wiederaufbau des weitgehend zerstörten Zoos. Ihr folgte 1956 Dr. Heinz-Georg Klös (bis 1991) nach. Unter ihm entstanden 1975 die Nachttierabteilung im Keller des neuen Raubtierhauses und 1977 das Tropenhaus. 1987 konnte die Erweiterung des Geländes jenseits des Landwehrkanals für die Öffentlichkeit zugänglich gemacht werden. Neben den Außenanlagen und Neubauten wurde auch das Aquarium vergrößert und Ende 1980 wiedereröffnet. Am Eingang Budapester Straße steht wieder das ursprünglich 1899 erbaute, im Zweiten Weltkrieg zerstörte Elefantentor.

Tierbestand

Heute leben im Zoo etwa 14170 Tiere in ca. 1420 Arten. Zu den besonderen Attraktionen zählt neben den vom beeindruckenden Gorillamann "Knorke" angeführten Menschenaffen in ihrem großzügigen Freigehege der Große Pandabär "Bao-Bao" ("Schätzchen"). Er kam 1980 zusammen mit einem weiblichen Panda als Geschenk der Volksrepublik China an die Bundesrepublik Deutschland nach Berlin. Seine Gefährtin überlebte allerdings nur drei Jahre, Nachwuchs blieb aus. Große Pandas sind eine Seltenheit in Zoos. Außer im Berliner Zoologischen Garten leben nur noch in Peking, Pjöngjang, London, Paris, Washington, Tokio und Mexico City Große Pandas in Gefangenschaft. Wer "Bao-Bao" in Aktion sehen will, muß am frühen Morgen oder am Nachmittag kommen. Sehr beliebt bei den Besuchern ist die Fütterung der Robben.

*Aquarium

Das Aquarium besitzt eine der artenreichsten Tiersammlungen ihrer Art auf der Erde. In drei Stockwerken sind rund 12 000 Tiere in ungefähr 500 Arten in einer möglichst natürlichen Umgebung zu sehen. Es beherbergt eine Meer- und Süßwasserabteilung sowie eine Krokodilhalle und ein Insektarium, wo die Tiere zum Teil in ihrer naturgemäßen Umgebung leben.

Öffnungszeiten
tgl. 9.00–18.00

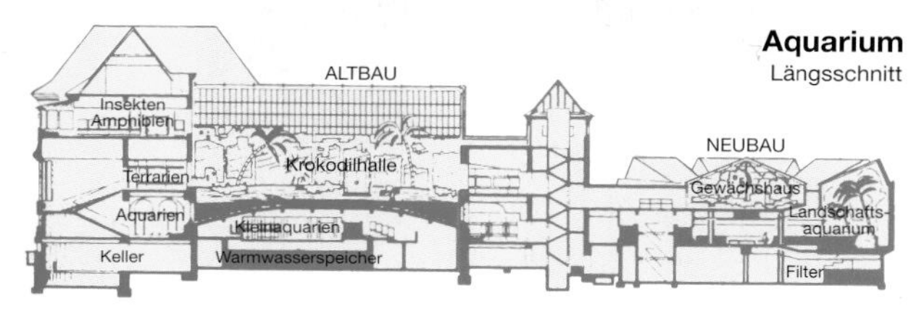

Aquarium
Längsschnitt

Für Zoo und Aquarium empfiehlt es sich, eine kombinierte Eintrittskarte zu lösen. Jeder zahlende Besucher kann unentgeltlich ein Kind unter drei Jahren in beide Anlagen mitnehmen. Aus Sicherheitsgründen ist Kindern unter zehn Jahren das Betreten von Zoo und Aquarium nur in Begleitung Erwachsener oder älterer Kinder gestattet.

Hinweise für den Besuch von Zoo und Aquarium

Gebäck
FEINKOST
GEWÜRZE
Tabak & Spirituosen

Praktische Informationen von A bis Z

Praktische Informationen von A bis Z

Anreise

Mit dem Auto Alle nach Berlin führenden Fernstraßen münden in den Berliner Autobahnring (A 10), von dem Abzweigungen zum Stadtzentrum weiterleiten.

von Norden Autobahn Hamburg – (A 241 von Schwerin) – Berlin (A 24 bzw. E 26 / E 55).
(Schweden) – Autobahn Warnemünde – Rostock – Berlin (A 19 / A 24 bzw. E 26 / E 55).
(Dänemark bzw. Schweden) – Fernverkehrsstraße Saßnitz (Rügen) – Stralsund – Greifswald – Neubrandenburg – Berlin (E 251).
Autobahn Szczecin (Stettin) – Eberswalde-Finow – Berlin (A 11 bzw. E 28).

von Osten Warschau – Autobahn Frankfurt an der Oder – Fürstenwalde – Berlin (A 12 bzw. E 30).

von Süden Wrocław (Breslau) – Cottbus – Autobahn Lübbenau – Berlin (A 15 / A 13 bzw. E 36 / E 55).
Autobahn Zwickau (A 72 bzw. E 441) – Chemnitz (A 4 bzw. E 40) – Dresden – Lübbenau – Berlin (A 13 bzw. E 55 / E 36).
Autobahn München – Nürnberg (A 9 bzw. E 45; Anschluß von Stuttgart A 81 über Heilbronn A 6 bzw. E 50) – Bayreuth (A 9 bzw. E 49 / E 51) – Leipzig – Dessau – Berlin (A 9 bzw. E 51).
Autobahn Frankfurt am Main – Gießen (A 5 bzw. E 451) – Bad Hersfeld (A 5 bzw. E 40) – Eisenach (A 4 bzw. E 40) – Erfurt – Weimar – Hermsdorfer Kreuz – Leipzig – Dessau – Berlin (A 9 bzw. E 49).

von Westen Autobahn Dortmund – Hannover – Braunschweig – Magdeburg – Potsdam – Berlin (A 2 bzw. E 34 bzw. E 30).

Mit dem Bus Linienbusse verkehren regelmäßig von zahlreichen deutschen Städten nach Berlin zum Zentralen Omnibusbahnhof (ZOB) am Funkturm.
Auskunft: Deutsche Touringgesellschaft, Am Römerhof 17, D-60486 Frankfurt/M.
Viele Reisebüros bieten günstige Busreisen sowie Wochenendtrips und Pauschalarrangements an.

Mit dem Flugzeug Zahlreiche deutsche und internationale Fluggesellschaften fliegen die drei Flughäfen der Stadt an (→ Flugverkehr). Direktverbindungen bestehen aus allen wichtigen deutschen und europäischen Städten.

Mit der Eisenbahn Die Deutsche Bahn AG fährt auf folgenden Strecken mit ICE / IC-Zügen nach Berlin: Hamburg – Berlin, Dresden – Berlin, Koblenz – Köln – Hannover – Berlin, Ulm/Basel – Mannheim – Göttingen – Hannover/Hildesheim – Braunschweig – Berlin, München – Nürnberg – Würzburg – Göttingen – Hannover/Hildesheim – Berlin, München – Nürnberg – Saalfeld – Leipzig/Halle – Berlin, Magdeburg – Brandenburg/Havel – Potsdam – Berlin.

◂ *Zumindest nachts ist es ruhig in der Probststraße im Nikolaiviertel.*

Wichtige Haltebahnhöfe für den Fernverkehr sind Bahnhof Zoologischer Garten, Ostbahnhof und Berlin-Lichtenberg. Die Deutsche Bahn AG bietet günstige Reisen nach Berlin, Wochenendarrangements und Pauschalprogramme an.

Anreise (Fortsetzung)

Apotheken

Auskunft

Auskunft über dienstbereite Apotheken erteilt der Apothekenbereitschaftsdienst: Tel. 0 11 41. Der Sonntags- und Nachtdienst ist dem Aushang der jeweiligen Apotheke sowie der Polizeireviere zu entnehmen.

Berolina-Apotheke

Wer eine alte Apotheke bewundern möchte, sollte von der S-Bahn-Station Hackescher Markt in Mitte nördlich zur Rosenthaler Straße gehen. Dort beherbergt das Haus Nr. 46/47 (Ecke Neue Schönhauser Straße) die Berolina-Apotheke mit einer Inneneinrichtung von 1886/1887 (Tel. 2 82 78 76).

Ärztliche Hilfe

→ Notdienste

Ausflüge

Hinweis

Wer einen längeren Aufenthalt in Berlin plant, sollte die Zeit auch zu einem oder mehreren Ausflügen in die Umgebung der Stadt nutzen.

Potsdam

Potsdam Information → Auskunft

Ausführliche Beschreibungen der Sehenswürdigkeiten von Potsdam im Baedeker Allianz Reiseführer "Potsdam"

Lage: rund 30 km südwestlich vom Berliner Stadtzentrum.
Anfahrt: mit der S 3 oder S 7 bis Bahnhof Potsdam Stadt; mit dem Auto vom Berliner Stadtteil Wannsee über die Glienicker Brücke.
Die wichtigsten Sehenswürdigkeiten sind in Potsdam gut mit öffentlichen Verkehrsmitteln zu erreichen: Schloß und Park Sanssouci sowie Schloß Cecilienhof und Neuer Garten mit Bus Linie 695 ab Haltestelle Luisenplatz.
Potsdam liegt inmitten einer reizvollen Hügellandschaft zwischen ausgedehnten Wasserflächen, welche die verbreiterte Havel mit Jungfernsee, Tiefern See, Griebnitzsee und Templiner See bildet. Im Jahre 1660 wurde die Stadt kurfürstliche Residenz und entwickelte sich in der folgenden Zeit vor allem unter dem Großen Kurfürsten und Friedrich dem Großen zu einer der bedeutendsten Barockstädte Deutschlands. Geschichte geschrieben wurde in der Stadt am 'Tag von Potsdam', dem 23. März 1933, an dem die Vertreter des alten Kaiserreiches und die Nationalsozialisten das Ende der Weimarer Republik besiegelten, und im Sommer 1945 mit dem Potsdamer Abkommen. Während der sozialistischen Ära war sie politisches, wirtschaftliches und kulturelles Zentrum des gleichnamigen größten Bezirks der DDR. Im Jahre 1990 wurde Potsdam die Hauptstadt des Landes Brandenburg. Unter Musikfreunden geschätzt sind die Musikfestspiele Potsdam Sanssouci (Auskunft: Tel. und Fax 03 31 / 29 38 59). Im Jahre 2001 wird in Potsdam die Bundesgartenschau (BUGA) ausgerichtet, die ein vielseitiges Besichtigungs-, Kultur- und Kunstprogramm abrunden werden.

****Schloß und Park Sanssouci**

Besucherzentrum: Tel. 03 31 / 96 94-200 oder -201

Die eigentliche Attraktion Potsdams ist der Park von Sanssouci mit seinen Anlagen und Bauwerken. Über sechs Weinbergterrassen erhebt sich das 'Traumschloß' (Sans Souci = ohne Sorgen) von Friedrich dem Großen. Nach einer eigenhändigen Skizze des Königs entwarf Georg Wenzeslaus von Knobelsdorff 1745 – 1747 das 97 m lange und 12 m hohe eingeschos-

Schloß und Park Sanssouci (Fortsetzung)
Öffnungszeiten:
Di. – So.
9.00 – 12.30 und
13.00 – 16.00

sige Bauwerk mit mächtiger grüner Mittelkuppel und gelb verputztem Mauerwerk im Stil des Rokoko. Auf der Gartenseite stützen 35 gewaltige Karyatiden das Gesims, die Hoffront umschließt eine halbrunde Kolonnade aus 88 doppelgereihten korinthischen Säulen vor einem künstlich aus antiken Elementen zusammengesetzten 'Ruinenberg'. Das Innere birgt in allen Räumen kostbare Reliefs, Malereien, vergoldete Schnitzwerke, Spiegel und Intarsienböden. Eine fast private Atmosphäre vermitteln das prächtige Musikzimmer und die stilvoll eingerichtete Bibliothek. Auf der Terrasse vor dem Schloß sind am 17. August 1991, am 205. Todestag des Preußenkönigs und seinem letzten Wunsch entsprechend, der von Schloß Hohenzollern überführte Sarg Friedrichs des Großen und die Überreste seiner geliebten Windspiele beigesetzt worden.

Die Weinbergterrassen vor Schloß Sanssouci. Auf der Terrasse rechts vor dem Schloß ist Friedrich der Große beigesetzt.

Der Park bietet abwechslungsreiche Ausblicke: Wiesen, lose Baumgruppen, gezirkelte Rondelle und Terrassen, Marmorplastiken, Lustgärten, das mit vielen Skulpturen geschmückte Neue Palais, holländische Mühle und chinesisches Teehaus, Orangerie, Drachenhaus, Tempel, die Schlösser Charlottenhof und Marly, römische Bäder und ein Hippodrom.

Stadt Potsdam

*Nikolaikirche
*Neuer Garten
Schloß Cecilienhof

Besonders sehenswert in der Stadt selbst sind die 1831 – 1837 von Karl Friedrich Schinkel als Kuppelbau im Stil des hellenistischen Klassizismus errichtete Nikolaikirche, der von Friedrich Wilhelm II. am Westufer des Heiligen Sees im englischen Stil angelegte Neue Garten, das unweit gelegene Schloß Cecilienhof, wo vom 17. Juli bis 2. August 1945 die sogenannte Potsdamer Konferenz der drei Siegermächte USA, UdSSR und Großbritannien stattfand, die mit der Unterzeichnung des 'Potsdamer Abkommens' abgeschlossen wurde; schließlich auch die russische Kolonie Alexandrowka, 1826 nach dem Vorbild russischer Militärdörfer von Lenné angelegt. Filmbegeisterte sollten unbedingt die Filmstadt Babelsberg – die einstigen UFA-Studios – und das Filmmuseum im Marstall besuchen.

Brandenburg

Lage: rund 70 km westlich vom Berliner Stadtzentrum.
Anfahrt: mit der Eisenbahn (RE 1, RB 16) von Berlin-Ostbahnhof oder Zoologischer Garten; mit dem Auto auf der B 1 über Potsdam.
Brandenburg an der Havel ist die älteste Stadt der Mark. Seit dem 6. Jh. ist die slawische Burg Brennabor nachweisbar, die sich bis zum 9. Jh. zur Hauptstadt der slawischen Hellever entwickelte. Nach der Eroberung 928 / 929 durch Otto I. blieb die Siedlung dennoch bis Mitte des 12. Jh.s umkämpft. Sehenswert sind auf der Dominsel der 1165 begonnene Dom St. Peter und Paul mit seiner spätromanischen Krypta, der doppelgeschossigen 'bunten' Kapelle an der Nordseite, Glasmalereien aus dem 13. Jh., anderen wertvollen Ausstattungsgegenständen und dem Dommuseum, in dem u. a. die Gründungsurkunde des Bistums aus dem Jahr 948 zu sehen ist. In der Altstadt erhebt sich das Rathaus von 1470, ein typischer spätgotischer Backsteinbau, den eine 5 m hohe Rolandsfigur von 1474 bewacht (Kopie vor dem Märkischen Museum in Berlin-Mitte). In der Neustadt ist die Kirche St. Katharinen (1395 – 1401) beachtenswert, ein Hauptwerk des Baumeisters Hinrich Brunsberg.

Brandenburg-Information, Hauptstr. 51, D-14776 Brandenburg, Tel. und Fax (0 33 81) 1 94 33

**Spreewald

Lage: rund 100 km südöstlich von Berlin.
Anfahrt: mit der Eisenbahn von Berlin-Ostbahnhof, -Lichtenberg oder -Schöneweide nach Lübbenau; mit dem Auto auf der E 36 / E 55 nach Lübbenau.
Der Spreewald (sorbisch Blota = Sumpf), dessen landschaftliche Schönheit Theodor Fontane vor mehr als einem Jahrhundert in seinen "Wanderungen durch die Mark Brandenburg" so eindrücklich beschrieben hat, ist ein Reiseziel par excellence. Die zwischen 50 m und 60 m ü.d.M. gelegene, ca. 75 km lange und maximal 15 km breite feuchte Niederung ist von zahlreichen Wasserläufen, den Fließen, durchzogen. Weiteres naturgeographisches Charakteristikum sind die eingezogenen Dünen und kleine Talsandinseln, Kaupen genannt, auf denen sich die für den Spreewald typischen Streusiedlungen entwickelt haben. Den südlichsten, höchstgelegenen Teil des Spreewaldes, den Cottbuser Schwemmsandfächer, hat die Spree während der letzten Kaltzeit im Baruther Urstromtal aufgeschüttet.
Der Oberspreewald beginnt mit dem Städtchen Burg, wo die Spree und ihre Zuflüsse verwildern und weite offene Wiesen und kleine Acker- und Gartenflächen das Landschaftsbild prägen. Die sauer eingelegten Spreewalder Gurken sind eine recht beliebte Delikatesse. Im Unterspreewald nördlich von Lübben teilt sich die Spree erneut in mehrere Flußläufe. Dauergrünland, Bruchwald und Äcker nehmen dieses alte Gletscherzungenbecken ein, das die eiszeitliche Spree mit ihren Ablagerungen (Moränen) ausgefüllt hat.

Tourismus, Kultur und Stadtmarketing GmbH Spreewaldinfo, Ernst-von-Houwald-Damm 15, D–15907 Lübben, Tel. (0 35 46) 24 33

*Kanalfahrten

Von Lübben (sorbisch Lubin) aus, wo die Paul-Gerhardt-Kirche an den berühmten Geistlichen und Kirchenlieddichter erinnert, der hier begraben ist, empfiehlt sich ein Ausflug im Kahn oder Motorboot durch den Spreewald. Die Fahrten durch Erlenbruch und Laubwaldinseln des Unterspreewaldes führen von Lübben über Schlepzig zum Neuendorfer See. Von Lübbenau (Spreewaldmuseum) starten im Sommer die beliebten Kanalfahrten durch den Oberspreewald, die über die romantischen Spreewalddörfer Leipe und Lehde (Spreewald-Freilichtmuseum mit traditionellen sorbischen Gehöften) nach Burg führen.

*Wanderweg

Berühmtester Wanderweg des Spreewaldes ist der bereits im Jahr 1911 angelegte und über 15 Brücken führende Fußweg von der Gaststätte 'Spreeschlößchen' zu der ungefähr eine Stunde entfernten Gaststätte 'Wotschofska'.

Oranienburg

Stadtverwaltung, Schloßplatz 2, D-16515 Oranienburg, Tel. (0 33 01) 600-5

*Gedenkstätte Sachsenhausen

Lage: rund 30 km nordwestlich von Berlin.
Anfahrt: mit der S 1; mit dem Auto auf der B 96.
Das erstmals 1216 urkundlich erwähnte Oranienburg besitzt ein Schloß aus dem 17.Jh. in Gestalt einer Dreiflügelanlage. Im Schloßpark sticht besonders das Gartenportal von 1690 heraus, geschaffen von Johann Arnold Nering. Die Orangerie wurde 1754 errichtet.
Schon im März 1933 richteten die Nationalsozialisten in einer Oranienburger Brauerei ein erstes Konzentrationslager ein. Diesem folgte 1936 im Vorort Sachsenhausen ein Arbeits- und Vernichtungslager, von dessen über 200 000 Häftlingen mehr als die Hälfte ermordet wurde. Deren Schicksal beschreibt das Museum zur Geschichte des Konzentrationslagers Sachsenhausen in der ehemaligen Häftlingsküche; ein neuer Teil dokumentiert auch die Zeit nach 1945, als die Sowjets hier Nazis und politische Gegner internierten. Zentraler Ort der Gedenkstätte ist ein hoher Turm.

Rheinsberg

Touristinformation, Markt (Kavalierhaus), D-16831 Rheinsberg, Tel. u. Fax (03 39 31) 20 59

Lage: rund 75 km nordwestlich von Berlin.
Anfahrt: mit der Eisenbahn (RB 54) ab S-Bahnhof Oranienburg (S 1); mit dem Auto auf der B 96 bis Gransee, weiter in westlicher Richtung über Schulzendorf und Köpernitz nach Rheinsberg.
Die märkische Kleinstadt Rheinsberg, bekannt geworden durch Theodor Fontanes "Wanderungen durch die Mark Brandenburg" und Kurt Tucholskys "Rheinsberg – ein Bilderbuch für Verliebte", liegt in dem wald- und seenreichen Rheinsberg-Zechliner Erholungsgebiet.

*Schloß und Park

Besonderer Anziehungspunkt ist das an der Stelle einer alten Renaissance-Wasserburg von J. G. Kemmeter und G. W. von Knobelsdorff von 1734 bis 1740 erbaute Schloß, Lieblingsaufenthalt Friedrich des Großen in dessen jungen Jahren. 1744 schenkte er es seinem Bruder Heinrich, der von 1753 bis 1802 hier lebte.
Die barocke Dreiflügelanlage gilt als eines der reizvollsten spätbarocken Schlösser Norddeutschlands und wird derzeit restauriert, kann aber besichtigt werden. Dabei gilt besondere Beachtung dem Spiegelsaal, dem Rittersaal, dem Marmor- und Muschelsaal und auch dem Turmkabinett, das Kronprinz Friedrich als Studierzimmer nutzte. Zu Pfingsten werden in zwei der prachtvoll ausgestatteten Säle die Rheinsberger Musiktage abgehalten. Im Erdgeschoß des Schlosses erinnert die Tucholsky-Gedenkstätte an den Schriftsteller. Lohnend ist auch ein Spaziergang durch den ebenfalls von Knobelsdorff entworfenen barocken Schloßpark, der Ende des 18. Jh.s in eine englische Parklandschaft umgestaltet wurde, mit einem Naturtheater, Grotten und zahlreichen Barockstatuen. Prinz Heinrich ließ 1791 Obelisken zum Gedenken an die Toten des Siebenjährigen Kriegs aufstellen. Der Prinz selbst ist unter einer Backsteinpyramide an der Hauptallee begraben.

**Kloster Chorin

Auskunft s. Eberswalde

Lage: rund 50 km nordöstlich von Berlin.
Anfahrt: mit dem Auto auf der B 2 über Bernau und Eberswalde-Finow.
Herrlich gelegen im Landschaftsschutzgebiet 'Choriner Endmoränenbogen' ist das berühmte Kloster Chorin, heute eine Ruine. Zisterziensermönche gründeten 1258 im Parsteiner See auf einem Werder das Kloster Mariensee, das 1273 nach Chorin verlegt wurde. Am Amtssee entstand die Klosteranlage. Oberste Gebote des Ordens waren Zucht, Fleiß und Bescheidenheit, die dem Kloster alsbald zu Geld und Einfluß verhalfen. Im Jahre 1542 säkularisiert, wurde das Kloster kurfürstliches Amt. Während des Dreißigjährigen Krieges wurde die Anlage, die noch heute als das be-

deutendste Beispiel norddeutscher Backsteingotik in der Mark gilt, mehrfach zerstört, im 17. Jh. diente sie als Steinbruch. Erst Anfang des 19. Jh.s wurden unter Karl Friedrich Schinkel erste Konservierungsmaßnahmen durchgeführt, nach 1954 folgten umfangreiche Restaurierungsarbeiten. Eindrucksvoll erhebt sich die hohe Westfassade mit Treppentürmen, Rosettenblenden, aufstrebenden Maßwerkfenstern und reich verziertem Blendwandgiebel. Am besten erhalten ist der Westflügel mit dem Fürstensaal, Speisesaal und Klosterküche.
Pfeilerbasilika und Klosterhof werden heute für kulturelle Veranstaltungen genutzt; besonders beliebt sind die Sinfoniekonzerte während des 'Choriner Musiksommers'.

Ausflüge, Rheinsberg (Fortsetzung)

*Ausflug zum Schiffshebewerk Niederfinow

Lage: am Finowkanal rund 70 km nordöstlich von Berlin; 11 km östlich von Eberswalde-Finow.
Anfahrt: mit dem Auto auf der B 2 nach Eberswalde, von dort östlich auf der B 167 nach Hohenfinow und weiter der Beschilderung folgen.
Schon frühzeitig wurde versucht, die Höhendifferenz zwischen Oder und Havel mittels Schleusen zu überwinden. Waren es beim 1746 ausgebauten Finowkanal 17 Schleusen, so entstand beim Oder-Havel-Kanal (1906 bis 1914) eine vierstufige Schleusentreppe von je 9 m. Zwischen 1927 und 1934 wurde daneben das Schiffshebewerk errichtet, das den gesamten Höhenunterschied von 36 m in fünf Minuten überwindet.

Eberswalder Fremdenverkehrsinformation, Steinstr. 3, D-16225 Eberswalde-Finow, Tel. (0 33 34) 6 45 20

Auskunft

Berlin-Hotline

Tel. (0 30) 25 00 25, Fax 25 00 24 24

Internet

http://www.berlin.de (gute Website von BTM, etwas umständlich)
http://www.berlinonline.de (hervorragend strukturiert, schnell, immenses Informationsangebot)

Berlin-Touristen-Informationsbüros

Im Flughafen Tegel (Haupthalle)
Geöffnet: täglich 5.00 – 22.30 Uhr

Im Europa-Center
Eingang Budapester Straße 45
Geöffnet: Mo. – Sa. 8.30 – 20.00, So. 10.00 – 18.30 Uhr

Im KaDeWe Reisecenter (Erdgeschoß), Wittenbergplatz
Geöffnet: Mo. – Fr. 9.30 – 20.00, Sa. 9.00 – 16.00 Uhr

Im Brandenburger Tor (Südflügel), Pariser Platz
Geöffnet: täglich 9.30 – 18.00 Uhr

Schriftliche Anfragen

BTM Berlin Tourismus Marketing GmbH
Am Karlsbad 11, D–10785 Berlin
Tel. 25 00 2-5, Fax 25 00 2-424

Kongreß- und Messe-Informationen

Messe Berlin GmbH
Messedamm 22, D-14055 Berlin, Tel. 30 38-0, Telefax: 30 38 23 25

Festspiel-Informationen

Berliner Festspiele GmbH
Budapester Straße 50, D-10787 Berlin, Tel. 25 48 90

Potsdam Information

Potsdam Information
Friedrich-Ebert-Str. 5, D-14467 Potsdam
Tel. (03 31) 2 75 58-0, Fax 29 30 12

Autohilfe

Automobilclubs

Allgemeiner Deutscher Automobilclub (ADAC), Gau-Geschäftsstelle
Bundesallee 29 / 30, D-10717 Berlin, Tel. 86 86-0, Fax 8 61 96 73
ADAC Informations Service, Tel. 0 18 05 / 10 11 12

Automobilclub von Deutschland (AvD)
Mainzer Str. 18, D-10715 Berlin, Tel. 8 54 60 12 / 13

ACE-Autoclub Europa
Inselstr. 6 a, D-10179 Berlin, Tel. 27 87 25-0
Geisberg 7, D-10777 Berlin, Tel. 2 11 90 31

Allgemeiner Deutscher Motorsportverband (ADMV)
Köpenicker Str. 325, D-12555 Berlin, Tel. 65 76 29 30

Verkehrsclub Deutschland (VCD)
Schönhauser Allee 108, D-10439 Berlin, Tel. 4 46 36 64

Pannenhilfe

ADAC-Pannenhilfe
Tel. 0 18 02 / 22 22 22 (rund um die Uhr)

ACE-Pannenleitstelle
Tel. 0 18 02 / 34 35 36

AvD-Verkehrshilfsdienst
Tel. 99 09

VCD-Verkehrshilfe (nur für VCD-Mitglieder):
Europe Assistance München, Tel. (0 89) 55 98 71 73

Bahnhöfe

Drei Fernbahnhöfe

Der Bahnfernverkehr (ICE und IC) von und nach Berlin verläuft derzeit über drei Bahnhöfe im Stadtgebiet: Bahnhof Zoologischer Garten, Ostbahnhof und Berlin-Lichtenberg, die allesamt gut an das Nahverkehrsnetz angeschlossen sind

Ausbau

Im Rahmen der Realisierung einer neuen Nord-Süd-Trasse durch Berlins Mitte von Moabit bis Schöneberg entstehen bis zum Jahre 2004 u. a. die Fern- und Regionalbahnhöfe Lehrter Bahnhof (zwischen Zentrum Ost und Zentrum West) und Bahnhof Papestraße (am östlichen Rand des Bezirkes Schöneberg). Durch die neue Verbindung mit deutlich kürzeren Fahrzeiten erreichen Fern- und Nahreisende dann schneller ihr Ziel.

Bahnhof Zoologischer Garten

Der Bahnhof Zoologischer Garten (kurz 'Bahnhof Zoo'; → Sehenswürdigkeiten von A bis Z, Bahnhöfe), Hardenbergplatz in Charlottenburg, ist Knotenpunkt des deutschen und internationalen Reisezugverkehrs von und nach Berlin sowie gleichzeitig wichtiger Kreuzungspunkt des innerstädtischen S- und U-Bahn-Systems.

S-Bahn S 3, S 5, S 7, S 9; **U-Bahn** U 2, U 9, U 12

Ostbahnhof

Vom Ostbahnhof (ehemaliger Hauptbahnhof; → Sehenswürdigkeiten von A bis Z, Bahnhöfe) in Friedrichshain verkehren ebenfalls Fernreisezüge in alle Richtungen, Schwerpunkt ist vor allem Osteuropa. Züge nach Westen fahren über den Bahnhof Zoologischer Garten.

S-Bahn S 3, S 5, S 7, S 9

Der Bahnhof Lichtenberg (Weitlingstraße) ist Fernbahnhof mit Schwerpunkt Nord- und Osteuropa und wichtigen Verbindungen nach Ostdeutschland. S-Bahn: S 5, S 7; U-Bahn: U 5

Bahnhof Berlin-Lichtenberg

Manche Züge Richtung Westen über den Bahnhof Zoologischer Garten halten auch in den Bahnhöfen Berlin-Wannsee bzw. Berlin-Spandau. Viele Züge von und zum Bahnhof Berlin-Lichtenberg halten in Berlin-Schöneweide und Berlin-Schönefeld.

Weitere Bahnhöfe

Tel. 1 94 19 (tgl. 6.00 – 23.00 Uhr)

DB-Reiseauskunft

Bed & Breakfast

Privatzimmer und Ferienwohnungen in Berlin und Umgebung vermitteln:

Bed & Breakfast in Berlin, Bernd Rother
Belforter Str. 21, D-10405 Berlin, Tel. 44 05 05 82, Fax 44 05 05 83

Erste Mitwohnzentrale in Charlottenburg
Sybelstr. 52, D-10629 Berlin, Tel. 3 24 99 77

Behindertenhilfe

Auskunft

Landesamt für Gesundheit und Soziales
Informations- und Beratungsgruppe für Behinderte
Sächsische Str. 28 – 30, D-10707 Berlin
Tel. 90-0
Geöffnet: Mo. – Mi. 9.00 – 15.00, Do. 9.00 – 18.00 und Fr. 9.00 – 14.00 Uhr

Berlin ohne Hindernisse

Über Behindertenparkplätze, Zugänglichkeiten u. v. a. informiert der Berliner Behindertenverband, Projekt Mobilitätshindernisse, Jägerstr. 63 d, D-12681 Berlin, Tel. 2 04 38 47

Fahrdienst

Fahrdienst für Behinderte unter Tel. 41 02 00

Informationen für Jugendliche

Informationen für behinderte Jugendliche sind erhältlich beim Senat für Jugend und Familie, Tel. 90 26-0.

Service-Ring-Berlin

Auskünfte, Beratung und Hilfsdienste für Behinderte vermittelt ferner der Service-Ring-Berlin e.V., Tel. 8 59 40 10 (Mo. – Fr. 10.00 – 18.00 Uhr) oder Tel. 9 24 21 18 (Mo. – Fr. 8.00 – 16.00 Uhr).

Pro Mobil

Die Organisation Pro Mobil führt Stadterkundungen, Museumsbesichtigungen, Lesungen u. a. für Behinderte durch: Tel. 3 12 20 42

Rollstuhlverleih

Der Verband Geburts- und anderer Behinderter berät und verleiht kostenlos Rollstühle: Tel. 3 41 17 97. Auch der zuvor erwähnte Service-Ring-Berlin bietet Rollstuhlverleih: Tel. 3 91 66 03

Reisebegleiter

Der BSK-Reisedienst, Bundesverband Selbsthilfe für Körperbehinderte, Altkrautheimerstr. 17, D-74238 Krautheim / Jagst, Tel. (0 62 94) 68-0 (Zentrale) bzw. 68-112 (Reisehelferbörse), vermittelt Reisebegleiter und organisiert Gruppenreisen.

Unterkünfte

Über behindertengerechte Unterkünfte informiert außer dem Berliner Hotelverzeichnis auch der Hotel- und Reiseratgeber für Rollstuhlfahrer / Behinderte "Handicapped Reisen Deutschland", erhältlich im FMG Verlag, Postfach 1547, D-53005 Bonn, Tel. (02 28) 61 61 33, Fax 62 35 00.

Behindertenhilfe (Fortsetzung) Behindertenhotel

Das First Class Hotel Mondial im Bezirk Charlottenburg (Kurfürstendamm 47, Tel. 88 41 10, Fax 8 84 11-150) ist behinderten-/rollstuhlgerecht von der Tiefgarage bis zur 6. Etage ausgestattet und verfügt über Spezialeinrichtungen in 22 Zimmern.

Bibliotheken

Stadtbibliothek

Berliner Stadtbibliothek
Breite Str. 32 – 34, Tel. 9 02 26-0, mit

Berliner Ärztebibliothek, Tel. 9 02 26-461

Berlin-Bibliothek, Tel. 9 02 26-301

Ratsbibliothek, Tel. 9 02 26-305 / 307

Musikbibliothek / Phonothek, Tel. 9 02 26-366 / 369

Diathek / Artothek, Tel. 9 02 26-448

Weitere ausgewählte Bibliotheken

Die Deutsche Bibliothek
Deutsches Musikarchiv
Gärtnerstr. 25 – 32, Tel. 77 00 20

Bibliothek im Jüdischen Gemeindehaus
Fasanenstr. 79, Tel. 8 80 28-235
Größte jüdische Bibliothek Deutschlands mit über 60 000 Bänden

Kunstbibliothek → Sehenswürdigkeiten, Kulturforum

Staatsbibliothek zu Berlin – Preußischer Kulturbesitz
→ Sehenswürdigkeiten, Kulturforum bzw. Unter den Linden

Umweltbibliothek Berlin (Matthias-Domaschk-Archiv)
Schliemannstr. 22, Tel. 4 45 57 14
In den achtziger Jahren ein Zentrum der Bürgerrechtsbewegung in der DDR.

Universitätsbibliothek der Freien Universität (FU) Berlin
Henry-Ford-Bau, Garystr. 39, Tel. 8 38-1

Universitätsbibliothek der Humboldt-Universität
Dorotheenstr. 27, Tel. 2 09 30

Universitätsbibliothek der Technischen Universität (TU) Berlin
Straße des 17. Juni 135, Tel. 3 14-0

Zentrum für Berlin-Studien
Breite Str. 36 (Ribbeck-Haus)
U-Bahn: Spittelmarkt (U 2)
Öffnungszeiten: Mo. – Fr. 10.00 – 19.00, Sa. 13.00 – 18.00 Uhr
Das Zentrum für Berlin-Studien ist entstanden aus der Zusammenlegung der Berlin-Bestände der Stadtbibliothek und der Amerika-Gedenkbibliothek (Berliner Zentralbibliothek). Zur Verfügung stehen hier ca. 350 000 Bücher, Zeitungen, Zeitschriften, Handschriften und Inkunablen, aber auch Telefon- und Adreßbücher sowie eine Postkartensammlung, allesamt zum Thema “Berlin”.
Die Berliner Zentralbibliothek kam durch eine Spende der USA in Höhe von 5,4 Mio. DM zustande und wurde zum Gedenken an die Berlin-Blokkade (1948 / 1949) eingerichtet, weshalb sie auch als Amerika-Gedenkbibliothek bezeichnet wurde.

Cafés, Konditoreien und Bistros

Insbesondere in Charlottenburg am oder nahe dem Kurfürstendamm – dem Einkaufszentrum Berlins – und im Bezirk Mitte liegen etliche Cafés und Konditoreien; doch auch in jeder anderen Geschäftsgegend, ob in Wilmersdorf, Steglitz oder Schöneberg, sowie in den Stadtbezirken, die ihren eigenen Charakter noch vielerorts bewahrt haben, wie Kreuzberg oder Prenzlauer Berg, laden Cafés und Konditoreien zum Verweilen ein.

Unter den Linden gegründet, heute am Ku'damm:
Das Café Kranzler ist eine Berliner Institution – bleibt es das auch?

Kurfürstendamm und Charlottenburg

Kranzler (Café, Cocktailbar, Restaurant; auch Veranstaltungsräume), Kurfürstendamm 18 – 19, Tel. 8 85 77 20
Das Café Kranzler (mit Sommerterrasse) ist seit 1931 eine weltberühmte Institution am belebten Kurfürstendamm – das Stammhaus allerdings wurde 1825 Unter den Linden gegründet, existiert aber leider nicht mehr. Jedoch ändern sich auch hier die Zeiten – statt Tortenbüffet setzt der neue Eigentümer auf Cocktails. Ob es das ist, was die Berlin-Touristen vom Kranzler erwarten?

Art Café Zippo Berlin, Olivaer Platz 16, Tel. 8 85 42 26
In dieser Mischung aus italienischer Bar und französischem Bistro mit hausgemachtem Kuchen, Kaffee, aber auch sehr gutem Wein und Lachs wird zeitgenössische Kunst ausgestellt; Zippo steht für offene Berliner Art; auch Billardraum.

Café Leysieffer (Confiserie Pâtisserie; Bistro im 1. Stock), Kurfürstendamm 218, Tel. 88 57 48-0
Traditionelle Kaffeehausatmosphäre in einem historischen Gebäude mit Stuckdecke und eleganter Einrichtung.

Café im Literaturhaus, Fasanenstr. 23,Tel. 8 82 54 14
Hier läßt sich eine stilvolle Kaffehausatmosphäre mit literarischem Anspruch verbinden, denn eine Buchhandlung gehört auch dazu.

Cafés, Konditoreien und Bistros

im Bezirk Charlottenburg (Fortsetzung)

Café Möhring, Kurfürstendamm 213, Tel. 8 81 20 78
Das klassische Berliner Boulevardcafé, Filiale am Gendarmenmarkt.

Kaffeehaus Edinger, Kurfürstendamm 195, Tel. 8 83 13 00
Nach einem ausgiebigen Einkaufsbummel wird auch gern in dem zwischen Boulevardgeschäften mit edler Bekleidung gelegenen Kaffeehaus Edinger Rast eingelegt. Frühstück wird von 7.00 bis 16.00 Uhr serviert.

Kleine Orangerie, am Schloß Charlottenburg, Luisenplatz, Tel. 3 20 91-1
Café mit großem Garten auf historischem Boden.

Schwarzes Café, Kantstr. 148, Tel. 3 13 80 38
Das Kontrastprogramm: eher gammelig als heimelig, keine Tortenomas, aber beliebtes Frühstücks-Café für Alt-Spontis und (abgebrochene) Studenten nahe beim Savignyplatz.

Shell, Knesebeckstr. 22, Tel. 3 12 83 10
Das im Bistro-Stil eingerichtete Shell, hervorgegangen aus einer ehem. Tankstelle, in der heute Bier gezapft wird, zählt insbesondere wegen seiner umfangreichen Auswahl zum Frühstück zu den beliebten Frühstücks-Cafés; auch warme Gerichte zu angemessenen Preisen.

Bezirk Wilmersdorf

Blisse 14, Blissestr. 14, Tel. 8 21 20 79
Rollstuhlgerechtes Café der Fürst Donnersmarck-Stiftung zu Berlin; im Sommer Gartencafé / Terrasse. Es werden auch frische Salate und warme Gerichte serviert. So. Livemusik.

Wiener Conditorei Caffeehaus, Am Roseneck, Hohenzollerndamm 92, Tel. 89 59 69 20
Boulangerie, Confiserie, Restaurant, Bar.

Tomasa (Bar, Café, Restaurant), Motzstr. 60, Tel. 2 13 23 45
Beliebtes Frühstücks-Café.

Montevideo, Viktoria-Luise-Platz 6, Tel. 2 13 10 20
Frühstücks-Café und Restaurant, auch vegetarische Gerichte.

Bezirk Tiergarten

Café Einstein, Kurfürstenstr. 58, Tel. 2 61 50 96.
In einer herrlichen Stadtvilla gelegenes, stark frequentiertes Wiener Café mit Jahrhundertwendecharme; v. a. die vielen Kaffeespezialitäten (Hit ist die Melange) und die Einstein-Klassiker Tafelspitz und Wiener Schnitzel, aber auch französische Gerichte sowie ein großes Zeitungsangebot tragen zur Beliebtheit des Lokals bei; außerdem gehört ein hübscher Garten dazu. Ein weiteres Café Einstein gibt es im Bezirk Mitte (s. unten).

Die Alte Pumpe (Café-Restaurant), Lützowstr. 42, Tel. 2 61 16 17
Der Name stammt von der riesigen restaurierten Wasserpumpe der Jahrhundertwende, die den interessanten Mittelpunkt des über drei Ebenen verlaufenden eleganten Gastraumes bildet. Im Sommer wird auch im Garten serviert. Ein Hit neben den hausgebackenen Blechkuchen ist die Pancake-Karte mit über 20 verschiedenen Eierpfannkuchen, die in allen Variationen serviert werden (u. a. mit Eis, mit Früchten, Speck oder Käse). Weitere Highlights sind die Gerichte der Berliner Küche, Speisen vom Brunch-Buffet oder Pumpen-Jazz-Brunch an Wochenenden.

Bezirk Tempelhof

Bäckerei Konditorei Milde, Tempelhofer Damm 192, Tel. 7 51 70 82
Das Geschäft hat sich auf ein vielfältiges Kuchen- und Torten-Sortiment für Diabetiker spezialisiert.

Bezirk Mitte

Operncafé im Opernpalais Unter den Linden, Unter den Linden 5, Tel. 20 26 83
Das geräumige, doch behaglich eingerichtete und mit einem großen Berlin-Panorama aus dem 19. Jh. dekorierte Operncafé, Teil eines gastronomischen Zentrums (Operncafé, Restaurant Königin Luise, Opernschänke, Fridericus, Prinzessinnen-Saal und Weinkeller auf historischem Boden), ist derzeit Berlins größtes Kaffeehaus; im Sommer ist auch die Terrasse an den Linden beliebter Treffpunkt. Ab 9.00 Uhr kann man sich am reichhaltigen Frühstücksbuffet bedienen oder unter mehr als 50 feinsten verschiedenen Torten und anderen Leckereien wählen. Herzhafte Gerichte wechseln je nach Saison.

Cafés im Bezirk Mitte (Fortsetzung)

Café Einstein, Unter den Linden 42, Tel. 2 04 36 32
Anders als das in der Kurfürstenstraße gelegene Stammhaus ähnelt die Einrichtung dieses Lokals im Neubau des Hauses Pietzsch dem Stil der Pariser Brasserien und Cafés der dreißiger Jahre, ausgestattet u. a. mit langen Bänken aus Nußholz, die mit braunem, englischen Schuhleder bezogen sind; Art-déco-Stil dominiert. Gerichte und Getränke entsprechen denjenigen im Stammhaus. Neben dem Gastraum bietet sich im Sommer Platz auf der Straßenterrasse.

Café Restaurant Orange, Oranienburger Str. 30, Tel. 2 82 00 28
Das Café Orange schräg gegenüber vom 'Tacheles' ist täglich ab 10.00 Uhr geöffnet; warme Speisen werden zwischen 12.00 und 17.00 sowie 18.00 und 24.00 Uhr serviert.

Telecafé auf dem Fernsehturm am Alexanderplatz, Tel. 2 42 33 33
Das sich zweimal stündlich um die eigene Achse drehende Telecafé in 207 m Höhe ist wegen seiner atemberaubenden Aussicht über die Stadt besuchenswert.

Bezirk Kreuzberg

Café Adler, Friedrichstr. 206, Tel. 2 51 89 65
Gut besuchte Café-Kneipe beim Haus am Checkpoint Charlie

Brötchenbar, Kochstr. 59, Tel. 2 51 61 46

Bezirk Prenzlauer Berg

Café Ecke Schönhauser, Kastanienallee 2 / Ecke Schönhauser Allee, Tel. 4 48 33 31
Hier bietet sich eine umfangreiche Auswahl an Kuchen, Torten und Eis- sowie Kaffeespezialitäten.

Bezirk Lichtenberg

Venezia, Anton-Saefkow-Platz 6, Tel. 82 74 85-0
Über zwei Dutzend original italienische Eissorten (auch Diät-Eis) und Konditoreiwaren (auch Diät), die im Sommer auch auf der Terrasse am See serviert werden.

Bezirk Hohenschönhausen

CC Café Classic, Strausberger Platz 8, Tel. 4 26 15 72
Bei dezenter klassischer Musik werden feinste Konditoreiwaren, Eisspezialitäten sowie delikate Imbisse gereicht.

Camping

Auskunft

Deutscher Camping Club,
Geisbergstr. 11, D-10777 Berlin
Tel. 2 18 60 71

Campingplätze

DCC-Campingplatz Berlin-Kladow, Spandau
Krampnitzer Weg 111 – 117, D-14089 Berlin
Tel. 3 65 27 97, Fax 3 65 12 45
Ganzjährig geöffnet.

Campingplatz Dreilinden
Albrechts-Teerofen 1 – 39, D-14109 Berlin
Tel. 8 05 12 01
Geöffnet von April bis September.

DCC-Campingplatz Am Krossinsee, Köpenick
Wernsdorfer Str. 45, D-12527 Berlin
Tel. 6 75 86 87, Fax 6 75 91 50
Ganzjährig geöffnet.

Weitere Plätze in der Umgebung von Berlin s. ADAC Camping Führer Band 2 und Berliner Telefonbuch

Campingplatz Kohlhasenbrück, Zehlendorf
Neue Kreisstr. 36, D-14109 Berlin
Tel. 8 05 17 37
Geöffnet von April bis September.

Einkaufen und Souvenirs

Einkaufsstraßen und -passagen

Berlin ist ein Shoppingparadies par excellence. Die bevorzugten Einkaufsgegenden bzw. -zentren von Berlin sind der Kurfürstendamm mit seinen Neben- und Seitenstraßen wie Uhlandstraße, Fasanenstraße (sehr exklusiv) mit der eleganten Fasanen- / Uhlandpassage, Savignyplatz, Joachimsthaler Straße, Kantstraße und Wilmersdorfer Straße (teilweise Fußgängerzone), Bleibtreustraße und Mommsenstraße sowie der Breitscheidplatz, die Tauentzienstraße und die Passagen in der Budapester Straße. Hier findet sich vom exklusiven Mode- oder Schuhgeschäft über Juweliere, Galerien, Feinkostgeschäfte bis hin zum alternativen Teeladen alles, was das Herz begehrt. Ein östliches Pendant zu dieser Einkaufsgegend fehlte bislang, jedoch wird die Friedrichstraße, wo im Frühjahr 1996 die Friedrichstadt-Passagen (Friedrich- / Ecke Jägerstraße) eröffnet wurden, in den kommenden Jahren zu einer Luxusmeile entwickelt werden. Hauptanziehungspunkt ist derzeit das Kaufhaus Galeries Lafayette in der Französischen Straße, einer Querstraße zur Friedrichstraße.

Schnäppchen

Das eine oder andere Schnäppchen kann man sicherlich in einem der vielen Trödelgeschäfte oder auf einem der Trödelmärkte (→ Märkte) machen.

Auktionen

Wer Exklusives liebt, kann beispielsweise bei Sotheby's im Palais am Festungsgraben (Tel. 3 94 30 60 oder Tel. 2 04 41 19) mitbieten.

Einkaufszentren und Kaufhäuser

Bezirk Charlottenburg

Bekannteste Einkaufszentren sind das rund um die Uhr geöffnete Europa-Center an der Gedächtniskirche, Breitscheidplatz, mit über 90 Geschäften (Fachgeschäfte, Boutiquen; Restaurants; Spielbank, Kabarett, Kino), das Ku'damm-Eck, Kurfürstendamm 227 / 228, mit Internationaler Presse, kleinen Boutiquen, Wachsfigurenkabinett, Gastronomie und Sport sowie das Kurfürstendamm-Karree, Kurfürstendamm 207), mit vielen Lokalen und Shops, Theater und Presse.

Bezirk Mitte

Im Bezirk Mitte bieten sich für einen Bummel die zuvor erwähnten Friedrichstadt-Passagen mit dem Kaufhaus Galeries Lafayette (Französische Straße) an, der ersten deutschen Filiale des gleichnamigen Pariser Kaufhauses mit Kreationen und Accessoires berühmter Modeschöpfer sowie Lederwaren und französischen Delikatessen im Untergeschoß. Allerfeinstes Edeldesign, entsprechend teuer, gibt es im Quartier 206 an der Friedrichstraße zu bewundern; Bücher, Musik, Elektronik, Software hält das Kulturkaufhaus Dussmann in der Friedrichstr. 90 bereit. Boutiquen, Antiquitäten, Kunst, Design und sonstig Zeitgeistiges bieten die Geschäfte in den Hackeschen Höfen.

Bezirk Schöneberg: *KaDeWe

Am Wittenbergplatz steht das zu den berühmtesten Kaufhäusern Deutschlands zählende KaDeWe (Kaufhaus des Westens), Tauentzienstraße 21: ein Tempel des Luxus' und des Überflusses, besonders die Feinkostabteilung (→ Sehenswürdigkeiten, KaDeWe).

Bezirk Friedrichshain

Einkaufszentrum Frankfurter Allee Plaza, u. a. mit drei gastronomischen Betrieben und dem Ramada Garni-Hotel.

Bezirk Reinickendorf

Alles unter einem Dach findet man im Einkaufszentrum Der Clou, Am Kurt-Schumacher-Platz.

Bezirk Steglitz

Das Forum Steglitz, Schloßstr. 1, verfügt über viele Geschäfte, mehrere Restaurants, Reisebüros, Geschenke-Shop, Musikabteilung u. v. a.
Bei der Galleria, Schloßstr. 101, handelt es sich um ein gläsernes, fünfstöckiges Kaufhaus mit separaten Boutiquen.

Kaffee und Tee aus allen Anbaugebieten der Erde gibt es im KaDeWe.

Bezirk Tegel

Das Tegel-Center, Gorkistr. 11 – 21, ist ein großes, im Norden Berlins gelegenes Einkaufszentrum.

Weitere bekannte Kaufhäuser

Kaufhof, Alexanderplatz
Wertheim, Kurfürstendamm 231
Woolworth, Tauentzienstr. 19

Ausgewählte Geschäfte

Antiquitäten

Antik-Shop Böttger und Ernst, im KaDeWe, 5. Etage, Tel. 2 18 74 82
Antiquitäten, Gemälde und Möbel, Silber, Glas und Porzellan, Schmuck, Kleinkunst
Japanische Antiquitäten, Motzstr. 58, Tel. 2 14 24 87
Joachim A. Schröder, Fuggerstr. 4, Tel. 2 11 67 34
Englische Antiquitäten (17. – 19. Jh.), v. a. Möbel und Silber
Asiatische Kunst G. Venzke, Fasanenstr. 71, Tel. 8 83 61 17

Babyausstattung Spielzeug

Spiele Max, Dovestraße, Ecke Salzufer, Tel. 3 91 99 06
Alles fürs Baby und Spielzeug-Paradies

Mode

Das Provençalische Fenster, Bleibtreustr. 19, Tel. 8 81 54 34 und 8 03 75 44
Elegante und rustikale Bekleidung, Tücher und Schuhe
Durchbruch Moden, Schlüterstr. 54, Tel. 8 81 55 68
Mode von Berliner Designern für die Avantgarde
Esprit, Kurfürstendamm 26, Tel. 8 82 51 24
Junge Mode
Gianni Versace, Kurfürstendamm 185, Tel. 8 85 74 60
Italienische Haute-Couture-Mode
Jil Sander, Kurfürstendamm 48, Tel. 8 83 37 30
Elegant-sportive Damenmode der bekannten Modeschöpferin

Mode (Fortsetzung)	liberty sportswear, Tauentzienstraße und Schloßstr. 95, Tel. 2 61 68 44 bzw. 7 93 28 56 Lässige Mode für anspruchsvolle Männer Mientus, Kurfürstendamm 52 und Wilmersdorfer Str. 73, Tel. 3 23 90 77 Exklusive Herrenmode Modehaus Horn, Kurfürstendamm 213, Tel. 8 81 40 55 Damenoberbekleidung nationaler und internationaler Modeschöpfer wie Thierry Mugler, Montana, Joop, Lacroix, Bazaar, Krizia, I. v. Arnim Peek und Cloppenburg, Tauentzienstr. 19, Tel. 2 12 90-0 Elegante Damen- und Herrenmode Pronuptia Paris, Europa Center, Tel. 2 62 26 27 Neben Modellbrautkleidern auch exklusive Cocktail- und Partykleider sowie Abendmodelle sport point, Kurfürstendamm 188 / 189 Exklusive Sportmode (u. a. für Golf- und Tennisspieler) Viva second season boutique, Leibnizstr. 40, Tel. 3 23 64 91 Einzelteile von Strenesse, comma, di bari, Cerruti 1881, Virmani, K. T., Joy + Fun, Viventy, she u. a.
Bücher	Buchhandlung Kiepert, Hardenbergstr. 5, Tel. 31 10 09-0 Große Auswahl an Reiseliteratur, Karten und Plänen Bücherbogen, am Savignyplatz, Tel. 3 12 19 32 Fachliteratur (Architektur, Kunst, Design, Foto, Film, Bühne, Tanz, Kostüm, Textil) Wohlthat'sche Buchhandlung, u. a. Kantstr. 131 und Budapester Str. 44 Aktuelles und modernes Antiquariat
Musik	Antiquariat Platten-Pedro, Tegeler Weg 100, Tel. 3 44 18 75 Berlins ältestes Schallplatten-Antiquariat (Schellack- und Vinylplatten; keine CDs) Bote und Bock, Europa-Center, Tel. 2 61 12 65 / 66, und Kurfürstendamm 29, Tel. 8 82 76 96 Musikfachgeschäft mit großer Auswahl v. a. an klassischer Musik Musicfarm Records, Hans-J. Hensel, Schloßstr. 54, Tel. 7 92 92 30 Country und Western Musik der 50er, 60er und 70er Jahre
Comics	Grober Unfug, Zossenerstr. 32 - 33, Tel. 6 93 64 13 Comicladen und Comicgalerie
Delikatessen	s. KaDeWe, Galeries Lafayette und Galleria
Design	Magazin, Peter Krüger, Suarezstr. 12, Tel. 3 21 57 09 Neues und klassisches Design
Glas- und Porzellanwaren	Gombert, Kurfürstendamm 42, Tel. 8 81 69 69 Kristall und Porzellan führender französischer Hersteller wie Lalique, Baccarat, Saint-Louis u. a. KPM, Kurfürstendamm 26A, Tel. 8 81 18 02 Verkaufsstelle der Königlichen Porzellan-Manufaktur Berlin Meissener Porzellan: Helmut Timbert, Kurfürstendamm 214, Tel. 8 81 91 58 Verkaufsstellen von Meissener Porzellan finden sich auch Unter den Linden 39b, Tel. 2 29 26 91, und am Gendarmenmarkt, Mohrenstr. 30, Tel. 23 82 41 50 Rosenthal studio-haus, In shop Tisch und Küche, Kurfürstendamm 226, Tel. 8 81 70 51 Formschöne Gläser und Porzellan
Haar- und Modeschmuck	Salon Monika Sailer, Hohenzollerndamm 2 / Ecke Bundesallee, Tel. 2 13 60 91 In diesem Salon der Haute Coiffure Française läßt sich nicht nur viel Prominenz die Haare schneiden, hier werden auch wunderschöne Perücken sowie ausgefallener Haar- und Modeschmuck verkauft.

Galleria, Schloßstr. 101
Hüte für alle Lebenslagen; Strümpfe, Mode, Donald-Figuren

Hüte u. a.

Hülse, Kurfürstendamm 42, Tel. 8 81 80 13
Gold- und Silberschmuck, Edelsteine, Juwelen; Schmuckatelier und Meisterwerkstätten
Schulz, Wilmersdorfer Str. 117, Tel. 3 12 10 41 und 3 12 97 17
Schmuck und Uhren der Nobelmarken wie Cartier, Ebel, Chopard, Lacroix, Rado, Baume et Mercier, aber auch Swatch und viele andere

Juwelen, Schmuck, Uhren

Küchenladen, Knesebeckstr. 26, Tel. 8 81 39 08
Kochutensilien für Hobby- und Profiköche

Kochutensilien

Erich Hamann, Schokoladenfabrik und -geschäft, Brandenburgische Str. 17, Tel. 8 73 20 85 / 86
Eine Spezialität für Naschkatzen ist Erich Hamanns bittere Schokolade: Jede Schokolade, jedes Praliné aus diesem kleinen Familienbetrieb, auch die der Sorte Vollmilch, handgefertigt oder mit alten Modeln geformt und verpackt in weißen Kartons mit blauem oder rotem Rautenmuster schmeckt bitter, da hoher Kakaoanteil enthalten ist.

Konfekt

hautnah, Uhlandstr. 170, Tel. 8 82 34 34
Exzentrische Mode in Leder für Sie und Ihn
Modissa Ledermoden, Wilmersdorfer Str. 45, Tel. 3 13 75 06
Lederoberbekleidung für Damen und Herren
Street Company, Wilmersdorfer Str. 45, Tel. 3 27 54 21, und Wilmersdorfer Str. 62, Tel. 3 24 24 47
Leder- und Freizeitmode
Kofferhaus Meinekestraße, Meinekestr. 25, Tel. 8 82 22 62
Koffer berühmter Marken (wie Samsonite, Airline, Traveller, Picard) und eine große Auswahl an Enny-Taschen; Service und Reparaturen in eigener Werkstatt
Leder Stahl, Zentrale: Spandau, Pichelsdorfer Str. 77, Tel. 3 61 53 18, und Wilmersdorf, Rüdesheimer Str. 8, Tel. 8 21 66 08
Berlins größtes Spezialhaus für Lederwaren (Reise- und Aktentaschen, Koffer, Börsen, Handtaschen, Handschuhe) sowie Schirme und viele andere Geschenkartikel

Lederwaren

Heinz Amann, Marburger Str. 5, am Tauentzien (City), Tel. 2 11 36 66
Echte russische (antike und neue) Samoware

Russische Samoware

Papeterie Heinrich Künnemann Nachf., Uhlandstr. 28, Tel. 8 81 63 63
Bürobedarf, Schreibgeräte, Feinpapiere, Drucksachen, feine Lederwaren

Schreibwaren

Bally, Kurfürstendamm 219, Tel. 8 81 70 23
Elegante Damenschuhe und Accessoires
Riccardo Cartillone, Savignyplatz 5 / Ecke Carmerstraße, D2Fu 0 17 23 17 90 99
Italienische Schuhe (klassisch-elegant und frech)

Schuhe

Sporthaus Ski-Hütte, Joachimsthaler Str. 42, Tel. 8 81 14 80
Fachgeschäft für Sommer- und Wintersport

Sportartikel Trachtenkleidung

King's Teagarden, Kurfürstendamm 217, Tel. 8 83 70 59
Das Teefachgeschäft (mit Tearoom) führt 170 Teesorten

Tee

Stil-Exclusiv, H. Sobczak, Nürnberger Str. 56, Tel. 2 11 82 60
Riesengroße Auswahl an Tiffany-Leuchten

Tiffany-Leuchten

Betten Rid, Kurfürstendamm 220 / Ecke Meinekestraße, Tel. 88 00 93-0
Alles rund ums Bett, Bettwäsche und Nachtwäsche sowie Frottierwäsche und Accessoires

Wäsche

Souvenirs

Allerorten werden Berlin-Souvenirs angeboten, wie der Berliner Bär (als Plüschtier, in Metall gegossen, als Abziehbild auf allen möglichen Gegenständen), Modelle des Brandenburger Tores und des Funkturms oder gar die berühmte Berliner Luft in Dosen. In vielen Museen stehen Kopien der schönsten dort ausgestellten Stücke zum Verkauf. Hinzugekommen sind 'einigungsbedingte' Souvenirs wie (echte?) Stücke der Berliner Mauer, die an Ständen (dann oftmals mit einem 'Trabi'-Modellauto) verkauft werden, T-Shirts mit Aufdrucken zu den Ereignissen vom November und Dezember 1989 sowie allerlei Orden und Uniformteile aus den Beständen der Nationalen Volksarmee und der Sowjetarmee.
Auch die Berliner Verkehrsbetriebe (BVG) unterhalten einen Souvenirshop, und zwar in der Potsdamer Str. 182, in dem u. a. Sammler von ausrangiertem BVG-Material, Uniformen oder Schildern voll auf ihre Kosten kommen; daneben sind Armbanduhren im U-Bahn-, Strassenbahn-, Bus- oder BVG-Design sowie Porzellan-Kaffee-Becher mit einem Auszug aus dem Schnellbahnnetz u. v. a. erhältlich.
Zu den hochwertigen Souvenirs zählt sicherlich das Porzellan aus der Königlichen Porzellan-Manufaktur Berlin.

Essen und Trinken

Speisen

Berliner Leibgerichte: deftig und bodenständig

Berlins Küche weist keine kulinarischen Raffinessen auf; sie ist in erster Linie deftig und gehaltvoll. Zu den bekanntesten Gerichten gehören Hackfleischbuletten und Eisbein, eine Scheibe gepökelte Schweinshaxe mit Sauerkraut und Erbspüree. Andere Berliner Leibgerichte sind: Grüne Erbsensuppe mit Speck, Löffelerbsen mit Speck oder Spitzbein, die Berliner Schlachtplatte, bestehend aus frischer Blut- und Leberwurst sowie Wellfleisch und Schweinsniere, gebackene Leber mit Apfelringen, Karbonade mit Mischgemüse, Schweinekamm auf Berliner Art, Schweinebauch mit Möhren, gekrustete Schweinskeule mit Rotkohl, Ochsenschwanz mit Teltower Rübchen, Rinderbrust mit Meerrettichsoße, Bollenfleisch (Bollen = Zwiebeln), ein traditionelles Gericht mit gewürfeltem Lamm- oder Hammelfleisch und Zwiebeln, Bratwurst in Bier und Brühkartoffeln mit pikanten Beilagen. Auch Hackepeter vom Schwein (Schweinemett mit Zwiebeln und Petersilie), die Bockwurst und der Kasseler Rippenspeer (nicht aus Kassel, sondern vom Metzgermeister Casel erfunden) sind typische Berliner Gerichte. Ein beliebtes Geflügel ist die Gans, als gebratene Martinsgans, Gänseklein grün oder Gänsepökelkeule serviert.

Buletten und andere Imbißarten

In vielen Berliner Eckkneipen gibt es als Imbiß zum Bier Rollmöpse, Bratheringe und kalte Buletten mit Senf, saure Gurken und Soleier. Favorit an Imbißständen ist das türkische Döner Kebab, das der Currywurst – eine Berliner Erfindung – den Rang abgelaufen hat (→ s. *Baedeker Special* S. 302).

Fischspezialitäten

Die Havel und die Seen der Umgebung lieferten einst gute Fische. Heute kommen Süßwasserfische überwiegend aus Polen. Bekannte Berliner Fischgerichte sind Aal grün oder Hecht grün, mit Gurkensalat auf Spreewälder Art zubereitet; ferner Brathecht mit Specksalat, Karpfen, Plötzen, Barsch in Bier, Schleie in Dillsoße, Havelzander und nicht zuletzt Krebse auf Berliner Art. Berliner Speckhecht ist eine Köstlichkeit aus der alten Berliner Küche, sehr gut als Auflauf mit Sauerkraut, Äpfeln und Austern. Matjesheringe mit grünen Bohnen sind eine Berliner Meeresfischspezialität.

Stippe (Soße)

Die Soße wird in Berlin als 'Stippe' bezeichnet; die Beamtenstippe, eine würzige, sättigende Specksoße zu Quetschkartoffeln (Kartoffelpüree) und weichgekochten Eiern, ist eine Alt-Berliner Spezialität.

Essen und Trinken (Fortsetzung)
Rote Grütze

Ein leckeres Dessert ist die Rote Grütze, ein Gericht aus gequollenem Reis-, Kartoffel-, Maismehl, Grieß, Sago, rotem Fruchtsaft oder Fruchtmus und Zucker, das meist mit Vanillesoße, aber auch mit Milch oder Rahm serviert wird.

Backwaren

Bekannte Berliner Backwaren sind die turmförmigen Baumkuchen, der Streuselkuchen, die feine gelbe Sandtorte, die Spritzkuchen, die schlagsahnegefüllten Windbeutel und die marmeladegefüllten Pfannkuchen (Krapfen), die als 'Berliner' in ganz Deutschland verkauft werden. Wer ein Brötchen will, bestelle eine 'Schrippe' (aus Weißmehl) oder einen 'Schusterjungen' (aus Weiß- und Roggenmehl).

Getränke

Bier

Bei den Getränken ist an erster Stelle das Bier zu nennen. "Bier ist das Beste für unser Klima", verkündete schon der Soldatenkönig Friedrich Wilhelm I., der in seinem Tabakskollegium zur Pfeife nur Bier als Getränk reichte und seinen Sohn, den späteren Friedrich den Großen, das Brauerhandwerk lernen ließ.
Drei große Brauereien (Schultheiß, Berliner Kindl, Engelhardt) brauen überwiegend fein gehopfte Biere der Pilsener Art, daneben auch stärkere Bockbiere, deren Tradition seit langem in Berlin gepflegt wird. In der Kneipe trinkt man kein 'Glas' Bier, sondern eine 'Molle'.

Berliner Weiße

Eine echte Berliner Bierspezialität ist die Weiße, ein mildes, in der Flasche gereiftes Weizenschankbier. Man trinkt es aus großen Schalen entweder pur (dann allerdings schmeckt es etwas fade), meist jedoch 'mit Schuß', d. h. mit etwas Himbeer- oder Waldmeistersirup (und dann mit Strohhalmen). Die Berliner Weiße ist vor allem im Sommer ein köstliches Erfrischungsgetränk.
Außer einem Bier gehört zu den Schweinegerichten meist ein Berliner Kümmel oder ein Korn, im Volksmund als 'Strippe' bezeichnet.

Fahrradverleih

ADFC Berlin

Eine Liste Berliner Fahrradverleihe ist erhältlich beim
ADFC Berlin / Allgemeiner Deutscher Fahrrad-Club
Landesverband Berlin
Brunnenstr. 28, D-10119 Berlin
Tel. 4 48 47 24, Fax 44 34 05 20

Hinweis

Die angeführten Stellen verleihen Fahrräder nur gegen Vorlage eines gültigen Ausweises.

Fahrradverleih

Fahrradstation (auch geführte Stadtrundfahrten und Rikschafahrten)
Hackesche Höfe / Rosenthalerstr. 40 / 41, D-10178 Berlin (Mitte), Tel. 28 38 48 48; weitere Stationen Auguststr. 29 (Mitte), Tel. 28 59 96 61; Bergmannstr. 9 (Kreuzberg), Tel. 2 15 15 66
Quo Radis
Tegeler Weg 105, D-10589 Berlin (Charlottenburg), Tel. 3 44 36 15
Mietzner Fahrrad GmbH
Hagelberger Str. 53, D-10965 Berlin (Kreuzberg), Tel. 7 85 94 88
Nouri Rikscha OHG
Wrangelstr. 23 D-10997 Berlin (Kreuzberg), Tel. 4 02 36 85
VeloB
Gipsstr. 7, D-10119 Berlin (Mitte), Tel. 28 39 08 09
Velo Taxi
Saarbrücker Str. 21, D-10405 Berlin (Prenzlauer Berg), Tel. 44 35 89 90 (Rikschaverleih)

Fahrradverleih (Fortsetzung)

Ostrad GmbH
Greifswalder Str. 9, D-10405 Berlin (Prenzlauer Berg), Tel. 4 25 96 95
(auch Liegeräder im Angebot)
Motor- und Radsport
Groß-Ziehtener-Str. 2, D-12309 Berlin (Lichtenrade), Tel. 7 45 80 98
(auch Vermietung von Tandems und Rikschas)
City Rad Potsdam
Fahrradstation am Bahnhof Potsdam Stadt, D-14473 Potsdam
Tel. und Fax (03 31) 61 90 52; im Winter (03 31) 2 80 05 95

Fahrradtransport

Über 'Fahrrad am Bahnhof' – Ausleihmöglichkeiten von Fahrrädern an DB-Bahnhöfen – informiert die Reiseauskunft der Deutschen Bahn (→ Bahnhöfe). Hinweise über Fahrradtransport in Schnellbahnen erteilen die BVG (→ Verkehrsmittel).

Flugverkehr

Flughäfen

Bedingt durch die Teilung besitzt Berlin zwei große Flughäfen: Berlin-Tegel (Flughafen Otto Lilienthal) im Nordwesten und Berlin-Schönefeld im Südosten der Stadt. Über den Flughafen Tegel laufen neben den innerdeutschen Flugverbindungen vor allem die internationalen Flüge nach Westeuropa und den USA, während Schönefeld den Verkehr mit dem Osten und Südosten Europas, dem Nahen Osten und Asien abwickelt. Zudem ist Schönefeld ein wichtiger Standort für den Charterflugverkehr. Der alte Zentralflughafen Berlin-Tempelhof im Herzen der Stadt ist für den regionalen Flugverkehr von Bedeutung. Planungen für einen gigantischen Großflughafen im Süden Berlins sind in der Zwischenzeit zugunsten des Ausbaus von Schönefeld aufgegeben worden.

Flughafen Berlin-Tegel (Flughafen Otto Lilienthal; TXL)

Der Flughafen Tegel (Flughafen Otto Lilienthal) befindet sich im nördlichen Bezirk Reinickendorf (ungefähr 8 km außerhalb vom westlichen und 8 km vom östlichen Bereich der Innenstadt entfernt).
Flughafeninformation: Tel. 0 18 05 / 0 00 18

Flughafenzubringer

Die Buslinie JetExpress TXL verbindet das Regierungsviertel (Ecke Unter den Linden / Friedrichstraße) werktags im 10-Minuten-Takt, an Wochenenden alle 20 Minuten mit Tegel. Die Linie 109 fährt von der Budapester Straße über Bahnhof Zoologischer Garten, S-Bahnhof Charlottenburg und U-Bahnhof Jakob-Kaiser-Platz nach Tegel, Flugsteig 7 / 8 (ca. 30 Minuten). Linie 128 stellt in 25 Minuten die Verbindung vom S-Bahnhof Wilhelmsruh über U-Bahnhof Residenzstraße und U-Bahnhof Kurt-Schumacher-Platz zum Flughafen Tegel her. Der Expreßbus X 9 fährt in ungefähr 30 Minuten von der Kurfürstenstraße zum Flughafen Tegel.

Flughafen Berlin-Schönefeld (SXF)

Der Flughafen Schönefeld liegt südlich von Neukölln und Treptow, ungefähr 22 km außerhalb vom westlichen und etwa 18 km vom östlichen Bereich der Innenstadt entfernt.
Flughafeninformation: Tel. 0 18 05 / 0 00 18

Flughafenzubringer

Flughafenzubringer: AirportExpress ab Bahnhof Zoo über Bahnhof Alexanderplatz und Ostbahnhof bis Bahnhof Flughafen Berlin-Schönefeld; S 9 und S 45 bis S-Bahnhof Schönefeld, von dort weiter mit Buslinie 171; U 7 bis U-Bahnhof Rudow, von dort ebenfalls mit Buslinie 171 weiter zum Flughafengebäude.

Flughafen Berlin-Tempelhof (THF)

Der Flughafen Tempelhof liegt südlich inmitten des Stadtgebietes im Bezirk Tempelhof an der Grenze zum Bezirk Kreuzberg.
Flughafeninformation: Tel. 0 18 05 / 0 00 18

Flughafenzubringer

Flughafenzubringer: U 6 bis U-Bahnhof Platz der Luftbrücke; vom Kurfürstendamm mit Buslinie 119.

Fluggesellschaften

Lufthansa City Center, Friedrichstr. 185 - 190, Tel. 20 39 19 12
Lufthansa City Center, Kurfürstendamm 220, Tel. 88 75-0
LH-Info Tegel, Tel. 88 75 61 27; Schönefeld, Tel. 88 75 63 33
Reservierung: Tel. 88 75 88 und (0 18 03) 80 83 03

Lufthansa bundeseinheitl. Reservierung: Tel. 01 80 / 5 58 58

Tauentzienstr. 16 (Eingang Marburger Straße), Tel. 0 18 05 / 23 57 00;
Informationen am Flughafen Tegel bei Swissair bzw. Sabena

Lufthansa bundeseinheitl. Reservierung: Tel. 01 80 / 5 58 58

Austrian Airlines

Kurfürstendamm 206, 3. Stock, Tel. 8 83 90 01–03
Am Flughafen Tempelhof bei Sabena, Haupthalle, Tel. 0 18 05 / 25 85 75
Am Flughafen Tegel: Tel. 41 01 26 15 / 16

Swissair

Fundbüros

Polizei

Zentrales Fundbüro, Tempelhof,
Platz der Luftbrücke 6, D-12101 Berlin, Tel. 69 95

BVG

Fundbüro der Berliner Verkehrs-Betriebe (BVG), Charlottenburg,
Fraunhoferstr. 33, D-10587 Berlin, Tel. 25 62 30 40

DB

Fundbüro der Deutschen Bahn AG, Flughafen Berlin-Schönefeld,
Mittelstr. 20, D-12527 Berlin, Tel. 29 72 96 12

Galerien

Auswahl

Ägyptischer Kunsthandel, Kaiser-Friedrich-Str. 4 A, Tel. 3 41 12 70
Antikgalerie Stücker, Goethestr. 81, Tel. 3 12 75 48
Gemälde und Biedermeiermöbel
Antikgalerie G. Winkelmann, Hindenburgdamm 52, Tel. 8 34 34 79
Porzellan, Glas, Gemälde und Graphik des 19. und 20. Jh.s
Art Galerie Richter, Kurfürstendamm 188, Tel. 8 83 60 60 66
Moderne Kunst, Originale, Graphik, Skulpturen; ständige Hundertwasser-Ausstellung, Christo und andere Künstler; Rahmenservice
Gerda Bassange, Erdener Str. 5a, Tel. 8 92 90 13 und 8 91 29 09
Moderne Kunst, dekorative Graphik; Kunst- und Buchauktionen
Berliner-Bilder-Zentrum, Markelstr. 58 / Nähe Schloßstraße, Tel. 7 92 73 59
Kunsthaus mit sechs Fachabteilungen, u. a. für Originale und Kunst auf Papier sowie Einrahmungen
Daadgalerie, Kurfürstenstr. 58, Tel. 2 61 36 40
DAAD-Künstlerprogramm
André-Anselm Dreher, Pfalzburger Str. 80, Tel. 8 83 52 49
Gegenwartskunst
Droysen Keramikgalerie, Babelsberger Str. 5, Tel. 8 53 20 93
Galerie der Berliner Graphikpresse und bibliophiles Antiquariat, Brunnenstr. 165, Tel. 2 81 81 06
Galerie of Modern Art, Kantstr. 41, Tel. 3 13 45 64
u. a. Kunstdrucke und Lithografien
Galerie S, Maximilianstr. 12 A, Tel. und Fax 4 72 38 25
Originalkunst und Drucke; Bilderrahmen und Galerieschienen
Gärtner, Uhlandstr. 20, Tel. und Fax 8 83 53 85
Berlin-Motive, Bilder, zeitgenössische Graphik und Skulpturen, Kupferstiche; Einrahmungen, Bilderschienen
Ikonengalerie, Kurfürstendamm 59/60, Eingang Leibnizstraße, Tel. 3 23 70 07
Größte Auswahl an Ikonen in Deutschland
Koch Antiquariat Berlin, Kurfürstendamm 216, Tel. 8 82 63 60
Alte Stiche, Stadtansichten, viele Berlin-Stiche, Landkarten, Bücher

Galerien (Fortsetzung)

Kunstgalerie Süd, Mariendorfer Damm 432, Tel. 73 42 72 68
Hochwertige Ölgemälde, Radierungen, Lithographien, Aquarelle, Kunstdrucke; auch Einrahmungen und Spannen von Gobelins
Ladengalerie, Kurfürstendamm 64, Tel. 8 81 42 14
Bildhauerarbeiten jüngerer Berliner Künstler
Ludwig Lange, Wielandstr. 26 (am Ku'damm), Tel. 8 81 29 26
Deutsche Plastik des 19. und 20. Jh.s
Nesic, Milan, Pfalzburger Str. 76, Tel. 8 82 28 03
Naive und realistische Malerei
New Art Gallery, Kantstr. 13, Tel. 3 12 41 86
Unikate und Atelierporzellan der Meissner Porzellan-Manufaktur
Nierendorf, Hardenbergstr. 19, Tel. 8 32 50 13
Klassische Moderne, Expressionismus, Neue Sachlichkeit
Pels-Leusden, Villa Grisebach, Fasanenstr. 25, Tel. 88 59 15-0
Klassische Moderne bis zur Gegenwart
Plickert, Schloßstr. 49, Tel. 7 91 54 75
Gemälde des 19. und 20. Jh.s, Radierungen, Aquarelle; Einrahmungen und Restaurierungen
Eva Poll, Lützowplatz 7, Tel. 2 61 70 91
Berliner Realisten
Walter Schüler, Kurfürstendamm 51, Tel. 8 81 63 61
Gegenwartsmalerei
Gisela Selbert-Philippen, Giesebrechtstr. 15, Tel. 8 83 64 46
Internationale moderne Goldschmiedekunst
Treykorn, Savignyplatz 13 (Passage), Tel. 3 12 42 75
Galerie und Werkstatt für modernen Schmuck
Reinhard Wolff Kunsthandlung, Lietzenburger Str. 92, Tel. 8 82 28 08
Graphik, Gemälde; Rahmen

Geld

Banken und Wechselstuben mit verlängerten Öffnungszeiten

Berliner Bank im Flughafen Tegel, Tel. 4 13 50 49
Geöffnet: tgl. 8.00 – 22.00 Uhr

Wechselstube im Bahnhof Zoo, Deutsche Verkehrsbank, Tel. 8 81 71 17
Geöffnet: Mo. – Sa. 7.30 – 22.00, So. u. Fei. 8.00 – 19.00 Uhr

Wechselstube im Ostbahnhof, Deutsche Verkehrsbank, Tel. 4 26 70 29
Geöffnet: Mo. – Fr. 7.00 – 22.00, Sa. 7.00 – 18.00, So. 8.00 – 16.00 Uhr

Geldautomaten

Mit der ec-Karte oder mit Kreditkarte zu bedienende Geldautomaten sind in genügender Zahl über das ganze Stadtgebiet verteilt.

Verlust von Eurocheques und Scheckkarten

Bei Verlust von Eurocheques und / oder Scheckkarten alarmiere man zur sofortigen Sperrung unverzüglich den rund um die Uhr erreichbaren Zentralen Annahmedienst für Verlustmeldungen von Eurocheque-Karten in Frankfurt am Main: Tel. 0 18 05 / 021 021.

Kreditkarten

Die gängigen Kreditkarten werden von vielen Geschäften, Restaurants, Hotels etc. akzeptiert.

Hotels

Allgemeines

Die Berliner Hotellerie verfügt über eine Vielzahl ausgezeichnet geführter Häuser, und auch wer mit einem schmaleren Reiseetat auszukommen hat, findet in den vielen Pensionen eine günstige Unterkunft. Allerdings muß, wer keine Abstriche machen will, mit einem Übernachtungspreis von mindestens 130 bis 150 DM (70 – 80 €) rechnen.

Hotelverzeichnis
Zimmernachweis

Hotelverzeichnisse erhält man über Berlin-Hotline Tel. 030 / 25 00 25 und bei den Berlin-Touristen-Informationsbüros (→ Auskunft).
Online-Buchungen von Hotels sind u.a. möglich unter www.berlin.de/home/TouristCenter/Unterkunft (mit Hotelverzeichnis) und unter www. bettenboerse-berlin.de.

Klassifizierung

Die in der nachstehenden Klassifizierung angegebenen Preise sind Durchschnittspreise für ein Doppelzimmer. In der Regel ist ein Frühstück enthalten; es kann jedoch durchaus – vor allem in Häusern der höheren Kategorie – vorkommen, daß das Frühstück extra bezahlt werden muß. Bei vielen Hotels lohnt sich die Nachfrage nach günstigeren Gruppen- und Wochenendarrangements.

5 Sterne: Luxushotels	ab 400 DM / 200 € (L / LL)
4 Sterne: sehr gute Hotels	200 DM – 450 DM / 100 – 130 €(A)
3 Sterne: gute Hotels	100 DM – 200 DM / 50 – 100 € (B)
ohne Sterne: einfache Hotels und Pensionen	unter 100 DM / 50 € C)

Hotelauswahl

Nahe dem Kurfürstendamm und dem Bahnhof Zoologischer Garten

*Grand Hotel Esplanade, (L), Lützowufer 15, D-10785 Berlin,
Tel. 2 54 78-0, Fax 2 65 11 71, 369 Komfortzimmer, 16 Penthouse Studios mit eigener Terrasse, 17 Suiten (z. T. mit Sauna und Whirlpool; die Grand Suite auch mit Terrasse), Schwimmbad
Nur wenige Gehminuten vom Kurfürstendamm entfernt befindet sich das zu den Leading Hotels of the World zählende, im schlicht-eleganten Designerstil mit zeitgenössischer Kunst ausgestattete Luxushotel mit Badelandschaft. Gourmetrestaurant Harlekin, gemütlich-rustikale Eckkneipe mit deftiger Küche, beliebter Treffpunkt Harry's New-York Bar. An der Hotelanlegestelle das exklusive Restaurant- und Tagungsschiff Esplanade.

*Inter · Continental Berlin, (L), Budapester Str. 2, D-10787 Berlin,
Tel. 26 02-0, Fax 2 60 28 07 60, 658 Z., Schwimmbad
Luxus auf hohem internationalen Niveau in angenehmem Ambiente erwartet den Gast hinter der schachbrettgemusterten Fassade. Das Gourmetrestaurant Zum Hugenotten zählt zu den Top Ten in Berlin. Im L. A. Café wird kalifornische Küche serviert. Die Marlene Bar im Stil der 30er Jahre mit täglichen Live-Auftritten ist beliebter Treffpunkt für Hotel- und Nichthotelgäste. Auch für Konferenzen und Veranstaltungen bietet das Hotel den idealen Rahmen.

*Kempinski Hotel Bristol Berlin, (L), Kurfürstendamm 27, D-10719 Berlin,
Tel. 8 84 34-0, Fax 8 83 60 75, 315 Z. (inkl. 52 Luxussuiten), Schwimmbad
Das traditionsreiche Spitzenhotel, in dem viele prominente Gäste logierten (u. a. die Filmschauspieler John Wayne, Peter Ustinov, Kirk Douglas; die Politiker Theodor Heuss, Ludwig Erhard und Willy Brandt), gehört ebenfalls zu den Leading Hotels of the World. Fitneßbereich u. a. mit griechisch-römisch gestyltem Pool, auch Massage und Kosmetikbehandlung.
Im Kempinski Restaurant internationale Küche, im Kempinski-Eck unmittelbar am Ku'damm neben der aktuellen Karte auch Business-Lunch; im So. u. a. Kaffee und Kuchen auf der Terrasse. Elegante Boutiquen neben dem Haupteingang. Business Center. Kinderprogramme.

Palace Berlin, (L), Im Europa-Center, D-10789 Berlin, Tel. 25 02-0,
Fax 25 02-1778, 321 Z. (inkl. Suiten)
Das zentral gelegene, elegant eingerichtete Luxushotel, das ebenfalls schon viele prominente Gäste (z. B. Harald Juhnke, Julia Roberts, John Travolta; Helmut Kohl, Hans-Dietrich Genscher) empfing oder beherbergte, ist auch Veranstaltungsort des Abschlußballes der Berliner Filmfestspiele. Gourmetrestaurant First Floor mit klassischer deutscher und internationaler Küche; im fränkischen Restaurant Alt Nürnberg deutsche Küche; Café-

Das Kempinski am Kurfürstendamm ist eines der traditionsreichsten und renommiertesten Häuser der Stadt. Wann immer Prominenz nach Berlin kommt, steigt sie gerne hier ab.

Hotelauswahl (Fortsetzung)

Bistro Tiffany's mit kleineren Gerichten. Täglich Live-Musik in Sam's Bar. Freier Eintritt in die Thermen am Europa-Center.

*Steigenberger Berlin, (L), Los-Angeles-Platz 1, D-10746 Berlin, Tel. 21 27-0 oder zum Nulltarif über die Reservierungszentrale (01 30) 44 00, Fax 2 12 71 17, 397 Z. inkl. 11 Suiten, Schwimmbad
Das repräsentative Domizil liegt unweit der Gedächtniskirche und des Ku'damms und doch ruhig am grünen Los-Angeles-Platz. Parkrestaurant im 1. Stock, Berliner Stube mit leichten Gerichten und Klassikern der Berliner Küche; Pianobar, in der abends u. a. Stars auftreten und die tagsüber als Hallencafé mit Sommerterrasse dient.

Berlin Excelsior Hotel (Blue Band Hotel), (A), Hardenbergstr. 14, D-10623 Berlin, Tel. 31 55-0, Fax 31 55-10 02, 320 Z.
Unweit von Gedächtniskirche und Bahnhof Zoologischer Garten liegt das Vier-Sterne-Hotel mit gemütlich und komfortabel ausgestatteten Zimmern sowie drei luxuriösen Suiten mit eigener Dachterrasse in der 8. Etage. Restaurant Peacock Garden mit internationalen und original Berliner und Brandenburger Spezialitäten, Store House Grill (separater Eingang) mit original Louisiana-Küche bei Klängen aus dem Süden der USA, Spezialitäten sind Steak- und Fischgerichte auf dem Lavasteingrill.

*Savoy, (A), Fasanenstr. 9 – 10, D-10623 Berlin, Tel. 31 10 30, Fax 31 10 33 33, 105 Z. inkl. 20 Suiten
Das Hotel, das bis zum Jahre 1952 britisches Hauptquartier war, bietet neben dem Komfort der heutigen Zeit traditionelle Gastlichkeit. Die Zimmer und Bäder sind geschmackvoll eingerichtet; luxuriöse Suiten und Appartements in der Beletage. Im renommierten First-Class-Restaurant Belle Epoque wird neue leichte Küche serviert.

Hotelauswahl (Fortsetzung)

Schweizerhof Inter·Continental, (A), Budapester Str. 21 – 31, D-10787 Berlin, Tel. 26 96-0, Fax 2 69 69 00, 430 Zimmer und Suiten, Schwimmbad
Das Hotel mit seinen geschmackvoll eingerichteten Zimmern, der großen Schwimmbadanlage, Restaurants und Bars, Grill (schweizer und deutsche Küche) und gemütlichem Faßbierstübli zählt zu den beliebtesten Unterkünften der Stadt.

*Seehof Berlin, (A), Lietzensee-Ufer 11, D-14057 Berlin, Tel. 3 20 02-0, Fax 3 20 02-251, 77 Z., Schwimmbad
In dem zwischen Kurfürstendamm und Kaiserdamm, unweit von ICC und Messe, idyllisch am Lietzensee gelegenen Privathotel mit elegant eingerichteten Zimmern mit Seeblick waren schon viele berühmte Persönlichkeiten wie Josephine Baker, Ephraim Kishon, Walter Scheel und Peter Ustinov zu Gast. Im Restaurant au Lac Spezialitäten aus aller Welt, besonders zu loben die Fischgerichte. Im Sommer ist die romantische Seeterrasse beliebter Treffpunkt zum Entspannen bei hausgemachtem Kuchen.

*Bleibtreu, (B), Bleibtreustr. 31, D-10707 Berlin, Tel. 8 84 74-0, Fax 8 84 74-444, 60 Z.
Das in den Mauern eines alten großbürgerlichen Stadthauses entstandene Hotel, das Schwerpunkte auf italienisches Design, Kunst und gesundes Wohlbefinden setzt, verfügt u. a. über einen Wellness-Bereich, eine Bar, ein Feinkost- sowie ein Blumengeschäft. Die Küche des Restaurants 31 verwendet biologische Produkte aus der Region.

Bogota, (B) Schlüterstr. 45, D-10707 Berlin, Tel. 8 81 50 01, Fax 8 83 58 87, 130 Z.
Gemütliche und komfortable Unterkunft, in dieser Lage – nahe Kantstraße und Savignyplatz – auch durchaus preisgünstig.

Fasanenhaus, (C), Fasanenstr. 73, D-10719 Berlin, Tel. 8 81 67 13, Fax 8 82 39 47, 16 Z.
Günstige Hotelpension in Charlottenburg.

Modena, (C), Wielandstr. 26, D-10707 Berlin, Tel. 8 85 70 10, Fax 8 81 52 94, 16 Z.
Kleines, preisgünstiges Haus in Ku'damm-Nähe.

Bezirk Mitte

*Adlon Kempinski Berlin, (LL), Am Brandenburger Tor / Pariser Platz, D-10117 Berlin, Tel. 22 61-0, Fax 22 61 22 22, 286 Z.
Das traditionsreichste und berühmteste Haus Berlins, in dem einst mit Enrico Caruso, Zar Nikolaus von Rußland, Albert Einstein oder Thomas Alva Edison "die große Welt zu Gast war", ist 1997 nach Neuaufbau hinter der althergebrachten Sandsteinfassade wiedereröffnet worden, u. a. mit Restaurant / Bistro, American Bar, Club Bar und zwei Wintergärten, Business Center, 12 Geschäften und Boutiquen mit Friseur und Florist sowie Beauty Wellness Center. Um höchsten Ansprüchen zu genügen, wurden renommierte internationale Designer und Innenarchitekten für die Ausstattung des Hotels gewonnen. Beeindruckend die handgefertigte Kuppel aus farbigem, mit Goldmosaik eingefaßtem Glas über der zweigeschossigen Eingangshalle oder die mit Blattgold belegte Stuckdecke über der Bar in der Lobby.

*Grand Hotel Berlin (Westin), (L), Friedrichstr. 158 – 164, D-10117 Berlin, Tel. 20 27-0, Fax 20 27-33 62, 358 Z. und Appartements, Schwimmbad
Hier vereinigt sich harmonisch großzügige Eleganz Altberliner Hotelkultur mit modernstem Komfort auf höchstem Niveau; beeindruckend die prächtige, imposante Hotelhalle mit mehreren Galerien. Foyer-Bar Pfauenauge und Club-Salon Diana. Pool- und Fitneßbereich auch für Nichthotelgäste. Das Gourmetrestaurant Coelln und vier weitere gastronomische Einrichtungen stehen auch Nichthotelgästen offen: Zur Goldenen Gans ist ein Thüringer Spezialitätenrestaurant, der Bierclub Stammhaus serviert rusti-

Das legendäre Hotel Adlon am Pariser Platz ist wieder da und empfängt seine Gäste in der eleganten Lobby.

kale Küche und natürlich viele Biersorten, im Forellenquintett kommt Fisch frisch auf den Tisch, im Café Bauer mit Live-Musik von Fr. – So. kann man dem Konditoreimeister bei der Arbeit zusehen.

*Berlin Hilton (ehem. Domhotel), (L), Mohrenstr. 30, D-10117 Berlin, Tel. 20 23-0, Fax 20 23-42 69, 502 Z. inkl. 42 Suiten, Schwimmbad
Das Hotel bietet alle Annehmlichkeiten eines internationalen Hauses dieser Klasse, u. a. auch Fitneßcenter und Bowling, auf Wunsch Kinderbetreuung. Vom eleganten Restaurant La Coupole mit kreativer regionaler und internationaler Küche herrlicher Blick auf den Gendarmenmarkt.

Alexander Plaza (A), Rosenstr. 1, D-10178 Berlin, Tel. 24 00 10, Fax 24 00 17 77, 83 Z., 9 Suiten
Neues Haus in altem Gewand: Das Alexander ist im 1897 – 1900 vom Pelzhändler Siegfried Abrahamson errichteten Geschäftshaus eingerichtet, in dem später die Uhrenfabrik Dugena gegründet wurde. Die Zimmer sind auf dem neuesten Aussttattungsstand; unschlagbare Lage gegenüber den Hackeschen Höfen.

Bezirk Tiergarten

Berlin (Blue Band Hotels), (A), Lützowplatz 17, D-10785 Berlin, Tel. 26 05-0, Fax 26 05-27 16, A, 701 Z.
Das im künftigen Regierungs- und Diplomatenviertel am Lützowplatz gelegene Hotel verfügt über modern eingerichtete Zimmer und Suiten sowie einen Beauty- und Fitnessbereich.

Bezirk Wilmersdorf

Brandenburger Hof, (L), Eislebener Str. 14, D-10789 Berlin, Tel. 2 14 05-0, Fax 2 14 05-100, 87 Z.
Das zentral, doch ruhig gelegene, zur Kette der Relais & Châteaux zählende Privathotel befindet sich in einem klassischen wilhelminischen Stadtpalast der Jahrhundertwende; im Gegensatz dazu sind die Zimmer im Bau-

hausdesign eingerichtet und mit handsignierten Originalgraphiken ausgestattet. Kultureller Treffpunkt mit Kunstausstellungen, Modegalas, Dichterlesungen u. a. ist das Restaurant Wintergarten.

Hotelauswahl (Fortsetzung)

Gold Hotel am Wismarplatz, (B), Weserstr. 24, D-10247 Berlin,
Tel. 29 33 41-0, Fax 29 33 41 10, 39 Z.
Kleineres, sehr gut ausgestattetes und ruhiges Mittelklassehotel nicht allzu weit vom Alexanderplatz.

Bezirk Friedrichshain

Estrel Residence Congress Hotel, (B), Sonnenallee 225, D-12057 Berlin,
Tel. 6 83 10, Fax 68 31 23 45, 1125 Z.
Zwar etwas ab vom Schuß, dafür ein supermodernes Haus mit riesigem Atrium und allen Möglichkeiten für Tagungen, Fitneß, mehreren Restaurants und Bars sowie einem herausragenden Showprogramm nach Las-Vegas-Art – Deutschlands größtes Hotel.

Bezirk Treptow

Sorat Humboldt Mühle, (B), An der Mühle 5 – 9, D-13507 Berlin,
Tel. 43 90 40, Fax 43 90 44 44, 118 Z.
Sehr originelles Haus der kunstbewanderten Sorat-Gruppe, direkt am Tegeler See in einem alten Hafenspeicher eingerichtet – genau das Richtige für sportliche Gäste, die unter vielen Möglichkeiten zur Ertüchtigung aussuchen können. Spritztouren auf dem See werden mit dem hoteleigenen Motorboot gemacht.

Am Tegeler See

Schloßhotel Vier Jahreszeiten, (LL), Brahmsstr. 10, D-14193 Berlin,
Tel. 8 95 84-0, Fax 8 95 84-800, 40 Deluxe-Zimmer, 12 Suiten, Schwimmbad
Das 1912 – 1914 ursprünglich als Pracht-Palais für den Anwalt Kaiser Wilhelm II. erbaute Haus liegt unweit von Zentrum, Messegelände und Flughafen. In wilhelminische Zeit versetzen der Anblick der über zwei Stockwerke reichenden Halle in italienischem Renaissancestil mit ihrer neoklassizistischen Kassettendecke, die Gemäldegalerie und die kostbare Bibliothek mit der handgemalten Decke. An der Innengestaltung hat Karl Lagerfeld mitgewirkt. Spielplatz im Garten, Kinderbetreuung, Fitneßbereich, Beauty-Salon, Gourmetrestaurant – luxuriöser geht es kaum.

Im Grunewald

Frauenhotel Artemisia, (B), Brandenburgische Str. 18, D-10707 Berlin,
Tel. 8 73 89 05, Fax 8 61 86 53, 13 B.
Das in der 4. und 5. Etage eines Wohnhauses der Jahrhundertwende gelegene Hotel steht nur weiblichen Gästen offen. Alle Zimmer, hell und sehr geschmackvoll eingerichtet, sind dekoriert mit Bildern berühmter Frauen der Berliner Geschichte; schöner Blick von der Dachterrasse.

Frauenhotel

Schloßhotel Cecilienhof, (A), Neuer Garten, D-14469 Potsdam,
Tel. (03 31) 37 05-0, Fax 29 24 98, 43 Z., 3 Suiten
Übernachten an historischem Ort: Das um 1900 für die Schwiegertochter Cecilie von Kaiser Wilhelm II. im englischen Landhausstil errichtete und durch die Potsdamer Konferenz 1945 berühmt gewordene, in einem schönen Park an der Havel gelegene Schloßhotel verfügt über stilvoll eingerichtete Zimmer. Im festlichen Restaurant mit Terrasse beim Blumenrondell werden vorzügliche brandenburgische und internationale Spezialitäten der Saison sowie Kuchen und Torten aus der hauseigenen Konditorei serviert.

Hotelempfehlung für einen Ausflug nach Potsdam

→ Behindertenhilfe

Behindertenhotel

Jugendunterkünfte

Deutsches Jugendherbergswerk Landesverband Berlin-Brandenburg
Tempelhofer Ufer 32, D-10963 Berlin
Tel. 26 49 52-0, Fax 2 62 04 37
Geöffnet: Mo., Mi., Fr. 10.00 – 16.00, Di., Do. 13.00 – 18.00 Uhr

DJH, Auskunft und Anmeldung

Jugendunterkünfte (Fortsetzung) Jugendherbergen des DJH

Jugendgästehaus Berlin, Schöneberg,
Kluckstr. 3, D-10785 Berlin, Tel. 2 61 10 97, Fax 2 65 03 83
Jugendherberge Ernst Reuter, Alt-Tegel,
Hermsdorfer Damm 48–50, D-13467 Berlin, Tel. 4 04 16 10, Fax 4 04 59 72
Jugendgästehaus Am Wannsee, Grunewald,
Badeweg 1, D–14129 Berlin, Tel. 8 03 20 35, Fax 8 03 59 08

Weitere Jugendunterkünfte

CVJM-Haus, Schöneberg,
Einemstr. 10, D-10787 Berlin
Jugendhotel Berlin, Charlottenburg,
Kaiserdamm 3, D-14057 Berlin
Jugendgästehaus Nordufer, Wedding,
Nordufer 28, D-13351 Berlin
Jugendgästehaus Central, Wilmersdorf,
Nikolsburger Str. 2–4, D-10717 Berlin
Jugendgästehaus St.-Michaels-Heim, Charlottenburg
Bismarckallee 23, D-14193 Berlin
Haus Vier Jahreszeiten, Wilmersdorf,
Bundesallee 31a, D-10717 Berlin
Hostel am Flußbad, Köpenick,
Gartenstr. 50, D-12557 Berlin
Internationales Jugendcamp Fließtal und Jugendgästehaus Tegel,
Ziekowstr. 161, D-12163 Berlin
Karl-Renner-Haus, Lichterfelde
Ringstr. 76, D-12205 Berlin
Sportler-Übernachtungsstätte, Kreuzberg,
Adalbertstr. 23b, D-10997 Berlin

Studentenhotels

Studentenhotel, Schöneberg,
Meininger Str. 10, D–10823 Berlin
Studentenhotel Hubertusallee (garni)
Delbrückstr. 24, D–14193 Berlin

Hostel

Backpacker Hostel
Chausseestr. 102, D-10115 Berlin (Mitte), Tel. 28 39 09 65,
Fax 28 39 09 35
70 Gäste können hier in Einzel- oder Mehrbettzimmern sehr günstig übernachten; Selbstverpflegung dank zentraler Küche möglich.

Kinder

Kinderveranstaltungen Kreativkurse

Viele Bezirke haben spezielle Freizeiteinrichtungen, wie im Bezirk Marzahn das Studio der darstellenden Kunst "j.w.d.", Märkische Allee 386, in dem Tanz- und Bewegungskurse für Kinder (und Erwachsene), Puppenspiel und andere Kinderveranstaltungen stattfinden; im Studio der bildenden Kunst "Kreativ", in der Marzahner Promenade 32, können Kinder und Jugendliche an Malerei-, Grafik- und Keramikkursen teilnehmen.

*FEZ Wuhlheide

Ein tolles Freizeitangebot für Kinder bietet das sowohl Einwohnern der Stadt als auch auswärtigen Gästen offenstehende Freizeit- und Erholungszentrum Wuhlheide im Bezirk Köpenick, etwa 20 S-Bahn-Minuten (S 3) außerhalb des Berliner Stadtzentrums mit Bereichen für kreative Selbstbetätigung (u. a. Puppenspiele, Keramik, Fotografie, Modellbau; Computerkurse) sowie Theatersaal, Schwimm- und Sporthalle im FEZ-Palast; ferner auf dem den FEZ-Palast umgebenden Gelände ein Badesee, Schiffsmodellbecken, ein Tropen-Gewächshaus, eine Parkeisenbahn u. v. a. m.
Zunehmend werden auch Kinder- und Jugendfestivals veranstaltet.
Postanschrift:
Freizeit- und Erholungszentrum Wuhlheide, Eichgestell, D-12459 Berlin
Tel. 53 07 15 04, Fax 5 35 32 95

Wasserratten haben sicher viel Spaß im Berliner Luft- und Badeparadies (blub) in Britz oder im Sport- und Erholungszentrum (SEZ) in Friedrichshain; im Sommer laden die Freibäder zum Schwimmen ein (→ Sport).

Kinder (Fortsetzung) Bäder

Im Spreepark Berlin-Treptow (Tel. 6 88 35-0 oder Info-Tel. 68 83 52 60) können Riesenrad, Wildwasserbahn und Loopingbahn ausprobiert oder eine Kinovorstellung besucht werden; auch einige Tiere sind vorhanden.

Freizeitpark

Interessante Abwechslung bieten auch die Kinder- und Jugend- bzw. Puppentheater (→ Theater).

Kinder- und Jugendtheater

→ Zoologischer Garten (Bezirk Tiergarten)
→ Tierpark Friedrichsfelde (Bezirk Lichtenberg)

Zoobesuche

Jugendmuseum Schöneberg (→ S. 292), Kinder- & Jugendmuseum am Prenzlauer Berg (→ S. 292), Labyrinth Kindermuseum (→ S. 292)

Kinder- und Jugendmuseen

Tel. 8 81 18 01 oder
KIDS care, Wildenowstr. 42, D-12203 Berlin,
Tel. 8 54 81 88, Fax 8 25 73 79 (Kinder-Betreuungsservice in Hotels)

Babysitter-Service

Kinos

Die Kinos sind in Berlin momentan noch unterschiedlich verteilt. Während im Westteil der Stadt über 100 Kinos die Besucher anlocken, sind die Lichtspielhäuser im Osten recht dünn gesät.

Hinweis

Vor allem längs des Kurfürstendamms und in seiner Umgebung hat sich eine große Zahl von Premierenkinos angesiedelt, in denen die neuesten Filme zu sehen sind.

Premierenkinos

Das Filmzentrum UCI Zoo-Palast am Bahnhof Zoo, Hardenbergstr. 29A, Tel. 2 54 14-6 und Tel. 2 54 14-777 (Kartenvorbestellungen), ist mit seinen neun Kinosälen Hauptspielort der Berliner Filmfestspiele.

Zoo-Palast

Das Filmtheater Babylon im Bezirk Mitte, Rosa-Luxemburg-Str. 30, Tel. 2 42 50 76, 2 42 59 69 und 2 42 59 74, ist auch architektonisch eine Besonderheit. Es ist das einzige erhaltene Uraufführungskino der Stummfilmzeit, 1928 nach Entwürfen des expressionistischen Architekten Hans Poelzig fertiggestellt. Heute hat sich hier der Verein 'Berliner Filmkunsthaus Babylon' etabliert, der Retrospektiven des deutschen und internationalen Films veranstaltet und dabei u. a. aus dem Fundus des ehemaligen Filmarchivs der DDR schöpft.

Babylon

Das Arsenal-Kino in Schöneberg, Welser Str. 25, Tel. 21 90 01 17, ist ein Programmkino für Freunde des internationalen Kurz- und Avantgardefilms.

Arsenal

Telefonische Ansage für die Premierenkinos am Ku'damm:
A bis K: Tel. 01 15 11; L bis Z: Tel. 01 15 12

Telefonansage

Sowohl im Naturtheater Hasenheide (Volkspark Hasenheide, Tel. 6 21 95 36) mit ca. 1 000 Plätzen als auch auf der Waldbühne (→ Musik), einem Amphitheater für über 20 000 Zuschauer, finden im Sommerhalbjahr Kinovorstellungen statt.

Freiluftkinos
Naturtheater Hasenheide; Waldbühne

Cineasten sollten einen Ausflug nach Potsdam-Babelsberg in die ehemaligen UFA-Studios und in das Potsdamer Filmmuseum im Marstall nicht versäumen. Auskünfte erteilt u. a. die
Babelsberg Studiotour GmbH, August-Bebel-Str. 26 – 53,
D-14482 Potsdam, Tel. (03 31) 7 21 27 55, Fax 7 21 27 37

Potsdam-Babelsberg

Märkte

Wochenmärkte

Markt am Rathaus Schöneberg
Di. und Fr. 8.00 – 13.00 Uhr
An bunten Kiosken und Marktständen werden frisches Obst und knackiges Gemüse, Fleisch und auch Bücher angeboten.

Markt vor dem Roten Rathaus im Bezirk Mitte
Di. 9.00 – 17.00, Sa. 8.00 – 14.00 Uhr
Hier sind u. a. viele Produkte aus Brandenburg zu kaufen.

Winterfeldtplatz in Schöneberg
Mi. und Sa. 8.00 – 13.00 Uhr
Nach ausgiebigem Bummel über den größten Berliner Wochenmarkt sollte man sich mit einem Frühstück in einem der umliegenden Cafés stärken.

Maybachufer in Kreuzberg / Neukölln ('Türkenmarkt')
Di. und Fr. 12.00 – 18.30 Uhr
Exotische Genüsse und wohlriechende Gewürze verbreiten orientalische Atmosphäre am Landwehrkanal.

Markthallen

Marheineke-Markthalle, Marheinekeplatz in Kreuzberg
Mo. – Fr. 8.00 – 18.00, Sa. 8.00 – 13.00 Uhr
Wetterunabhängig läßt es sich hier zwischen einem umfangreichen Warenangebot (von Lebensmitteln bis Schnürsenkeln) bummeln.

Arminius-Markthalle, Arminiusstr. 2 in Tiergarten
Mo. – Fr. 8.00 – 18.00, Sa. 8.00 – 13.00 Uhr
Ebenso umfangreich ist das Angebot in der aus rotem Backstein erbauten, schönen Arminius-Markthalle aus dem Jahre 1891.

An Trödel herrscht kein Mangel in Berlin.

Märkte
(Fortsetzung)
Trödelmärkte

Großer Berliner Trödel- und Kunstmarkt an der Straße des 17. Juni
Nähe S-Bahnhof Tiergarten
Sa. und So. 8.00 – 16.00 Uhr
Das Sortiment reicht von Schellackplatten und Büchern über Militaria, Second-hand-Bekleidung bis zu Möbeln; die Preise sind z. T. recht hoch.

Berliner Antik- und Flohmarkt in den S-Bahn-Bögen 190 – 203,
Friedrichstraße / Georgenstraße
täglich (außer Di.) 11.00 – 18.00 Uhr
Im Angebot (mit z. T. hohen Preisen) sind u. a. neben wertvollen Puppen und Markenteddybären auch nostalgische Emailleschilder.

Flohmarkt auf dem Arkonaplatz am Prenzlauer Berg
So. 10.00 – 16.00 Uhr
Hier findet sich ein Sammelsurium an Objekten; Feilschen ist üblich. Ein Spielplatz für die Kleinsten ist angegliedert.

Berliner Kunst- und Nostalgiemarkt bei der Museumsinsel,
Am Kupfergraben
Sa. und So. 11.00 – 17.00 Uhr
Neben Schnitzwerk aus dem Erzgebirge wird manches Teil aus DDR-Zeiten angeboten.

Mietwagen

Die Niederlassungen der Mietwagenfirmen finden sich an den Flughäfen (→ Flugverkehr) sowie u. a. an der Budapester Straße; sie sind in Deutschland u. a. über ihre zentrale Reservierungsnummer zu erreichen. Außer den genannten großen Firmen gibt es natürlich noch eine Vielzahl kleinerer, auf den gelben Seiten des Telefonbuchs verzeichneter Autoverleihe.

AVIS: Tel. (01 80) 55 77 55
Budget: Tel. (01 80) 24 43 88
Europcar: Tel. (01 30) 5 80 00
Hertz: Tel. (01 80) 33 35 35
National: Tel. (01 80) 82 44 22
Sixt / Budget: Tel. (01 80) 5 25 25 25

Mitwohnzentralen

Mitwohnzentralen, die private Unterkünfte vermitteln, erreicht man unter folgenden Adressen:

Mitwohnzentrale Ku'damm-Eck, Joachimstaler Str. 17, Tel. 1 94 45
Mitwohnzentrale Streicher, Methfesselstr. 23, Tel. 7 86 20 03
Mitwohnzentrale Zeitraum, Horstweg 7, Tel. 3 25 61 81
Frauenmitwohnzentrale Victoria, Tel. 6 91 77 13

Museen und Gedenkstätten

In Berlin findet der Besucher eine Fülle von Museen und Gedenkstätten, die fast jedes Interesse befriedigen. Neben den großen, teilweise weltberühmten Museen existiert eine Vielzahl kleinerer Häuser mit oft ausgefallenen Sammlungsschwerpunkten.
Für viele der wichtigen Museen gewährt die → Touristenkarte ermäßigten Eintritt.

Auskunftsstellen

Museumspädagogik / Besucherdienst
Staatliche Museen zu Berlin – Preußischer Kulturbesitz
In der Halde 1, D-14195 Berlin, Tel. 83 01-465/466

Informationszentrum im Pergamonmuseum
Staatliche Museen zu Berlin – Preußischer Kulturbesitz
Bodestr. 1 – 3, D-10178 Berlin, Tel. 2 03 55-444

Museumspädagogischer Dienst Berlin
Chausseestr. 123, D-10115 Berlin, Tel. 2 82 49 41

Museumsliste

Im Teil "Sehenswürdigkeiten von A bis Z" beschrieben

Ägyptisches Museum und Papyrussammlung → dort
Alliierten-Museum → dort
Alte Nationalgalerie → Museumsinsel
Altes Museum → Museumsinsel
Antikensammlung → Altes Museum, → Pergamonmuseum
Belvedere (Porzellansammlung) → Schloß Charlottenburg
Berlin Museum → Jüdisches Museum · Berlin Museum
Berliner Dorfmuseum Marzahn → Marzahn
Berlinische Galerie → Kreuzberg, Brauerei Schultheiss
Berliner Medizinhistorisches Museum → Charité
Bodemuseum → Museumsinsel
Botanisches Museum → Dahlem
Bröhan-Museum → dort
Brücke-Museum → dort
Dahlem-Museen → Dahlem
Deutsche Guggenheim → Unter den Linden
Deutsches Historisches Museum → Unter den Linden, Zeughaus
Deutsches Rundfunk → Ausstellungs- und Messegelände
Deutsches Technikmuseum → Museum für Verkehr und Technik
Deutsch-Russisches Museum Berlin-Karlshorst → Karlshorst
Dorfmuseum Alt-Marzahn→ Marzahn
Ephraim-Palais → Nikolaiviertel
Filmmuseum → Potsdamer Platz
Forschungs- und Gedenkstätte Normannenstraße → dort
Friseurmuseum → Marzahn
Galerie der Romantik → Schloß Charlottenburg
Gedenkstätte Berliner Mauer → *Baedeker Special* S. 105
Gedenkstätte Deutscher Widerstand → dort
Gedenkstätte Haus der Wannseekonferenz → Wannsee
Gedenkstätte Plötzensee → dort
Gemäldegalerie → Kulturforum, → Museumsinsel
Gründerzeitmuseum → Marzahn
Handwerksmuseum → Marzahn
Hanfmuseum→ Nikolaiviertel
Haus am Checkpoint Charlie → *Baedeker Special* S. 104
Historischer Hafen → Märkisches Ufer
Hugenottenmuseum → Gendarmenmarkt
Jagdmuseum → Grunewald, Jagdschloß Grunewald
Jüdisches Museum → Jüdisches Museum · Berlin Museum
Käthe-Kollwitz-Museum Berlin → Kurfürstendamm
Kindergalerie → Bodemuseum
Knoblauchhaus → Nikolaiviertel
Kunstbibliothek → Kulturforum
Kupferstichkabinett → Kulturforum
Kunstgewerbemuseum → Köpenick, → Kulturforum
Lapidarium am Landwehrkanal → Kreuzberg
Luftwaffenmuseum der Bundeswehr → Flughäfen, Flugplatz Gatow
Märkisches Museum → dort

Museumsliste (Fortsetzung)

Museum Berliner Arbeiterleben → Prenzlauer Berg
Museum der Dinge → Martin-Gropius-Bau
Museum Europäischer Kulturen → Dahlem
Museum für Gegenwart → Hamburger Bahnhof
Museum für Indische Kunst → Dahlem: Dahlem-Museen
Museum für Islamische Kunst → Pergamonmuseum
Museum für Kommunikation → dort
Museum für Naturkunde → dort
Museum für Ostasiatische Kunst → Dahlem: Dahlem-Museen
Museum für Spätantike und Byzantinische Kunst → Bodemuseum
Museum für Verkehr und Technik → dort
Museum für Völkerkunde → Dahlem: Dahlem-Museen
Museum für Vor- und Frühgeschichte → Schloß Charlottenburg
Museum im Gutshaus Dahlem → Dahlem
Museum im Wasserwerk → Müggelsee
Museumsdorf Düppel → dort
Musikinstrumenten-Museum → Kulturforum
Neue Nationalgalerie → Kulturforum
Neues Museum → Museumsinsel
Papyrussammlung → Ägyptisches Museum und Papyrussammlung
Pergamonmuseum → Museumsinsel
Sammlung Hoffmann → Neue Synagoge, Sophienstraße
Sammlung industrielle Gestaltung → Prenzlauer Berg
Schinkelmuseum → Werderscher Markt
Schinkel-Pavillon → Schloß Charlottenburg
Skulpturensammlung → Bodemuseum
Spandovia Sacra → Spandau
Stadtgeschichtliches Museum Spandau → Spandau
The Story of Berlin → Kurfürstendamm
Topographie des Terrors → Prinz-Albrecht-Gelände
Vorderasiatisches Museum → Pergamonmuseum
Waldmuseum mit Waldschule → Grunewald, Jagdschloß Grunewald
Wasserwerk Friedrichshagen → Müggelsee

Weitere Museen

Abgußsammlung antiker Plastik
Schloßstr. 69 b, Tel. 3 42 40 54
Bus: 109, 110, 145, X 21, X 26
Geöffnet: Do. – So. 14.00 – 17.00 Uhr

Anna-Seghers-Gedenkstätte
Anna-Seghers-Str. 81, Tel. 6 77 47 25
S-Bahn: Adlershof (S 6, S 8, S 9, S 45, S 46)
Geöffnet: Di. 9.00 – 12.00 und 14.00 – 19.00, Mi. und Do. bis 17.00 Uhr

Anti-Kriegs-Museum
Müllerstr. 158, Tel. 4 61 89 19 oder 4 02 86 91
U-Bahn: Wedding (U 6) und Leopoldplatz (U 6, U 9); Bus: 120, 248, 328
Geöffnet: tgl. 16.00 – 20.00 Uhr

Arboretum der Humboldt-Universität zu Berlin
Späthstr. 80 / 81, Tel. 6 36 69 41
U-Bahn: Blaschkoallee (U 7), dann Bus: 270
S-Bahn: Baumschulenweg (S 45, S 46), dann Bus: 265, 270
Geöffnet: Anf. April – Ende Okt. Mi., Do., Sa., So. und Fei.
10.00 – 18.00 Uhr

Archenhold-Sternwarte und
Himmelskundliches Museum Treptow
Alt-Treptow 1, Tel. 53 48 08-0
S-Bahn: Plänterwald (S 6, S 8); Bus: 166, 167, 177, 265
Geöffnet: Mi. – So. 14.00 – 16.30 Uhr; Führungen Mi. 18.00, Sa. 15.00 Uhr (Kleinplanetarium) und So. 15.00 Uhr (Sternwarte)

Museen und Gedenkstätten

Museumsliste
(Fortsetzung)

Bankmuseum der Commerzbank
Potsdamer Str. 125, Tel. 26 53 22 2&
U-Bahn: Bülowstr. (U 2); Bus: 119, 148, 348
Geöffnet: Do. 15.30 – 17.30 Uhr

Bauhaus-Archiv Berlin (Museum für Gestaltung)
Klingelhöferstr. 14, Tel. 2 54 00 20
U-Bahn: Nollendorfplatz (U 1, U 15); Bus: 100, 129, 187, 341, X 9
Geöffnet: Mi. – Mo. 10.00 – 17.00 Uhr

Berliner S-Bahn-Museum
S-Bahnhof Griebnitzsee (Potsdam), Tel. 78 70 55 11
S-Bahn: Griebnitzsee (S 3, S 7)
Geöffnet: im Sommer jedes 2. Wochenende im Monat 11.00 – 17.00 Uhr

Berliner Zinnfiguren
Knesebeckstr. 88, Tel. 3 13 08 02
U-Bahn: Uhlandstraße (U 15)
Geöffnet: Mo. – Fr. 10.00 – 18.00, Sa. 10.00 – 13.00 Uhr

Berlin-Pavillon
Straße des 17. Juni 100 / Ecke Klopstockstraße, Tel. 3 91 78 70
S-Bahn: Tiergarten (S 3, S 5, S 7, S 9, S 75)
Geöffnet: Di. – So. 11.00 – 19.00 Uhr
Ausstellungen zur Berliner Architektur

Brecht-Weigel-Gedenkstätte (Stiftung Archiv der Akademie der Künste)
Chausseestr. 125, Tel. 28 30 57 00
U-Bahn: Oranienburger Tor (U 6); Tram: 1, 13; Bus: 157, 340
Besichtigung nur mit Führung möglich (Beginn halbstündlich):
Di. – Fr. 10.00 – 11.30, Do. auch 17.00 – 18.30, Sa. 9.30 – 13.30 Uhr
Wohnhaus von Bertolt Brecht und Helene Weigel, mit gelobtem, gemütlichen Restaurant

Computer- und Videospiele Museum
Rungestr. 20, Tel. 2 79 33 51
U-Bahn: Heinrich-Heine-Str. (U 8)
Geöffnet: Mo. – Do. 14.00 – 18.00, So. 12.00 – 18.00 Uhr

Chronik Pankow-Archiv
Breite Str. 43, Tel. 4 82 51 31
Tram: 50, 52, 53; Bus: 107, 155, 255
Geöffnet: Mi. 8.00 – 16.00 Uhr

Erinnerungsstätte Notaufnahmelager Marienfelde
Marienfelder Allee 66 – 80, Tel. 7 20 43 25
S-Bahn: Marienfelde (S 2)
Geöffnet: Mi. 15.00 – 19.00, So. 15.00 – 17.00 Uhr
Dokumentation über die Aufnahme von DDR-Flüchtlingen im Westen

Erotik-Museum Beate Uhse
Kantstraße / Ecke Joachimstaler Straße, Tel. 8 86 06 66
S-/U-Bahn: Zool. Garten (S 1, S 2, S 3, S 5, S 7, S 75, S 9, U 1, S 12, U 9)
Geöffnet: tgl. 9.00 – 24.00 Uhr

Feuerwehrmuseum
Berliner Str. 16, Feuerwache Tegel, Tel. 43 90 61 80
U-Bahn: Alt-Tegel (U 6); Bus: 133
Geöffnet: Mo., Di., So. 9.00 – 12.00, Mi. 16.00 – 19.00 Uhr

Friedensbibliothek und Antikriegsmuseum in der Bartholomäuskirche
Friedenstr. 1 (Eingang Georgenkirchstraße), Tel. 5 08 12 07

Museumsliste (Fortsetzung)

Tram: 2, 3, 4, 5, 6, 8, 15; Bus: 100, 142, 157, 257, 340
Geöffnet: Mo. – Fr. 17.00 – 19.00, Sa. 13.00 – 17.00 Uhr

Gaslaternen-Freilichtmuseum
Vom Hof des Berlin-Pavillons über Tiergarten bis Zoologischer Garten
S-Bahn: Tiergarten (S 3, S 5, S 7, S 9, S 75)

Gedenkstätte Berlin-Hohenschönhausen (ehem. Stasigefängnis)
Genslerstr. 66, Tel. 9 82 42 19
Tram: 6, 7, 17
Führungen: Di. – Do. 13.00, Fr. und Sa. 11.00 Uhr

Gedenkstätte Köpenicker Blutwoche Juni 1933
Puchanstr. 12, Tel. 6 57 14 67
S-Bahn: Köpenick (S 3); Bus: 269
Geöffnet: Di. und Mi. 10.00 – 16.30, Do. 10.00 – 18.00, Sa. 14.00 – 18.00 Uhr

Georg-Kolbe-Museum
Sensburger Allee 25, Tel. 3 04 21 44
Bus: 149
Geöffnet: Di. – So. 10.00 – 17.00 Uhr

Gipsformerei der Staatlichen Museen zu Berlin
Sophie-Charlotte-Str. 17 – 18, Tel. 3 21 70 11
S-Bahn: Westend (S 45, S 46), Bus: 110, 145, 204
Geöffnet: Mo. – Fr. 9.00 – 16.00, Mi. bis 18.00 Uhr
Führungen: jeden ersten Mittwoch im Monat 10.00 Uhr

Gutshaus Steglitz
Schloßstr. 48, Tel. 79 04 39 24
S-Bahn: Rathaus Steglitz (S 1); U-Bahn: Rathaus Steglitz (U 9)
Geöffnet: Di. – So. 14.00 – 20.00 Uhr
Im Jahr 1800 nach Plänen von David Gilly errichtet; frühklassizistische Räume; Wechselausstellungen

Heimatmuseum und Heimatarchiv Charlottenburg
Schloßstr. 69, Tel. 34 30 32 01
Bus: 109, 110, 145, X 21, X 26
Geöffnet: Di. – Fr. 10.00 – 17.00, So. und Fei. 11.00 – 17.00 Uhr

Heimatmuseum Friedrichshain
Kulturhaus Alte Feuerwache, Marchlewskistr. 6, Tel. 2 49 68 75
S-Bahn: Ostbahnhof (S 3, S 5, S 7, S 9, S 75); U-Bahn: Weberwiese (U 5)
Geöffnet: Di. und Do. 11.00 – 18.00, Sa. 13.00 – 18.00 Uhr

Heimatmuseum Hohenschönhausen
Lindenweg 7, Tel. 9 82 73 78
Tram: 5, 13, 15, 18; Bus 192
Geöffnet: Di. und Do. 9.00 – 12.00 und 14.00 17.00, So. 11.00 – 16.00 Uhr

Heimatmuseum Köpenick
Alter Markt 1, Tel. 65 84 43 51
S-Bahn: Köpenick (S 3); Tram: 26, 60, 62, 67, 68
Geöffnet: Di. und Mi. 10.00 – 16.00, Do. bis 18.00, Sa. 14.00 – 18.00 Uhr

Heimatmuseum Lichtenberg
Parkaue 4, Tel. 55 04 27 21
S- und U-Bahn: Frankfurter Allee (S 8, S 10, U 5); Tram 17, 23
Geöffnet: Di. und Do. 11.00 – 18.00, Mi. 13.00 – 18.00, So. 14.00 – 18.00 Uhr

Heimatmuseum Marzahn
Alt-Marzahn 23, Tel. 5 42 40 53

Museumsliste
(Fortsetzung)

S-Bahn: Marzahn (S 7), dann Tram 6, 7, 17
Geöffnet: Di. und Do. 10.00 – 16.00, So. 14.00 – 18.00 Uhr

Heimatmuseum Neukölln (Museum für Stadtkultur und Regionalgeschichte)
Ganghoferstr. 3 – 5, Tel. 68 09 25 35
U-Bahn: Rathaus Neukölln (U 7); Bus: 104
Geöffnet: Mi. 12.00 – 20.00, Do. – So. 11.00 – 17.00 Uhr

Heimatmuseum und Heimatarchiv Reinickendorf
Alt-Hermsdorf 35 – 38, Tel. 4 04 40 62
S-Bahn: Hermsdorf (S 1); Bus: 421
Geöffnet: Mi. – So. 10.00 – 18.00 Uhr, Fei. geschlossen

Heimatmuseum Tempelhof
Alt-Mariendorf 43, Tel. 75 60 74 65
U-Bahn: Alt-Mariendorf (U 6); Bus: 111, 176, 177, 181, 277, 376, X 76
Geöffnet: Mo. – Fr. 9.00 – 14.00, So. 11.00 – 15.00 Uhr

Heimatmuseum Tiergarten
Turmstr. 75, Tel. 39 05 27 28
U-Bahn: Turmstraße (U 9); Bus: 101, 123, 227, 340
Geöffnet: So. – Fr. 10.00 – 17.00 Uhr

Heimatmuseum Treptow
Sterndamm 102, Tel. 53 31 56 29
S-Bahn: Schöneweide (S 6, S 8, S 9, S 10, S 45, S 46), dann Bus 160, 165
Geöffnet: Do. – So. 14.00 – 18.00 Uhr

Heimatmuseum Wedding
Pankstr. 47, Tel. 45 75 41 58
U-Bahn: Pankstraße (U 8)
Geöffnet: Di. und Mi. 10.00 – 16.00, Do. 12.00 – 18.00, So. 11.00 – 17.00 Uhr

Heimatmuseum und Heimatarchiv Zehlendorf
Clayallee 355, Tel. 8 02 24 41
S-Bahn: Zehlendorf (S 1); Bus: 101, 110, 115, 118, 183, 211, 217, 318, 623
Geöffnet: Mo. und Do. 16.00 – 19.00 Uhr

Hundemuseum
Alt-Blankenburg 33, Tel. 4 74 20 31
S-Bahn: Blankenburg (S 8, S 10); Bus: 150, 158, 350
Geöffnet: Di., Do., Sa. 15.00 – 18.00, So. 11.00 – 17.00 Uhr

Jugendmuseum Schöneberg
Hauptstr. 40 / 42, Tel. 78 76 22 34
S-Bahn: Schöneberg (S 1, S 45, S 46); U-Bahn: Eisenacher Straße (U 7)
Geöffnet: Mi. – Do. 15.00 18.00, So. ab 14.00 Uhr

Kinder & Jugend Museum am Prenzlauer Berg
Schivelbeiner Str. 45, Tel. 4 44 73 26
S- und U-Bahn: Schönhauser Allee (S 8, S 10, U 2)
Geöffnet: Di. – Fr. 15.00 – 18.00 Uhr

Kreuzberg-Museum für Stadtentwicklung und Sozialgeschichte
Adalbertstr. 95, Tel. 25 88 62 33
U-Bahn: Kottbusser Tor (U 1, U 8, U 15)
Geöffnet: Mi. – So. 14.00 –18.00 Uhr

Labyrinth Kindermuseum
Osloer Str. 12, Tel. 49 30 89 01
U-Bahn: Osloer Straße (U 8, U 9)
Geöffnet: Di. – Fr. 14.00 – 17.30, Sa. ab 13.00, So. ab 11.00 Uhr

Landesarchiv Berlin
Kalckreuthstr. 1 – 2, Tel. 21 23 31 86
U-Bahn: Nollendorfplatz (U 1, U 2, U 4, U 15), Wittenbergplatz (U 1, U 2, U 15); Bus: 119, 129, 146
Geöffnet: Di. und Do. 9.00 – 18.00, Mi. und Fr. 9.00 – 15.00 Uhr

Mies van der Rohe-Haus
Oberseestr. 60, Tel. 9 82 41 92
Tram: 5, 13, 15, 18; Bus 192
Geöffnet: Di. – Do. 13.00 – 18.00, So. 14.00 – 18.00 Uhr

Mori-Ogai-Gedenkstätte
Luisenstr. 39, Tel. 2 82 60 97
S- und U-Bahn: Friedrichstraße (S 1, S 2, S 3, S 5, S 7, S 9, S 75, U 6)
Geöffnet: Mo. – Fr. 10.00 – 14.00 Uhr

Museum Der Verbotenen Kunst
Schlesische Straße / Puschkinallee, Tel. 2 04 20 49
S-Bahn: Treptower Park (S 6, S 8, S 9, S 10); U-Bahn: Schlesisches Tor (U 1, U 15); Bus: 265
Geöffnet: Mi. – Sa. und So. 12.00 – 18.00 Uhr
In der DDR ungeliebte Kunst, präsentiert im einzigen in Berlin gebliebenen Wachturm

Museum Mitte von Berlin
Am Festungsgraben 1, Tel. 2 08 40 00
S-Bahn: Friedrichstraße (S 1, S 2, S 3, S 5, S 7, S 9, S 75, U 6)
Geöffnet: Mi. und Do. 13.00 – 17.00 Fr. 13.00 – 20.00, Sa. 11.00 – 20.00, So. 11.00 – 17.00 Uhr

Museum und Archiv des Heimatvereins für den Bezirk Steglitz
Drakestr. 64 a, Tel. 8 33 21 09
S-Bahn: Lichterfelde-West (S 1)
Geöffnet: Mi. 15.00 – 18.00, So. 10.00 – 12.00 Uhr

Panke Museum
Heynstr. 8, Tel. 4 81 40 47
S-Bahn: Pankow, Wollankstraße (S 1, S 2, S 25); U-Bahn: Pankow, Vineta-Straße (U 2); Bus: 227, 250
Geöffnet: Di., Do. und So. 10.00 – 18.00 Uhr

Polizeihistorische Sammlung im Polizeipräsidium Berlin
Platz der Luftbrücke 6, Tel. 69 93 50 50
U-Bahn: Platz der Luftbrücke (U 6); Bus: 104, 119, 184, 341
Geöffnet: Mo. – Mi. 9.30 – 11.30 und 13.00 – 15.00 Uhr,
Do., Fr. nur nach Anmeldung

Prenzlauer Berg Museum für Heimatgeschichte und Stadtkultur
Prenzlauer Allee 75, Tel. 42 40 10 97
S-Bahn: Prenzlauer Allee (S 8, S 10); Tram: 1, 20
Geöffnet: Di. und Mi. 10.00 – 12.00 und 13.00 – 17.00, Do. 10.00 – 12.00 und 13.00 – 19.00, So. 13.00 – 17.00 Uhr

Puppentheater-Museum Berlin
Karl-Marx-Str. 135, Tel. 6 87 81 32 / 8 15 56 05
U-Bahn: Karl-Marx-Straße (U 7)
Geöffnet: Mo. – Fr. 9.00 – 17.00, Sa., So. 11.00 – 17.00 Uhr

Pyramide-Ausstellungszentrum (Heimatmuseum Hellersdorf)
Jenaer Str. 11, Tel. 99 20 41 71
U-Bahn: Hellersdorf (U 5), dann Tram 6, 18
Geöffnet: Mi. – Fr. 10.00 – 19.00, Sa. 13.00 – 18.00 Uhr

Museumsliste (Fortsetzung)

Robert-Koch-Museum
Dorotheenstr. 96, Tel. 20 93 47 19 / App. 247
S-Bahn: Unter den Linden (S 1, S 2, S 25), Friedrichstraße (S 1, S 2, S 3, S 5, S 7, S 9, S 25, S 75); U-Bahn: Friedrichstraße (U 6)
Besichtigung nach tel. Voranmeldung

Rotkreuz-Museum Berlin
Bundesallee 73 (Eingang Haus D), Görresstr. 12 – 13, Tel. 85 00 52 55
S-Bahn: Bundesplatz (S 45, S 46); U-Bahn: Friedrich-Wilhelm-Platz (U 9)
Geöffnet: Mi. 17.00 – 20.00, So. 10.00 – 13.00 Uhr
und nach tel. Anmeldung

Scheringianum (Schering-Werksmuseum)
Müllerstr. 170 – 178, Tel. 46 81 24 04
U-Bahn: Wedding, Reinickendorfer Straße (U 6)
Besichtigung nach Voranmeldung

Schöneberg Museum
Haus am Kleistpark, Grunewaldstr. 6 – 7, Tel. 78 76 22 34
U-Bahn: Kleistpark (U 7)
Geöffnet: Di., Do.10.00 – 13.00, Mi. 16.00 – 20.00 Uhr

Schulmuseum Berlin (Museum für Kindheit und Jugend)
Wallstr. 32, Tel. 2 75 03 83
U-Bahn: Märkisches Museum (U 2), Heinrich-Heine-Str. (U 8)
Geöffnet: Di., Do., Fr. 9.00 – 16.00, Mi. 9.00 – 18.00 Uhr
(Gruppen nur nach vorheriger Anmeldung)

Schwules Museum
Mehringdamm 61, Gartenhaus, Tel. 6 93 11 72
U-Bahn: Mehringdamm (U 6, U 7); Bus: 119, 140
Geöffnet: Mi. – So. 14.00 – 18.00 Uhr

Sportmuseum Berlin
Deutsches Sportforum, Hanns-Braun-Str., Tel. 3 05 83 00
U-Bahn: Olympiastadion (U 2)
Geöffnet: Di. – So. 10.00 – 18.00 Uhr

Stadtgeschichtliches Museum Weißensee
Pistoriusstr. 8, Tel. 9 25 05 49
Tram: 3, 4, 13, 23; Bus: 158, 255
Geöffnet: Di., Do. und So. 14.00 – 18.00 Uhr

Stiftung Deutsche Kinemathek
Heerstr. 18 – 20, Tel. 3 00 90 30
U-Bahn: Theodor-Heuss-Platz (U 2)
Geöffnet: Mo. – Do. 9.30 – 17.00, Fr. bis 16.00 Uhr

Stiftung Deutschlandhaus
Stresemannstr. 90, Tel. 2 54 73 15
S-Bahn: Anhalter Bahnhof (S 1, S 2), U-Bahn: Potsdamer Platz (U 2)
Geöffnet: tgl. 14.00 – 18.00 Uhr

Das Stille Museum
Linienstr. 154 a, Tel. 2 80 77 01
S-Bahn: Oranienburger Str. (S S 1, S 2), U-Bahn: Oranienburger Tor (U 6)
Geöffnet: Di. – So. 14.00 – 18.00 Uhr
Meditatives Kunsterlebnis

Das Verborgene Museum
Schlüterstr. 70, Tel. 3 13 36 56
S-Bahn: Savignyplatz (S 3, S 5, S 7, S 9, S 75); Bus: 149

Geöffnet: Mi. – Fr. 15.00 – 19.00, Sa., So. 12.00 – 16.00 Uhr
Dokumentation der Kunst von Frauen

Museen und Gedenkstätten (Fortsetzung)

Teddy Museum Berlin
Kurfürstendamm 147, Tel. 8 93 39 65
U-Bahn: Adenauerplatz (U 7)
Geöffnet: Mi., Do. Fr. 15.00 – 18.00 Uhr

Vitra Design Museum Berlin
Kopenhagener Str. 58 / Ecke Sonnenburger Str. (Prenzlauer Berg)
S-Bahn: Schönhauser Allee (S 4, S 8, S 10)
Geöffnet: Di. – So. 10.00 – 20.00 Uhr
Berliner Ableger des Museums aus Weil am Rhein in alter Turbinenhalle

Wäschereimuseum
Luisenstr. 23, Tel. 6 51 64 24
S-Bahn: Köpenick (S 3), dann Tram 62; Bus: 167, 169, 360
Geöffnet: jeden 1. Fr. im Monat 15.00 – 18.00 Uhr
Wäschewaschen vom 19. Jh. bis heute

Wassersportmuseum Grünau
Regattastr. 141, Tel. 6 74 40 02
S-Bahn: Grünau (S 6, S 8, S 46), dann Tram 68
Geöffnet: Di., Mi. 9.00 – 12.00 und 14.00 – 16.30, So. 14.00 – 16.30 Uhr

Willy-Brandt-Haus
Stresemannstr. 28, Tel. 25 99 10
U-Bahn: Hallesches Tor (U 1, U 6, U 15)
Geöffnet: Mo. – Sa. 10.00 – 20.00, So. 11.00 – 18.00 Uhr
Zur Geschichte der Sozialdemokratie, in der SPD-Parteizentrale

Wilmersdorf Museum
Hohenzollerndamm 177, Tel. 86 41 39 10
U-Bahn: Fehrbelliner Platz (U 1, U 7); Bus 101, 104, 115, 204
Geöffnet: Mo. – Fr. 10.00 – 17.00 Uhr

Zucker-Museum im Institut für Lebensmitteltechnologie
Amrumer Str. 32, Tel. 31 42 75 74
U-Bahn: Amrumer Straße (U 9), Seestraße (U 6);
Bus: 126, 221, 248, X 26
Geöffnet: Mo. – Mi. 9.00 – 17.00, So. 11.00 – 18.00 Uhr
Führungen: So. 11.30 und 14.30 Uhr

Musik

Telefonansage

Aktuelles Opern- und Konzertprogramm: Tel. 0 11 56

Oper / Operette / Ballett / Musical

Deutsche Oper Berlin
Richard-Wagner-Str. 10, Tel. 387-0, Fax -232

Staatsoper Unter den Linden
Unter den Linden 7, Tel. 2 03 54-555, Fax -483

Hebbel-Theater Berlin (Tanztheater / Musiktheater) → Theater

Komische Oper
Behrenstr. 55 – 57, Tel. 2 02 60-0, Fax -260

Lighthouse Musical Theater Berlin
Schaperstr. 24, Fasanenplatz, Tel. 88 42 08 84, Fax 88 42 08 88

Oper / Operette / Ballett / Musical (Fortsetzung)

Metropol-Theater Berlin
Friedrichstr. 101 / 102, Tel. 20 24 61 17, Fax 2 08 01 16
Deutschlands traditionsreichstes Repertoiretheater für Operette & Musical mit eigenem Ballett

Musical Theater Berlin
Marlene-Dietrich-Platz 1, Tel. 2 59 29-0
Das nagelneue Haus in Daimler-City am Potsdamer Platz spielt Disneys "Der Glöckner von Notre Dame".

KAMA (erstes Berliner musikalisches Privattheater)
Friesenstr. 14, Eingang über Schwibusser Straße, Tel. 6 93 33 39
Musicals, Revuen, musikalisches Schauspiel u. a.

Neuköllner Oper
Karl-Marx-Str. 131 – 133, Tel. 6 88 90 70, Fax 6 88 90-789
u. a. Inszenierungen weniger bekannter klassischer und zeitgenössischer Opern, eigene Musicalproduktionen

Schiller-Theater und Schiller-Theater Werkstatt
Bismarckstr. 110, Tel. 3 13 50 31, Fax 31 90 70 26
Gastspielhaus für Musicals

Space Dream Musical Theater
Columbiadamm 2 – 6, Tel. 25 00 25
Science-Fiction-Musical in einem ehemaligen Flugzeughangar auf dem Zentralflughafen Tempelhof

Tanzfabrik Berlin
Möckernstr. 68, Tel. 7 86 61 03

Theater des Westens
Kantstr. 12, Tel. 8 82 28 88
Musical-Theater

Konzertstätten (Klassik)

Akademie der Künste
Haus 1: Hanseatenweg 10, Tel. 3 90 00 70
Haus 2: Robert-Koch-Platz 4, Tel. 30 89 23-0

Deutschland Radio Studio 10
Fritz-Elsass-Str. 8, Tel. 8 50 31 87

Herrenhaus der Domäne Dahlem
Königin-Luise-Str. 49, Tel. 8 32 50 00

Konzerthaus am Gendarmenmarkt (ehem. Schauspielhaus Berlin)
Gendarmenmarkt 2, Kartenbüro: Charlottenstr. 56, Tel. 2 03 09-21 02 / 03
Großer Konzertsaal: Tel. 2 03 09-21 04
Kammermusiksaal und Musikclub: Tel. 2 03 09-2105

Konzert- und Theatersaal der Hochschule der Künste
Hardenbergstraße, Tel. 31 85-0 oder -23 74

Meistersaal · Kammermusiksaal
Köthener Str. 38 / Potsdamer Platz, Tel. 2 64 95 30, Fax 2 64 17 28
Konzerte, Tafelmusik, Tanztee und viele andere Veranstaltungen in Berlins schönstem Konzertsaal

Philharmonie
Matthäikirchstr. 1, Tel. 2 54 88-0
Kammermusiksaal der Philharmonie ('Kleine Philharmonie'), Tel. 2 54 88-132 oder -232

Regelmäßig klassische Konzerte und ab und zu ein Staatsakt mit erlauchten Häuptern werden im ehemaligen Schauspielhaus am Gendarmenmarkt geboten.

Konzertstätten (Klassik) (Fortsetzung)

Podewil → Theater, Multikulturelle Stätten

Schloß Friedrichsfelde
Tierpark, Tel. 5 13 81 41

Sender Freies Berlin, Großer Sendesaal
Haus des Rundfunks
Masurenallee 8 – 14, Tel. 30 31-0

Urania Berlin
Kleiststr. 13, Tel. 2 18 90 91

Konzertstätten (Rock, Jazz u.a.)

Deutschlandhalle
Messedamm 26, Tel. 30 38-0 und 30 38-42 10

Eissporthalle
Jafféstr., Tel. 30 38-0 oder -4444

Huxley's Neue Welt
Hasenheide 108 – 114, Tel. 6 21 10 28

Metropol am Nollendorfplatz
Nollendorfplatz 5, Tel. 2 16 41 22 und 2 16 27 87

Tempodrom
Tiergarten, In den Zelten, Tel. 3 94 40 45

UFA-Fabrik
Viktoriastr. 10 – 18, Tel. 75 50 30

Konzertstätten (Rock, Jazz u.a.) (Fortsetzung)

Waldbühne
beim Olympiastadion, Glockenturmstraße / Passenheimer Straße,
Tel. 3 05 50 79 bzw. über Berlin Ticket, Tel. 80 98 00

Kirchenkonzerte

Berliner Dom
Am Lustgarten, Konzertkasse, Portal 9, Tel. 2 02 69-136
Kleine Orgelmusiken tgl. 15.00 Uhr, Sa. 18.00 Uhr Konzerte

Chor- und Orgelkonzerte des St. Hedwigs-Chores
der St. Hedwigs-Kathedrale, Bebelplatz,
Tel. 7 84 30 61

Nachtleben

Das Berliner Nachtleben soll das schrillste der Republik sein. Zentrum und Paradesteg der allerjüngsten Launen sind die Kneipen entlang der Oranienburger Straße und im wiederbelebten Scheunenviertel.

Diskotheken, Clubs

Abraxas, Kantstr. 134 (Charlottenburg), Tel. 3 12 94 93
Brasil, Jazz, Funk.
Big Eden, Kurfürstendamm 202 (Charlottenburg), Tel. 8 82 61 20
Mega Disko mit Top Tanzmusik und Stardiskjockeys in zentraler Lage.
Delicious Doughnuts Research, Rosenthaler Str. 9 (Mitte), Tel. 2 83 30 21
Soul und süße Doughnuts.
Far Out, Kurfürstendamm 156 (Charlottenburg), Tel. 32 00 07 24
Tanzbare Musik; Di. Nichtrauchernacht.
Havanna, Hauptstr. 30 (Schöneberg), Tel. 7 84 85 65
Drei Etagen, 3 × Tanz: Salsa, Merengue, Black Music.
Icon, Cantianstr. 15 (Prenzlauer Berg)
Mekka der Drum 'n' Bass People, aber nur Mi., Fr. und Sa. ab 23.00 Uhr.
Knaack Klub, Greifswalder Str. 224 (Prenzlauer Berg), Tel. 4 42 70 61
Diskothek: Di. – Sa. ab 21.00 Uhr; ansonsten Rock-Konzerte von lokalen Bands. Veranstaltungsansage: Tel. 4 41 11 47.
Matrix, Warschauer Platz 18 (Friedrichshain, Tel. 29 49 10 47
Angesagtester Rave- und Techno-Treff in einer Riesenhalle.
Tresor, Leipziger Str. 126 a (Mitte), Tel. 2 29 06 11
Der Detroit-Techno-Club schlechthin; im ehemaligen Tresorraum des Kaufhauses Wertheim.
90 Grad, Dennewitzstr. 37 (Kreuzberg)
Treffpunkt der schrillen Szene.

Tanzlokale

Ballhaus Berlin, Chausseestr. 102 (Mitte), Tel. 2 82 75 75
Täglich Barbetrieb und Livemusik für Jung und Alt, Mi. Singletreff, Do. Damenwahl; Kontakt per Tischtelefon.
Clärchens Ballhaus, Auguststr. 24 (Mitte), Tel. 2 82 92 95
Nostalgischer Klassiker unter den Berliner Tanzlokalen.
Tanzcafé Keese, Bismarckstr. 108 (Charlottenburg), Tel. 3 12 91 11
Seit Jahrzehnten beliebter Tanztreff für die reifere Generation; täglich Ball paradox; Kontakt per Tischtelefon.
Roter Salon in der Volksbühne, Rosa-Luxemburg-Platz (Mitte),
Tel. 30 87 48 06; dienstags Salsa, mittwochs Tango in plüschiger Atmosphäre.

Musikkneipen (Rock, Pop, Jazz)

ATrane Jazzclub, Bleibtreustr. 1 (Charlottenburg), Tel. 3 13 25 50
Modern Jazz, Bebop, Avantgarde
b-flat, Rosenthaler Str. 13 (Mitte), Tel. 2 83 31 23
Kleines Jazzlokal mit Auftritten großer Musiker.
Eierschale an der Gedächtniskirche, Kurfürstendamm / Ecke Rankestr. 1 (Charlottenburg), Tel. 8 82 53 05; Live-Musikprogramm.

Nachtlokale, Bars, Pubs (Fortsetzung)

Flöz, Nassauische Str. 37 (Wilmersdorf), Tel. 8 61 10 00
Modern Jazz, Boogie.
Franz-Club, Schönhauser Allee 36 – 39 (Prenzlauer Berg), Tel. 4 42 82 03
Jam-Session, Jazz-, Blues-, Soul- und Funkkonzerte; anschließend immer Diskobetrieb.
Huxley's Neue Welt, Hasenheide 108 – 114 (Kreuzberg), Tel. 6 21 10 28
Rock, Heavy Metal u. a.
Quasimodo, Kantstr. 12a (Charlottenburg), Tel. 3 12 80 86
Jazz, Blues, Folk, Funk, Soul
SO 36, Oranienstr. 190 (Kreuzberg), Tel. 6 15 26 01
Punk, Reggae, Rock (Mi. und So. schwul-lesbische Party)

Bars, Kneipen, Szene

Ankerklause, Kottbusser Damm / Maybachufer (Kreuzberg), Tel. 6 93 56 49
"Hafenkneipe" am Landwehrkanal mit Shanties, Rock, Drum 'n' Bass.
Bar am Lützowplatz, Lützowplatz 7 (Schöneberg), Tel. 2 62 68 07
Im eleganten U-Bahnhof findet man die interessantesten Gäste an einem der längsten Tresen der Stadt und hervorragende Cocktails.
Dicke Wirtin, Carmerstr. 9 (Charlottenburg), Tel. 3 12 49 52
Studentischer Kneipenklassiker
Gainsbourg – Bar américain, Savignyplatz 5 (Charlottenbg.), Tel. 3 13 74 64
Eine der besten Cocktail-Bars, im Sommer schöner Cocktail-Garten.
Hackbarth's, Auguststr. 49 a (Mitte) Tel. 2 82 77 06
Schwer angesagter In-Treff in einer ehemaligen Bäckerei.
Hasenstall, Kurfürstendamm 34 (Charlottenburg), Tel. 8 83 28 63
Gemütliche kleine Bier- und Cocktail-Bar, im Sommer auch Biergarten.
Hippodrom, Rönnestr. 1 (Wilmersdorf), Tel. 3 24 68 07
Nostalgie-Kneipe mit Trödel und Akademische Bierhalle
Irish Harp Pub, Giesebrechtstr. 15 (Charlottenburg), Tel. 8 82 77 39
Pub mit endloser Theke, nostalgisch anmutendem Plüsch und Jugendstil, Fr. und Sa. Livemusik.
Irish Pub, Europa-Center (Charlottenburg), Tel. 2 62 16 34
Beliebter, zentral gelegener Treffpunkt mit täglicher Live-Musik.
Leydicke, Mansteinstr. 4 (Kreuzberg), Tel. 2 16 29 73
Eine Berliner Institution. Beerenweine, die es in sich haben.
Oxymoron, Rosenthaler Str. 40 / 41 (MItte) Tel. 28 39 18 85
Die Adresse in den Hackeschen Höfen: plüschiger Salon, Café, Bar und Siebziger-Jahre-Club.
Pasternak (Prenzlauer Berg), Knaackstr. 22 – 24, Tel. 4 41 33 99
Literatencafé mit russischer Küche und Kultur.
Pinguin-Club, Wartburgstr. 54 (Schöneberg), Tel. 7 81 30 05
Im Stil der Fünfziger, kompetenter Service an der Bar.
Pyranha, Windscheidstr. 22 (Charlottenburg), Tel. 3 27 52 93
Beliebter später Anlaufpunkt für Nachtschwärmer; Filmertreff.
Reingold, Novalisstr. 11 (Mitte), Tel. 28 38 76 76
Sehr schicke Austern- und Cocktailbar im Stil der dreißiger Jahre.
Ständige Vertretung, Schiffbauerdamm 8 (Mitte), Tel. 2 82 39 65
Rheinisches inkl. Kölsch und Sauerbraten vom konvertierten Berlin-Gegner und Ex-Bonner Prominentenwirt Friedel Drautzburg
Wirtshaus zum Nußbaum, Nikolaiviertel (Mitte), Tel. 8 54 50 20
18 Biere vom Faß in nostalgischer Umgebung.
Wilhelm Hoeck, Wilmersdorfer Str. 149 (Charlottenburg), Tel. 3 41 31 10
Seit 1892 wurde an der Kneipeneinrichtung kaum etwas verändert.
Yorckschlößchen, Yorckstr. 15 (Kreuzberg), Tel. 2 15 80 70
Eine Kreuzberger Kneipeninstitution, sonntagnachmittags Live-Musik.
Weltrestaurant Markthalle, Pücklerstr. 34 (Kreuzberg), Tel. 6 17 55 02
Wirtshausatmosphäre an großen Biertischen
Zoulou-Bar, Hauptstr. 4 (Schöneberg), Tel. 7 84 68 94
Klassische Cocktailbar, an den Wochenenden meist überfüllt.
Zur weißen Maus, Ludwigkirchplatz 12 (Wilmersdorf), Tel. 8 82 22 64
Gute Cocktails und dezente Musik.
Zwiebelfisch, Savignyplatz 7-8 (Charlottenburg) , Tel. 3 12 73 63
Kneipe mit Veteranenatmosphäre der Studentenbewegung.

So schaut sie aus, die wahre Berliner Kneipe:
"Wilhelm Hoeck" in Charlottenburg, seit 1892 unverändert.

Nachtleben (Fts.)
Travestie

Chez Nous, Marburger Str. 14 (Charlottenburg), Tel. 2 13 18 10
Travestiecabaret

Spielbank

Spielbank Berlin, Potsdamer Platz, Tel. 2 55 9-0
tgl. 15.00 – 3.00 Uhr (ab 21 Jahre)

Kabaretts
Revuetheater

→ Theater

Notdienste

Feuerwehr, Notarzt: Tel. 112
Polizei: Tel. 110
DRK-Rettungsdienst: Tel. 1 97 27
Ärztlicher Notdienst: Tel. 31 00 31
Zahnärztlicher Notdienst: Tel. 89 00 43 33
Drogen-Notdienst: Tel. 1 92 37
Giftnotruf: Tel.1 92 40
Telefon-Seelsorge kirchlich: Tel. 1 11 01 11
Frauen-Krisentelefon: Tel. 6 15 42 43

Öffnungszeiten

Die abendlichen und samstäglichen Öffnungszeiten sind auf 20.00 bzw. 16.00 Uhr (18.00 Uhr am langen Samstag) ausgedehnt. In kleineren Geschäften sowie in den Außenbezirken Berlins werden überwiegend noch die alten Öffnungszeiten eingehalten: Öffnung in der Regel zwischen

8.00 und 9.00 Uhr morgens und Schließung zwischen 18.00 und 18.30 Uhr am Abend.

Banken

Banken öffnen im allgemeinen: Mo. u. Mi. 9.00 – 16.00, Di. u. Do. 9.00 bis 18.00, Fr. 9.00 – 13.00 Uhr, doch ist auch hier mit einer Ausdehnung zu rechnen; weitere Informationen → Geld.

Märkte

→ dort

Museen

→ dort

Post

→ dort

Parken

Hinweis

Die Parkplatzsuche – vor allem im Innenstadtbereich um Kurfürstendamm / Tauentzienstraße / Budapester Straße oder im Bezirk Mitte Unter den Linden – ist meist ein aussichtsloses Unterfangen. Viele Parkplätze können nur mittels Parkschein aus dem Automaten für kurze Zeit belegt werden. Es empfiehlt sich daher, eines der in Ku'damm-Nähe zahlreich vorhandenen Parkhäuser anzusteuern. (Im Bereich Mitte sind Parkhäuser immer noch Mangelware; Ausnahme: entlang der neubebauten südlichen Friedrichtraße und am Potsdamer Platz). Diese haben, wenn im folgenden nicht anders erwähnt, rund um die Uhr geöffnet.

Parkhäuser im westlichen Innenstadtbereich

Parkhaus am Zoo, Budapester Str. 38
Parkhaus Europa-Center, Nürnberger Str. 5 – 7
Parkhaus Los-Angeles-Platz, Augsburger Str. 30
Parkhaus Metropol, Joachimstaler Str. 14 – 19
Parkhaus Meinekestr. 19
Parkhaus Ku'damm Karree, Uhlandstr. 30 – 32
Central Garagen, Kantstr. 158
Parkhaus Knesebeckstr. 72–73 (6.00 – 24.00 Uhr)
Parkhaus Kantstr./Uhlandstr. 190 (7.00 – 24.00 Uhr)

Post

Die Berliner Postämter öffnen normalerweise:
Mo. – Fr. 8.00 – 18.00, Sa. 8.00 – 12.00 Uhr

Außerhalb dieser Öffnungsszeiten werden mehrere Spätschalter unterhalten:
Postamt im Bahnhof Zoologischer Garten (Tag- und Nachtschalter; postlagernde Sendungen werden hier ausgegeben):
Mo. – Sa. 8.00 – 24.00, So. und Fei. 10.00 – 24.00 Uhr
Postamt am Flughafen Tegel:
tgl. 6.30 – 21.00 Uhr
Postamt Friedrichshain, Straße der Pariser Kommune 8 – 10:
Mo. – Fr. 7.00 – 21.00, Sa. 8.00 – 20.00 Uhr

Reisezeit

Frühling

"Der Berliner Frühling fand in Werder statt", schrieb einst Erich Kästner. Die rund 50 km von Berlin bzw. 12 km westlich von Potsdam gelegene Havelinselstadt Werder (gut erreichbar von Berlin und Potsdam mit Bus und Bahn), in deren Umgebung seit über 200 Jahren Obstanbau (v. a. Äpfel) betrieben wird, ist sowohl im Frühjahr zur Zeit der Baumblüte bzw. Ende

Baedeker Special

Geschütztes Warenzeichen Nr. 721 319

"Biste richtig down, brauchste was zu kau'n, 'ne Currywurst". Zwar ist Herbert Grönemeyer bekennender Ruhrpottler, aber als Anhänger dieses Klassikers der deutschen Imbißkochkunst muß er sich in Berlin wohlfühlen – denn hier ist sie erfunden worden. Man weiß sogar genau wo und von wem: 'Tatort' war im Herbst 1949 eine heute nicht mehr existierende Würstchenbude am Stuttgarter Platz, Ausführende die darob legendär gewordene Hertha Heuwer. Deren Mann hatte in amerikanischer Gefangenschaft Spare Ribs mit Ketchup kennen- und liebengelernt und schwärmte nun seiner Gattin ständig davon vor. Mit Spare Ribs aber war im Nachkriegs-Berlin nichts, doch Brühwürste gab es zuhauf. Frau Hertha startete eine Versuchsreihe und mixte aus Tomatenpampe und allerlei Gewürzen solange Soßen, bis ihr Mann zufrieden war. Die **Currywurst** war geboren und trat, warenrechtlich unter Nr. 721 319 geschützt, ihren Siegeszug an. Auf der Strecke blieben die althergebrachten Bratheringe, kalten Buletten, Soleier und Salzgurken.

Man glaube nun nicht, daß ein so vermeintlich profanes Produkt wie die Currywurst kein Geheimnis habe. Zunächst gilt es, zwischen der gebrühten Version ohne Pelle und der angerauchten mit Pelle zu unterscheiden. Der Pfiff aber ist natürlich die Soße. Gewarnt sei vor Buden, in denen banale Fertigprodukte über die Wurst gekippt werden. Denn der wahre Currywurst-Bocuse braut seine Soße nach Hausrezept zusammen. Solche Künstler am Bräter walten u. a. in der Bude am Amtsgerichtsplatz Ecke Suarez- / Kantstraße, in der Currywurstbude 104 in der Wilmersdorfer Straße, im Imbiß Ecke Joachimstaler und Kantstraße und im legendären, weil Berlins ältesten Imbiß von Konnopke am U-Bahnhof Eberswalder Straße. Nur dienstags und freitags brutzelt Frau Käthe an ihrem Stand vor dem Schöneberger Rathaus, sie aber tat es schon für Prominenz: Willy Brandt soll in seiner Zeit als Regierender Bürgermeister des öfteren herübergekommen sein, und der Besuch von Richard von Weizsäcker und George Bush wird voll Stolz durch ein Foto belegt.

Was die Currywurst aber Salzgurken und Soleiern angetan hat, widerfährt ihr nun selbst. Sie hat mächtige Konkurrenz bekommen, und die heißt **Döner Kebab**. In das türkische Spießfleisch im Fladen wird mittlerweile häufiger gebissen als in die fahle Wurst mit 'Gewürzkätschapp'. Kein Wunder, denn die besten Döner-Buden gibt es natürlich auch in Berlin, vor allem in Kreuzberg um den U-Bahnhof Kottbusser Tor, in der Oranien- und in der Bergmannstraße. Selbst ein Reinheitsgebot haben sich die Döner-Metzger auferlegt, nachdem einige schwarze Schafe der Zunft es fertiggebracht hatten, den Fleischanteil in ihren Spießen gegen Null zu bringen. Nun aber werden Berliner Dönerspieße sogar in die Türkei exportiert.

Wem Currywurst und Döner eins sind, wähle die **vegetarische Alternative**: Der Libanesische Imbiß Yorckstraße 14, der Imbiß am U-Bahnhof Schlesisches Tor und Habibi in der Goltzstr. 24 in Schöneberg sind gute Falafel-Adressen; leckere Gemüsekuchen gibt es bei Freßco in der Oranienburger Str. 48.

Die urdeutsche Würzwurst aber wird nicht untergehen. Denn selbst wenn sie keiner mehr riechen kann, gibt es immer noch eine Daseinsberechtigung für sie. Das weiß die Berliner Kabarettistin Gisela Oechelhauser: "Wenn mir von der vielen Arbeit mal so richtig schlecht wird, denke ich, jetzt muß mir von was anderem schlecht werden, und dann gehe ich einfach Currywurst essen."

April bis Anfang Mai zum Baumblütenfest als auch im Sommer zur Obsternte ein klassisches Ausflugsziel der Berliner.

Reisezeit (Fortsetzung)

Im Sommer hat Berlin besonders viel zu bieten: Die Boulevards laden zum Flanieren ein. Es ist die Zeit der Straßencafés, der Aktivitäten auf dem Wasser, des Besuchs von Aufführungen auf Freilichtbühnen. Allerdings machen im Sommer viele Theater Ferien.

Sommer

Im Herbst beginnt wieder die Opern- und Theatersaison. Rad- und Wandertouren sind jetzt weniger anstrengend als im Hochsommer.

Herbst

Während der Adventszeit lohnt ein Bummel über die zahlreichen stimmungsvollen Weihnachtsmärkte (→ Veranstaltungen). Am Jahresende werden große Silvestergalas veranstaltet und Sonderveranstaltungen in Theatern geboten.

Winter

Restaurants

Auch kulinarisch ist Berlin eine Reise wert, denn was die Küche anbetrifft, hat die Stadt allemal schon Hauptstadtniveau erreicht. Noch konzentrieren sich die meisten guten Restaurants im Westen der Stadt, doch im Osten ist man kräftig am Arbeiten. Wer mit Eisbein, Sauerkraut und Püree nicht glücklich wird, dem bietet sich eine breite Palette ethnischer Küchen, zuvorderst die türkische.

Einige Spitzenrestaurants

Altes Zollhaus, Carl-Herz-Ufer 30 (Kreuzberg), Tel. 6 92 33 00, 6 91 76 76
Das idyllisch am alten Landwehrkanal in Kreuzberg im Grünen gelegene (auch mit dem Schiff erreichbare), wunderschön restaurierte alte Fachwerkhaus zählt zu den schönsten Restaurants Berlins. Geboten wird Neue Deutsche Küche (u. a. Havelzander und Brandenburger Bauernente). An schönen Sommertagen wird auch im idyllischen Garten gedeckt.

Tischvorbestellung unbedingt empfehlenswert!

*Alt-Luxemburg, Windscheidstr. 11 (Charlottenburg), Tel. 3 23 87 30
Deutsches und Französisches von Karl Wannemacher – so herausragend, daß sein Restaurant zu den besten Berlins zählt.

*Bamberger Reiter, Regensburger Str. 7 (Wilmersdorf), Tel. 2 18 42 82
In stilvollem Rahmen werden Gerichte der europäischen Küche sowie Süßspeisen in höchster Vollendung serviert; im Sommer speist es sich auch angenehm in der Laube. Dem alteingesessenen Restaurant der Spitzenklasse ist ein Bistro mit ebenfalls erstklassiger Küche zu vernünftigen Preisen angeschlossen; hier genießt man in lockerer Atmosphäre auch deftige Speisen wie Sülze und Bratkartoffeln.

*Borchardt, Französische Str. 47 (Mitte), Tel. 2 29 31 44
Die 'Gourmetkathedrale' mit ihrem imposanten Säulensaal, einst Versammlungssaal der hugenottischen Gemeinde, ist beliebter Treffpunkt von Prominenz aller Art wie Filmleuten, Spitzenmanagern und Models. Geboten wird leichte Küche und eine umfangreiche Weinkarte. Gespeist wird u. a. auch auf der Terrasse im Innenhof.

Du Pont, Budapester Str. 1 (Charlottenburg), Tel. 2 61 88 11
Du Pont ist ein alteingesessenes, kleines, im Herzen Berlins gelegenes Restaurant; es bietet frische französische sowie auch regionale Produkte.

*Ermeler Haus, Am Märkischen Ufer 10 – 12 (MItte), Tel. 24 06 20
Hier wird gepflegte Gastlichkeit in stilvollem Ambiente geboten.

Spitzenrestaurants (Fortsetzung)

Florian, Grolmanstr. 52 (Charlottenburg), Tel. 3 13 91 84
Das beim Savignyplatz gelegene Lokal ist eine Institution in Berlin mit vielen Stammgästen; zu Filmfestspielzeiten sind seine Plätze heiß umkämpft. Es werden süddeutsche Gerichte serviert.

Französischer Hof, Jägerstr. 56 (Mitte), Tel. 2 29 31 52
Der Küchenchef des im Jugendstil errichteten Galerie-Restaurants auf zwei Ebenen mit breiter Fensterfront zum historischen Gendarmenmarkt kocht sowohl deutsche als auch französische Gerichte, darunter Fischgerichte, Geflügel und Wildgerichte je nach Saison. Pianobar mit samstäglichem Kabarettabend.

*Frühsammers Gasthaus, Matterhornstr. 101 (Zehlendorf), Tel. 8 03 80 23
Spezialität des Hauses: Alles vom Rind aus der eigenen Galloway-Zucht.

*Grand Slam, auf dem Clubgelände des Tennisvereins Rot-Weiß in Grunewald, Gottfried-von-Cramm-Weg 47 (Wilmersdorf), Tel. 8 25 38 10
In eleganter Clubatmosphäre werden erlesene Speisen, wie Lammgerichte mit Trüffeln, serviert.

*Lutter & Wegner, Schlüterstr. 55 (Mitte), Tel. 8 81 34 40
Ausgezeichnete deutsche und österreichische Küche wird in dem gediegen getäfelten, alten Gastraum geboten. Das Restaurant steht in der Tradition des Weinhauses Lutter & Wegner am Gendarmenmarkt, in dem schon E.T.A. Hoffmann Stammgast war.

*Maxwell, Bergstr. 22 (Mitte), Tel. 2 80 71 21
Das in dem schön restaurierten Gebäude einer ehem. Spezialbrauerei befindliche Lokal zählt zu den zehn ersten Restaurants der Stadt.

Modellhut, Alte Schönhauser Str. 28 (Mitte), Tel. 2 83 55 11
Das Restaurant übernahm den Namen des Vormieters, einer ehemaligen Huthandlung, in der unter der mit Blattgold ausgekleideten Decke jetzt Gäste auf lederbezogenen Wandbänken Gerichte aus der soliden Bistroküche zu ebensolchen Preisen speisen.

Porta Brandenburgo, Wilhelmstr. 87 / 88 (Mitte), Tel. 2 29 95 87
Spezialität des in der Nähe des Brandenburger Tores gelegenen Lokals sind Fischgerichte auf piemontesische Art.

*Reinhard's, Poststr. 28 (Mitte), Tel. 2 42 52 95
Exquisite internationale Küche in edlem Rahmen. Das Lokal zählt zu den beliebtesten Restaurants der Berliner.

Viehhauser im Presseclub, Schiffbauerdamm 40 / Ecke Reinhardtstr., Tel. 2 06 16 70
Die Berliner Dependance des österreichischen Meisterkochs zeichnet sich auch durch eine vergleichsweise moderate Preispolitik aus.

*Vau, Jägerstr. 54 – 55 (Mitte), Tel. 2 02 97 30
Die Berliner Filiale des Hamburger Edelrestaurants Le Canard hat sich innerhalb kurzer Zeit den Ruf der besten Küche im Bezirk Mitte erworben.

Berliner Küche bzw. Deutsche und Internationale Küche

Was zeichnet eine Altberliner Kneipe aus?

Typisch für eine Altberliner Kneipe (meist aus der 2. Hälfte des 19. Jh.s) ist ihr wuchtiges, dunkel gebeiztes Buffet hinter dem Tresen mit Bierhumpen und Schnapsflaschen. Auf dem Tresen steht außer der meist altmodischen Registrierkasse der sog. 'Hungerturm', eine mehrstöckige Vitrine mit Buletten, Soleiern, Schmalzbroten, Würsten u. a. Getrunken wird selbstverständlich Bier.

Berliner Küche (Fortsetzung)

Alter Krug Dahlem, Königin-Luise-Str. 52 (Zehlendorf), Tel. 8 31 40 33
Eine der ältesten Dorfgaststätten Berlins mit internationaler und regionaler Küche.

Brauhaus Georgbräu, Spreeufer 4 (Mitte), Tel. 2 42 44
Sowohl herzhafte Gerichte aus der Berliner Küche, wie Eisbein mit Sauerkraut, als auch das Ein-Meter-Georg-Pils aus der hauseigenen Brauanlage oder zum Frühschoppen das Glas Bier zum halben Preis sowie Schmalz und Treberbrötchen gratis, das sind die Trümpfe des Lokals im Nikolaiviertel, wo man im Sommer auf der großen Spreeuferterrasse sitzt.

*Diekmann, Meinekestr. 7 (Charlottenburg), Tel. 8 83 33 21
Außerordentlich anspruchsvolle, feine Bistroküche in der nostalgischen Atmosphäre einer Kolonialwarenhandlung.

*Gasthaus Meineke, Meinekestr. 10 (Charlottenburg), Tel. 8 82 31 58
Berliner Hausmannskost in gemütlicher, oft voller Umgebung.

Großbeerenkeller, Großbeerenstr. 90 (Kreuzberg), Tel. 2 51 30 64
Seit 1862 ist die Altberliner Kellerkneipe (mit Originaleinrichtung) ein Garant für schmackhafte Berliner Kost; lecker ist beispielsweise Hoppel-Poppel, ein Gericht mit Schweinefleisch und Kasseler mit Bratkartoffeln, Ei und Zwiebeln.

Hardtke, Meinekestr. 27 (Charlottenburg), Tel. 8 81 98 27, 8 92 58 48
Deftige, kalorienreiche Berliner Hausmannskost, z. T. aus eigener Hausschlachtung.

Metzer Eck, Metzer Str. 33 (Prenzlauer Berg), Tel. 4 42 76 56
Szene Ost trifft Szene West bei Erbsensuppe hier am Prenzlauer Berg.

Paris Bar, Kantstr. 152 (Charlottenburg), Tel. 3 13 80 52
Die Paris Bar, eine Institution in Berlin, ist ein Restaurant im Bistrostil und u. a. bevorzugter Treffpunkt von Journalisten und Prominenz aus der Film- und Funkszene und allen, die "dazu gehören" wollen.

Restauration 1900, Husemannstr. 1 (Prenzlauer Berg), Tel. 4 42 24 94
Szenekneipe und Speiselokal am Prenzlauer Berg.

Spree-Athen, Leibnizstr. 60 (Charlottenburg), Tel. 3 24 17 33
Bei Gassenhauern und Hits von einst erlebt man Altberliner Kneipenstimmung; Spezialität des Hauses ist das 6-Gänge-Menü mit Livemusik der 20er Jahre.

Wirtshaus Halali, Königstr. 24 (Zehlendorf), Tel. 8 05 31 25
Leichte, wunderbare Küche am Wannsee.

Zitadellen-Schänke, Am Juliusturm 1 (Spandau), Tel. 3 34 21 06
Spezialität des Restaurants in der Zitadelle Spandau sind mittelalterliche Festgelage mit märkischen Gerichten.

Zur Kneipe, Rankestr. 9 (Charlottenburg), Tel. 8 83 82 55
In dem Altberliner Restaurant im Zillestil wird selbstverständlich Berliner Küche serviert.

Zur letzten Instanz, Waisenstr. 14–16 (Mitte), Tel. 2 42 55 48
Im ältesten Berliner Gasthaus (gegründet 1621) findet man typische Altberliner Atmosphäre; der Name des Lokals stammt aus jener Zeit, als schräg gegenüber ein Gericht einzog. Die Speisekarte bezieht sich auf die Jurisprudenz, wie Plädoyer (= Sülze mit Bratkartoffeln) oder Justiz-Irrtum (= Rote Grütze).

Einige beliebte Garten- und Ausflugslokale

Alter Dorfkrug Lübars, Alt-Lübars 8 (Reinickendorf), Tel. 4 02 71 74
Brauhaus Rixdorf, Glasower Str. 27 (Neukölln), Tel. 6 26 88 80
Blockhaus Nikolskoe, Wannsee (Zehlend.), Nikolskoer Weg, Tel. 8 05 29 14
Chalet Suisse, Im Jagen 5 (Zehlendorf), Tel. 8 32 63 62
Forsthaus Paulsborn, Hüttenweg 90 (Zehlendorf), Tel. 8 13 80 10
Grunewaldturm, Havelchaussee 61 (Wilmersdorf, Tel. 3 04 12 03
Hotel Müggelsee, Am Großen Müggelsee (Köpenick), Tel. 65 88 20
Größtes Ausflugslokal im Osten der Stadt
Moorlake, Moorlake 1 (Zehlendorf), Tel. 8 05 58 09
Pavillon Stölpchensee, Wannsee, Kohlhasenbrücker Straße (Zehlendorf), Tel. 8 05 10 41
Strandbaude, Groß-Glienicker-See (Kladow), Tel. 3 65 44 62
Wannsee-Terrassen, Wannseebadweg (Zehlendorf), Tel. 8 03 40 24
Zenner, Alt-Treptow 14 (Treptow), Tel. 2 72 73 70
Berliner Ausflugsziel an der Spree mit langer Tradition

Kein schlechter Ausklang für einen Ausflug nach Lübars: Einkehren im Alten Dorfkrug

Weinstuben

Besenwirtschaft, Uhlandstr. 159 (Charlottenburg), Tel. 8 81 16 23
Schwäbische Weinstube, wegen ihrer Maultaschen beliebt.

Knipperle, Barbarossastr. 39 (Schöneberg), Tel. 2 13 74 02
Intime Atmosphäre und galeristische Ambitionen sind vorherrschend.

Spirale, Levetzowstr. 19 (Tiergarten), Tel. 3 91 85 92
Die rustikale Weinstube gilt derzeit noch als Geheimtip. An den Wochenenden wird Elsässer Baeckaoffa serviert.

Einige Restaurants mit ethnischer Küche

Vladi im Kolk, Hoher Steinweg 5 (Charlottenburg), Tel. 3 33 61 85
Zu deftigen Spezialitäten wie Böhmische Pfanne mit Kotelett, Kassler, Debrecziner, Speck, Ei und Bratkartoffeln gibt es böhmisches Bier.

Böhmische Küche

*Brazil, Gormannstr. 22 (Mitte), Tel. 28 59 90 26
Feijoada, Fisch und andere Leckereien aus Brasilien im Scheunenviertel; meist sehr voll – reservieren!

Brasilianische Küche

Storch, Wartburgstr. 54 (Schöneberg), Tel. 7 84 20 59
Berlins berühmtester Elsässer mit vielen Stammgästen.

Elsässische Küche

Fofis Estiatorio, Rathausstr. 25 (Mitte), Tel. 2 42 34 35
Prominentenlokal mit täglich zweimal wechselnder Karte; internationale und griechische Spezialitäten.

Griechische Küche

*Terzo Mondo, Grolmanstr. 28 (Charlottenburg), Tel. 8 81 52 61
Ein Muß für alle Lindenstraßen-Freaks: Hier kocht Wirt Pannaiotis höchstpersönlich.

Tuk-Tuk, Großgörschenstr. 12 (Schöneberg), Tel. 7 81 15 88
Klassische, perfekte Gerichte aus Fernost.

Indonesische Küche

Tagore, Gotzkowskystr. 34 (Tiergarten), Tel. 3 93 54 57
Die gemischten Vorspeisen sind ein Hit, doch auch die vegetarischen und die Fleischgerichte sind empfehlenswert.

Indische Küche

*Ana e Bruno, Sophie-Charlotten-Str. 101 (Charlottenburg), Tel. 3 25 71 10
Das Restaurant serviert Spezialitäten der mediterranen Küche mit viel Gemüse und Olivenöl, darunter toskanischen Salat (Kaninchenrücken, Oliven und Thymian), ligurische Kastaniennudeln mit Pesto, Fischgerichte mit Auberginen, Toscanabohnen oder schwarzen Trüffeln. Als Dolci werden u. a. lombardische Birnen mit einem Parfait serviert.

Italienische Küche

Fioretto im Carmers, Carmerstr. 2 (Charlottenburg), Tel. 3 12 31 15
Schon zu DDR-Zeiten in Köpenick gegründet, seit einigen Jahren nun in Westberlin und immer noch an der Spitze.

Ponte Vecchio, Spielhagenstr. 3 (Charlottenburg), Tel. 3 42 19 99
Treffpunkt vor oder nach einem Opernbesuch; edel und teuer.

Daitokai, Europa-Center (Charlottenburg), Tel. 2 61 80 99
Bekanntestes japanisches Restaurant Berlins.

Japanische Küche

*Oren, Oranienburger Str. 8 (Mitte), Tel. 2 82 82 28
Fisch und Vegetarisches sind die leckeren Spezialitäten dieses immer vollen Szene-Restaurants bei der Neuen Synagoge.

Jüdisch-koschere Küche

*Ugadawa, Feuerbachstr. 24 (Zehlendorf), Tel. 7 92 23 73
Äußerlich bescheiden, geht es hier weniger um die aufwendige Präsentation, vielmehr besinnt man sich auf authentische japanische Küche.

Austria, Bergmannstr. 30 (Kreuzberg), Tel. 6 94 44 40
Besonders beliebt sind die großen Wiener Schnitzel.

Österreichische Küche

El Borriquito, Wielandstr. 6 (Charlottenburg), Tel. 3 12 99 29
Nicht nur die Paella schmeckt hervorragend, was sich auch dadurch äussert, daß das Lokal ständig überfüllt ist.

Spanische Küche

Tinmakers, Holsteiner Ufer 22 (Tiergarten), Tel. 3 93 52 11
Hervorragende Steaks und Mexikanisch-Scharfes.

Tex-Mex-Küche

Restaurants (Fts.) Thailändische Küche

Sala Thai, Kaiserdamm 112 (Charlottenburg), Tel. 3 22 48 40
Hier wird exquisite Thai-Küche in entsprechendem Ambiente serviert.

Türkische Küche

Foyer, Uhlandstr. 28 (Charlottenburg), Tel. 8 81 42 68
Sehr gute türkische Küche in Charlottenburg.

*Merhaba, Hasenheide 39 (Kreuzberg), Tel. 6 92 17 13
Kreuzberger Szenetürke, prima Service, Garten.

Sport

Auskunftsstellen

Landessportbund Berlin,
Jesse-Owens-Allee 1-2, D-14053 Berlin, Tel. 30 00 02-0, Fax 30 00 02-107.
BBB Berliner Bäderbetrieb, Tel. 97 17-29 75, Fax 97 17-29 73.

Zuschauersport

Fußball

Olympiastadion, Olympischer Platz 3, Tel. 3 00 63-3
U-Bahn: Olympiastadion (Ost; U 2),
Hertha BSC und Tennis Borussia Berlin
Friedrich-Ludwig-Jahn-Sportpark, Cantianstr. 24,
U-Bahn: Eberswalder Str. (U 2)
FC Berlin und Blau-Weiß 90 Berlin
Stadion Alte Försterei, Hämmerlingstr. 80–88, Tel. 6 57 25 85
S-Bahn: Schöneweide (S 6, S 8, S 9, S 10, S 45, S 46), dann Tram 26
1. FC Union Berlin

Eishockey, Eiskunstlauf

Eissporthalle Berlin, Jafféstraße, Tel. 30 38-0; Karten: Tel. 30 38-4444
S-Bahn: Westkreuz (S 3, S 7, S 9, S 45, S 46, S 75)
ESC Preußen Berlin
Mo.abend: Eisdisco; Di.nachmittags: Seniorenlauf
Stadien und Hallen im Sportforum Berlin:
Eishockeystadion und Eisschnellaufstadion im Sportforum Berlin, Weißenseer Weg 51 – 55, Tel. 9 71 70-0
Eishalle im Sportforum, Konrad-Wolf-Straße, Tel. wie zuvor
EHC Eisbären: Tel. 8 27 49 50
S-Bahn: Hohenschönhausen (S 75), dann Tram 4, 15

Basketball

Sporthalle Charlottenburg, Sömmeringstr. 29, Tel. 34 30 24 95
U-Bahn: Mierendorffplatz (U 7)
ALBA Berlin

Leichtathletik

Olympiastadion, Friedrich-Ludwig-Jahn-Sportpark, Tel. 3 00 63-3

Pferdesport

Trabrennbahn Mariendorf
Mariendorfer Damm 222, Tel. 74 01-0
U-Bahn: Alt-Mariendorf (U 6), dann Bus 167, 176, 179
Trabrennbahn Karlshorst, Treskowallee 129, Tel. 5 00 17-0
S-Bahn: Karlshorst (S 3)
Galopprennbahn Hoppegarten, Dahlwitz-Hoppegarten, Goetheallee 1, Tel. (0 33 42) 3 89 30
S-Bahn: Hoppegarten (S 5), Bus 295

Radsport

Deutschlandhalle, Messedamm 26, Tel. 30 38-0 und -4215
S-Bahn: Westkreuz (S 3, S 7, S 9, S 45, S 46, S 75)
Radrennbahn Weißensee Rennbahnstr.,
S-Bahn: Prenzlauer Allee (S 8, S 10), dann Bus 156
Velodrom im Europa Sport Park,
S-Bahn: Landsberger Allee (S 8, S 10, S 85, S 86)

Aktivsport

Bowling

Bowling am Kurfürstendamm, Kurfürstendamm 156, Tel. 8 92 50 30

Golf

Auskünfte erteilen u. a. der Golf- und Country Club Seddinger See, Haderslebener Str. 26, Tel. 8 24 34 75, oder der Golf- und Landclub Berlin-Wannsee, Stölpchenweg, Tel. 8 05 50 75.

Tennis, Squash, Fitneß

Tennis-, Squash- und Fitneßcenter, Richard-Tauber-Damm 36, Tel. 7 42 10 91
Bus 111, 283, 376
Tennisclub LTTC 'Rot-Weiss', Tel. 8 26 22 07: u. a. Veranstalter der German Open der Damen → Veranstaltungen

Badegewässer

Zu den wichtigsten Badegewässern zählen: Dahme, Großer Müggelsee, Grunewaldsee, Halensee, Havel, Langer See, Orankesee, Plötzensee, Tegeler See, Wannsee, Weißensee und Ziegeleisee.

Freibäder

In Charlottenburg:
Freibad Volkspark Jungfernheide, Jungfernheideweg 60, Tel. 3 83 85-351
In Köpenick:
Freibad Müggelsee und FKK, Fürstenwalder Damm 838, Tel. 6 44 01 27
Freibad Wuhlheide, An der Wuhlheide, Tel. 5 09 89 40
Freibad Grünau, Sportpromenade 5, Tel. 6 76 35 76
Freibad Wendenschloß, Möllhausenufer 30, Tel. 6 56 97 31
Freibad Friedrichshagen, Müggelseedamm 216, Tel. 6 45 57 56
In Kreuzberg:
Sommerbad Gitschinger Str. 18 – 31, Tel. 25 88 54 16;
Kasse: Prinzenstr. 113 – 119, Tel. 25 88 54 12
Im Bezirk Mitte:
Kinderfreibad Monbijou, Oranienburger Str. 78, Tel. 2 82 68 52
In Reinickendorf:
Strandbad Lübars, Am Freibad 9, Tel. 4 02 60 50
In Pankow:
Freibad Pankow, Wolfshagener Straße, Tel. 4 82 53 37
In Steglitz:
Insulanerbad, Munsterdamm 80, Tel. 79 04-24 32
In Wedding:
Freibad Plötzensee, Nordufer 24, Tel. 4 51 95 72, 4 26 12 40
In Weißensee:
Strandbad und Kinderplansche am Weißen See, Uferpromenade am Weißen See, Tel. 9 25 32 41
In Wilmersdorf:
Freibad Halensee, Königsallee 5 a - b, Tel. 8 91 17 03
In Zehlendorf:
Strandbad Wannsee, Wannseebadweg 25, Tel. 8 07-2151 u. 8 03 54 50
Das Strandbad zählt zu Europas größten Binnenseebädern.

Hallenbäder

Von den zahlreichen Hallenbädern sei insbesondere das Stadtbad Neukölln, Ganghoferstr. 5 (Tel. 68 24 98 12), erwähnt, ein im Jahre 1914 erbautes, stilvolles, einer römischen Therme ähnelndes Bad mit zwei Schwimmhallen und einer Sonnenterrasse.

'blub'

Berliner Luft- und Badeparadies ('blub'), an der Buschkrugallee in Britz; mit Wellen- und Brandungsbad, 120 m langer Rutsche und anderen Vergnügungen (geöffnet: tgl. 10.00 – 23.00 Uhr)

Segeln
Surfen
Wasserski

Detaillierte Informationen für Surfer und Segler erteilt u. a. die
Surf & Segelschule Müggelsee
im Strandbad Müggelsee
Tel. 6 45 15 80
Wasserskisportlern erteilt u. a. Auskünfte der
Wasserskiclub Berlin, Am Großen Wannsee 50, Tel. 8 05 28 50

Sport- und Fitneßzentren

Sport- und Erholungszentrum (SEZ)

Das östlich vom Volkspark Friedrichshain gelegene Sport- und Erholungszentrum (SEZ) an der Landsberger Allee 77 wurde am 20. März 1981 eröffnet. Die Anlage wurde unter Mitwirkung von Baufirmen aus Schweden und der damaligen Bundesrepublik Deutschland errichtet. Die eigentlichen Sportanlagen befinden sich auf der zweiten und dritten Ebene. Besonders attraktiv ist die große Schwimmhalle mit einer Gesamtwasserfläche von 1795 m^2 in mehreren Becken (Schwimmbecken, Sprungbecken, Versehrtenschwimmbecken, Kaskade, Wellenbecken); durch einen Kanal kann man das Freibecken erreichen. Dazu kommen Sauna und Solarium. Die Sporthalle läßt sich unterteilen; ein Muskelstudio, Fitneßraum, Test- und Konditionierungsraum sowie ein Gymnastikraum ergänzen das Angebot. Ferner gibt es eine Rollschuh- bzw. Kunsteisbahn ('Polarium'), eine Bowlinganlage mit 16 Bahnen, einen Foyersaal, Klubräume und sieben Gaststätten. Ergänzt wird das Ganze von einer umfangreichen Freianlage, dem sog. Freizeitpark. Hier findet sich auf einer Fläche von über 5 ha nochmals eine Vielzahl von Sport- und Spielfeldern (Tennis, verschiedene Ballspielarten, Schach u.a.).

Sport (Fortsetzung)

Geöffnet: Mo. – Fr. 10.00 – 21.00, Sa. und So. 9.00 – 21.00 Uhr

Stadtbesichtigung

Schaustelle Berlin

Über die rege Bautätigkeit in Berlin kann man sich auf einer der Touren der Schaustelle Berlin informieren. Auskunft über das Angebot erhält man tgl. von 11.00 bis 17.00 Uhr unter Tel. 28 01 85 01 oder im Schaustellen-Container an der Info-Box am Leipziger Platz.

Zu Fuß oder mit dem Fahrrad

Stadtführungen

art: berlin
Geführte Stadtspaziergänge zu mannigfaltigen Themen / Kunst- und Kulturarrangements
Auskunft und Anmeldung: Tel. 85 72 81 82, Fax 8 54 50 99

Kultur Büro Berlin Zeit für Kunst e.V.
Stadtführungen unter verschiedensten Gesichtpunkten
Auskunft und Anmeldung: Tel. 4 44 09 36, Fax 4 44 09 39

StattReisen Berlin
Historische Streifzüge, Entdeckungstouren in das zukünftige Berlin zu Fuß oder mit der U- und S-Bahn, auch Literaturführungen
Mo. – Fr. 10.00 – 16.00 Uhr
Auskunft und Anmeldung: Tel. 4 55 30 28, Fax 45 80 00 03

Fahrradstation
Fahrradrouten durch Berlin, auch Rikschavermietung (mit Fahrer!)
Auskunft und Anmeldung: Tel. 28 59 98 95 (→ Fahrradverleih)

Stadtrundfahrten

Angebote allgemein

Zahlreiche Anbieter richten Stadtrundfahrten mit Bussen zu täglichen Abfahrtszeiten aus. Dabei gibt es neben Fahrten nur durch den West- bzw. Ostteil Berlins auch kombinierte Fahrten durch die ganze Stadt, Nachtclub-Fahrten einschließlich der Kosten für Eintritt, Speisen, Getränke und Sightseeing, Fahrten mit Besuch der Museen, ferner kombinierte Bus- und Schiffsausflüge auf dem Müggelsee sowie dem Wannsee und anderen Havelseen und schließlich auch Fahrten nach Potsdam.

Berlin-Sightseeing Tour mit BTM für Gruppen

Die BTM Berlin Tourismus Marketing (→ Auskunft) bietet für Gruppen ein Standardprogramm mit je einem Schwerpunktthema für eine drei- bis vierstündige Fahrt (auch mit Spaziergängen) und vermittelt auch Gästeführer und Omnibusse (Bestellungen schriftlich erbeten); Tel. vorab: 26 47 58-53, Fax 26 47 48 88.

City-Circle Sightseeing

Ein besonderes Angebot von BBS, Berolina und BVG ist City-Circle Sightseeing, eine geführte Stadtrundfahrt zu den wichtigsten Sehenswürdigkeiten mit 12 Stops. Man kann an den Haltepunkten ein- und aussteigen, die Fahrt unterbrechen (z. B. für einen Museumsbesuch) und wieder zusteigen; die Busse fahren tgl. alle 30 Min. von jedem Haltepunkt zwischen 10.00 und 18.00 Uhr ab (natürlich kann man die Fahrt auch ohne Unterbrechung machen, dann dauert sie 2 Std.). Tickets sind am Bus oder im Hotel erhältlich. Detaillierte Auskünfte unter Tel. 35 19 52 70, 8 82 20 91 und 8 85 98 80.

Die wichtigsten Abfahrtsstellen

Die wichtigsten Abfahrtsstellen für Stadtrundfahrten mit dem Bus sind: Kurfürstendamm 216, 220 und 225, Rankestraße (gegenüber der Gedächtniskirche), Karl-Liebknecht-Straße (am Radisson SAS Hotel) und Alexanderplatz (am Forum Hotel).
Stadtrundfahrten mit dem Schiffstarten u. a. ab Schloßbrücke Charlottenburger Ufer (neben Schloß Charlottenburg), Zeughaus und Dom sowie An der langen Brücke in Potsdam.

Busfahrten

BVG

BVG (Berliner Verkehrsbetriebe)
BVG-Pavillon, Hardenbergplatz am Bahnhof Zoo
City-Touren Anmeldung und Info-Tel. 25 62 70 39, Fax 25 62 74 37
(während der normalen Dienstzeiten);
außerhalb der üblichen Dienstzeiten: Tel. und Fax 3 02 45 61.
Bei ganz eiligen Anfragen: Tel. (01 77) 3 33 42 55

Linie 100
Linie 200

Die BVG bietet die billigste Möglichkeit, die wichtigsten Sehenswürdigkeiten Berlins kennenzulernen: eine Fahrt mit den Linienbussen 100 oder 200 zwischen Bahnhof Zoo und Alexanderplatz bzw. Prenzlauer Berg.

Zille-Express

Eine besonders beliebte BVG-Tour ist die City-Tour 2, die sog. Tour Nostalgie mit dem Zille-Express.
Abfahrt: Breitscheidplatz / Gedächtniskirche; tgl. jede Stunde zwischen 10.30 und 15.30, Fr. und Sa. auch 16.30 Uhr
Gefahren wird mit originalgetreu nachgebauten 'Robert-Kaufmann-Wagen' (oben offene Doppeldeckerbusse), wie sie zwischen 1913 und 1924 in Berlin verkehrten. Schaffner und Fahrer tragen historische Uniformen.
Weitere Rundfahrten erfährt man im BVG-Pavillon.

BBS

BBS Berliner Bären Stadtrundfahrt, Berliner Bären Service
Büro und Abfahrtsstelle: Rankestr. 35 (gegenüber der Gedächtniskirche), Tel. 35 19 52 70, und Alexanderplatz (beim Forum Hotel), Tel. 24 75 87-0, Fax 2 13 73 54

Berolina

Berolina Stadtrundfahrten
Büro: Meinekestr. 3
Abfahrt: Kurfürstendamm / Ecke Meinekestraße und
Unter den Linden / Ecke Universitätsstraße
Tel. 8 82 20 91 und 8 83 31 31, Fax 8 82 41 28

BVB

BVB (Bus-Verkehr-Berlin) Berlin Vision
Büro und Abfahrt Kurfürstendamm 225; weiterer Abfahrtspunkt
Unter den Linden / Ecke Friedrichstraße
Tel. 8 85 98 80, Fax 8 81 35 08

Weitere Veranstalter

Kaibel & Erdmann
Stubenrauchstr. 23 a
Tel. 6 61 01 27, Fax 6 62 98 98
Alternative Fahrten im Kleinbus

Stadtrundfahrten (Fortsetzung)	Parlazzi & Co. Stadtentdeckungen und Landpartien; individuelle Kulturprogramme, von der Altsteinzeit bis zur aktuellen Stadtentwicklung; Schwerpunkt: Schlösserkultur in Berlin und Umgebung Auskunft und Anmeldung: Tel. 3 24 53 50, Fax 3 24 73 03
	Severin + Kühn Büro und Abfahrt: Kurfürstendamm 216 Tel. 8 80 40 19-0, Fax 8 82 56 18
	Klaus Schölzel Lübecker Str. 25, Tel. und Fax: 3 95 97 99 Berlins und Brandenburgs Architektur, Kultur, Geschichte
Bus, Dampfer, Rad	Stadtrundfahrtbüro Berlin Charlottenburg, Europa-Center, 15. OG, D–10789 Berlin Tel. 2 61 20 01, Fax 3 61 20 22
Kutsch- und Kremserfahrten	Der Osten Berlins kann auch per Pferdekutsche oder Kremser (große Kutschen für bis zu 25 Personen) erkundet werden. Ein günstiger Abfahrtspunkt ist der Pariser Platz vor dem Brandenburger Tor.
Stadtrundfahrt mit S- und U-Bahn	Schließlich gewähren auch Fahrten auf den Hoch- und Freistrecken mit der S-Bahn oder der U-Bahn manch interessante Ein- und Ausblicke.

Schiffsfahrten auf Spree, Havel und den Seen

Historische Stadtrundfahrten	Dampfergruppe der Berliner Geschichtswerkstatt Goltzstr. 49, Tel. 2 15 44 50 nur Mai bis September

Vom Dampfer aus erlebt man Berlin von einer ganz anderen Seite.

Die nachstehend genannten Veranstalter bieten außer den üblichen Rundfahrten sogenannte Mondschein- und Tanzfahrten an. Auskünfte sind bei den jeweiligen Schiffahrtsgesellschaften einzuholen.

Stadtbesichtigung, Schiffsfahrten (Fortsetzung)

Wassertaxi

Berliner Wassertaxi – Stadtrundfahrten
Tel. 65 88 02 03
Abfahrt: Am Festungsgraben 1
Fahrten durch das historische Zentrum Berlins in Amsterdamer Grachtenbooten

Reedereien

Reederei Elke Schlenther
Treuenbrietzener Str. 19, Tel. 4 16 27 32
Abfahrt: Tegeler Weg, gegenüber dem Landgericht

SpreefahrtHorst Duggen
An der Kongreßhalle, Tel. 3 94 49 54, Fax 3 94 61 02
Abfahrt: Kongreßhalle, Terrasse
Rundfahrten auf der Spree und dem Landwehrkanal

Stern- und Kreisschiffahrt / Weiße Flotte
Puschkinallee 16 / 17, Tel. 53 63 60-0, Fax 53 63 60-77
Angebot und Abfahrtspunkte:
Wannseefahrten verschiedener Länge ab Wannsee (unterhalb vom S-Bahnhof), Infos: Tel. 8 03 87 50 oder 8 03 10 55; von Tegel / Greenwichpromenade über den Wannsee nach Werder; Fahrten (mit Moderation) auf der Spree und den innerstädtischen Kanälen, u. a. ab Jannowitzbrücke, Nikolaiviertel und Friedrichstraße zur Schloßbrücke Charlottenburg; Müggelsee-Rundfahrten ab Friedrichshagen vorbei an den Müggelbergen und zurück; Ausflugsfahrt auf den Dahmegewässern ab Jannowitzbrücke und Grünau; v. a. Sa. im Sommerhalbjahr viele Sonderfahrten wie Lichterfahrt durch die Innenstadt oder Tanz auf dem See.
Möglich ist auch eine historische Kombi-Fahrt mit dem Zille-Bus (s. zuvor) und mit dem Museumsdampfer.

Reederei Hartmut Triebler
Bratringweg 29, Tel. 3 71 16 71
Abfahrt: Wannsee, Brücke D; Tegel, Brücke 1

Reederei Bruno Winkler
Miersendorffstr. 16, Tel. 34 99 59-5, Fax 3 49 00 11
Abfahrt: Wannsee, Brücke 3; Spandau-Lindenufer; Schloßbrücke Charlottenburg
Angebot: Wannsee, 10-Seen-Fahrt um Potsdam, Havelfahrt nach Brandenburg

Rundflüge

Charterflüge mit Flugzeugen oder Hubschraubern vermittelt:

Kanzler Executive Service,
Flughafen Tempelhof, Tower 11, D-12101 Berlin
Tel. 6 94 94 90, Fax 6 94 93 01

Taxi

Taxizentralen

City-Funk: Tel. 21 02 02
Funk-Taxi: Tel. 26 10 26
Spree-Funk: Tel. 69 10 01 und 96 44
Taxi-Funk Berlin: Tel. 6 90 22
Würfelfunk: Tel. 21 01 01

Behindertentransporte → Behindertenhilfe

Telefon

Vorwahlnummern

von deutschen Ortsnetzen: 0 30
von Österreich: 00 49 30
von der Schweiz: 00 49 30

Telefondienste

Auskunft national: 11 8 33
Auskunft international: 11 8 34
Benachrichtigungs-, Erinnerungs- und Weckaufträge: 0 11 41
Kinoprogramm: A bis K 01 15 11, L bis Z 01 15 12
Theaterprogramm: Tel. 0 11 56

Theater

Theaterstadt Berlin

Berlin hat eine sehr große Tradition als Theaterstadt. Regisseure und Autoren wie Erwin Piscator, Max Reinhardt oder Bertolt Brecht begründeten in der Zeit vor der Machtergreifung der Nationalsozialisten den Ruf der Stadt als einen Ort des modernen, experimentierfreudigen Theaters. Heute setzt sich die Theaterlandschaft von Berlin aus renommierten staatlichen Häusern wie dem Berliner Ensemble und einer Vielzahl privater, oft einen sehr guten Ruf genießenden Bühnen sowie kleiner Off-Theater zusammen. Die leeren Kassen der öffentlichen Hand bedrohen allerdings den Bestand der Berliner Theater.

Theaterferien

Während des Sommers schließen die meisten Theater.

Eintrittskarten

Eintrittskarten sind an den Theaterkassen und bei diversen → Vorverkaufsstellen erhältlich. Es empfiehlt sich, Karten frühzeitig zu besorgen.

Spielplan

Der Spielplan ist in den Tageszeitungen sowie in verschiedenen Zeitschriften und im Magazin 'Berlin-Programm' abgedruckt. Darüber hinaus wird das aktuelle Programm auch unter Tel. 0 11 56 angesagt.

Berliner Bühnen

bat Studiobühne / Berliner Arbeiter- und Studententheater
Belforter Str. 15 (Prenzlauer Berg), Tel. 4 42 76 13
Inszenierungen von Schauspielstudenten

Berliner Ensemble am Schiffbauerdamm
Bertolt-Brecht-Platz 1 (Mitte), Tel. 2 83 88-155 (Kasse), -150 (Reservierung)
Modernes Schauspiel und Stücke von Brecht

Berliner Kammerspiele
Alt-Moabit 98 (Tiergarten), Tel. 3 91 55 43, Fax 3 91 30 61
Jugendtheater mit Inszenierungen kritischer Gegenwartsliteratur

Deutsches Theater und Kammerspiele
Schumannstr. 13a (Mitte), Tel. 2 84 41-221 oder
Kasse Deutsches Theater, Tel. -225, Kasse Kammerspiele, Tel. -226
Klassische und moderne Schauspiele, Pantomimenensemble

Freie Theateranstalt Berlin
Klausenerplatz 19 (Charlottenburg), Tel. 3 21 58 89

Freie Volksbühne
Ruhrstr. 6 (Wilmersdorf), Tel. 86 00 93-0

Hansa-Theater Berliner Volkstheater
Alt-Moabit 48 (Tiergarten), Tel. 3 91 44 60
Volksstücke

Berliner Bühnen
(Fortsetzung)

Hebbel-Theater
Stresemannstr. 29 (Kreuzberg), Tel. 2 59 00 40
Tanztheater, Musiktheater (Eigenproduktion und Gastspiele)

Kleines Theater
Südwestkorso 64 (Wilmersdorf), Tel. 8 21 20 21

Komödie am Kurfürstendamm
Kurfürstendamm 206 (Charlottenburg), Tel. 47 99 74 40
Boulevardtheater

Maxim-Gorki-Theater und Studiobühne
Am Festungsgraben 2 (Mitte), Tel. 20 22 11 15
Gegenwartsdrama

Mehringhoftheater Kreuzberg
Gneisenaustr. 2a (Kreuzberg), Tel. 6 91 50 99

Renaissance-Theater
Knesebeckstr. 100 (Charlottenburg), Tel. 3 12 42 02, Fax 3 12 63 69
Schauspiel und Komödie

Schaubühne am Lehniner Platz
Kurfürstendamm 153 (Charlottenburg), Tel. 89 00 23
Modernes Schauspiel und klassische Dramen

Schloßpark-Theater
Schloßstr. 48 (Steglitz), Tel. 7 93 15 15

Theater am Kurfürstendamm
Kurfürstendamm 206 (Charlottenburg), Tel. 8 82 37 <89
Schauspiel und Komödie, Boulevardstücke

Theater des Westens
Kantstr. 12 (Charlottenburg), Tel. 8 82 28 88
u. a. Musicals

Theater am Halleschen Ufer
Hallesches Ufer 32 (Kreuzberg), Tel. 2 51 09 41
Oper, Schauspiel, Tanz

Tribüne
Otto-Suhr-Allee 18 (Charlottenburg), Tel. 3 41 26 00
Zeitgenössische Stücke, Volkstheater, Musiktheater

Vaganten-Bühne
Kantstr. 12a (Charlottenburg), Tel. 3 12 45 29, Fax 3 13 12 07
Schauspiel, modernes Theater

Volksbühne am Rosa-Luxemburg-Platz
Rosa-Luxemburg-Platz (Mitte), Tel. 2 40 65-661
Das Haus macht durch ungewöhnliche Inszenierungen immer wieder von sich reden.

Multikulturelle
Stätten

In den nachfolgend erwähnten Einrichtungen finden außer Theateraufführungen auch zahlreiche andere Veranstaltungen statt.

Arena
Eichenstr. 4 (Treptow), Tel. 5 33 20 30
Untergekommen in einem ehemaligen Busdepot bietet dieses multikulturelle Zentrum Theater-, Konzert-, Tanz- und Kinoveranstaltungen sowie Ausstellungen

Multikulturelle Stätten (Fortsetzung)

Haus der Kulturen der Welt
John-Foster-Dulles-Allee 10 (Tiergarten), Tel. 3 97 87-0
Theater- und Konzertveranstaltungen, Ausstellungen; im Sommer Open-air-Festivals

Kulturbrauerei,
Schönhauser Allee 36–39 (Eingang Knaackstr.), Tel. 4 41 92 69
Musik und Theater am Prenzlauer Berg

Podewil
Klosterstr. 68 – 70 (Mitte), Tel. 2 47 49-6
Theater, Tanz, Konzerte, Literatur u. v. a. im Podewilschen Palais

Tacheles, Internationales Kunsthaus
Oranienburger Straße 54 – 56 (Mitte), Tel. 2 82 61 85
Veranstaltungen und Produktionen aller Kunstgenres, Werkstätten bildender Kunst, Open-air-Veranstaltungen; danach trifft man sich im gruftigen Café Zapata im Erdgeschoß

Tempodrom
In den Zelten (Tiergarten), Tel. 20 61 00-11
Open-air-Bühne; im Sommer Festival Heimatklänge → Veranstaltungen

Tränenpalast
Reichstagufer 17 (Mitte), Tel. 20 61 00-11
Theater, Konzerte und Musicals, Film

UFA-Fabrik
Viktoriastr. 13 (Tempelhof), Tel. 75 50 30
Großes Multimedia-Kulturzentrum

Kinder-, Jugend- und Puppentheater

Berliner Figurentheater
Yorckstr. 59 (Kreuzberg), Tel. 7 86 98 15

Cabuwazi
Wiener Str. 59 h (Kreuzberg), Tel. 6 11 92 75

Carousel Theater an der Parkaue
Parkaue 29 (Lichtenberg), Tel. 55 77 52 56
Kinder- und Jugendtheater des Landes Berlin;
Familientheater an Wochenenden und Feiertagen

Fliegendes Theater
Hasenheide 54 (Kreuzberg), Tel. 6 92 21 00

Grips-Theater
Altonaer Str. 22 (Tiergarten), Tel. 3 91 40 04

Kappedeschle-Kaspertheater
Schustehrusstr. 3 (Charlottenburg), Tel. 7 81 26 33

Klecks, Berliner Kindertheater mit Puppen
Schinkestr. 8–9 (Treptow), Tel. 6 93 77 31

Schaubude – Puppentheater
Greifswalder Str. 81 – 84 (Prenzlauer Berg), Tel. 4 23 43 14

Puppentheater Harlekin
Marksburgstr. 24 (Schöneberg), Tel. 4 22 99 78

Rote Grütze
Mehringdamm 51 (Kreuzberg), Tel. 4 42 08 16

Kindertheater (Fortsetzung)

Theater im Schmalen Handtuch
Frankfurter Allee 91 (Friedrichshain), Tel. 5 88 46 59

Kabaretts

BKA – Berliner Kabarett Anstalt
Mehringdamm 32 – 34 (Kreuzberg), Tel. 2 51 01 12

Die Radieschen
Am Köllnischen Park 6 – 6 / Ecke Rungestraße (Mitte), Tel. 30 86 28 10

Distel – Das Berliner Kabarett-Theater am Bahnhof Friedrichstraße
Friedrichstr. 101 (mitte), Tel. 2 04 47 04

Kabarettkneipe Kartoon
Französische Str. 24 (Mitte), Tel. 2 29 93 05
Speisen mit kabarettistischen Einlagen

Die Stachelschweine
Europa-Center (Charlottenburg), Tel. 2 61 47 95

Die wühlmäuse
Nürnberger Str. 33 / Ecke Lietzenburger Straße (Charlottenburg), Tel. 2 13 70 47

Revue und Varieté

Bar jeder Vernunft
Schaperstr. 24 (Wilmersdorf), Tel. 8 83 15 82
Kabarett und Chansons unter dem Spiegelzeltdach

Chamäleon Varieté
Hackesche Höfe, Rosenthaler Str. 40 – 41 (Mitte), Tel. 2 82 71 18

Friedrichstadtpalast
Friedrichstr. 107 (Mitte), Tel. 2 32 62 -0
Europas größtes Revuetheater bietet nach wie vor die klassische Großrevue mit befrackten Herren und langbeinigen Tänzerinnen.

La Vie en Rose
im ehem. Schulungszentrum der amerikanischen Armee, Güntzelstr, 55 (Tempelhof), Tel. 3 23 60 06

Wintergarten – Das Varieté
Potsdamer Str. 96 (Tiergarten), Tel. 25 08 88-0

Zaubertheater Igor Jedlin
Roscherstr. 7 (Charlottenburg), Tel. 3 23 37 77

Touristenkarte

Berlin Potsdam WelcomeCard DM 32,– (2000)

Mit der Berlin Potsdam WelcomeCard genießt man drei Tage freie Fahrt mit allen Bussen und Bahnen in Berlin und Potsdam in den Tarifzonen A, B und C, erhält 50% Ermäßigung in einigen Museen und ein Gutscheinheft, das in manchen Theatern, Sehenswürdigkeiten und Freizeit- und Erlebniseinrichtungen ebenfalls bis 50% Rabatt gewährt.

Gültigkeit

Beide Karten sind jeweils gültig für einen Erwachsenen und bis zu drei Kindern unter 14 Jahren.

Verkaufsstellen

Die Karten werden bei der Tourist Information (→ Auskunft), in → Hotels, bei der VBB (→ Verkehrsmittel) und an VBB-Fahrkartenautomaten verkauft; die Berlin Potsdam WelcomeCard ist außerdem erhältlich bei der Potsdam Information (→ Auskunft).

Veranstaltungen

Januar	Berliner Neujahrslauf (Unter den Linden) Internationale Grüne Woche (Ernährung, Landwirtschaft, Gartenbau) Heim-Tier & Pflanze (Messe / Ausstellung) Sechs-Tage-Rennen (Radsportveranstaltung)
Ende Januar bis Anfang März	Wochen der Alten Musik (Veranstaltungsreihe der Staatsoper Unter den Linden)
Februar	Internationale Filmfestspiele (Berlinale) Berliner Rosenmontagskonzerte
März	Internationale Tourismus-Börse (ITB) BMT – Berliner Motorradtage Metrobeat-Festival (Musikfestival)
März / April	Staatsoper Unter den Linden: Festtage (gemischtes Programm aus Oper und Konzert)
April	Britzer Baumblüte (Frühlingsfest in der Parchimer Allee)
Ende April bis Mitte Mai	Neuköllner Frühlingsfest im Volkspark Hasenheide
Mai	Theatertreffen Berlin DFB-Pokalendspiel German Open der Damen (Tennis)
Mitte Juni bis Mitte Juli	Deutsch-Französisches Volksfest
Mitte Juni bis Ende Juli	Konzertsommer im Englischen Garten (Klassik, Jazz und Folk; Fr. – So.)
Ende Juni	Christopher Street Day (Schwulen- und Lesbenparade in der Innenstadt)
Ende Juni bis Anfang Juli	Open Air Klassik Hoppegarten Classic Open Air Berlin-Gendarmenmarkt (Höhepunkt der Berliner Open-air-Saison) Open-air-Saison auf der Waldbühne
Ende Juni bis Anf. Sept.	Brandenburgische Sommerkonzerte – Klassiker auf Landpartie
Juli	Bach Tage Berlin Karl-May-Fest auf den Tegeler Seeterrassen Love Parade (großer Umzug und Techno Party in der Innenstadt, Ziel Hunderttausender Technofreaks)
Anfang Juli bis Ende August	Heimatklänge (größtes Open-air-Festival Berlins; jedesmal unter einem anderen Motto)
August	Gauklerfest am Opernpalais (Straßenfest mit Kleinkunstdarbietungen und Gourmetstraße) Stralauer Fischzug (Volksfest und Schiffscorso zum Bartholomäustag rund um die Rummelsburger Bucht) Internationales Stadionfest der Leichtathleten ISTAF
Ende Aug. bis Anf. Sept.	Internationale Funkausstellung Berlin (alle zwei Jahre: 2001, 2003 etc.) Kreuzberger Festliche Tage (Volkfest im Viktoriapark, Katzbachstraße)
September	Berliner Festwochen (Ausstellungen, Konzerte, Literatur, Filme, Gespräche) Wannsee in Flammen (Schiffskorso mit Feuerwerk auf dem Wannsee) Berlin-Marathon (Gedächtniskirche)

Veranstaltungen (Fortsetzung) Oktober

Deutschlands Fest am 3. Oktober (Nationalfeiertag; großer Umzug auf dem Boulevard Unter den Linden mit Präsentation der deutschen Bundesländer)
Herbstfest auf dem Kurt-Schumacher-Damm
Berliner Jedermann-Festspiele
JazzFest Berlin (Jazzfestival)
aaa: Auto-Ausstellung Berlin (unregelmäßig)

November

Internationale Boots-Ausstellung Berlin
Internationales Reit- und Springturnier (CHI)
Hobbyland Berlin (Verkaufsausstellung für Modellbau, Modelleisenbahn, Hobby-Elektronik und Spiel)

Ende Nov. bis Ende Dez.

Weihnachtsmarkt rund um die Gedächtniskirche
Berliner Weihnachtsmarkt (Schloßplatz, Unter den Linden)

Dezember

Weihnachtsmärkte in vielen Bezirken
Berliner Silvesterlauf

Verkehrsmittel (Öffentlicher Nahverkehr)

Verkehrsgemeinschaft Berlin-Brandenburg (VBB)

Der öffentliche Nahverkehr in Berlin ist hervorragend organisiert, so daß die meisten sehenswerten Punkte ohne Mühe zu erreichen sind. Die Berliner Verkehrsbetriebe (BVG), die Deutsche Bahn AG (DB), die S-Bahn Berlin GmbH, die Verkehrsbetriebe Potsdam GmbH (ViP) und drei kleinere Bus-, Straßenbahn- und Eisenbahnbetriebe des Umlandes sind zur Verkehrsgemeinschaft Berlin-Brandenburg (VBB) zusammengeschlossen. Während im Westteil der Stadt die Hauptlast des öffentlichen Verkehrs von U-Bahn und Bussen, weniger von der S-Bahn, bewältigt wird, erledigen dies im Osten hauptsächlich S-Bahn, Straßenbahn und Bus, wogegen die U-Bahn dort eine weniger wichtige Rolle spielt.

Ausbau

Nach dem Fall der Mauer sind viele der unterbrochenen Verkehrswege, insbesondere die S-Bahn-Anschlüsse ins Umland (Wannsee – Potsdam, Lichtenrade – Blankenfelde, Frohnau – Oranienburg) sowie der Südring Köllnische Heide – Baumschulenweg wieder hergestellt. Weitere Ausbauten des U-Bahn-Netzes sind geplant.

Auskunft BVG

Tarif- und Fahrplanauskunft: Tel. 1 94 49
Informationspavillon am Bahnhof Zoo, Hardenbergplatz, Tel. 2 56 24 62
Geöffnet: tgl. 6.30 – 20.00 Uhr
Kundenzentrum U-Bahnhof Turmstraße (U 9)
Geöffnet Mo. – Fr. 6.30 – 20.30, Sa. 9.00 – 15.30 Uhr
Bahnhof Alexanderplatz, Tel. 24 36 22 77
Geöffnet: tgl. 6.00 – 21.00 Uhr

Kinder

Kinder bis zum vollendeten 6. Lebensjahr fahren umsonst, ab dem 7. und bis zum vollendeten 14. Lebensjahr zum ermäßigten Tarif.

Fahrkartenverkaufsstellen

Einzelfahrausweise und Zeitkarten sind bei den Auskunftstellen, an Automaten und Verkaufsstellen in den meisten U- und S-Bahnhöfen, in Bussen, Straßenbahnen, Tabakwarenläden und Drogerien erhältlich.

Zeitkarten

Zeitkarten für 1 Tag bis zu drei Tagen → Touristenkarten
Für längere Aufenthalte empfehlen sich die übertragbare 7-Tage-Karte oder die übertragbare Umweltkarte.

R-Bahn

Die 25 Linien der von der DB betriebenen Züge der R-Bahn gehören zur Ringbahnstrecke um Berlin, die wieder geschlossen werden soll (RE-Linien nur mit Zuschlag).

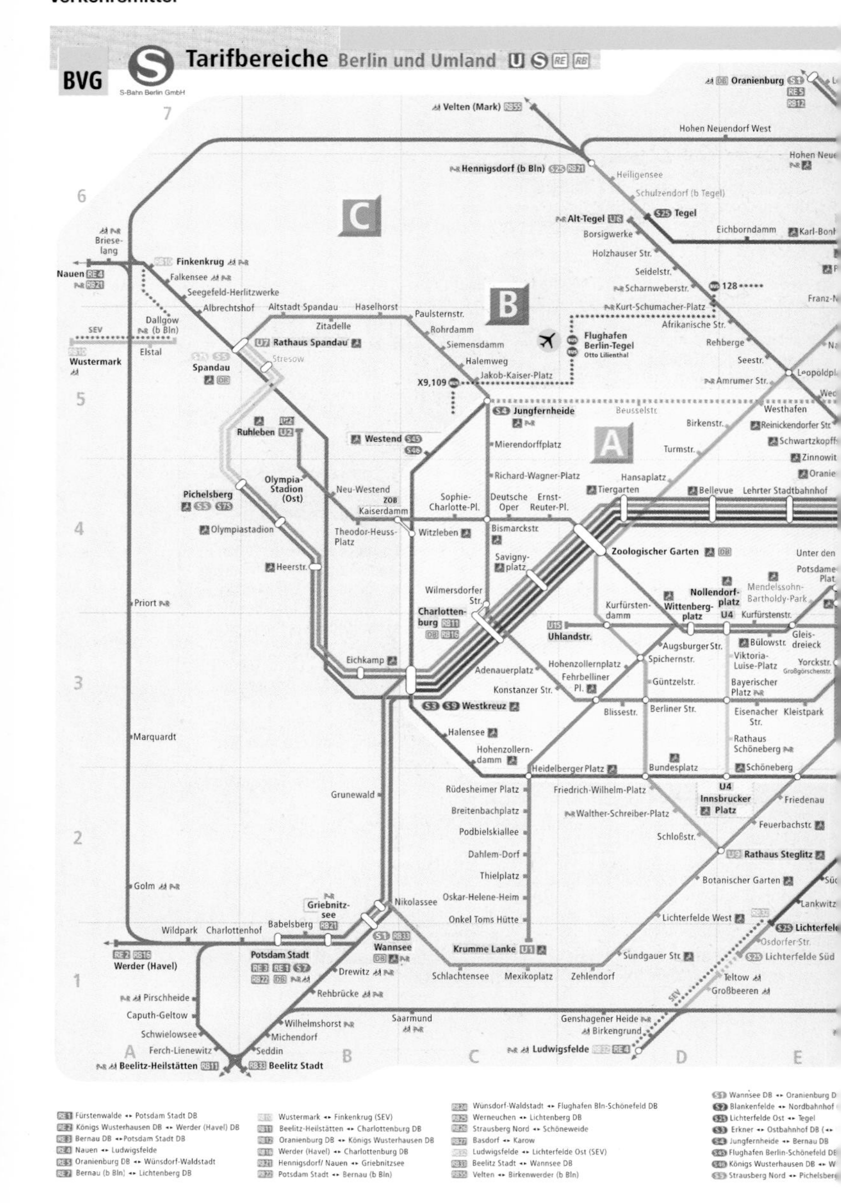
BVG
S-Bahn Berlin GmbH
Tarifbereiche Berlin und Umland
A
B
C
Velten (Mark) RB55
Oranienburg S1 RE5 RB12
Hohen Neuendorf West
Hennigsdorf (b Bln) S25 RB21
Heiligensee
Schulzendorf (b Tegel)
Alt-Tegel U6
Tegel S25
Borsigwerke
Eichborndamm
Holzhauser Str.
Seidelstr.
Scharnweberstr.
128
Kurt-Schumacher-Platz
Afrikanische Str.
Rehberge
Seestr.
Amrumer Str.
Leopoldpl.
Westhafen
Reinickendorfer Str.
Schwartzkopff
Zinnowit
Oranie
Franz-N
Karl-Bon
Flughafen Berlin-Tegel
Otto Lilienthal
Briese-lang
Nauen RE4 RB21
Finkenkrug
Falkensee
Seegefeld-Herlitzwerke
Albrechtshof
Dallgow (b Bln)
Elstal
SEV
Wustermark
Altstadt Spandau
Haselhorst
Paulsternstr.
Zitadelle
Rohrdamm
Siemensdamm
Halemweg
Jakob-Kaiser-Platz
X9,109
Rathaus Spandau U7
Stresow
Spandau S75 S5 DB
Jungfernheide S41
Beusselstr.
Birkenstr.
Turmstr.
Mierendorffplatz
Richard-Wagner-Platz
Hansaplatz
Tiergarten
Bellevue
Lehrter Stadtbahnhof
Ruhleben U2
Westend S45 S46
Olympia-Stadion (Ost)
Neu-Westend
ZOB Kaiserdamm
Sophie-Charlotte-Pl.
Deutsche Oper
Ernst-Reuter-Pl.
Pichelsberg S5 S75
Olympiastadion
Theodor-Heuss-Platz
Witzleben
Bismarckstr.
Zoologischer Garten DB
Savigny-platz
Heerstr.
Unter den
Potsdamer Platz
Wilmersdorfer Str.
Charlotten-burg RB11 DB RB16
Kurfürsten-damm
Wittenberg-platz
Nollendorf-platz
Mendelssohn-Bartholdy-Park
Kurfürstenstr.
U4
U15 Uhlandstr.
Augsburger Str.
Bülowstr.
Gleis-dreieck
Priort
Spichernstr.
Viktoria-Luise-Platz
Yorckstr.
Eichkamp
Adenauerplatz
Hohenzollernplatz
Fehrbelliner Pl.
Güntzelstr.
Bayerischer Platz
Konstanzer Str.
S3 S9 Westkreuz
Blissestr.
Berliner Str.
Eisenacher Str.
Kleistpark
Halensee
Rathaus Schöneberg
Hohenzollern-damm
Heidelberger Platz
Bundesplatz
Schöneberg
Marquardt
Grunewald
Rüdesheimer Platz
Friedrich-Wilhelm-Platz
U4 Innsbrucker Platz
Friedenau
Breitenbachplatz
Walther-Schreiber-Platz
Feuerbachstr.
Podbielskiallee
Schloßstr.
Dahlem-Dorf
U9 Rathaus Steglitz
Thielplatz
Botanischer Garten
Golm
Oskar-Helene-Heim
Lankwitz
Nikolassee
Griebnitz-see RB21
Onkel Toms Hütte
Lichterfelde West
Babelsberg
S25 Lichterfelde
Wildpark
Charlottenhof
Osdorfer Str.
Krumme Lanke U1
RE2 RB16 Werder (Havel)
Potsdam Stadt RE3 RE1 S7 RB22 DB
S1 RB33 Wannsee DB
Sundgauer Str.
S25 Lichterfelde Süd
Drewitz
Schlachtensee
Mexikoplatz
Zehlendorf
Teltow
Großbeeren
Rehbrücke
Pirschheide
Caputh-Geltow
Saarmund
Genshagener Heide
Wilhelmshorst
Birkengrund
Schwielowsee
Michendorf
Ferch-Lienewitz
Seddin
Ludwigsfelde RE4
Beelitz-Heilstätten RB11
RB33 Beelitz Stadt
RE1 Fürstenwalde ↔ Potsdam Stadt DB
RE2 Königs Wusterhausen DB ↔ Werder (Havel) DB
RE3 Bernau DB ↔ Potsdam Stadt DB
RE4 Nauen ↔ Ludwigsfelde
RE5 Oranienburg DB ↔ Wünsdorf-Waldstadt
RE7 Bernau (b Bln) ↔ Lichtenberg DB
Wustermark ↔ Finkenkrug (SEV)
RB11 Beelitz-Heilstätten ↔ Charlottenburg DB
RB12 Oranienburg DB ↔ Königs Wusterhausen DB
RB16 Werder (Havel) ↔ Charlottenburg DB
RB21 Hennigsdorf/ Nauen ↔ Griebnitzsee
RB22 Potsdam Stadt ↔ Bernau (b Bln)
RB24 Wünsdorf-Waldstadt ↔ Flughafen Bln-Schönefeld DB
RB25 Werneuchen ↔ Lichtenberg DB
RB26 Strausberg Nord ↔ Schöneweide
RB27 Basdorf ↔ Karow
Ludwigsfelde ↔ Lichterfelde Ost (SEV)
RB33 Beelitz Stadt ↔ Wannsee DB
RB55 Velten ↔ Birkenwerder (b Bln)
S1 Wannsee DB ↔ Oranienburg D
S2 Blankenfelde ↔ Nordbahnhof
S25 Lichterfelde Ost ↔ Tegel
S3 Erkner ↔ Ostbahnhof DB (↔
S41 Jungfernheide ↔ Bernau DB
S45 Flughafen Berlin-Schönefeld DB
S46 Königs Wusterhausen DB ↔ W
S5 Strausberg Nord ↔ Pichelsberg

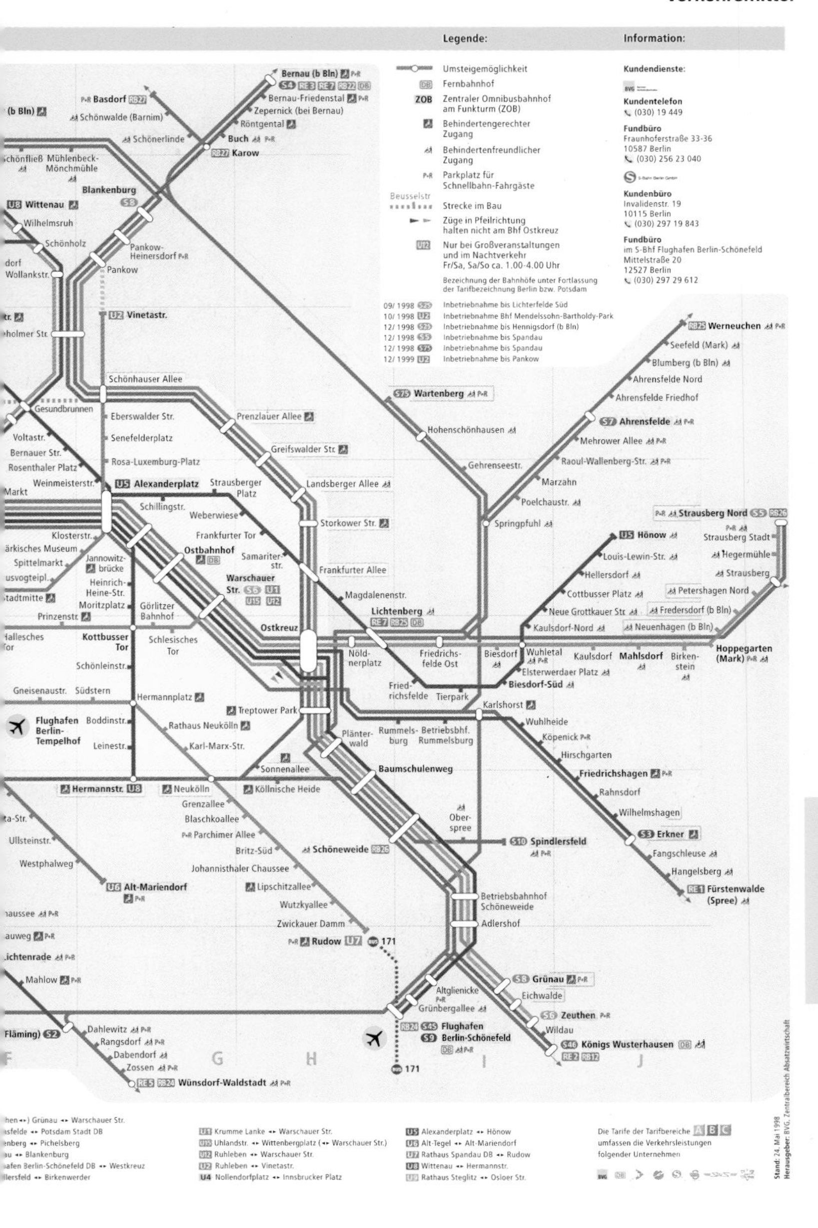
Legende:
Information:
Umsteigemöglichkeit
DB Fernbahnhof
ZOB Zentraler Omnibusbahnhof am Funkturm (ZOB)
Behindertengerechter Zugang
Behindertenfreundlicher Zugang
P+R Parkplatz für Schnellbahn-Fahrgäste
Beusselstr
Strecke im Bau
Züge in Pfeilrichtung halten nicht am Bhf Ostkreuz
U12 Nur bei Großveranstaltungen und im Nachtverkehr Fr/Sa, Sa/So ca. 1.00-4.00 Uhr
Bezeichnung der Bahnhöfe unter Fortlassung der Tarifbezeichnung Berlin bzw. Potsdam
09/ 1998 S25 Inbetriebnahme bis Lichterfelde Süd
10/ 1998 U2 Inbetriebnahme Bhf Mendelssohn-Bartholdy-Park
12/ 1998 S25 Inbetriebnahme bis Hennigsdorf (b Bln)
12/ 1998 S5 Inbetriebnahme bis Spandau
12/ 1998 S75 Inbetriebnahme bis Spandau
12/ 1999 U2 Inbetriebnahme bis Pankow
Kundendienste:
BVG
Kundentelefon
(030) 19 449
Fundbüro
Fraunhoferstraße 33-36
10587 Berlin
(030) 256 23 040
S-Bahn Berlin GmbH
Kundenbüro
Invalidenstr. 19
10115 Berlin
(030) 297 19 843
Fundbüro
im S-Bhf Flughafen Berlin-Schönefeld
Mittelstraße 20
12527 Berlin
(030) 297 29 612
Bernau (b Bln)
S4 RE3 RE7 RB22 DB
Bernau-Friedenstal
Zepernick (bei Bernau)
Röntgental
Buch
RB27 Karow
Basdorf RB27
Schönwalde (Barnim)
Schönerlinde
Schönfließ Mühlenbeck-Mönchmühle
Blankenburg
S8
U8 Wittenau
Wilhelmsruh
Schönholz
Wollankstr.
Pankow-Heinersdorf
Pankow
U2 Vinetastr.
Schönhauser Allee
Gesundbrunnen
Voltastr.
Bernauer Str.
Rosenthaler Platz
Weinmeisterstr.
Eberswalder Str.
Senefelderplatz
Rosa-Luxemburg-Platz
U5 Alexanderplatz
Strausberger Platz
Schillingstr.
Weberwiese
Frankfurter Tor
Klosterstr.
Märkisches Museum
Spittelmarkt
Jannowitzbrücke
Heinrich-Heine-Str.
Moritzplatz
Prinzenstr.
Ostbahnhof
Samariterstr.
Warschauer Str. S6 U1 U15 U12
Görlitzer Bahnhof
Kottbusser Tor
Schlesisches Tor
Schönleinstr.
Gneisenaustr. Südstern
Hermannplatz
Flughafen Berlin-Tempelhof
Boddinstr.
Leinestr.
Rathaus Neukölln
Karl-Marx-Str.
Treptower Park
Sonnenallee
Hermannstr. U8
Neukölln
Köllnische Heide
Grenzallee
Blaschkoallee
Parchimer Allee
Britz-Süd
Johannisthaler Chaussee
U6 Alt-Mariendorf
Lipschitzallee
Wutzkyallee
Zwickauer Damm
Rudow U7
171
Prenzlauer Allee
Greifswalder Str.
Landsberger Allee
Storkower Str.
Frankfurter Allee
Magdalenenstr.
Lichtenberg
RE7 RB25 DB
Ostkreuz
Nöldnerplatz
Friedrichsfelde Ost
Friedrichsfelde
Tierpark
Plänterwald
Rummelsburg
Betriebsbhf. Rummelsburg
Baumschulenweg
Schöneweide RB26
Oberspree
S10 Spindlersfeld
Betriebsbahnhof Schöneweide
Adlershof
Altglienicke
Grünbergallee
RB24 S45 Flughafen Berlin-Schönefeld
S9 DB
171
S75 Wartenberg
Hohenschönhausen
Gehrenseestr.
Springpfuhl
RB25 Werneuchen
Seefeld (Mark)
Blumberg (b Bln)
Ahrensfelde Nord
Ahrensfelde Friedhof
S7 Ahrensfelde
Mehrower Allee
Raoul-Wallenberg-Str.
Marzahn
Poelchaustr.
Strausberg Nord S5 RB26
Strausberg Stadt
Hegermühle
Strausberg
Petershagen Nord
Fredersdorf (b Bln)
Neuenhagen (b Bln)
Hoppegarten (Mark)
U5 Hönow
Louis-Lewin-Str.
Hellersdorf
Cottbusser Platz
Neue Grottkauer Str.
Kaulsdorf-Nord
Biesdorf
Wuhletal
Elsterwerdaer Platz
Biesdorf-Süd
Kaulsdorf
Mahlsdorf
Birkenstein
Karlshorst
Wuhlheide
Köpenick
Hirschgarten
Friedrichshagen
Rahnsdorf
Wilhelmshagen
S3 Erkner
Fangschleuse
Hangelsberg
RE1 Fürstenwalde (Spree)
S8 Grünau
Eichwalde
S6 Zeuthen
Wildau
S46 Königs Wusterhausen DB
RE2 RB12
Mahlow
Fläming) S2
Dahlewitz
Rangsdorf
Dabendorf
Zossen
RE5 RB24 Wünsdorf-Waldstadt
F G H I J
hen ↔) Grünau ↔ Warschauer Str.
sfelde ↔ Potsdam Stadt DB
enberg ↔ Pichelsberg
au ↔ Blankenburg
afen Berlin-Schönefeld DB ↔ Westkreuz
llersfeld ↔ Birkenwerder
U1 Krumme Lanke ↔ Warschauer Str.
U15 Uhlandstr. ↔ Wittenbergplatz (↔ Warschauer Str.)
U12 Ruhleben ↔ Warschauer Str.
U2 Ruhleben ↔ Vinetastr.
U4 Nollendorfplatz ↔ Innsbrucker Platz
U5 Alexanderplatz ↔ Hönow
U6 Alt-Tegel ↔ Alt-Mariendorf
U7 Rathaus Spandau DB ↔ Rudow
U8 Wittenau ↔ Hermannstr.
U9 Rathaus Steglitz ↔ Osloer Str.
Die Tarife der Tarifbereiche A B C umfassen die Verkehrsleistungen folgender Unternehmen
Stand: 24. Mai 1998
Herausgeber: BVG, Zentralbereich Absatzwirtschaft

Verkehrsmittel (Fortsetzung) S-Bahn

Insgesamt 14 S-Bahn-Linien verkehren teilweise rund um die Uhr in Berlin. Manche Züge stammen noch aus den dreißiger Jahren; es werden jedoch zunehmend auch (leider?) moderne Züge eingesetzt. Die nostalgischen verkehren meist noch auf den Linien S 1 und S 2.

U-Bahn

Neun U-Bahn-Linien befördern die Fahrgäste zwischen 4.00 Uhr früh und 2.00 Uhr nachts; im Osten der Stadt verkehren nur die U 2, die U 8 und die U 5, die zum künftigen Regierungsviertel verlängert werden soll. Manche der U-Bahnhöfe sind sehr schön restauriert worden; besonders gelungen sind der Jugendstilbahnhof Wittenbergplatz (U 1, U 2, U 15) sowie die Bahnhöfe Hausvogteiplatz und Märkisches Museum (U 2).

Straßenbahn (Tram)

Straßenbahnen verkehren nur im Ostteil Berlins (Ausnahme: S 23 nach Wedding verlängert). Das Schienennetz und die zumeist tschechoslowakischen Wagen sind veraltet, aus dem Nahverkehrsnetz jedoch nicht wegzudenken.

Bus

Zahlreiche Buslinien befahren die Gebiete, die von den schienengebundenen Verkehrsmitteln nicht erfaßt werden.

ZOB

Der Zentrale Omnibusbahnhof für Fernbusse befindet sich am Funkturm, Messedamm 19; Fahrkarten werden u. a. im Reisebüro, Masurenallee 4–6, Tel. 3 01 80 28, verkauft.

Vorverkaufsstellen

Hinweis

Die angeführten Vorverkaufsstellen besorgen Eintrittskarten für Theater und Konzerte in ganz Berlin.

Berlin Ticket
Potsdamer Str. 96, Tel. 23 08 82 30

Box Office
Bahnhofstr. 33, Tel. 65 07 06 00

Hekticket
Kurfürstendamm 14, Tel. 8 83 60 10, und
Alexanderplatz / Rathausstr. 1, Tel. 24 31 24 31
Karten für Vorstellungen am selben Tag zum halben Preis

Showtime GmbH
Am Kleinen Wannsee 20 e, Tel. 80 60 29 29

Showtime im KaDeWe
Tauentzienstr. 21, Tel. 2 17 77 54

Showtime im Hertie
Carl-Schurz-Str. 24, Tel. 6 87 60 71

Showtime im Wertheim
Kurfürstendamm, Tel. 8 82 25 00

Taks Theaterkarten- und Reiseservice
Behaimstr. 4, Tel. 3 41 01 33 und 3 41 02 33, Fax 3 41 31 64

Theaterkasse Centrum
Meinekestr. 25, Tel. 8 82 76 11

Theaterkasse im Europa-Center
Europa-Center, Tel. 2 61 60 31

Vorverkaufsstellen (Fortsetzung)

Theaterkasse Zehlendorf
Teltower Damm, Tel. 8 09 90 90

Theater- und Konzertkasse Berliner Morgenpost
Kurfürstendamm 16, Tel. 8 82 65 63

Ticket Counter (in den Räumen des Reisebüros im Europa Center)
Tauentzienstr. 9, Tel. 2 64 11 38, Fax 2 64 42 25

Festspielinformationen

Berliner Festspiele GmbH
Budapester Str. 50, D-10787 Berlin
Tel. 2 54 89-0 oder -100

Zeitungen und Zeitschriften (Auswahl)

Tageszeitungen

Berliner Abendblatt
Berliner Morgenpost
Berliner Zeitung
BZ / BZ am Sonntag
Der Tagesspiegel
Die Tageszeitung (taz)
Neue Zeit
Neues Deutschland

Programmzeitschriften

Berlin-Programm
Stadt- und Programmzeitschrift

tip-Magazin
Szene- und Programmzeitschrift

zitty
Stadt- und Programmzeitschrift

Register

Verzeichnis der Karten und graphischen Darstellungen

Bildnachweis

Archiv für Kultur und Geschichte: S. 29, 48, 51, 56, 57, 58, 60, 61, 63, 65, 66, 67, 68, 70, 203
Associated Press: S. 102
Baedeker-Archiv: S. 10, 35, 45
Berlin Tourismus Marketing GmbH: S. 263
Bildagentur Lade: S. 149
Bildarchiv Preußischer Kulturbesitz: S. 6 (oben), 23, 24, 88, 118, 119, 143, 156, 157, 161, 185, 186/187, 218
Bröhan-Museum: S. 107
dpa: S. 54
Rainer Eisenschmid: S. 1, 22, 38 (2 ×), 96, 99, 105, 115, 123, 124, 126 (2 ×), 139, 151, 152 (unten) 153, 167, 181, 192, 207, 221, 223, 225, 229, 242, 249, 251, 254, 280, 306
Hotel Adlon: S. 282
Kaufhaus des Westens: S. 271
Königliche Porzellan-Manufaktur Berlin: S. 148
Leiska / von Gerkan, Marg und Partner: S. 19
Mauritius: S. 78/79, 163
Messe Berlin: S. 16
Kai Ulrich Müller: S. 3, 5, 6 (unten), 6/7, 7 (2 ×), 12, 28, 32, 33, 40, 97, 98, 101, 109, 112, 133, 137, 152 (oben), 162, 166, 169, 170, 175, 178, 196, 199, 201, 210, 213, 214 (oben), 238, 245, 248, 256/257, 286, 297, 300, 302, 312
Dr. Madeleine Reincke: S. 90, 97, 104, 130, 144, 197, 214 (unten), 228, 237, 246, 247, 260, 267
Stadtmuseum Berlin: S. 172
Herbert Schlemmer: S. 8/9, 13, 16, 30, 100, 141, 146, 174, 204/205, 206, 208, 217, 220, 232, 239, 240/241
Anja Schliebitz: S. 134, 208
Bildarchiv Steffens: S. 190
Rudolf Wolf: S. 69

Titelbild: Mauritius – Rossenbach: Brandenburger Tor

Umschlagseite hinten: Eisenschmid – Elefantentor am Zoologischen Garten

Impressum

Ausstattung:
147 Abbildungen (Bildnachweis s. zuvor)
37 Karten und graphische Darstellungen (Kartenverzeichnis s. zuvor), 1 großer Cityplan

Textbeiträge: Vera Beck, Marianne Bernhard, Rainer Eisenschmid, Dr. Madeleine Reincke,
Jörn Trümper (Special "Das neue Berlin")

Bearbeitung: Baedeker-Redaktion (Rainer Eisenschmid)

Kartographie: Christoph Gallus, Hohberg-Niederschopfheim; Franz Huber, München;
Bernd Matthes, Berlin;
Falk Verlag, Ostfildern (großer Cityplan)

Gesamtleitung: Rainer Eisenschmid, Baedeker Ostfildern

14. Auflage 2001

Urheberschaft: Karl Baedeker GmbH, Ostfildern
Nutzungsrecht: Mairs Geographischer Verlag GmbH & Co., Ostfildern

Printed in Germany
ISBN 3-87504-126-7

Gedruckt auf 100% chlorfreiem Papier

Notizen